Der zerbrochene Krug

(*See Notes, page 314*)

𝕳eath's 𝕸odern 𝕷anguage 𝕾eries

MODERN
GERMAN STORIES

*EDITED WITH INTRODUCTION, NOTES,
AND VOCABULARY*

BY

ALLEN W. PORTERFIELD
PROFESSOR IN WEST VIRGINIA UNIVERSITY

... Ich bin stets
Ein Freund gewesen von Geschichtchen, gut
Erzählt.

— *Lessing*

D. C. HEATH AND COMPANY
BOSTON   NEW YORK   CHICAGO   LONDON
ATLANTA   DALLAS   SAN FRANCISCO

PREFACE

THIS book is a modest attempt to emphasize the fact that the German Short Story, by whatever name it may be known, is a distinct and highly developed type of literature that has had a long, unbroken, and enviable history. And though the text, for obvious reasons, can do no more than merely suggest the inexhaustible richness of the *Novelle*, the book is the first of its kind that sets out to prove that the history of the German Short Story is in itself a theme of extreme fascination. How the German Short Story has developed, and why it has thus far never been given the privilege of a distinct literary category, are matters that concern the Introduction, where they are treated with irreducible brevity.

As to the stories included, scores of volumes were investigated before they were finally decided upon. It was a task that stretched out over the odd hours of three years, and proved at once light and heavy. The vast majority of German short stories that came within my observation were far too long; and an equal number of them failed, as to the subjects treated, in those requirements that are indispensable to successful work with students. It was a case therefore where investigation was doubly fruitful: the stories that were needed were found; and in the meantime the general wealth and extreme variety of the German Short Story became impressive.

None of these stories has ever been edited before. Indeed, of the twenty-two authors here represented, no fewer than fifteen are at present strangers to the classrooms of English-speaking countries. Only two of the stories are reproduced precisely as they were originally written. The excisions, brief though they are in some instances, amount in others to approximately one-half of the original. In two cases the titles have been changed; and in two other cases the excisions have made negligible textual

iii

modifications necessary. Otherwise, what is given was written by the authors themselves.

As to form and meaning, in other words, thought and contents, Werfel would cause the student, if unguided, some difficulty; nor has Schnitzler here quite lived up to his reputation for simplicity. The remaining twenty stories are of marked clarity; they are so simple that their meaning can be grasped by anyone who can read German. Nor do any of them offer pronounced difficulty from the grammatical or syntactical point of view. The easiest ones, judged by this standard, are those by Ludwig Thoma, Berend, Rosegger, Auerbach, and Goethe; these can be read with ease in the first year of College German. The most difficult are perhaps those by Heinrich Mann, Carl Hauptmann, Clara Viebig, Auguste Supper, and Ginzkey. The remaining twelve vary but little in the few difficulties they may offer. Heinrich Mann's *Der Sohn* is the most realistic of the entire lot; it falls however quite within the realm of established propriety. The opening stories are arranged in chronological order; the closing ones, since they are all so nearly contemporaneous, are arranged rather with reference to such juxtaposition as seemed logical where there was a striking similarity of content.

The notes aim at actual usefulness. Each section is prefixed with a brief biography and estimate of the author. Allusions, as well as historical and other informational references in the text, have been explained. Assistance in the understanding and interpretation of the text has been given, with occasional guidance for proper translation and appreciation. The very size of the book, however, with its 262 pages of German text, made excursions into the fields of syntactical discussion and textual interpretation an affair of constant restraint and condensation.

I express, without affectation, my indebtedness to those of the authors who gave their permission for the free use of their stories; to my colleagues Professor Werner C. Michel and Fräulein Lydia Roesch for their services in helping to locate the stories; to my wife, Elsie de V. Porterfield, who did some of the tedious work incident to a task of this nature; to my colleague Professor Walter Wadepuhl, whose experience with vocabularies was gener-

ously placed at my disposal; and especially to Dr. Alexander
Green of D. C. Heath and Company, whose literary judgment
proved at all times as sound as his philological insight was deep.
His collaboration made the carrying of an otherwise heavy burden
both light and pleasant for me.

A. W. P.

November, 1927

Inhalt

Seite

PREFACE iii

INTRODUCTION . . . . vii–xxxvii

    The German Short Story: Its Historical Development
    and Present Status vii
    Classified Bibliography xxxii

 1. Die gefährliche Wette . . . . Goethe   3
 2. Merkwürdige Schicksale . . . . . . Hebel   10
 3. Der Affe als Mensch . . . . Hauff   16
 4. Der Geigerlex . . . . Auerbach   33
 5. Der ordentliche Augustin . . . . . . Rosegger   47
 6. Kapitän . . . . Keller   56
 7. Der Landstreicher . . . . Carl Hauptmann   71
 8. Das verlorene Kalb . . . . Viebig   80
 9. Fröhliche Leut' . . . . Sudermann   104
10. Die dreifache Warnung . . . . Schnitzler   111
11. Versammlung . . . . Supper   117
12. Der Sohn . . . . Heinrich Mann   138
13. Der Dschin . . . . Werfel   152
14. Der Hofpoet . . . . Ginzkey   167
15. Das Tier . . . . Wassermann   177
16. Das Eisenbahnunglück . . . . Thomas Mann   181
17. Gretchen Vollbeck . . . . Thoma   194
18. Die schöne Frau . . . . Bahr   201
19. Die Fahrkarte . . . . Tovote   211
20. Der Ärger des Herrn Tobias Stöckl . . . Berend   220
21. Wächter-Legende . . . . Beyerlein   234
22. Der zerbrochene Krug . . . . Hohlbaum   244

BIOGRAPHICAL SKETCHES AND NOTES 263

VOCABULARY 321

INTRODUCTION

The German Short Story: Its Historical Development and Present Status

I

IN ALL the relations of life, human and otherwise, the species precedes the class; the thing comes before the terminology. Stories that are short were being written in the German language approximately five centuries before Lessing, Wieland, the two Schlegels, Goethe, and Tieck did what they could by way of popularizing the term *Novelle* as a convenient label for a Short Story. Nor does the matter stop with classification. On the contrary, so soon as classes have been agreed upon, men and things are made to fit into them. Not to be adaptable to any one class is to incur the charge of irregularity. To fit wholly into one class is to be excluded from another. And, what is still more bewildering, classes beget sub-divisions which in time rise to the dignity of independent classes. The German Short Story has never been exactly the same since the men above referred to emphasized and established the significance of the word *Novelle;* for the German mind takes so readily to analysis, with its inescapable divisions and sub-divisions, that the number of names given to what remains a Short Story is at present almost legion.

This wealth of terminology does not however essentially alter the case. It makes it in truth all the more reasonable to say that the German Short Story is just as old as German literature. Its case parallels that of Pallas Athene. According to the most fascinating myth known to Occidental civilization, Athene sprang full-grown from the brain of her god and father Zeus. In her case there was no evolution; she was perfect at birth. What really happened in the case of Athene was that after cen-

turies of personal and civic development in all those spheres of
activity over which the bright-eyed goddess of wisdom and
cunning was destined to preside, the Greeks had her born; they
called her into official being; they christened as "Athene" a
state of mind that had been long in the making.

But, curiously enough, the history of the German Short Story
has never yet been written. As long ago as 1882, Wilhelm Scherer
issued a challenge in this connection. Scherer reviewed Rudolf
Lindau's *Die kleine Welt*, a collection of short stories, for *Die
deutsche Litteraturzeitung*.[1] With Erdmannsdörffer's treatise entitled *Das Zeitalter der Novelle in Hellas* then fresh in his mind,
Scherer led off with the remark that it was not necessary to go
back to ancient Greece for classical stories. He contended, rather,
that Germany was producing them in great quantities and that,
while it was quite difficult to find a contemporary German novel
or lyric (he was silent about the drama) which did not reveal
some defect in either form or thought, it was reassuringly easy
to find short stories that were perfect. He then intimated that
there should be a history of the Short Story in Germany, and
that he might write it. He died however four years later, and
the subject remains to this day a fertile but neglected field.

Some German scholars have indeed turned their attention
since then to the Short Story as a form of fiction with a long and
connected history, but they are unclear as to fundamental con-
cepts. Thus, Hermann Weisser published (1926) his *Deutsche
Novelle im Mittelalter*. And Hans Heinrich Borcherdt, who is
writing his *Geschichte des Romans und der Novelle*, (the first volume covers the subject from the early Middle Ages to Wieland),
also writes of the *Novelle* in "the early Middle Ages," when, as
a matter of fact, antecedent investigation has proved rather con-
clusively that Pamphilius Gengenbach (1523) was the first German
to adopt the relatively modern terminology, in the Italian form
novella. Lessing [2] was the first German to use the word *Novelle*,
in 1759, though he wrote "*Nouvelle*." Likewise, Alfred Biese

[1] Cf. *Kleine Schriften*. Edited by Erich Schmidt, Berlin, 1893.

[2] Cf. Lessing's *Briefe die neueste Literatur betreffend*, no. 53, where Lessing
refers to one Mme. Gillot de Saintonge as a *Nouvellenschreiberin*.

(1912) calls Wernher der Gärtner's *Meier Helmbrecht* a *Novelle.*[3]
But the term was not known even in France, Italy, and Spain,
whence the Germans borrowed it five centuries later, when this
tale of small-town life in Austria was written, about 1270.

No scholar would refer to Goethe's *Faust* as *ein Trauerspiel*,
Goethe himself having called it *eine Tragödie;* when it comes
however to the Short Story, the best of scholars do not hesitate to call it by whatever name appeals most strongly to their
fancy, quite regardless of the author's original terminology.
The matter is of real consequence, for it is unlikely that we
shall have an adequate history of the Short Story until some
agreement has been reached with regard to a name. This is at
present so varied that one might parody Faust: *Wer kann das
Kind bei'm rechten Namen nennen?* [4]

II

The historian who writes in English can do but one thing:
overlook this wealth of names and refer to all brief pieces of
narrative fiction as so many short stories. What can be said of
these, as a distinct type in German literature, from the beginning
to the Reformation, or to 1500?

No such type was possible previous to 1200, for the quite simple reason that there was then no prose in which stories might
have been written. German prose was almost two centuries
behind French in developing. It was not until 1687, fourteen
years after the death of Molière and six years after the birth of
Voltaire, that Christian Thomasius amazed, and to a degree

[3] Cf. *Deutsche Literaturgeschichte*, vol. i., page 140.

[4] The leading names given to Short Stories that the writer found while look-
ing for the stories included in the present text, and while reading the works on
the Short Story in German, are as follows: *Abenteuer, Allegorie, Anekdote, Bild,
Caprizzio, Darstellung, Dialog, Dichtung, Einfall, Erzählung, Facetie, Fabel, Ge-
mälde, Geschichtchen, Geschichte, Histörchen, Historie, Humoreske, kleiner Roman,
Kurzgeschichte, Legende, Mär, Märchen, Märlein, Novelle, Novelette, Parabel,
Phantasie, Plauderei, Prosidyll, Posse, Sage, Scherz, Schnurre, Schwank, Skizze,
Spass, Studie, Unterhaltung, Witz.* And as if this were not enough, the Ger-
man has coined no end of such compounds as *Tiersage, Schwanknovelle*, and
Predigtmärlein.

irritated, his colleagues at the University of Leipzig by announcing that from then on his lectures would be delivered in German and not in Latin. Martin Luther, born in 1483, has been called, and rightly so, the father of German prose. One dare not expect too much of children. The most that can be said is that German prose [5] had really begun to show signs of becoming an effective medium of expression by 1500.

Such development as may be recorded was, to a degree, an accident; it was a case of the ill wind that brought after all good in its wake. It was a dull period in creative literature. The great classical days of Wolfram von Eschenbach, Gottfried von Strassburg, and their contemporaries were over, and such literature as was being produced came, from 1300 to 1500, from the quills of plain, uninspired citizens. But there were a few writers who had the ingenuity and foresight to turn to foreign literatures, and to become translators. As early as 1460 a translation of Boccaccio appeared, which, though inadequate, gave the Germans access to one hundred short stories, to such *Novellen* in truth as we are not surprised to see an Ompteda or a Heinz Tovote writing to-day.

This however was a mere beginning. Other collections of tales from the English, French, Italian, Vulgar Latin, and Hindu were done into the German of that time. The *Gesta Romanorum*, collected in England in the middle of the fourteenth century, were twice translated into German as soon as they were accessible on the Continent. The fifteen tales that make up *Die sieben weisen Meister*, the collection known as *Der Ritter vom Turn*, didactic stories of French origin, and *Das Buch der Weisheit*,

---

[5] The writer arbitrarily assumes that it would lead too far afield to consider what the Germans call the *Versnovelle*, or Short Story in verse. In his *Geschichte des Romans* (*Sammlung Kösel*, vol. 78, page 35) Hubert Rausse says that Hartmann von Aue (died 1210) created, in his *Gregorius* and *Der arme Heinrich*, the German *Versnovelle*, and that his contemporaries, Konrad von Würzburg and Rudolf von Ems, perpetuated it. If the subject be viewed from so inclusive an angle, the history of the German Short Story would amount, almost, to a history of German literature; for, to take an illustration, the *Nibelungenlied* is composed very largely of Short Stories, and one can consider the *Hildebrandslied*, the first real specimen of good fiction in the German language, as a *Versnovelle*.

tales of Hindu origin, were translated and thereby made to serve a double purpose: They gave the Germans reading matter that was far more exciting than the native product, and the men who did the translating received invaluable practice in the art of writing narrative prose. Moreover, translations of this sort enabled the Germans to think in terms of a story that is brief, secular, and stimulating as opposed to a long epic, a religious legend, a snatch of verse, a charm in prose, or whatever else passed as literature at that time.

It was the Reformation however that brought about the great change in all things German. The Reformation was an economic as well as a religious reform, and for this reason it was also a philosophic reform. It enabled men to think as men think to this day. It was during the period from 1500 to 1770 that the seeds were sown from which sprang in time modern German literature, of which the Short Story is an undisputed, integral, and unique part.

It was during this period that some of Germany's greatest universities were founded or, having just been founded, came to take their collective place in the intellectual life of the nation. Previous to their appearance, the times had been hopelessly unfavorable to anything approaching critical thought. The author was so intent on driving home his moral that, instead of emphasizing the epic, lyric, or dramatic feature of his work, he made his verbacious title into a kind of premonitory preface in which he assured the reader that he was taking up a book that routed vice in all disguises and crowned virtue in accordance with the newest standards of right living. This may have been morally helpful, but it did not clarify the situation from the point of view of æsthetics. With the arrival of the professor, the scholar, emphasis was laid on art for art's sake; works were analyzed by way of seeing wherein their strength or their weakness lay; and students were sent to the sources, which meant that they were asked to study foreign literatures. The translator came into his own, German literature became more nearly an affair of the world, and German prose became in time a distinguished medium of expression.

Probably the most significant bit of translation done during this period was that of the foreign epics of knighthood under the collective title of the *Amadis Roman*, in twenty-four volumes. Though unreadable to-day, the compilation marks a milestone in the progress of narrative art in Germany. It gave the Germans an idea of the form a *Roman* [6] or "Novel" should have, — and the growth of the German *Novelle* from the German *Roman* is a subject in itself.

Nor is the list of original creations during this long period in any way negligible. Many *Volksbücher* containing stories that are short, and sometimes quite invigorating, were written, or compiled; collections of *Fabeln*, original and translated, appeared in huge numbers; and the *Märchen* flourished as never before. There were also a few short stories written during these preparatory days that sound even now quite modern. There was Jörg Wickram's *Der jungen Knaben Spiegel* (1554), and there were the so-called *Fabeln* of such men as Gellert (1715–1769) [7] and his contemporaries Pfeffel, Willamov, and even Lessing. These men wrote short stories as the type is understood to-day, except on two counts: They embodied a didactic element which the modern reader prefers to have unexpressed, and they appealed to the supernatural, with which the reader of to-day is apt to become impatient.

Gottsched (1700–1766) for half a century had taught at Leipzig that prose should be used exclusively for theorizing. Precisely the reverse was actually taking place. The Germans read such a novel as Schnabel's *Insel Felsenburg* (1743), the *Robinson Crusoe* of Germany, and found it the most interesting work of their

---

[6] For the origin of the word *Roman*, see *Die Bedeutungsentwickelung des Wortes Roman*. By Paul Voelker, Halle, 1887. The Germans merely ran true to form when they accepted and adopted two words of foreign origin for their two chief types of prose narrative. They were unnecessarily modest when they leaned to this extent on other literatures, for they had written short stories before Wieland (1805) and Goethe (1827) gave their final support to the word *Novelle*, just as they had written novels before the appearance of the *Amadis Roman*.

[7] Cf. *Gellerts Fabeln und Erzählungen*. By Georg Ellinger, Berlin, 1895. Ellinger contends that it was from Gellert that Wieland learned the art of short-story writing.

day. It had to be re-published five times before the close of the
century. Its prose really helped to wean the average reader
away from verse. And the outstanding feature of it was the
number of independent tales embedded in it. And on top of
it all, Wieland brought out (1766) his translation of Shakespeare,
in prose. This put an end forever to Gottsched's theories regarding prose, for by his translation Wieland enabled the Germans
to follow performances of Shakespeare on the stage. It was
the first time they had ever been privileged to see real drama.
And when they learned that the best of these Shakespearean
dramas were based on short stories, they created a demand
for more of the same type.

One more incident that led up to the era of Romanticism,
which was truly the Classical era of the *Novelle*, must be mentioned: *Sturm und Drang* (1770–1787) from the first form of
Götz von Berlichingen to the final form of *Don Carlos*. So far as
the *Novelle* as a type is concerned, Storm and Stress aided it in
no way; with its enthusiasts the drama was everything. But
Storm and Stress was important in that it put the Romanticists
in the right frame of mind for a vigorous offensive against the
enemy. And when an adequate history of the German Short
Story — meaning primarily what is to-day known as the *Novelle*
or the *Erzählung* — is written, the Romanticists will of necessity
occupy the high seats among those who created the type and
started it on its way.

III

It was the Romanticists, that after all vigorous and doughty
group which dominated the situation from approximately 1796
to 1830, that gathered up the loose threads of indigenous weaving
and made all that could be made of the national product. And
then, not wholly satisfied with the results — Romanticism is
the literature of dissatisfaction — they did what the Germans
have never hesitated to do: they went to foreign lands in search
of themes that extend the mind while they warm the emotions.
Boccaccio (1313–1375) became the spiritual godfather of the already existent *Novelle*, and Cervantes (1547–1616) its second

source of inspiration. The former's *Decamerone*, with its one hundred tales, and the latter's *Novelas ejemplares*, with its twelve tales, were re-translated, commented upon, popularized, and imitated. The German *Novelle*, as we know it to-day, is thus an indirect product of Italy and Spain, countries which at present pay less attention to this type than it enjoys in Germany.

With the exception of Friedrich von Hardenberg (1772–1801), known as Novalis, the creator of the *blaue Blume*, the singular genius who was destined to become Maeterlinck's initial inspiration, all of the Romanticists had their theories regarding the *Novelle*.[8] Some of these are purely academic, others are unacceptable on general principles. And though it is impossible to say precisely who introduced the word *Novelle*, the burden of credit for its popularization must go to Ludwig Tieck (1773–1853). He published what is quite loosely regarded as the first *Novelle* in 1821, *Die Gemälde*, and by 1842 he had written fourteen volumes of them. If some of them are strikingly at odds with modern taste while others are dull, the great number he wrote may partly explain his failure to remain on a high level.

The preaching of the Romanticists was not infrequently more suggestive than their practising. They advocated — each with his tongue in his cheek — the abolition of distinct types, but did all they could to fix and establish the *Novelle* as a new type. And they met with more success in the *Novelle*, which makes restraint obligatory, than in the *Roman*, which welcomes the formlessness and diffuseness they are alleged to have championed.

It will be of interest at this point to see how three of them, Wieland in 1805, Goethe in 1827, and Tieck in 1829, viewed the

---

[8] There can be no thought of going into this complex subject in detail at this juncture. Suffice it to refer to the theories of the *Novelle* as presented by Friedrich Schlegel in his essay on Boccaccio (1801), Wilhelm Schlegel in his Berlin lectures (1804), Schleiermacher in his *Vertraute Briefe über Lucinde* (1880), and Fr. T. Vischer in his *Aesthetik* (1858). Oskar F. Walzel has given a modern presentation in his *Die Kunstform der Novelle*, in *Zeitschrift für deutschen Unterricht*, 3. Heft, 1915.

matter. In connection with his *Hexameron von Rosenhain*,[9]
Wieland wrote: "In the *Novelle* it is to be presupposed that the
action takes place, neither in the Arcadia of Countess Pembroke,
nor in the Thessalia of Fräulein von Lussan, nor in any other
ideal or Utopian land, but in this very real world of ours . . .
and that the incidents, while not commonplace, could after all
occur anywhere at any time."

The expression "not commonplace" makes this coincide with
the old Goethe's theory. In *Eckermanns Gespräche* (January 29,
1827), Goethe is made to say: "*Was ist eine Novelle anders als
eine sich ereignete, unerhörte Begebenheit?*" That is, in a *Novelle*,
something happens that no one ever heard of before. Goethe
carried out this theory quite well in his own model *Novelle* (1828),
for in it the beast is tamed as an animal never is outside of a
circus or the Bible. From men anything may be expected; the
behavior of animals is rather well standardized. His *Novelle*
constitutes an interesting contrast to Jakob Wassermann's *Das
Tier* in the present text. And his theory is well observed in his
Die gefährliche Wette in the present text, though this must be
regarded as a *Posse* or a *Schwank* rather than a *Novelle*. For
the latter it lacks the requisite dignity. It is interesting to note,
however, that Goethe himself referred to his *Die gefährliche Wette*
(in the *Wanderjahre*) as a *Geschichte*, a *Fabel*, an *Erzählung* and,
most significant of all, as a *Begebenheit*.

It is however in his *Unterhaltungen deutscher Ausgewanderten*
(1794), which was planned as his own *Decamerone*, that Goethe
gave completest expression to his own idea of a good *Erzählung* —
the word *Novelle* had not yet become sufficiently developed to
justify his use of it. He contends here, or has rather his characters
contend, that an *Erzählung* must contain the uncommon. Its
characters must be congenial, not perfect but good, not extraordinary but interesting, and the close of the story must give the
reader something to think about. It is all quite Goethean, but
it is poles removed from the ideals of a Heinrich von Kleist or an

---

[9] Cf. *Wielands Werke*, Hempel edition, Berlin, vol. XIII, page 78. The quotation, greatly abridged, introduces Wieland's excellent short story entitled
Novelle ohne Titel.

E. T. A. Hoffmann. It sounds more like Wilhelm Scherer in theory and Wilhelm Heinrich Riehl in practice. The importance of the *Unterhaltungen* in this connection can hardly be exaggerated, and yet, one reads Goethe's statement, made just as the Romantic School was about to announce its programme, with an element of mild surprise; for it sounds a trifle commonplace. How could the characters of a story be other than "interesting" if the story is to find readers? [10]

It was Tieck,[11] however, who had the most pronounced views regarding the *Novelle*. He looked upon Boccaccio, Cervantes, and Goethe as the best of short-story writers. But when all of Tieck's theories are boiled down to a statement of workable condensation, his contribution amounts to this: He insisted that a *Novelle* must have a striking *Wendepunkt*, a "turning point," a point at which the narrative turns from the course it has hitherto taken, and ends with a surprise. Strictly speaking that is not a contribution of monumental importance; it is what Goethe said in his remarks to Eckermann; and it is what anyone to-day expects of a good "story." Its chief value at present — exactly one hundred years later — lies in the fact that it differentiates a *Novelle* from an *Erzählung*. In the present text, Ginzkey's *Der Hofpoet* has a splendid *Wendepunkt;* it is a *Novelle*. It was impossible however for Hohlbaum to give his story, based on an incident in Kleist's life, a *Wendepunkt* of the kind Tieck had in mind. Hohlbaum's story is, rather, an *Erzählung*. But it isnot on that account uninteresting. The difference is in technique.

IV

There were a number of other theories elaborated by the Romanticists. But since — to use a figure employed by Riehl — art theories are the spider webs through which the big flies break and in which the little ones get caught, we may pass to the practice of the Romanticists. What did they do by way of creating,

---

[10] Cf. *Goethe's Theory of the Novelle: 1785–1827.* By McBurney Mitchell. *Publications of the Modern Language Association*, vol. xxx, 1915.

[11] Cf. *Tiecks Schriften*, Preface to vol. xi, pages lxxxvi, ff.

that is, actually writing short stories? Some of them wrote none at all: Wackenroder, the Schlegels, Novalis in a sense (his shorter creations are pure fairy tales), Uhland. Some wrote a great number, relatively speaking, but it is difficult to list them with either the *Novellen* or the *Erzählungen*. There is Wilhelm Hauff. His *Affe als Mensch* in the present text is typical: it could never have happened, not even in provincial Germany at its worst. And the other Romanticists, however much they may have admired Wieland, flew straight into the face of his formula. They located their tales anywhere except "in this real world of ours." Fouqué wrote his *Undine* (1811) of the waters both on and under the earth. Hoffmann's tales have names but are frequently lacking in local habitations. Chamisso's *Schlemihl* (1814) became in time invested with ubiquitousness. And Brentano's *Rheinmärchen* (1804–1808), practical though they are at times, glorify a Rhine that never carried a human or material cargo.

The real writers of short stories among the Romanticists, in the order of their importance, were: Kleist, E. T. A. Hoffmann, Tieck, Brentano, Arnim, and Eichendorff. There were others of course, but this is not the place to stop with the negligible creations of an Immermann or a Heine, or of anyone else with whom the type was a minor affair. And Tieck has already been given as much attention as the situation allows — his *Novellen* lack life and are no longer read.

As to Kleist (1777–1811), his case is somewhat pathetic. He is regarded by German critics as the greatest genius of the group; but the influence of his eleven tales on foreign literatures is virtually nothing. He was the greatest dramatist Prussia ever produced, and the one case on record, among the Germans, where a writer was equally distinguished as a dramatist and a short-story writer. But Paul Heyse, whose judgment (to be commented on later) was excellent, could not see his way clear to including more than one of Kleist's tales, *Die Verlobung auf St. Domingo*, in his great *Novellenschatz*. Kleist was factually connected with Cervantes; he planned to bring out his tales under the collective title of *Moralische Erzählungen*, an expression that carries us back to the *Exemplary Novels* of the great Spaniard. He imitated

Cervantes's *La Fuerza de la Sangre* (Power of Blood) in his own *Marquise von O . . .* , took from Cervantes the device of so writing the introductory paragraph that it would give a clue to the action that was to follow; knew his Wieland and his Boccaccio; and was admired, as a writer of tales, by E. T. A. Hoffmann and Grillparzer. No one ever seriously disputed his genius; no one ever denied his good intentions. But Kleist was and is unpopular. His tales make disagreeable reading. They are gloomy, enigmatic, visionary, lapidary, legendary, Gothic. Kleist is at once the Immanuel Kant and the Gogol of the German *Novelle*. German critics have referred to him as *der Meister* and *der Begründer* of the modern German *Novelle*. But it requires more than isolated acclamation to win a staying clientèle.

E. T. A. Hoffmann (1776–1822) is probably the most gifted of all the story writers among the Romanticists. He can be most intelligently introduced to the student of modern times by referring to his influence on Edgar Allan Poe, an influence, incidentally, that has never been quite firmly established though it has been frequently asserted. He was endowed, or cursed, at all times with a mysterious sixth sense. His leading characters are apt to appeal to the reader of more naturalistic and less æsthetic ages as so many Dr. Jekyll and Mr. Hyde doubles, as so many vampires, automatons, wraiths, sprites, doomed men, grotesque women, and fairy children. The real appreciation of Hoffmann is not every man's affair. Though he used the term *Novelle* but once in connection with his own tales, in *Signor Formica*, he did much by way of introducing the type as a vehicle for the conveyance of ideas on art, and to create what has since his day come to be called the *Künstlernovelle*. Nor did his interest in art remain theoretical. He furnished Tschaikovsky with the theme for his *Nut-Cracker Suite* and gave Jacques Offenbach the inspiration for his *Contes d'Hoffmann* (1881). His influence on Hauff, Otto Ludwig, Hebbel, Keller, and Theodor Storm is no longer disputed. And with it all Hoffmann never wrote an indelicate line, "artist" though he was both professionally and personally. If his influence has been at times undesirable, it has been due to the fact that lesser lights have fancied he could be imitated. It is not every writer who can follow in the footsteps of a Hoffmann, with his dislike of sunrise, his preference of a dream to an event, of a symbol to a fact, his idea that death is a birthday, and his unusual gifts in the field of liberal arts.

Clemens Maria Brentano (1778–1842), gifted son of a distinguished family of partly Italian blood, collaborator with Achim von Arnim on Germany's most famous collection of folksongs, *Des Knaben Wunderhorn*, gave to German literature what is generally listed as the first *Dorfgeschichte* in his *Geschichte vom braven Kasperl und schönen Annerl;* injected humor into prose fiction in his story entitled *Die mehreren Wehmüller;* cast for the first time the legend of the Lorelei in poetic mould in his novel entitled *Godwi;* and discovered, in a way, the beauties of the Rhine. It was however Brentano's humor that gave him standing with his contemporaries and has assured him a place in the memory of posterity. And yet, his humorous works are not so humorous as one might expect. They were and are appreciated largely because of their rarity: Romanticism was anything but a humorous movement. Consequently, when Brentano brought out his *Wehmüller* (1817) — the tale has been compared with the tales of Mérimée and with Heine's *Atta Troll* — he surprised those who sat in initial judgment on it so much that they obviously exercised as much charity as critical acumen.

Achim von Arnim (1781–1831), quite influential in his day but almost completely neglected at present, wrote tales after the fashion of Hoffmann's abnormalities; indulged in the *Künstlernovelle;* and turned out really admirable capriccios, such as *Fürst Ganzgott und Sänger Halbgott*. His real contribution however was the historical story. He began, in his *Der Wintergarten*, a framestory with a number of adaptations from Niclas von Wyle (died 1479), Schnabel's *Insel Felsenburg*, and Grimmelshausen's *Simplicissimus* (1669). But with the ascendency, in Germany, of Walter Scott, he turned to history of another sort, to real history; wrote such *Novellen* as *Owen Tudor* and *Isabella von Ägypten;* and achieved real fame. In his *Die Ehenschmiede*, which deals with the marriages that once gave Gretna Green in Scotland a notorious reputation, he described with engaging accuracy a submarine seventy-five years before there was any such thing. Arnim just missed being a great writer of historical short stories.

Joseph von Eichendorff (1788–1857) is the champion of loveliness among the Romanticists. His immortal tale *Aus dem Leben eines Taugenichts* (1826) is based on a hero who was not destined to remove landmarks, but to pick out the beauty spots of an unmolested world. The tragic story *Das Schloss Durande* (1837) stands out from the others on account of its robustness. Such stories as *Dichter und ihre Gesellen* and *Das Marmorbild* are "romantic" in the popular sense. Eichendorff, the most devoted Catholic of the group, used his stories to glorify the charms of Nature as these are unsullied by material civilization. *"Krieg den Philistern"* was his slogan. It was his faith in the beauty of things intact and undisturbed that enabled him to achieve such success with his *Taugenichts*. He is in truth, like Fouqué, though for a different reason, an author who is to-day known by only one work (apart from his lyrics). But as time goes on, there will be many such authors: men cannot read everything; indeed there are just so many people who have the reading habit; Eichendorff[12] is to this day the surprise among the Romantic leaders.

But Romanticism abounded in surprises, so far as the *Novelle* is concerned. Tieck went through four distinct stages as a writer of stories. Between an Eichendorff and a Kleist there is not a shred of similarity. Each of the Romanticists here mentioned — and their unnoticed contemporaries as well — added to the Short Story all that varied native endowment made possible. The cumulative result was that by 1830, the German Short Story had reached a state of unequivocal eminence. It merely remained for the writers of later days to modify it, as new notions of right literary forms swam into ken; to make it more international as the world endeavored to become more nearly boundless; to give it more realism as industrialism gave life a greater abundance of material competition; to make it more psychological as psychology came to be an applied as well as a pure science; to stress more and more the matter of conflict as politics became more and more a

[12] For a reasoned discussion of Eichendorff's *Novellen*, see his life, biographic and critical, by Hans Brandenburg, Munich, 1922, chapter xi, pages 328–376.

fight to the death; and to make it shorter as writers became more numerous and time more important.

V

But it was not destined to go on its way unimpeded and uninterrupted. *Jung Deutschland* (1830–1850) followed Romanticism as a "hangover." Things were not working out right. Napoleon had been defeated to no real purpose: the gains that had been promised the people were not being realized. Politics got the upper hand, and literature suffered in consequence. The decades following Romanticism were not favorable to the writing of *Novellen*. Karl Gutzkow, on the contrary, wrote novels in nine volumes, such as *Ritter vom Geist*. Heinrich Laube published, to be sure, his *Reisenovellen*, which are stimulating, bright, and informative. But by the most elastic stretch of human imagination they could not be called Short Stories. They are travel sketches with a liberal interlarding of opinions on all manner of timely topics. Theodor Mundt brought out his *Madelon, oder die Romantiker in Paris: eine Novelle*. (1832). The label could scarcely be more misleading. This work of 246 pages has to do with international relations, France and Germany being the protagonists.

For Short Stories we have to go over to that half-century from 1850 to 1900, when Auerbach, Paul Heyse, Wilhelm Heinrich Riehl, Theodor Storm, Conrad Ferdinand Meyer, and Gottfried Keller dominated the field, and when eclectic minds such as Grillparzer and Otto Ludwig, Hebbel and Ferdinand von Saar, Annette von Droste-Hülshoff and others shed the light that never fails.

Of these leaders, the most important was Paul Heyse (1830–1914). He wrote even more *Novellen* than Tieck. He went to the Romance lands for much of his inspiration. He edited the invaluable *Novellenschatz*. He was a scholar, a lecturer, an editor, translator, and traveler, the recipient of numerous prizes, including the Nobel Prize (1910); he tried with success virtually every phase of creative writing known to modern times, and would have gone down in history as one of the minor immortals had he never written a single one of his stories.

Though Heyse had a high regard for Tieck, he looked upon

Goethe as the founder of the *Novelle*, and was obviously most influenced by Boccaccio. It was from Boccaccio's *Decamerone*, ninth *Novelle* of the fifth day, that Heyse derived his idea of what a *Novelle* should be. In this story Boccaccio tells of a young man who loves without being loved in return. In the course of his gallant wooing, he dissipates his entire belongings, until at last he has nothing left but his falcon. The lady whom he loves calls on him. Having nothing but this falcon to offer for repast, he kills it and serves it to her. She hears of his loyal action, changes her mind, loves him in return for his wholehearted faithfulness, and rewards him by offering him her hand, heart, and wealth. This is manifestly one of the world's great Short Stories. It was from it that Heyse derived his famous *Falkentheorie*. He felt that the technique of this story was perfect, and that others should adopt it. He never seemed to learn how difficult it was, and would be, to live up to the standard Boccaccio had set in this one instance. Boccaccio himself did not do it; many of the tales of his *Decamerone* are weak indeed. Nor was he original; his *Decamerone* is a revision and readaptation of earlier collections. But even so, it is not every century that produces a Boccaccio. Indeed, men of the critical and creative stamp of Heyse himself are rare enough. It is doubtful whether there is any other German who did as much for the Short Story during the half-century under consideration as Heyse, though he is not ranked as high as some of his less diligent contemporaries. The point however will remain controversial.

Wilhelm Heinrich Riehl (1823–1897) is, incidentally, another "authority" passing mention of whom is obligatory at this point. Riehl was not a genius. Though he wrote more *Novellen* than either Tieck or Heyse, and though he theorized at length, his contribution to the type is his *Kulturgeschichtliche Novelle*, or Short Story based on some pivotal phase of evolutionary civilization. He lived in the settled conviction that the German *Novellist* — the expression is his — must take his themes from history. He wrote (1856): "*Ich lebe der Überzeugung, dass die Zukunft der modernen Epik in dem Kulturgeschichtlichen gegründet werden muss.*" He contended that the historian could go only so far with the great heroes of history, and that it was the business of the *Novellist* to take up where the historian had left off, and to poetize the conflict between the hero and the age in which he lived. As a theory this is acceptable; but Riehl's *Novellen* somehow fail to get beyond the essay type of fiction which one reads without effort, and with more pleasure than stimulation. There has however been a mild Riehl revival in Germany since the close of the World War.

Riehl's plan was doomed to failure. He was not himself sufficiently gifted to create a school; hardly a half dozen of his own stories have survived. The great majority of writers since his time preferred to get their material by easier routes than the historical. The present text is a case in point. Of the twenty-two stories only one, Hohlbaum's, is based on history; and the "research" needed even in Hohlbaum's case was slight. He followed the line of least resistance: he took the case of a fellow-poet. Moreover, beginning with the year 1890, approximately, *Kulturgeschichte*, or the history of civilization, became one of the commonest and most worked "sciences" in Germany. There was no dearth, there was rather a surplus of popularized books written on Germany's past, or on the past of the rest of the world in so far as Germany was interested. Conrad Ferdinand Meyer, to be sure, based his immortal *Novellen* on historical personages; but he was not influenced by Riehl; nor has he ever become popular. Gottfried Keller, on the contrary, took his themes from life as he saw it, with the result that he has been called "the Shakespeare of the *Novelle*," not because he wrote a *Novelle* entitled *Romeo und Julia auf dem Dorfe*, but because of the Shakespearean greatness that characterizes so many of his stories.

VI

The truth is that not many additions in type were made to the Short Story in Germany between 1870 and the beginning of the World War. Some of the best stories that the German language has to record were written, to be sure; but they followed relatively conventional lines; and thousands upon thousands came from the press only to be read as one reads a daily paper: impressive enough to hold the attention for the hour but not an affair of the future. Excluded from this category are Auerbach's regional tales of the Black Forest, Detlev von Liliencron's *Kriegsnovellen*, some of the later work done by Theodor Storm, Wildenbruch's stories depicting the boy soul, and last but not least, the *Novelle* as it came to be written by German women.

The first of these was Annette von Droste-Hülshoff (1822–1891), and the story that assured her immortality was *Die Judenbuche* (1842). Though brevity is not its most conspicuous feature, and though written at a time when women were playing a hopelessly negligible rôle in German letters, it is a story of uncommon virility so far as the incidents are concerned, and it is based on a psychology that is both modern and masculine. The subtitle is *ein Sittengemälde aus dem gebirgichten Westfalen*. It is more *Skizze* or *Studie*, more *Bild* or *Historie*, than *Novelle*. But it is powerful; and it was the first of its kind to have been written by a woman.

It is a mighty line of women writers that the historian has to record when dealing with the generation that was old in 1927. None of the great nations of the earth can refer to a more illustrious group. There was Marie von Ebner-Eschenbach (1830–1916) who, in the exuberance of youth, announced her ambition to become the Shakespeare of the nineteenth century; she lived to see herself crowned, rather, with glory as a writer of stories. In her *Dorf- und Schlossgeschichten* she depicted the two extremes of society: aristocrats and their servants. She was neither a socialist nor a reactionary; but she was a profound student of human nature. Helene Stökl (1845–) did her best work in those stories that deal with family life as it is lived among equals. Isolde Kurz (1853–) glorified Italy, with unequivocal success, in such volumes of stories as *Florentiner Novellen* (1890) and *Italienische Erzählungen* (1895).

Gabriele Reuter (1859–), fought from the beginning for women's rights. It makes but little difference to which one of her collections we turn — *Frauenseelen* or *Wunderliche Liebe* for example — we find her writing in defence of her sex. Clara Viebig, child of the Rhine, daughter of the Eifel, has created volume after volume through all of which runs a central idea: Nature will produce bizarre beings if they chance to be liberated from the discipline of that very civilization which Rousseau affected to despise. Unfortunately, for non-German readers, her stories contain quite a little Eifel dialect.

Then there is Ricarda Huch (1867–) the most scholarly woman writer Germany has produced, and one of the greatest. She tried virtually all the established fields of fiction and, after taking her doctorate at Zürich, spent her time writing critical works that rank with the best. In her *Novellen* there is a lack of sentimentality such as one might expect in a man of chilly temperament, but there is also a humor coupled with roguishness, and a dignity that goes with humanized education, such as is found only in rare instances. Ricarda Huch is the outstanding representative of Romanticism among the German women writers of stories in the twentieth century. If her stories have a fault, it lies in her inclination to make excessive use of symbolism, with the result that clarity yields to the desire to say all that may be said on a given subject, and to say some of it in a cryptic way. Such a tale as Ricarda Huch's *Der arme Heinrich*, a version of the familiar story of Hartmann von Aue (*ca.* 1200), has a value equal to entire volumes of stories by such writers as Helene Böhlau (1859–), Nataly von Eschtruth (1860–), Wilhelmine von Hillern (1836–), Johanna Spyri (1829–1901), and Hermine Villinger (1849–), to mention only a few of the innumerable women in Germany who, at the close of the old and the beginning of the new century, were filling magazines with creditable short stories.

VII

During the first two decades of the twentieth century, German literature went through a diversity of movements that is probably unsurpassed in literary history. Qualitatively, the first decade was the greater. There was so much talent during the years 1900–1910 that men took to playing with the idea of the *Übermensch*, somewhat as a skilled aviator fancies he might fly to Mars. It was the decade of *Impressionismus;* men recorded their impressions of the world about them. In the second decade, *Expressionismus* came to the fore; men gave expression to their inner selves. The difference is fundamental. But this fact remains: The older set, the men born between 1850 and 1880, went on their way disturbed but not really changed by the World War. They adhered rather painstakingly to the ideals they had cherished and the technique they had acquired prior to 1914. The younger set, however, — and there were never so many different writers in Germany as at present, — those born between 1880 and 1890, have disported themselves with all the capricious ebulliency known to flaming youth that tries to sail the seas of life without compass or beacon. These young men have overthrown the staid tenets of Taine and taken up with Bergson, because of his exploitation of "creative evolution." They are the men who insist that Ibsen is already antiquated, whereas Strindberg will never be. They have turned from Balzac to d'Annunzio. Of stories they have written no end. But their real "contributions" have been the treatment of grotesque themes handled in a cranky, expressionistic style. That is not much; it is in truth only a revelation of an inherent inability to stand up in the presence of hard realities. They may be left to themselves. There is space only for those who did not lose their heads, and for those who have really done something by way of creating a new sort, a new species of *Novelle*.

To the first category belong Georg Freiherr von Ompteda (1863-), Hermann Hesse (1877-), Jakob Wassermann (1873-), and Arthur Schnitzler (1862-). Ompteda achieved considerable fame by his translation of Maupassant. He has written nearly a hundred *Novellen*, many of which remind strongly of his French master. His specialty is the court circles, the ideals of the army officer, the life of the nobility. He is an impressionist; nothing escapes his attention. His stories rarely fail to have a Gallic *pointe;* he never neglects to emphasize the thesis that social rank means industrial obligation. Hermann Hesse, on the contrary, known to the English-reading public through the translation of his *Demian*, is a gifted and avowed follower of Gottfried Keller, with all that this means. Wassermann wrote about thirty *Novellen* during the first two decades of the present century in which, with well-nigh constant care, he contrasts the younger generation with the older.

It is a theme of incalculable possibilities, and in such a tale as *Adam Urbas* — Maupassant never wrote one of greater power — he has treated it with all the inspired vehemence at his command. While his technique is not novel, his idea is admirable. With Schnitzler, it was a case of "the doctor turns to literature." His chief contribution has been the high standard he has maintained.

There has been some invaluable experimenting with the *Novelle* by writers who, while not in the class of Schnitzler, have an originality that Schnitzler has not thus far revealed.[13] In his *33 Anekdoten* (1911) Wilhelm Schäfer has observed a brevity that is refreshing, and an ingenuity in plot that is unusual. Gustav Meyrink in his *Die heimtückischen Champignons und andere Geschichten* (1918), twenty-four tales in all, has shown in what queer diversions men's minds seek refuge in times of national distress. Emil Hadina, in the eight stories of his *Kinder der Sehnsucht* (1918), brings out the difference between the longing of a Novalis, who after all did not know precisely what he longed for, and that of a modern youth whose ideas on the subject are better arranged. Rudolf G. Binding's four *Novellen* published under the title of *Die Geige* (1922) depict characters that have complexes of the worst kind; but the style is of classical purity and dignity and the technique shows none of the aberrations that usually characterize stories in this field. And Albrecht Schaeffer in his *Das Prisma* (1925) visualizes an entire gallery of characters each of whom exemplifies the fact that guilt may not be the result of personal conduct but of situations into which the individual could not help falling. The stories remind now of O. Henry and now of Hebbel, retaining though they do their uniqueness.

Nor have the women writers failed to strike out on new paths. Gisela von Berger, distinguished daughter of an Austrian family, has preserved and glorified the best traditions of old Vienna and the Dual Monarchy. Her stories, though regional, are a far cry from Auerbach's tales of the Black Forest. Elisabeth von Heyking, who sprang into sudden fame with her novel entitled *Briefe*,

[13] For obvious reasons, only the high lights could be touched in this and the following paragraph. Contemporary productivity in the field of the German Short Story is as fertile as it is of uneven merit.

die ihn nicht erreichten (1903), has handled in her *Weberin Schuld* (1921), seven stories, precisely the reverse of the theme elaborated by Albrecht Schaeffer: However good men may seem, if trouble has arisen or a cloud been cast, there is guilt somewhere, though it is frequently to be located anywhere but where the conventional happenings of human nature would indicate. Helene Christaller, in the ten stories that make up *Aus niederen Hütten* (1922), has pictured the peasants of the Black Forest as they appear now, with radio about to supplant the cuckoo clock. And Irene Forbes-Mosse in her *Laubstreu* (1925), has obviously tried to see how poetic a woman writer can be. It is a singular but, in this case, effective ambition. She reveals none of the vigor of an Annette von Droste-Hülshoff but all the poetry that could be humanly expected from a woman who has lived through the World War.

VIII

In 1889, one of the most remarkable years in the history of German letters, Arno Holz and Johannes Schlaf published *Papa Hamlet*, a collection of three short stories. In order to make the venture a real success, they brought them out under the name of Bjarne P. Holmsen. That was good Norwegian; and in Norway Ibsen and Björnson were then everything. This is not the place to discuss the significance of this pseudonym, other than to say that, with all the facts considered, it was, or should have been, an act of real national humiliation: Germany goes to little Norway — then under Swedish sovereignty — for inspiration. The incident is, unfortunately, typical. With all of her greatness as an intellectual nation, German literature has had nothing like the influence that might have been expected of it. And this is particularly true of her Short Story, call it by whatever name you please. It has not played, and does not play at present, either at home or abroad a rôle that is at all in keeping with its importance as a distinct literary type. Why is this?

The confusion that arises from the multifarious names by which it is known has already been touched upon. It merely remains to say that this has made it difficult for the non-German reader to place complete faith in the German Short Story. It is hard for him to believe that there is such a thing. This trouble seems how-ever in a fair way to be removed. Editors and historians of Ger-man literature have shown a pronounced tendency, since the World War, to adopt the two terms, *Novelle* and *Erzählung*, and to neg-lect all the others.

Moreover, the German Short Story is too long; too much space is devoted to the description of people and places. Germany has had but one short-story writer who left descriptions out: E. T. A. Hoffmann. And Adalbert Stifter is virtually her only writer who could describe nature with the effects that last, with-out making the descriptions seem dragged-in. There was also a change for the better in this connection around 1910, and another immediately after the World War. But the improvement was temporary. By 1925, the Germans had again begun to bring out stories of from twenty to thirty thousand words. Whether the prizes offered by Reclam [14] for *Novellen* that are really short will bear more than the fruit of a few seasons, remains to be seen.

There is but one effective method by which a nation's literature can be preserved: by the publication of it in books. Germany has lost many excellent *Novellen* through her established custom of bringing them out as *feuilletons* in her dailies. This not merely causes the story to suffer an early burial, but deprives it of the dignity that accrues from independent publication. On the other hand, many German stories should never have been published. They give the impression of left-overs. One feels that the writer, distinguished in some instances, had a theme which he felt was too short for a full-length novel, so that he decided to make a story out of it. Theodor Fontane is a case in point. His stories are mere chips from the workshop, and should have been left as such.

Then there is the attitude of the German critics toward their *Novelle*. Take the strange case of Rudolf Lindau. His various volumes of *Novellen* give him a perfect right to speak on the sub-ject. Wilhelm Scherer's high regard for him has been noted. By 1885, Lindau had reached the conclusion that Germany had only a few writers capable of writing a good story: Keller, Meyer, and

---

[14] In the spring of 1927, Reclam offered ten prizes, totaling 2,200 gold marks for what is called *Kurzgeschichten*, stories only a page or two in length.

Anzengruber. The first two need no defence; but what of Anzengruber as a teller of tales? His talents lay in other fields. Of Theodor Storm's stories, Lindau admired *Aquis submersus*, *Renate*, and *Eekenhof*. The others, including *Immensee*, he could not tolerate. Adolf Bartels is of the opinion that Spielhagen's stories will outlive his novels. It is a queer notion. Ludwig Pfau insisted that Melchior Meyr's *Arcanum* was "the best *Novelle* in the German language." Opinions of this kind, coming as they do from "authorities," have not helped to clarify the issue as it revolves around the one type of literature of which the Germans have never made a conscientious study.

What we see at work in extreme judgments of this kind is the individualism that has played so important a part in the *Novelle* as a whole. The reader of just a little experience who takes up a representative Slavic, Romance, or Scandinavian writer has at least a vague idea as to what he may expect. Among the authors of German stories, representative writers are not easy to find. There is a similarity on general principles between some of them, but one looks in vain for a national type.

Nor have the writers failed to absorb foreign varieties. They have translated the *Novelle* of other lands from Boccaccio to Björnson, from Cervantes to Claudel. It is impossible for one creative writer to translate or to read another without being influenced by his tone and technique, his ideas and temperament. Paul Heyse said, in 1882, that if all the literatures of the world were lost, except what was written in the German language, the essentials of all literatures would still be preserved, for the Germans had translated them. The student, consequently, who looks for the influence of Kipling and Verhaeren, of Dostojevsky and Galdós, of Maeterlinck and Gogol, of Barbusse and Hermann Bang, of Bourget and Lagerlöf, of Lermontov and Bret Harte, of Edgar Allan Poe and Pushkin, of Zola and Couperus, of Turgenjev and Daudet, of the Dumas and the Goncourts, of Ibsen and Tolstoy and Maupassant, will find it, particularly in such writers as Tovote, Ompteda, Sudermann, Liliencron, Schnitzler, Tim Kröger, and others. Wassermann admits with pride that he has followed Dostojevsky, Balzac, and Dickens. That may be *à propos* for the novel; it is long, and its Muse is therefore liberal. But the Muse of the *Novelle* is an exacting personage, and each land has its own. The Germans have failed at times when they have attempted to do at home what a Slav, Frenchman, Hollander, Englishman, American, or Scandinavian has done in his own country. They have succeeded so completely however when they have been content to remain at home and be themselves — after the fashion, say, of Keller in Switzerland — that their Short Story ranks, qualitatively, with that of any nation; and quantitatively it is without equal. They have disproved forever Turgenjev's contention[15] that *"les Allemands n'ont pas le talent de conter."*

And the future? The *Erzählung* may have reached its climax. It is certainly no better in 1927 than it was in 1897. There was more humanistic culture, more humor, calm, peace, and contentment in Germany thirty years ago than there is at present. But to-day there is more of the unexpected; there are more Goethean *"unerhörte, sich ereignete Begebenheiten"* than there were when men of the type of Keller and Meyer were leaving the field. The German *Erzählung* of the future, with its evenness of incident, may therefore be inferior to the *Erzählung* of the decades that have just gone. The *Novelle* on the other hand, with its unevenness, its unanticipated turning point, its "falcon," its *pointe*, may be superior in the future to what it has been in the past.

[15] In a letter to Julian Schmidt, *à propos* of Auerbach, May 6, 1873, published in the *Revue Blanc* of February, 1909.

CLASSIFIED BIBLIOGRAPHY

This bibliography lays no claim whatever to completeness. If the custom of treating the *Roman* and *Novelle* together, as parallel phenomena, were observed, the list could be extended to bewildering length. It is inserted here, in this form, for the simple reason that such a compilation has never been made. The numerous collections of tales written prior to the close of the eighteenth century have been given at length and with care by Hermann Weisser in *Die deutsche Novelle im Mittelalter*, pages 125–127.

COLLECTIONS

Deutscher Novellenschatz. Edited by Paul Heyse, Hermann Kurz, and Ludwig Laistner. München, Rudolph Oldenburg, 50 volumes, 1870–1885. Fourteen of these volumes are edited under the caption *Novellenschatz des Auslandes.*

Die Novellen von Goethe. Edited by Heinz Amelung. Essen, Verlag W. Girardet, 470 pages, 1920. Contains Goethe's 19 finished stories and 3 fragments. The editor says, not without significance: "*Diese Sammlung mag manchem wohl wie ein ganz neues Buch Goethes erscheinen.*" In the new edition of Goethe's works by the Bibliographisches Institut in Leipzig, there is a volume devoted to Goethe's *kleinere Erzählungen*, arranged by Julius Wahle and edited by Oskar Walzel, under the general editorship of Robert Petsch.

Romantische Novellen. Mit Einleitung und Anmerkung. By Josef Nadler. Regensburg, Verlag von J. Habbel, 2 volumes, 1911. Contains stories by Tieck, Arnim, Kleist, Hoffmann, Brentano, Eichendorff, and Fouqué.

Novellen der Romantiker. Mit einer entwickelungsgeschichtlichen Skizze und Einleitungen. By Oswald Floeck. München, Verlag der Jos. Kösel'schen Buchhandlung, 274 pages, 1912.

Die Entfaltung: Novellen an die Zeit. Edited by Max Krell. Berlin, Ernst Rowohlt Verlag, 288 pages, 1921. Contains short stories written by a score of the writers born between 1880 and 1890.

Die fünf Sinne. Humor, Satire, Ironie, von Anzengruber bis Arthur Schnitzler. Edited by Roda Roda and Theodor Etzel. München, Simplicissimus Verlag, 288 pages, 1924.

Das Jahrbuch deutscher Erzähler. Edited by Robert Walter. Hamburg, Vera, 302 pages, 1925. The beginning of an annual series, but is not to contain representative stories of the year in question.

Meisternovellen moderner deutscher Autoren. Berlin, Globus Verlag, no year (1924). Contains 18 *Novellen* by Hans Land, Anton von Perfall, and Hans von Kahlenberg.

BOCCACCIO, CERVANTES, AND GOETHE

Giovanni Boccaccio: The Decameron. Translated by John Payn. Illustrated by Clara Tyce. Introduction by Francis Rueffer (from the 11th ed. of the *Encyclopaedia Brittannica*). New York, Boni & Liveright, 2 volumes, 1925. The translation is complete.

Boccaccio and his Imitators in German, English, French, Spanish, and Italian Literatures. By Florence Nightingale Jones. Chicago, The Chicago University Press, 46 pages, 1910. Confined to the influence of the *Decameron*.

Giovanni Boccaccio as Man and Author. By John Addington Symonds. London, John C. Nimmo, 101 pages, 1895.

Exemplary Novels by Cervantes. Translated by James Mabbe. London, Gibbings & Company, 2 volumes, 1640. Philadelphia, J. B. Lippincott, 1900. The volumes are here reprinted with introduction and notes by S. W. Orson.

Miguel de Cervantes Saavedra: A Memoir. By James Fitzmaurice Kelley. Oxford, The Clarendon Press, 228 pages, 1913. The author says: "I have eschewed literary criticism."

Goethes Novelle. By Bernhard Seuffert. *Goethe-Jahrbuch*, B. XIX, pages 133-166. Gives a detailed summary of all the important work that had then (1898) been done on Goethe's *Novelle*.

GENERAL TREATISES

La Nouvelle individualiste en Allemagne, de Goethe à Keller: Essai de Technique psychologique. By Paul Bastier. Paris, Émile Lerose, 452 pages, 1910. The most thoroughgoing investigation of the German *Novelle* in existence, but not at all historical; confined to a few typical *Novellen*, and of these Fouqué's *Undine* cannot be classed as a "typical" *Novelle.*

Die Vorläufer der modernen Novelle im achtzehnten Jahrhundert: ein Beitrag zur vergleichenden Litteraturgeschichte. By Rudolf Fürst. Halle, Max Niemeyer, 240 pages, 1897.

Geschichte des Romans und der Novelle in Deutschland. By Hans Heinrich Borcherdt. Leipzig, J. J. Weber, 2 volumes, 1926.

Deutsche Erzählkunst: Die deutsche Novelle. By Hans Franck. Trier, Fr. Lientz Verlag, 131 pages, 1922. Purely theoretical.

Die deutsche Novelle im Mittelalter. By Hermann Weisser. Freiburg im Breisgau, 128 pages, 1926. The best treatise on the *Novelle* up to 1500.

Die deutsche Novelle im ersten Drittel des neunzehnten Jahrhunderts. By Karl Ewald. Göttingen, Friedrich Haensch, 68 pages, 1907. A quite inexhaustive investigation.

Kleist and Hebbel. A Comparative Study. The Novels. By Henrietta K. Becker. Chicago, Scott, Foresman, 71 pages, 1904. Apt to mislead through the general use, without explanation, of the term "Novel."

Deutsche Erzähler. By Hugo von Hofmannsthal. Leipzig, Insel Verlag, 78 pages, 1921. In *Reden und Aufsätze.* Brief, but stimulating.

Von der Droste bis Liliencron: Beiträge zur deutschen Novelle und Ballade. By Lorenzo Bianchi. Leipzig, H. Haessel Verlag, 241 pages, 1922. Treats Annette von Droste, Otto Ludwig, C. F. Meyer, G. Keller, Storm, Raabe, and Liliencron.

Erzählungseingänge in der deutschen Literatur. By Fritz Leib. Mainz, Oscar Schneider, 106 pages, 1913. Discusses the method of introducing a short story as this is practised by about 40 of the leading writers.

Novelle oder Roman? Roman oder Novelle? By Friedrich Spiel-hagen. Leipzig, L. Staackmann, 1883. Interesting because Spielhagen wrote it, but leaves a quite dilettantish impression.

TIECK, KLEIST, HOFFMANN, LUDWIG

Tieck als Novellendichter. By Jakob Minor. Braunschweig *Akademische Blätter*, pages 129–161, and 193–220. 1884.

Die ersten Novellen Otto Ludwigs in ihrem Verhältnis zu Ludwig Tieck. By Wilhelm Greiner. Jena, 1903.

Die novellistische Kunst Heinrichs von Kleist. By Hermann Davidts. Berlin, 151 pages, 1913. A typical number of the *Bonner Forschungen* series.

Heinrich von Kleist. By Friedrich Braig. München, C. H. Beck, 637 pages, 1925. Contains, pages 430–516, a detailed account of Kleist's *Novellen.*

E. T. A. Hoffmann: Sein Leben und seine Werke. By Georg Ellinger. Hamburg. Leopold Voss, 230 pages, 1894.

E. T. A. Hoffmann och Ursprunget till hans Konstnärskap. By V. Ljungdorff, Lund, Haakon Ohlesons Boktryckeri, 431 pages, 1924. Gives proof for the thesis that 1830–1840 the majority of the leading writers of France were under Hoffmann's influence.

Otto Ludwigs Romanstudien und seine Erzählungspraxis. By Heinrich Lohre. Berlin, 1913, 19 (very large) pages. Though this pamphlet deals largely with the novel the short story is by no means neglected.

Otto Ludwig: ein Dichterleben. By Adolf Stern. Leipzig, Fr. Wilhelm Grunow, 400 pages, 1906 (2nd ed.). Valuable because of the light it throws on Ludwig's indebtedness to E. T. A. Hoffmann.

PAUL HEYSE

Paul Heyses epische und novellistische Anfänge. By Georg J. Plotke. Leipzig, Baldur Verlag, 29 pages, 1914. Contains bibliography.

Paul Heyse: Der Dichter und seine Werke. By Heinrich Spiero. Stuttgart, J. G. Cotta'sche Buchhandlung, 112 pages, 1910. *Novellen* discussed pages 44–70.

Paul Heyses Novellen und Romane. By Otto Kraus. Frankfurt-am-Main, Johannes Alt, 170 pages, 1888.

Jugenderinnerungen und Bekenntnisse. By Paul Heyse. Berlin, Wilhelm Pertz, 383 pages, 1900. The section entitled *Meine Novellistik* is of standard importance.

Der Briefwechsel von Jakob Burckhardt und Paul Heyse. Edited by Erich Petzet. München, J. F. Lehmann, 206 pages, 1916. Important because of advice given Heyse by Burckhardt.

Paul Heyse und Gottfried Keller im Briefwechsel. By Max Kalbeck. Berlin, Georg Westermann, 433 pages, 1919. Indispensable for the student of the *Novelle*.

Der Briefwechsel zwischen Paul Heyse und Theodor Storm. Edited by Georg J. Plotke. München, J. F. Lehmann, 2 volumes, 1919. Letters run from October 1854 to May 1888.

MISCELLANEOUS

Studien zur Novellistik Wilhelm Heinrich Riehls. By Hermann Häberlin. Zürich, Leemann & Co., 52 pages, 1919. In method quite like Rolf Ebhardt's *Hebbel als Novellist.*

Ein Beitrag zu Theodor Storms Stimmungskunst. By Hermann Stamm. Eckenförde, C. Heldt, 74 pages, 1914. Contains a bibliography of 58 works on Storm.

Studien zu Adalbert Stifters Novellentechnik. By Ernst Bertram. Dortmund, Fr. Wilh. Ruhfus, 160 pages, 1907.

Russische Novellen von Nikolas Gogol. Mit einer Einleitung. Edited by Friedrich Bodenstedt. Stuttgart, W. Spemann, 232 pages, no year. Not much work has been done on the influence of the Russian, Scandinavian, and French on the German *Novelle.* Eugen Staber's *Guy de Maupassant,* 1923, is confined wholly to Maupassant as a writer.

Karl Gutzkow's Short Stories: A Study in the Technique of Narration. By Daniel Frederick Pasmore. University of Illinois, 122 pages, 1917.

Arthur Schnitzler: Der Dichter und sein Werk. By Richard Specht. Berlin, S. Fischer, 346 pages, 1923.

Viennese Idylls. By Arthur Schnitzler. Translated by Frederick Eisemann. Boston, John W. Luce, 182 pages, 1913. Translation of six of Schnitzler's short stories, with an Introduction in which Schnitzler is compared to Maupassant, Marcel Prévost and Henri Becque, and contrasted with Frank Wedekind.

Tolstoi und Kröger: Eine Darstellung ihrer literarischen Beziehungen. By Charles Maltador Purin. University of Wisconsin Studies. No. 22. Author suggests that, in addition to Kröger, the following German story writers may also have been influenced by the Russians: Fontane, Rudolf Lindau, Karl Detlef, Sacher-Masoch, Solitaire, Max Kretzer, Franzos, C. F. Meyer, von Saar, Kranewitter, and Auerbach.

Modern German Stories

Die gefährliche Wette

Von Goethe

Es ist bekannt, daß die Menschen, sobald es ihnen einigermaßen wohl und nach ihrem Sinne geht, alsobald nicht wissen, was sie vor Übermut anfangen sollen; und so hatten denn auch mutwillige Studenten die Gewohnheit, während der Ferien scharenweis das Land zu durchziehen und nach ihrer Art Suiten zu reißen, welche freilich nicht immer die besten Folgen hatten. Sie waren gar verschiedener Art, wie sie das Burschenleben zusammenführt und bindet. Ungleich von Geburt und Wohlhabenheit, Geist und Bildung, aber alle gesellig in einem heitern Sinne miteinander sich fortbewegend und treibend. Mich aber wählten sie oft zum Gesellen: denn wenn ich schwerere Lasten trug als einer von ihnen, so mußten sie mir denn auch den Ehrentitel eines großen Suitiers erteilen, und zwar hauptsächlich deshalb, weil ich seltener, aber desto kräftiger meine Possen trieb, wovon denn folgendes ein Zeugnis geben mag.

Wir hatten auf unseren Wanderungen ein angenehmes Bergdorf erreicht, das bei einer abgeschiedenen Lage den Vorteil einer Poststation und in großer Einsamkeit ein paar hübsche Mädchen zu Bewohnerinnen hatte. Man wollte ausruhen, die

3

Zeit verschlendern, verliebeln, eine Weile wohlfeiler leben und deshalb desto mehr Geld vergeuden.

Es war gerade nach Tisch, als einige sich im erhöhten, andere im erniedrigten Zustand befanden. Die einen lagen und schliefen ihren Rausch aus; die andern hätten ihn gern auf irgendeine mutwillige Weise ausgelassen. Wir hatten ein paar große Zimmer im Seitenflügel nach dem Hof zu. Eine schöne Equipage, die mit vier Pferden hereinrasselte, zog uns an die Fenster. Die Bedienten sprangen vom Bock und halfen einem Herrn von stattlichem, vornehmem Ansehen heraus, der ungeachtet seiner Jahre noch rüstig genug auftrat. Seine große wohlgebildete Nase fiel mir zuerst ins Gesicht, und ich weiß nicht, was für ein böser Geist mich anhauchte, so daß ich in einem Augenblick den tollsten Plan erfand und ihn, ohne weiter zu denken, sogleich auszuführen begann.

„Was dünkt euch von diesem Herrn?" fragte ich die Gesellschaft. „Er sieht aus," versetzte der eine, „als ob er nicht mit sich spaßen lasse." — „Ja ja," sagte der andre, „er hat ganz das Ansehen so eines vornehmen Rühr'=mich=nicht=an." — „Und dessenungeachtet," erwiderte ich ganz getrost, „was wettet ihr, ich will ihn bei der Nase zupfen, ohne daß mir deshalb etwas Übles widerfahre; ja ich will mir sogar dadurch einen gnädigen Herrn an ihm verdienen."

„Wenn du es leistest," sagte Raufbold, „so zahlt dir jeder einen Louisdor." — „Kassieren Sie das Geld für mich ein," rief ich aus; „auf Sie verlasse ich mich." — „Ich möchte lieber einem Löwen ein Haar von der Schnauze raufen," sagte der Kleine. — „Ich habe keine Zeit zu verlieren," versetzte ich und sprang die Treppe hinunter.

Bei dem ersten Anblick des Fremden hatte ich bemerkt, daß
er einen sehr starken Bart hatte, und vermutete, daß keiner von
seinen Leuten rasieren könne.   Nun begegnete ich dem Kellner
und fragte: „Hat der Fremde nicht nach einem Barbier gefragt?"
— „Freilich!" versetzte der Kellner, „und es ist eine rechte Not. 5
Der Kammerdiener des Herrn ist schon zwei Tage zurückgeblieben.
Der Herr will seinen Bart absolut los sein, und unser einziger
Barbier, wer weiß, wo er in die Nachbarschaft hingegangen."

„So meldet mich an," versetzte ich; „führt mich als Bart=
scherer bei dem Herrn nur ein, und Ihr werdet Ehre mit mir 10
einlegen."   Ich nahm das Rasierzeug, das ich im Hause fand,
und folgte dem Kellner.

Der alte Herr empfing mich mit großer Gravität, besah mich
von oben bis unten, als ob er meine Geschicklichkeit aus mir
herausphysiognomieren wollte.   „Versteht Er Sein Handwerk?" 15
sagte er zu mir.

„Ich suche meinesgleichen," versetzte ich, „ohne mich zu
rühmen."   Auch war ich meiner Sache gewiß: denn ich hatte
früh die edle Kunst getrieben und war besonders deswegen
berühmt, weil ich mit der linken Hand rasierte.   20

Das Zimmer, in welchem der Herr seine Toilette machte,
ging nach dem Hof und war gerade so gelegen, daß unsere Freunde
füglich hereinsehen konnten, besonders wenn die Fenster offen
waren.   An gehöriger Vorrichtung fehlte nichts mehr.   Der
Patron hatte sich gesetzt und das Tuch umgenommen.   Ich trat 25
ganz bescheidentlich vor ihn hin und sagte: „Exzellenz! mir ist
bei Ausübung meiner Kunst das Besondere vorgekommen, daß
ich die gemeinen Leute besser und zu mehrerer Zufriedenheit
rasiert habe als die Vornehmen.   Darüber habe ich denn lange

nachgedacht und die Ursache bald da bald dort gesucht, endlich
aber gefunden, daß ich meine Sache in freier Luft viel besser mache
als in verschlossenen Zimmern. Wollten Eure Exzellenz des=
halb erlauben, daß ich die Fenster aufmache, so würden Sie den
5 Effekt zu eigener Zufriedenheit gar bald empfinden."

Er gab es zu, ich öffnete das Fenster, gab meinen Freunden
einen Wink und fing an, den starken Bart mit großer Anmut
einzuseifen. Ebenso leicht und behend strich ich das Stoppelfeld
vom Boden weg, wobei ich nicht versäumte, als es an die Ober=
10 lippe kam, meinen Gönner bei der Nase zu fassen und sie merklich
herüber und hinüber zu biegen, wobei ich mich so zu stellen
wußte, daß die Wettenden zu ihrem größten Vergnügen erkennen
und bekennen mußten, ihre Seite habe verloren.

Sehr stattlich bewegte sich der alte Herr gegen den Spiegel:
15 man sah, daß er sich mit einiger Gefälligkeit betrachtete, und
wirklich, es war ein sehr schöner Mann. Dann wendete er sich
zu mir mit einem feurigen schwarzen, aber freundlichen Blick
und sagte: „Er verdient, mein Freund, vor vielen Seinesgleichen
gelobt zu werden; denn ich bemerke an Ihm weit weniger
20 Unarten als an andern. So fährt Er nicht zwei=, dreimal
über dieselbige Stelle, sondern es ist mit einem Strich getan;
auch streicht Er nicht, wie mehrere tun, sein Schermesser in der
flachen Hand ab und führt den Unrat nicht der Person über die
Nase. Besonders aber ist Seine Geschicklichkeit der linken Hand
25 zu bewundern. Hier ist etwas für Seine Mühe," fuhr er fort,
indem er mir einen Gulden reichte. „Nur eines merk' Er sich:
daß man Leute von Stande nicht bei der Nase faßt. Wird Er
diese bäurische Sitte künftig vermeiden, so kann Er wohl noch
in der Welt Sein Glück machen."

Ich verneigte mich tief, versprach alles mögliche, bat ihn, bei allenfallsiger Rückkehr mich wieder zu beehren, und eilte, was ich konnte, zu unseren jungen Gesellen, die mir zuletzt ziemlich angst gemacht hatten, denn sie verführten ein solches Gelächter und ein solches Geschrei, sprangen wie toll in der Stube herum, klatschten und riefen, weckten die Schlafenden und erzählten die Begebenheit immer mit neuem Lachen und Toben, daß ich selbst, als ich ins Zimmer trat, die Fenster vor allen Dingen zumachte und sie um Gottes willen bat, ruhig zu sein, endlich aber mitlachen mußte über das Aussehen einer närrischen Handlung, die ich mit so vielem Ernste durchgeführt hatte.

Als nach einiger Zeit sich die tobenden Wellen des Lachens einigermaßen gelegt hatten, hielt ich mich für glücklich; die Goldstücke hatte ich in der Tasche und den wohlverdienten Gulden dazu, und ich hielt mich für ganz wohl ausgestattet, welches mir um so erwünschter war, als die Gesellschaft beschlossen hatte, des andern Tages auseinanderzugehen. Aber uns war nicht bestimmt, mit Zucht und Ordnung zu scheiden. Die Geschichte war zu reizend, als daß man sie hätte bei sich behalten können, so sehr ich auch gebeten und beschworen hatte, nur bis zur Abreise des alten Herrn reinen Mund zu halten. Einer bei uns, der Fahrige genannt, hatte ein Liebesverständnis mit der Tochter des Hauses. Sie kamen zusammen, und Gott weiß, ob er sie nicht besser zu unterhalten wußte, genug, er erzählt ihr den Spaß, und so wollten sie sich nun zusammen totlachen. Dabei blieb es nicht, sondern das Mädchen brachte die Märe lachend weiter, und so mochte sie endlich noch kurz vor Schlafengehen an den alten Herrn gelangen.

Wir saßen ruhiger als sonst; denn es war den Tag über

genug getobt worden, als auf einmal der kleine Kellner, der
uns sehr zugetan war, hereinsprang und rief: „Rettet euch, man
wird euch totschlagen!" Wir fuhren auf und wollten mehr
wissen; er war aber schon zur Türe wieder hinaus. Ich sprang
5 auf und schob den Nachtriegel vor; schon aber hörten wir an
der Türe pochen und schlagen, ja wir glaubten zu hören, daß sie
durch eine Art gespalten werde. Maschinenmäßig zogen wir
uns ins zweite Zimmer zurück, alle waren verstummt: „Wir
sind verraten," rief ich aus, „der Teufel hat uns bei der Nase!"
10 Raufbold griff nach seinem Degen, ich zeigte hier abermals
meine Riesenkraft und schob ohne Beihilfe eine schwere Kommode
vor die Türe, die glücklicherweise hereinwärts ging. Doch hörten
wir schon das Gepolter im Vorzimmer und die heftigsten Schläge
an unsere Türe.
15 Raufbold schien entschieden, sich zu verteidigen, wiederholt
aber rief ich ihm und den übrigen zu: „Rettet euch! hier
sind Schläge zu fürchten nicht allein, aber Beschimpfung, das
Schlimmere für den Edelgebornen." Das Mädchen stürzte herein,
dieselbe, die uns verraten hatte, nun verzweifelnd, ihren Lieb=
20 haber in Todesgefahr zu wissen. „Fort, fort!" rief sie und faßte
ihn an; „fort, fort! ich bring' euch über Böden, Scheunen und
Gänge. Kommt alle, der letzte zieht die Leiter nach."
Alles stürzte nun zur Hintertüre hinaus; ich hob noch einen
Koffer auf die Kiste, um die schon hereinbrechenden Füllungen
25 der belagerten Türe zurückzuschieben und festzuhalten. Aber
meine Beharrlichkeit, mein Trutz wollte mir verderblich werden.
Als ich den übrigen nachzueilen rannte, fand ich die Leiter
schon aufgezogen und sah alle Hoffnung, mich zu retten, gänz=
lich versperrt. Da steh' ich nun, ich, der eigentliche Verbrecher,

der ich mit heiler Haut, mit ganzen Knochen zu entrinnen schon
aufgab. Und wer weiß — doch laßt mich immer dort in Ge=
danken stehen, da ich jetzt hier gegenwärtig euch das Märchen
vorerzählen kann. Nur vernehmt noch, daß diese verwegene
Suite sich in schlechte Folgen verlor. 5

Der alte Herr, tief gekränkt von Verhöhnung ohne Rache,
zog sich's zu Gemüte, und man behauptet, dieses Ereignis habe
seinen Tod zur Folge gehabt, wo nicht unmittelbar, doch mit=
wirkend. Sein Sohn, den Tätern, auf die Spur zu gelangen
trachtend, erfuhr unglücklicherweise die Teilnahme Raufbolds, 10
und erst nach Jahren hierüber ganz klar, forderte er diesen
heraus, und eine Wunde, ihn, den schönen Mann, entstellend,
ward ärgerlich für das ganze Leben. Auch seinem Gegner ver=
darb dieser Handel einige schöne Jahre, durch zufällig sich
anschließende Ereignisse. 15

Da nun jede Fabel eigentlich etwas lehren soll, so ist euch allen,
wohin die gegenwärtige gemeint sei, wohl überklar und deutlich.

Merkwürdige Schicksale

Von Johann Peter Hebel

Eines Tages reiste ein junger Eng=
länder auf dem Postwagen zum
erstenmal in die große Stadt London,
wo er von den Menschen, die daselbst
5 wohnen, keinen einzigen kannte, als
seinen Schwager, den er besuchen
wollte, und seine Schwester, welche
des Schwagers Frau war. Auch auf
dem Postwagen war neben ihm nie=
10 mand, als der Kondukteur, das ist der
Aufseher über den Postwagen, der auf alles acht haben und an
Ort und Stelle über die Briefe und Pakete Rede und Antwort
geben muß; und die zwei Reisekameraden dachten damals nicht
daran, wo sie einander das nächste Mal wiedersehen würden.

15 Der Postwagen kam erst in der tiefen Nacht in London an.
In dem Posthause konnte der Fremde nicht übernacht bleiben,
weil der Postmeister daselbst ein vornehmer Herr ist und nicht
wirtet, und des Schwagers Haus wußte der arme Jüngling
in der ungeheuer großen Stadt, bei stockfinsterer Nacht, so wenig
20 zu finden, als in einem Wagen voll Heu eine Stecknadel.

Da sagte zu ihm der Kondukteur: „Junger Herr, kommt Ihr
mit mir! Ich bin zwar auch nicht hier daheim, aber ich habe,
wenn ich nach London komme, bei einer Verwandten ein Stüblein,

wo zwei Betten stehen. Meine Base wird Euch schon beherbergen, und morgen könnt Ihr Euch alsdann nach Eures Schwagers Haus erkundigen, wo Ihr's besser finden werdet." Das ließ sich der junge Mensch nicht zweimal sagen. Sie tranken bei der Frau Base noch einen Krug englisches Bier, aßen eine 5 Knackwurst dazu und legten sich dann schlafen.

In der Nacht bekam der Fremde einen Schwindelanfall, und er mußte hinausgehen. Da war er schlimmer dran als noch nie. Denn er wußte in seiner damaligen Nachtherberge, so klein sie war, so wenig Bericht, als ein paar Stunden vorher in der 10 großen Stadt. Zum Glück aber wurde der Kondukteur auch wach und sagte ihm, wie er gehen müsse, links und rechts und wieder links. „Die Türe," fuhr er fort, „ist zwar verschlossen, und wir haben den Schlüssel verloren. Aber nehmt in meinem Rockelorsack mein großes Messer mit und schiebt es zwischen dem 15 Türlein und dem Pfosten hinein, so springt inwendig die Falle auf. Geht nur dem Gehör nach! Ihr hört ja die Themse rauschen, und zieht etwas an, die Nacht ist kalt."

Der Fremde erwischte in der Finsternis das Kamisol des Kondukteurs, statt des seinen, und zog es an. Unterwegs hatte 20 er einmal den Rank zu kurz genommen, so daß er mit der Nase an ein Eck anstieß, und wegen des hitzigen Biers, das er getrunken hatte, entsetzlich blutete. Allein, ob dem starken Blutverlust und der Verkältung bekam er eine Schwäche und schlief sogleich ein.

Der nachtfertige Kondukteur wartete und wartete, wußte nicht, 25 wo sein Schlafkamerad so lange bleibt, bis er auf der Gasse einen Lärm vernahm, da fiel ihm im halben Schlaf der Gedanke ein: „Was gilt's, der arme Mensch ist an die Haustüre kom=men, ist auf die Gasse hinausgegangen und gepreßt worden."

Denn wenn die Engländer viel Volk auf ihre Schiffe brauchen, so gehen unversehens bestellte starke Männer nachts in den gemeinen Wirtsstuben, in verdächtigen Häusern und auf der Gasse herum, und wer ihnen alsdann in die Hände kommt und
5 tauglich ist, den fragen sie nicht lange: „Landsmann, wer bist du?" oder „Landsmann, wer seid Ihr?" sondern machen kurzen Prozeß, schleppen ihn — gern oder ungern — fort auf die Schiffe, und Gott befohlen! Solch eine nächtliche Menschenjagd nennt man Pressen, und deswegen sagte der Kondukteur: „Was gilt's,
10 er ist gepreßt worden!"

In dieser Angst sprang er eilig auf, warf seinen Rockelor um sich und eilte auf die Gasse, um womöglich den armen Schelm zu retten. Als er aber eine Gasse und zwei Gassen weit dem Lärmen nachgegangen war, fiel er selber den Pressern in die
15 Hände, wurde auf ein Schiff geschleppt — ungern — und den andern Morgen weiters. Weg war er.

Nachher kam der junge Mensch im Hause wieder zu sich, eilte, wie er war, in sein Bett zurück, ohne den Schlafkameraden zu vermissen, und schlief bis in den Tag. Unterdessen wurde der
20 Kondukteur, um acht Uhr, auf der Post erwartet, und als er immer und immer nicht kommen wollte, wurde ein Postbedienter abgeschickt, ihn zu suchen. Der fand keinen Kondukteur, aber einen Mann mit blutigem Gewand im Bett liegen, auf dem Gang ein großes offenes Messer, Blut den Weg entlang, und unten
25 rauschte die Themse. Da fiel ein böser Verdacht auf den blutigen Fremdling, er habe den Kondukteur ermordet und in das Wasser geworfen. Er wurde in ein Verhör geführt, und als man ihn visitierte und in den Taschen des Kamisols, das er noch immer anhatte, einen ledernen Geldbeutel fand, mit dem wohlbekannten

ſilbernen Petſchaftring des Kondukteurs am Riemen befeſtigt,
da war es um den armen Jüngling geſchehen. Er berief ſich
auf ſeinen Schwager — man kannte ihn nicht; auf ſeine Schwe=
ſter — man wußte nichts von ihr. Er erzählte den ganzen
Hergang der Sache, wie er ſelber ſie wußte. Aber die Blut= 5
richter ſagten: „Das ſind blaue Nebel, und Ihr werdet gehenkt.“
Und wie geſagt, ſo geſchehn, noch am nämlichen Nachmittag
nach engländiſchem Recht und Brauch.

Mit dem engländiſchen Brauch aber iſt es ſo: weil in London
der Spitzbuben viele ſind, ſo macht man mit denen, die gehenkt 10
werden, kurzen Prozeß, und bekümmern ſich nicht viele Leute
darum, weil man's oft ſehen kann. Die Miſſetäter, ſoviel man
auf einmal hat, werden auf einen breiten Wagen geſetzt und bis
unter den Galgen geführt. Dort hängt man den Strick in den
böſen Nagel ein, fährt alsdann mit dem Wagen unter ihnen weg, 15
läßt die ſchönen Geſellen zappeln und ſchaut nicht um. Allein
in England iſt das Hängen nicht ſo ſchimpflich wie bei uns,
ſondern nur tödlich. Deswegen kommen nachher die nächſten
Verwandten des Miſſetäters und ziehen ſo lange unten an den
Beinen, bis der Herr Vetter oben erſtickt. Aber unſerm Fremd= 20
ling tat niemand dieſen traurigen Dienſt der Liebe und Freund=
ſchaft an, bis abends ein junges Ehepaar, Arm in Arm, auf einem
Spaziergang von ungefähr über den Richtplatz wandelte, und
im Vorbeigehen nach dem Galgen ſchaute. Da fiel die Frau
mit einem lauten Schrei des Entſetzens in die Arme ihres 25
Mannes: „Barmherziger Himmel, da hängt unſer Bruder!“
Aber noch größer wurde der Schrecken, als der Gehenkte
bei der bekannten Stimme ſeiner Schweſter die Augenlider
aufſchlug und die Augen fürchterlich drehte. Denn er lebte

noch, und das Ehepaar, das vorüberging, war die Schwester
und der Schwager.

　　Der Schwager aber, der ein entschlossener Mann war, verlor
die Besinnung nicht, sondern dachte in der Stille auf Rettung.
5 Der Platz war entlegen, die Leute hatten sich verlaufen, und um
Geld und gute Worte gewann er ein paar beherzte und vertraute
Burschen, die nahmen den Gehenkten mir nichts dir nichts ab,
als wenn sie das Recht dazu hätten, und brachten ihn glücklich
und unbeschrien in des Schwagers Haus. Dort ward er in
10 wenig Stunden wieder zu sich gebracht, bekam ein kleines Fieber
und wurde unter der lieben Pflege seiner getrösteten Schwester
bald wieder völlig gesund. Eines Abends aber sagte der Schwa=
ger zu ihm: „Schwager, Ihr könnt nun in dem Land nicht
bleiben. Wenn Ihr entdeckt werdet, so könnt Ihr noch einmal
15 gehenkt werden, und ich dazu. Und wenn auch nicht, so habt
Ihr ein Halsband an Eurem Hals getragen, das für Euch und
Eure Verwandten ein schlechter Staat war. Ihr müßt nach
Amerika. Dort will ich für Euch sorgen.“

　　Das sah der gute Jüngling ein, ging bei der ersten Gelegenheit
20 in ein vertrautes Schiff und kam nach achtzig Tagen glücklich in
dem Seehafen von Philadelphia an. Als er aber hier an einem
landfremden Orte mit schwerem Herzen wieder an das Ufer
stieg, und als er eben bei sich selber dachte: „Wenn mir doch
Gott auch nur einen einzigen Menschen entgegenführte, der mich
25 kennt;“ siehe, da kam in armseliger Schiffskleidung der Kon=
dukteur. Aber so groß sonst die Freude des unverhofften Wieder=
sehens an einem solchen fremden Orte ist, so war doch hier der
erste Willkommen schlecht genug. Denn der Kondukteur, als
er seinen Mann erkannte, ging er mit geballter Faust auf ihn

los: „Wo führt Euch der Böse her, verdammter Nachtläufer?
Wißt Ihr, daß ich wegen Euch bin gepreßt worden?" Der
Engländer aber sagte: „Ihr vermaledeiter Überall und Nirgends,
wißt Ihr, daß man wegen Euch mich gehenkt hat?"

Hernach aber gingen sie miteinander ins Wirtshaus zu den   5
zwei Kronen in Philadelphia und erzählten sich ihr Schicksal.
Und der junge Engländer, der in einem Handlungshaus gute
Geschäfte machte, ruhte nachher nicht, bis er seinen guten Freund
loskaufen und wieder nach London zurückschicken konnte.

Der Affe als Mensch

Von Wilhelm Hauff

Im südlichen Teil von Deutschland
liegt das Städtchen Grünwiesel, wo
ich geboren und erzogen bin. Es ist
ein Städtchen, wie sie alle sind. In
5 der Mitte ein kleiner Marktplatz mit
einem Brunnen, an der Seite ein
kleines altes Rathaus, umher auf dem
Markt die Häuser des Friedensrichters
und der angesehensten Kaufleute, und
10 in ein paar engen Straßen wohnen die
übrigen Menschen. Alles kennt sich, jedermann weiß, wie es da
und dort zugeht.

Ihr könnet Euch denken, Herr, wie unangenehm es für eine
so wohleingerichtete Stadt, wie Grünwiesel, sein mußte, als ein
15 Mann dorthin zog, von dem niemand wußte, woher er kam, was
er wollte, von was er lebte. Der Bürgermeister hatte zwar
seinen Paß gesehen, und in einer Kaffeegesellschaft bei Doktors
geäußert, der Paß sei zwar ganz richtig visiert von Berlin bis
Grünwiesel, aber es stecke doch was dahinter; denn der Mann
20 sehe etwas verdächtig aus.

Der Bürgermeister hatte das größte Ansehen in der Stadt;
kein Wunder, daß von da an der Fremde als eine verdächtige
Person angesehen wurde. Und sein Lebenswandel konnte meine

Landsleute nicht von dieser Meinung abbringen.   Der fremde
Mann mietete sich für einige Goldstücke ein ganzes Haus, das
bisher öde gestanden, ließ einen ganzen Wagen voll sonderbarer
Gerätschaften, als Öfen, Kunstherde, große Tiegel und dergleichen, hineinschaffen und lebte von da an ganz für sich allein.   5
Ja, er kochte sich sogar selbst, und es kam keine menschliche Seele
in sein Haus als ein alter Mann aus Grünwiesel, der ihm seine
Einkäufe in Brot, Fleisch und Gemüse besorgen mußte.   Doch
auch dieser durfte nur in die Flur des Hauses kommen, und dort
nahm der fremde Mann das Gekaufte in Empfang.   10

Ich war ein Knabe von zehn Jahren, als der Mann in
meiner Vaterstadt einzog, und ich kann mir noch heute, als wäre
es gestern geschehen, die Unruhe denken, die dieser Mann im
Städtchen verursachte.   Er kam nachmittags nicht, wie andere
Männer, auf die Kegelbahn, er kam abends nicht ins Wirts-   15
haus, um, wie die übrigen, bei einer Pfeife Tabak über die Zeitung zu sprechen.   Umsonst luden ihn nach der Reihe der Bürgermeister, der Friedensrichter, der Doktor und der Oberpfarrer zum
Essen oder Kaffee ein; er ließ sich immer entschuldigen.   Ich
wurde achtzehn, zwanzig Jahre alt, und noch immer hieß der   20
Mann in der Stadt der fremde Herr.

Es begab sich aber eines Tages, daß Leute mit fremden
Tieren in die Stadt kamen.   Es ist dies hergelaufenes Gesindel,
das ein Kamel hat, welches sich verbeugen kann, einen Bären, der
tanzt, einige Hunde und Affen, die in menschlichen Kleidern   25
komisch genug aussehen und allerlei Künste machen.

Die Truppe aber, die diesmal sich in Grünwiesel sehen ließ,
zeichnete sich durch einen ungeheueren Orang-Utang aus, der
beinahe Menschengröße hatte, auf zwei Beinen ging und allerlei

artige Künste zu machen verstand. Diese Hunds= und Affen=
komödie kam auch vor das Haus des fremden Herrn. Er
erschien, als die Trommel und Pfeife ertönte, von Anfang
ganz unwillig hinter den dunkeln, vom Alter angelaufenen
5 Fenstern. Bald aber wurde er freundlicher, schaute zu jeder=
manns Verwundern zum Fenster heraus und lachte herzlich
über die Künste des Orang=Utangs. Ja, er gab für den Spaß
ein so großes Silberstück, daß die ganze Stadt davon sprach.

Am andern Morgen zog die Tierbande weiter. Das Kamel
10 mußte viele Körbe tragen, in welchen die Hunde und Affen ganz
bequem saßen; die Tiertreiber aber und der große Affe gingen
hinter dem Kamel. Kaum aber waren sie einige Stunden zum
Tore hinaus, so schickte der fremde Herr auf die Post, verlangte
zu großer Verwunderung des Postmeisters einen Wagen und
15 Extrapost und fuhr zu demselben Tor hinaus den Weg hin,
den die Tiere genommen hatten. Das ganze Städtchen ärgerte
sich, daß man nicht erfahren konnte, wohin er gereist sei.

Es war schon Nacht, als der fremde Herr wieder im Wagen
vor dem Tor ankam. Es saß aber noch eine Person im Wagen,
20 die den Hut tief ins Gesicht gedrückt und um Mund und Ohren
ein seidenes Tuch gebunden hatte. Der Torschreiber hielt es
für seine Pflicht, den anderen Fremden anzureden und um seinen
Paß zu bitten; er antwortete aber sehr grob, indem er in einer
ganz unverständlichen Sprache brummte.

25 „Es ist mein Neffe,“ sagte der fremde Mann freundlich zum
Torschreiber, indem er ihm einige Silbermünzen in die Hand
drückte; „es ist mein Neffe und versteht noch wenig Deutsch.
Er hat soeben in seiner Mundart ein wenig geflucht, daß wir
hier aufgehalten werden.“

„Ei, wenn es Dero Neffe ist," antwortete der Torschreiber,
„so kann er wohl ohne Paß hereinkommen. Er wird wohl ohne
Zweifel bei Ihnen wohnen?"

„Allerdings," sagte der Fremde, „und hält sich wahrscheinlich
längere Zeit hier auf."   5

Der Torschreiber hatte keine weitere Einwendung mehr, und
der fremde Herr und sein Neffe fuhren ins Städtchen. Der Bür=
germeister und die ganze Stadt war übrigens nicht sehr zufrieden
mit dem Torschreiber. Er hätte doch wenigstens einige Worte
von der Sprache des Neffen sich merken sollen. Daraus hätte 10
man dann leicht erfahren, was für ein Landeskind er und der
Onkel wäre. Der Torschreiber versicherte aber, daß es weder
Französisch noch Italienisch sei, wohl aber habe es so breit ge=
klungen wie Englisch. So half der Torschreiber sich selbst aus
der Not und dem jungen Manne zu einem Namen. Denn man 15
sprach jetzt nur von dem jungen Engländer im Städtchen.

Aber auch der junge Engländer wurde nicht sichtbar, weder
auf der Kegelbahn, noch im Bierkeller; wohl aber gab er den
Leuten auf andere Weise viel zu schaffen. — Es begab sich
nämlich oft, daß in dem sonst so stillen Hause des Fremden ein 20
schreckliches Geschrei und ein Lärm ausging, daß die Leute haufen=
weise vor dem Hause stehen blieben und hinaufsahen. Man
sah dann den jungen Engländer, angetan mit einem roten Frack
und grünen Beinkleidern, mit struppigem Haar und schrecklicher
Miene unglaublich schnell an den Fenstern hin und her, durch alle 25
Zimmer laufen; der alte Fremde lief ihm in einem roten Schlaf=
rock, eine Hetzpeitsche in der Hand, nach, verfehlte ihn oft, aber
einigemal kam es doch der Menge auf der Straße vor, als müsse
er den Jungen erreicht haben; denn man hörte kläglche Angst=

töne und klatschende Peitschenhiebe die Menge. An dieser grau=
samen Behandlung des fremden jungen Mannes nahmen die
Frauen des Städtchens so lebhaften Anteil, daß sie endlich den
Bürgermeister bewogen, einen Schritt in der Sache zu tun.

5   Wer war aber mehr erstaunt als der Bürgermeister, wie
er den Fremden selbst, zum erstenmal seit zehn Jahren, bei sich
eintreten sah! Der alte Herr entschuldigte sein Verfahren mit
dem besonderen Auftrag der Eltern des Jünglings, die ihm
solchen zu erziehen gegeben; er sei sonst ein kluger, anstelliger
10 Junge, äußerte er, aber die Sprachen erlerne er sehr schwer; er
wünsche so sehnlich, seinem Neffen das Deutsche recht geläufig
beizubringen, um sich nachher die Freiheit zu nehmen, ihn in die
Gesellschaften von Grünwiesel einzuführen, und dennoch gehe
demselben diese Sprache so schwer ein, daß man oft nichts Besseres
15 tun könne, als ihn gehörig durchzupeitschen.

Durch diesen einzigen Vorfall war die Meinung des Städt=
chens völlig umgeändert. Man hielt den Fremden für einen
artigen Mann, sehnte sich nach seiner nähern Bekanntschaft und
fand es ganz in der Ordnung, wenn hie und da in dem öden
20 Hause ein gräßliches Geschrei aufging. „Er gibt dem Neffen Un=
terricht in der deutschen Sprachlehre," sagten die Grünwieseler
und blieben nicht mehr stehen.

Nach einem Vierteljahr ungefähr schien der Unterricht im
Deutschen beendigt; denn der Alte ging jetzt um eine Stufe
25 weiter vor. Es lebte ein alter gebrechlicher Franzose in der
Stadt, der den jungen Leuten Unterricht im Tanzen gab. Diesen
ließ der Fremde zu sich rufen und sagte ihm, daß er seinen Neffen
im Tanzen unterrichten lassen wolle.

Es gab, wie der Franzose unter der Hand versicherte, auf

der Welt nichts Sonderbareres als diese Tanzstunden. Der Neffe,
ein ziemlich großer, schlanker junger Mann, der nur etwas sehr
kurze Beine hatte, erschien in einem roten Frack, schön frisiert,
in grünen, weiten Beinkleidern und glasierten Handschuhen. Er
sprach wenig und mit fremdem Akzent, war von Anfang ziemlich 5
artig und anstellig; dann verfiel er aber oft plötzlich in fratzen=
hafte Sprünge, tanzte die kühnsten Touren, daß dem Tanzmeister
Hören und Sehen verging; wollte er ihn zurechtweisen, so zog
er die zierlichen Tanzschuhe von den Füßen, warf sie dem Fran=
zosen an den Kopf und setzte nun auf allen vieren im Zimmer 10
umher.

Bei diesem Lärm fuhr dann der alte Herr plötzlich in einem
weiten, roten Schlafrock, eine Mütze von Goldpapier auf dem
Kopf, aus seinem Zimmer heraus und ließ die Hetzpeitsche
ziemlich unsanft auf den Rücken des Neffen niederfallen. Der 15
Neffe fing dann an, schrecklich zu heulen, sprang auf Tische
und hohe Kommode, ja selbst an den Kreuzstöcken der Fenster
hinauf und sprach eine fremde, seltsame Sprache. Der Alte im
roten Schlafrock aber ließ sich nicht irremachen, faßte ihn am
Bein, riß ihn herab, bläute ihn durch und zog ihm mittels einer 20
Schnalle die Halsbinde fester an, worauf er immer wieder artig
und manierlich wurde und die Tanzstunde ohne Störung wei=
terging.

Als aber der Tanzmeister seinen Zögling so weit gebracht
hatte, daß man Musik zu der Stunde nehmen konnte, da war 25
der Neffe wie umgewandelt. Ein Stadtmusikant wurde ge=
mietet, der im Saal des öden Hauses auf einen Tisch sich setzen
mußte. Der Tanzmeister stellte dann die Dame vor, indem ihm
der alte Herr einen Frauenrock von Seide und einen ostindischen

Schal anziehen ließ; der Neffe forderte ihn auf und fing nun
an, mit ihm zu tanzen und zu walzen; er aber war ein unermüd=
licher, rasender Tänzer, er ließ den Meister nicht aus seinen
langen Armen; ob er ächzte und schrie, er mußte tanzen, bis
5 er ermattet umsank oder bis dem Stadtmusikus der Arm lahm
wurde an der Geige.   Den Tanzmeister brachten diese Unter=
richtsstunden beinahe unter den Boden; aber der Taler, den
er jedesmal richtig ausbezahlt bekam, machte, daß er immer
wiederkam.

10   Die Leute in Grünwiesel sahen aber die Sache ganz anders
an als der Franzose.   Sie fanden, daß der junge Mann viele
Anlage zum Gesellschaftlichen habe, und die Frauenzimmer im
Städtchen freuten sich, bei dem großen Mangel an Herren einen
so flinken Tänzer für den nächsten Winter zu bekommen.

15   Eines Morgens berichteten die Mägde, die vom Markte
heimkehrten, ihren Herrschaften ein wunderbares Ereignis.   Vor
dem öden Hause sei ein prächtiger Glaswagen gestanden, mit
schönen Pferden bespannt, und ein Bedienter in reicher Livree
habe den Schlag gehalten.   Da sei die Türe des öden Hauses
20 aufgegangen und zwei schön gekleidete Herren herausgetreten,
wovon der eine der alte Fremde und der andere wahrscheinlich
der junge Herr gewesen, der so schwer Deutsch gelernt und so
rasend tanze.   Die beiden seien in den Wagen gestiegen, der
Bediente hinten aufs Brett gesprungen, und der Wagen, man
25 stelle sich vor! sei geradezu auf Bürgermeisters Haus zu gefahren.

Als die Frauen solches von ihren Mägden erzählen hörten,
rissen sie eilends die Küchenschürzen und die etwas unsauberen
Hauben ab und versetzten sich in Staat.   „Es ist nichts gewisser,
als daß der Fremde jetzt seinen Neffen in die Welt einführt.   Der

alte Narr war seit zehn Jahren nicht so artig, einen Fuß in unser
Haus zu setzen; aber es sei ihm wegen des Neffen verziehen, der
ein scharmanter Mensch sein soll."

Man war überall ganz erfüllt von den beiden Fremden und
bedauerte, nicht schon früher diese angenehme Bekanntschaft ge=   5
macht zu haben. Der alte Herr zeigte sich als einen würdigen,
sehr vernünftigen Mann, der zwar bei allem, was er sagte, ein
wenig lächelte, so daß man nicht gewiß war, ob es ihm Ernst
sei oder nicht. Aber der Neffe!

Er bezauberte alles, er gewann alle Herzen für sich. Man   10
konnte zwar, was sein Äußeres betraf, sein Gesicht nicht schön
nennen; der untere Teil, besonders die Kinnlade, stand all=
zusehr hervor, und der Teint war sehr bräunlich; auch machte
er zuweilen allerlei sonderbare Grimassen, drückte die Augen
zu und fletschte mit den Zähnen; aber dennoch fand man den   15
Schnitt seiner Züge ungemein interessant. Die Kleider hingen
ihm zwar etwas sonderbar am Leib, aber es stand ihm alles
trefflich; er fuhr mit großer Lebendigkeit im Zimmer um=
her, warf sich hier in einen Sofa, dort in einen Lehnstuhl und
streckte die Beine von sich; aber was man bei einem andern   20
jungen Mann höchst gemein und unschicklich gefunden hätte, galt
bei dem Neffen für Genialität. „Er ist ein Engländer," sagte
man, „so sind sie alle; ein Engländer kann sich aufs Kanapee
legen und einschlafen, während zehn Damen keinen Platz haben
und umherstehen müssen; einem Engländer kann man so etwas   25
nicht übelnehmen."

So war der Neffe also in die Welt eingeführt, und ganz
Grünwiesel sprach an diesem und den folgenden Tagen von nichts
anderem als von diesem Ereignis. Der alte Herr blieb aber

hiebei nicht stehen; er schien seine Denk= und Lebensart gänz=
lich geändert zu haben. Nachmittags ging er mit dem Neffen
hinaus in den Felsenkeller am Berg, wo die vornehmeren Herren
von Grünwiesel Bier tranken und sich am Kegelschieben ergötzten.
5 Der Neffe zeigte sich dort als einen flinken Meister im Spiel;
denn er warf nie unter fünf oder sechs; hie und da schien zwar
ein sonderbarer Geist über ihn zu kommen; es konnte ihm ein=
fallen, daß er pfeilschnell mit der Kugel hinaus= und unter die
Kegel hineinfuhr und dort allerhand tollen Rumor anrichtete,
10 oder wenn er den Kranz oder den König geworfen, stand er
plötzlich auf seinem schön frisierten Haar und streckte die Beine
in die Höhe.

Der alte Herr pflegte dann bei solchen Szenen den Bürger=
meister und die anderen Männer sehr um Entschuldigung zu
15 bitten wegen der Ungezogenheit seines Neffen; sie aber lachten,
schrieben es seiner Jugend zu, behaupteten, in diesem Alter
selbst so leichtfüßig gewesen zu sein, und liebten den jungen
Springinsfeld, wie sie ihn nannten, ungemein.

Es gab aber auch Zeiten, wo sie sich nicht wenig über ihn
20 ärgerten und dennoch nichts zu sagen wagten, weil der junge Eng=
länder allgemein als ein Muster von Bildung und Verstand
galt. Der alte Herr pflegte nämlich mit seinem Neffen auch
abends in den Goldenen Hirsch, das Wirtshaus des Städtchens,
zu kommen. Obgleich der Neffe noch ein ganz junger Mensch
25 war, tat er doch schon ganz wie ein Alter, setzte sich hinter
sein Glas, tat eine ungeheure Brille auf, zog eine gewaltige
Pfeife heraus, zündete sie an und dampfte unter allen am
ärgsten. Wurde nun über die Zeitungen, über Krieg und Frieden
gesprochen, gab der Doktor die Meinung, der Bürgermeister

jene, waren die anderen Herren ganz erstaunt über so tiefe
politische Kenntnisse, so konnte es dem Neffen plötzlich einfallen,
ganz anderer Meinung zu sein; er schlug dann mit der Hand,
von welcher er nie die Handschuhe ablegte, auf den Tisch und
gab dem Bürgermeister und dem Doktor nicht undeutlich zu ver= 5
stehen, daß sie von diesem allen nichts genau wüßten, daß er diese
Sachen ganz anders gehört habe und tiefere Einsicht besitze.

Man hatte bisher in Grünwiesel beinahe jeden Abend Karten
gespielt, die Partie um einen halben Kreuzer; das fand nun
der Neffe erbärmlich, setzte Kronentaler und Dukaten, behauptete, 10
kein einziger spiele so fein wie er, söhnte aber die beleidigten
Herren gewöhnlich dadurch wieder aus, daß er ungeheure Summen
an sie verlor.   Sie machten sich auch gar kein Gewissen daraus,
ihm recht viel Geld abzunehmen; denn „er ist ja ein Engländer, also
von Hause aus reich," sagten sie und schoben die Dukaten in die 15
Tasche.

Sein Triumph waren aber die Grünwieseler Bälle.   Es
konnte niemand anhaltender, schneller tanzen als er; keiner
machte so kühne und ungemein zierliche Sprünge wie er.   Da=
bei kleidete ihn sein Onkel immer aufs prächtigste nach dem 20
neuesten Geschmack, und obgleich ihm die Kleider nicht recht
am Leibe sitzen wollten, fand man dennoch, daß ihn alles aller=
liebst kleide.   Die Männer fanden sich zwar bei diesen Tänzen
etwas beleidigt durch die neue Art, womit er auftrat.   Sonst
hatte immer der Bürgermeister in eigener Person den Ball er= 25
öffnet, die vornehmsten jungen Leute hatten das Recht, die
übrigen Tänze anzuordnen; aber seit der fremde junge Herr
erschien, war dies alles ganz anders.   Ohne viel zu fragen,
nahm er die nächste beste Dame bei der Hand, stellte sich mit ihr

oben an, machte alles, wie es ihm gefiel, und war Herr und
Meister und Ballkönig.

So betrug sich nun der Neffe in Gesellschaft. Wie es aber
mit den Sitten zu geschehen pflegt, die schlechten verbreiten
5 sich immer leichter als die guten, und eine neue, auffallende
Mode, wenn sie auch höchst lächerlich sein sollte, hat etwas
Ansteckendes an sich für junge Leute, die noch nicht über sich
selbst und die Welt nachgedacht haben. So war es auch in
Grünwiesel mit dem Neffen und seinen sonderbaren Sitten.
10 Als nämlich die junge Welt sah, wie derselbe mit seinem lin-
kischen Wesen, mit seinem rohen Lachen und Schwatzen, mit
seinen groben Antworten gegen Ältere eher geschätzt als ge-
tadelt werde, daß man dies alles sogar sehr geistreich finde, so
dachten sie bei sich: „Es ist mir ein Leichtes, auch solch ein
15 geistreicher Schlingel zu werden." Sie waren sonst fleißige,
geschickte junge Leute gewesen; jetzt dachten sie: „Zu was hilft
Gelehrsamkeit, wenn man mit Unwissenheit besser fortkommt?"
Sie ließen die Bücher liegen und trieben sich überall umher auf
Plätzen und Straßen. Sonst waren sie artig gewesen und höf-
20 lich gegen jedermann, hatten gewartet, bis man sie fragte,
und anständig und bescheiden geantwortet; jetzt standen sie in
die Reihe der Männer, schwatzten mit, gaben ihre Meinung
preis und lachten selbst dem Bürgermeister unter die Nase,
wenn er etwas sagte, und behaupteten, alles viel besser zu wissen.
25 Aber die Freude der jungen Leute an ihrem rohen, unge-
bundenen Leben dauerte nicht lange; denn folgender Vorfall ver-
änderte auf einmal die ganze Szene. Die Wintervergnügungen
sollte ein großes Konzert beschließen, das teils von den Stadtmusikanten, teils von geschickten Musikfreunden in Grünwiesel

aufgeführt werden sollte. Der Bürgermeister spielte das Violoncell, der Doktor das Fagott ganz vortrefflich, der Apotheker,
obgleich er keinen rechten Ansatz hatte, blies die Flöte, einige
Jungfrauen aus Grünwiesel hatten Arien einstudiert, und alles
war trefflich vorbereitet. Da äußerte der alte Fremde, daß zwar   5
das Konzert auf diese Art trefflich werden würde, es fehle aber
offenbar an einem Duett, und ein Duett müsse in jedem ordent-
lichen Konzert notwendigerweise vorkommen.

Man war etwas betreten über diese Äußerung; die Tochter des
Bürgermeisters sang zwar wie eine Nachtigall; aber wo einen   10
Herrn herbekommen, der mit ihr ein Duett singen könnte? Man
wollte endlich auf den alten Organisten verfallen, der einst einen
trefflichen Baß gesungen hatte; der Fremde aber behauptete, dies
alles sei nicht nötig, indem sein Neffe ganz ausgezeichnet singe.
Man war nicht wenig erstaunt über diese neue treffliche Eigenschaft   15
des jungen Mannes; er mußte zur Probe etwas singen, und
einige sonderbare Manieren abgerechnet, die man für englisch
hielt, sang er wie ein Engel. Man studierte also in der Eile das
Duett ein, und der Abend erschien endlich, an welchem die Ohren
der Grünwieseler durch das Konzert erquickt werden sollten.   20

Der alte Fremde konnte leider dem Triumph seines Neffen
nicht beiwohnen, weil er krank war; er gab aber dem Bürgermeister, der ihn eine Stunde zuvor noch besuchte, einige Maß-
regeln über seinen Neffen auf. „Es ist eine gute Seele, mein
Neffe," sagte er, „aber hie und da verfällt er in allerlei sonder-   25
bare Gedanken und fängt dann tolles Zeug an; es ist mir eben
deswegen leid, daß ich dem Konzert nicht beiwohnen kann; denn
vor mir nimmt er sich gewaltig in acht, er weiß wohl, warum!
Ich muß übrigens zu seiner Ehre sagen, daß dies nicht geistiger

Mutwillen ist, sondern es ist körperlich, es liegt in seiner
Natur. Wollten Sie nun, Herr Bürgermeister, wenn er etwa
in solche Gedanken verfiele, daß er sich auf ein Notenpult setzte
oder daß er durchaus den Kontrabaß streichen wollte oder der=
5 gleichen, wollten Sie ihm dann nur seine hohe Halsbinde etwas
lockerer machen oder, wenn es auch dann nicht besser wird, ihm
solche ganz ausziehen? Sie werden sehen, wie artig und manier=
lich er dann wird."

Der Bürgermeister dankte dem Kranken für sein Zutrauen
10 und versprach, im Fall der Not also zu tun, wie er ihm geraten.

Der Konzertsaal war gedrängt voll; denn ganz Grünwiesel
und die Umgegend hatte sich eingefunden. Alle Jäger, Pfarrer,
Amtleute, Landwirte und dergleichen aus dem Umkreis von
drei Stunden waren mit zahlreicher Familie herbeigeströmt, um
15 den seltenen Genuß mit den Grünwieselern zu teilen. Die
Stadtmusikanten hielten sich vortrefflich; nach ihnen trat der
Bürgermeister auf, der das Violoncell spielte, begleitet vom
Apotheker, der die Flöte blies; nach diesen sang der Organist
eine Baßarie mit allgemeinem Beifall, und auch der Doktor wurde
20 nicht wenig beklatscht, als er auf dem Fagott sich hören ließ.

Die erste Abteilung des Konzertes war vorbei, und jeder=
mann war nun auf die zweite gespannt, in welcher der junge
Fremde mit des Bürgermeisters Tochter ein Duett vortragen
sollte. Der Neffe war in einem glänzenden Anzug erschienen
25 und hatte schon längst die Aufmerksamkeit aller Anwesenden auf
sich gezogen. Er hatte sich nämlich, ohne viel zu fragen, in den
prächtigen Lehnstuhl gelegt, der für eine Gräfin aus der
Nachbarschaft hergesetzt worden war; er streckte die Beine weit
von sich, schaute jedermann durch ein ungeheures Perspektiv an,

das er noch außer seiner großen Brille gebrauchte, und spielte
mit einem großen Fleischerhund, den er trotz des Verbotes, Hunde
mitzunehmen, in die Gesellschaft eingeführt hatte. Die Gräfin,
für welche der Lehnstuhl bereitet war, erschien; aber wer keine
Miene machte, aufzustehen und ihr den Platz einzuräumen, war 5
der Neffe.

Während des herrlichen Spieles des Bürgermeisters, während
des Organisten trefflicher Baßarie, ja sogar während der Doktor
auf dem Fagott phantasierte und alles dem Atem anhielt und
lauschte, ließ der Neffe den Hund das Schnupftuch apportieren 10
oder schwatzte ganz laut mit seinen Nachbarn, so daß jeder=
mann, der ihn nicht kannte, über die absonderlichen Sitten des
jungen Herrn sich wunderte.

Kein Wunder daher, daß alles sehr begierig war, wie er
sein Duett vortragen würde. Die zweite Abteilung begann; 15
die Stadtmusikanten hatten etwas weniges aufgespielt, und nun
trat der Bürgermeister mit seiner Tochter zu dem jungen Mann,
überreichte ihm ein Notenblatt und sprach: „Mosjöh! wäre es
Ihnen jetzt gefällig, das Duetto zu singen?" Der junge Mann
lachte, fletschte mit den Zähnen, sprang auf, und die beiden 20
andern folgten ihm an das Notenpult, und die ganze Gesell=
schaft war voll Erwartung. Der Organist schlug den Takt und
winkte dem Neffen, anzufangen. Dieser schaute durch seine großen
Brillengläser in die Noten und stieß greuliche, jämmerliche Töne
aus. Der Organist aber schrie ihm zu: „Zwei Töne tiefer, 25
Wertester, C müssen Sie singen, C!"

Statt aber C zu singen, zog der Neffe einen seiner Schuhe
ab und warf ihn dem Organisten an den Kopf, daß der Puder
weit umherflog. Als dies der Bürgermeister sah, dachte er: „Ha!

jetzt hat er wieder seine körperlichen Zufälle," sprang hinzu,
packte ihn am Hals und band ihm das Tuch etwas leichter;
aber dadurch wurde es nur noch schlimmer mit dem jungen Mann.
Er sprach nicht mehr Deutsch, sondern eine ganz sonderbare
5 Sprache, die niemand verstand, und machte große Sprünge.
Der Bürgermeister war in Verzweiflung über diese unangenehme
Störung; er faßte daher den Entschluß, dem jungen Mann, dem
etwas ganz Besonderes zugestoßen sein mußte, das Halstuch
vollends abzulösen. Aber kaum hatte er dies getan, so blieb er
10 vor Schrecken wie erstarrt stehen; denn statt menschlicher Haut
und Farbe umgab den Hals des jungen Menschen ein dunkel=
braunes Fell, und alsobald setzte derselbe auch seine Sprünge noch
höher und sonderbarer fort, fuhr sich mit den glasierten Hand=
schuhen in die Haare, zog diese ab, und, o Wunder! diese schönen
15 Haare, waren eine Perücke, die er dem Bürgermeister ins Gesicht
warf, und sein Kopf erschien jetzt mit demselben braunen Fell
bewachsen.

Er setzte über Tische und Bänke, warf die Notenpulte um,
zertrat Geigen und Klarinette und erschien wie ein Rasender.
20 „Fangt ihn, fangt ihn!" rief der Bürgermeister ganz außer sich,
„er ist von Sinnen, fangt ihn!" Das war aber eine schwierige
Sache; denn er hatte die Handschuhe abgezogen und zeigte Nägel
an den Händen, mit welchen er den Leuten ins Gesicht fuhr und
sie jämmerlich kratzte. Endlich gelang es einem mutigen Jäger,
25 seiner habhaft zu werden. Er preßte ihm die langen Arme zu=
sammen, daß er nur noch mit den Füßen zappelte und mit heiserer
Stimme lachte und schrie. Die Leute sammelten sich umher und
betrachteten den sonderbaren jungen Herrn, der jetzt gar nicht
mehr aussah wie ein Mensch. Aber ein gelehrter Herr aus der

Nachbarschaft, der ein großes Naturalienkabinett und allerlei aus=
gestopfte Tiere besaß, trat näher, betrachtete ihn genau und
rief dann voll Verwunderung: „Mein Gott, verehrte Herren
und Damen, wie bringen Sie nur dies Tier in honnette Gesell=
schaft? Das ist ja ein Affe, ein Orang=Utang; ich gebe sogleich 5
sechs Taler für ihn, wenn Sie mir ihn ablassen, und balge ihn
aus für mein Kabinett."

Wer beschreibt das Erstaunen der Grünwieseler, als sie dies
hörten! „Was, ein Affe, ein Orang=Utang in unserer Gesell=
schaft? Der junge Fremde ein ganz gewöhnlicher Affe!" riefen 10
sie und sahen einander ganz dumm vor Verwunderung an.
Man wollte nicht glauben, man traute seinen Ohren nicht, die
Männer untersuchten das Tier genauer; aber es war und blieb
ein ganz natürlicher Affe.

„Aber, wie ist dies möglich!" rief die Frau Bürgermeisterin. 15
„Hat er mir nicht oft seine Gedichte vorgelesen? Hat er nicht
wie ein anderer Mensch bei mir zu Mittag gespeist?"

„Was?" eiferte die Frau Doktorin. „Wie? Hat er nicht
oft und viel den Kaffee bei mir getrunken und mit meinem Manne
gelehrt gesprochen und geraucht?"   20

„Wie! Ist es möglich!" riefen die Männer. „Hat er nicht
mit uns am Felsenkeller Kugeln geschoben und über Politik
gestritten wie unsereiner?"

„Und wie?" klagten sie alle. „Hat er nicht sogar vorgetanzt
auf unsern Bällen? Ein Affe! Ein Affe? Es ist ein Wunder, 25
es ist Zauberei!"

„Ja, es ist Zauberei und teuflischer Spuk," sagte der Ober=
pfarrer, ein gelehrter Mann, „und es muß exemplarisch bestraft
werden."

Der Bürgermeister war derselben Meinung und machte sich
sogleich auf den Weg zu dem Fremden, der ein Zauberer sein
mußte, und sechs Stadtsoldaten trugen den Affen; denn der
Fremde sollte ins Verhör genommen werden.

5 Sie kamen, umgeben von einer ungeheuren Anzahl Menschen,
an das öde Haus; denn jedermann wollte sehen, wie sich die
Sache weiter begeben würde. Man pochte an das Haus, man
zog die Glocke; aber vergeblich, es zeigte sich niemand. Da ließ
der Bürgermeister in seiner Wut die Türe einschlagen und begab
10 sich hierauf in die Zimmer des Fremden. Aber dort war nichts
zu sehen als allerlei alter Hausrat. Der fremde Mann war
nicht zu finden. Auf seinem Arbeitstisch aber lag ein großer
versiegelter Brief, an den Bürgermeister überschrieben, den dieser
auch sogleich öffnete. Er las:

15 „Meine lieben Grünwieseler!

Wenn Ihr dies leset, bin ich nicht mehr in Eurem Städt=
chen, und Ihr werdet dann längst erfahren haben, wes Standes
und Vaterlandes mein lieber Neffe ist. Nehmet den Scherz,
den ich mir mit Euch erlaubte, als eine gute Lehre auf, einen
20 Fremden, der für sich leben will, nicht in Eure Gesellschaft zu
nötigen! Ich selbst fühlte mich zu gut, um Euer ewiges Klat=
schen, um Eure schlechten Sitten und Euer lächerliches Wesen
zu teilen. Darum erzog ich einen jungen Orang=Utang, den
Ihr als meinen Stellvertreter so lieb gewonnen habt. Lebet
25 wohl und benützet diese Lehre nach Kräften!"

Der Geigerlex

Von Berthold Auerbach

Es summt und schwirrt in der mitter-
nächtigen Luft. Horch! rasche Rosses-
tritte aus der Ferne, sie kommen näher!
Hei! da springt ein Reiter auf sattello-
sem Pferde daher und ruft: „Feuerjo!
Feuerjo! Hilfe! Feuerjo!" — Er reitet
gerade der Kirche zu, und bald klingt
es vom Turme, es läutet Sturm.

Wie schwer ist's, mitten in der
Erntezeit sich aus dem besten Schlaf
zu erheben; die Menschen können nicht aufkommen, sie liegen
fast wie die Halme draußen im Feld, die sie mit emsiger
Hand geschnitten. Aber es muß sein. Die Burschen, die
Pferde im Stall haben, sind am flinksten; jeder will den
Preis gewinnen, der seit alten Zeiten darauf gesetzt ist, wer am 15
ersten mit angeschirrtem Gespann sich am Spritzenhäuschen ein-
findet. Da und dort erscheint Licht in den Stuben, öffnet sich
ein Fenster, Türen gehen auf, und die Mannen ziehen eilig
erst auf der Straße die Jacken an. Als man am Rathaus ver-
sammelt ist, heißt es allgemein: „Wo brennt's?" — „In 20
Eibingen!" — Frag' und Antwort war kaum nötig, denn dort
hinter dem dunkeln Tannenwald stand der ganze Himmel angeglüht, still gleich dem Abendrot, und nur bisweilen schoß ein

33

Sprühregen von Funken empor, wie wenn ein mächtiger Luftzug durch einen Hochofen geht.

Die Nacht ist so still und lau, die Sterne glitzern so ruhig auf die Erde nieder, sie kümmern sich wohl nichts darum, ob ein Menschenkind da unten verkommt oder vergeht. —

Die Spritze ist angespannt, die Feuereimer sind aufgereiht, zwei Fackeln sind entzündet, die Fackelträger stehen bereits hüben und drüben und halten sich an dem Messingspund; wer nur noch einen Griff, eine Hand breit Platz gewinnen kann, um zu stehen und zu fassen, schwingt sich hinauf, man sieht kaum mehr ein Stückchen von der rot angestrichenen Spritze.

„Noch ein Gespann vor, zwei Pferde können nicht alles ziehen!"

„Tut die Fackeln weg!"

„Nein, es ist alter Brauch!"

„Fahrt zu, in Gottes Namen!"

So scholl die laute Rede hin und her.

Jetzt rollte das schwere Gefährt das Dorf hinaus an den schlafenden Feldern und Wiesen vorbei. Die Obstbäume am Wege mit ihren Stützen tanzen lustig vorüber im flackernden Licht, und jetzt dröhnt es durch den Wald; von Licht und Lärm geweckt erwachen die Vögel aus ihrem Schlummer und fliegen scheu umher und können sich kaum mehr zurückfinden ins warme Nest. Jetzt endet der Wald, da drunten im Tal liegt das Dorf tageshell, und es ist ein Schreien und Sturmgeläute, als ob die Flamme dort Stimme gewonnen hätte.

Seht! Steht nicht dort am Waldesrand eine weiße Geister= gestalt und hält etwas Dunkles an der Brust? Vernehmt ihr nicht einen Laut, einen schrillen Saitenklang? Die Räder rasseln, man kann nichts Deutliches vernehmen — vorbei, eilt, rettet!

Da kommen Leute aus dem Dorfe, die ihre Habe flüchten, Kinder in bloßen Hemden mit nackten Füßen, sie tragen Betten, Zinn= und Kupfergeschirr. Ist's denn so weit, oder hat ein grauser Schreck alles ergriffen?

„Wo brennt's?"   5

„Beim Geigerler."

Und rascher trieb der Fuhrmann die Pferde, und ein jeder reckt sich, um doppelt zu helfen.

Als man sich der Brandstätte nahte, sah man bald, das brennende Haus war nicht mehr zu retten; alle Wasserstrahlen 10 waren nur auf die angebauten Häuser gerichtet, um diese vor den gierig leckenden Flammen zu wahren.

Man war eben damit beschäftigt, ein Pferd, zwei Kühe und ein Rind aus dem Stall zu retten; scheu gemacht durch das Feuer, wollten die Tiere nicht vom Platz, bis man ihnen 15 die Augen verband und sie so durch Schläge endlich hinaustrieb.

„Wo ist der Geigerler?" hieß es von allen Seiten.

„Er ist im Bett verbrannt," berichteten die einen.

„Er ist entflohen," berichteten andre. Niemand wußte Sicheres.   20

Er hatte weder Kind noch Verwandte, und doch trauerte alles um ihn, und die aus den Nachbardörfern gekommen waren, schalten die Einheimischen, daß sie nicht vor allem über das Los des Unglücklichen sich Gewißheit verschafft hatten. Bald hieß es, man habe ihn beim Schmied Urban in der 25 Scheune gesehen, bald wieder, er sitze droben in der Kirche und heule und jammere; das sei das erste Mal, daß er ohne Geige und nur zum Beten dorthin gekommen sei; — aber man fand ihn nicht da und fand ihn nicht dort, und nun hieß es wieder,

er sei in dem Hause verbrannt, man habe sein Winseln und
Klagen vernommen, aber es sei zu spät gewesen, ihn zu retten,
denn schon schlug die Flamme zum Dach hinaus und spritzte
das Glas der Fensterscheiben bis an die Häuser auf der andern
5 Seite der Straße.

Als es mählich zu dämmern begann, waren die angrenzenden
Gebäude gerettet. Man ließ nun das Feuer auf seiner ursprüng=
lichen Stätte gewähren, alles schickte sich zur Heimkehr an.

Da kam vom Berg herab, just wie aus dem Morgenrot
10 heraus, ein seltsamer Aufzug. Auf einem zweirädrigen Karren,
an den zwei Ochsen gespannt waren, saß eine hagere Gestalt,
nur mit dem Hemd angetan, und halb mit einer Pferdedecke
zugedeckt; der Morgenwind spielte in den langen weißen Locken
des Alten, dessen lustiges Gesicht von einem kurzen struppigen
15 und schneeweißen Bart eingerahmt war. In den Händen hielt
er Geige und Fiedelbogen. Es war der Geigerlex. Junge
Burschen hatten ihn am Saum des Waldes gefunden, dort wo
ihn die Fahrenden im raschen Fluge bei der Fahrt fast als
eine Geistererscheinung gesehen, dort stand er, nur mit dem
20 Hemde angetan, und hielt seine Geige mit beiden Armen an
die Brust gedrückt.

Als er sich jetzt dem Dorfe nahte, nahm er Geige und
Fiedelbogen auf und spielte seinen Lieblingswalzer.

Alles schaute nach dem seltsamen Mann und grüßte ihn,
25 wie wenn er von den Verstorbenen wieder erstanden wäre.

„Gebt mir was zu trinken!" rief er den ersten zu, die
ihm die Hand reichten — „ich hab' so einen mächtigen Durst."

Man brachte ihm ein Glas Wasser. „Pfui!" rief der Alte,
„das wäre eine Sünde, so einen prächtigen Durst, wie ich habe,

mit Wasser zu löschen — Wein her! Oder hat der verfluchte
rote Hahn auch meinen Wein ausgesoffen?"

Und wieder fing er an, lustig zu geigen, bis man vor der
Brandstätte ankam.

„Das sieht ja aus wie der Tanzboden den Tag nach der
Kirchweih," sagte er endlich, stieg ab und ging in des Nachbars
Haus.

Alles drängte sich zu dem Alten und umringte ihn mit
Trostworten und mit dem Versprechen, ihm alle Hilfe zum
Wiederaufbau des Hauses zu leisten.

„Nein, nein," beschwichtigte er, „es ist recht so, mir gehört
kein Haus, ich gehöre zum Spatzengeschlecht, das baut sich kein
Nest und hat kein eigenes und huscht nur manchmal ein bei
den Pfahlbürgern, den Schwalben. Für ein paar Jahre, die
ich noch Urlaub habe, bis ich in unsres Herrgotts Hofkapelle
oder in die Regimentsmusik bei seinen Leibgarden=Engeln ein=
gereiht werde, finde ich schon überall Quartier. Jetzt kann ich
wieder auf einen Baum steigen und zur Welt hinunter rufen:
‚Von dir da unten ist nichts mein!' — Es war doch unrecht,
daß ich ein Eigentum gehabt habe, außer meiner herzliebsten
Frau Figeline."

Es ließ sich dem seltsamen Mann nichts einwenden, und
die Auswärtigen kehrten heim mit dem beruhigenden Gefühl,
daß der Geigerlex noch da sei. Er gehörte notwendig in die
ganze Gegend, — sie wäre verschändet gewesen, wenn er fehlte,
fast wie wenn man die weithin sichtbare Linde auf der Landecker
Höhe unversehens über Nacht niedergeworfen hätte.

Der alte Geigerlex freute sich gar sonderlich, als ihm der
reiche Schmied Kaspar einen alten Rock schenkte, der Kehreiner

Joseph ein Paar Hosen, und andre andres. „Jetzt trage ich
das ganze Dorf auf dem Leib," sagte er und gab jedem
Kleidungsstück den Namen des Gebers. „So ein Rock, den
einem ein andrer vorher lind getragen hat, sitzt gar geschmeidig,
5 man steckt in einer fremden Menschenhaut. Mir war's allemal
wind und weh, wenn ich einen neuen Rock bekommen hab', und
ihr wißt, ich bin allemal in die Kirche gegangen und hab' die
Ärmel in das herabtropfende Wachs von den heiligen Kerzen
gedrückt und hab' g'sagt: ,So, Rock, jetzt bist du mein; bisher
10 bin ich dein g'wesen.' Das spar' ich jetzt bei euren Kleidern,
die habt ihr schon mit allerlei Speis' und Trank genährt. Ich
bin jetzt ein neugeborenes Kind, und dem schenkt man die
Kleidchen, die man ihm nicht angemessen. Ich bin neugeboren."

In der Tat schien das bei dem Alten der Fall; seine frühere
15 tolle Laune, die seit einiger Zeit eingeschlummert schien, jauchzte
wieder laut auf.

Als ein Mann hereintrat, der zum Löschen des Brandes
gekommen war und, weil er einmal im Geschäfte begriffen, auch
innerlich einen Brand gelöscht hatte, und zwar, wie sich ganz
20 deutlich zeigte, mehr als nötig — da schrie der Geigerlex: „Ich
beneide nur den Kerl um seinen schönen Rausch."

Alles lachte. — Das Lachen und Spaßen ward indes unter-
brochen, denn der Amtmann mit seinem Aktuarius kam, um
über die Entstehung des Feuers und den angerichteten Schaden
25 ein Protokoll aufzunehmen.

Der Geigerlex gestand sein Vergehen offenherzig ein. Er
hatte die seltsame Eigenheit, daß er fast in jeder Tasche ein
Schächtelchen mit Reibzündhölzchen trug, um nie fehlzugrei-
fen, wenn er seine Pfeife anzünden wollte. Wenn man ihn be-

suchte, und wenn er wohin kam, spielte er immer damit, daß
er eins der Hölzchen rasch entzündete. Oft und oft sagte er
dabei: „Es ist doch schändlich, daß das erst jetzt aufkommt, wo
ich bald abkratzen muß. Schaut, wie das geht, wie der Blitz.
Wenn ich's zusammenrechne, hab' ich Jahre Zeit verloren mit   5
dem Feuerschlagen; der Alte da oben muß mir dafür zehn
Jahre Zulag geben zu den siebzig Jahren, die mir gehören."

Aus dieser fast kindischen Spielerei war aller Wahrscheinlich=
keit nach der Brand entstanden, es ließ sich aber nichts beweisen,
und der Amtmann sagte zuletzt: „Es ist nur gut, Ihr seid eigent=   10
lich der letzte Spielmann; in unsrer Zeit voll griesgrämiger
Wichtigtuerei seid Ihr ein Überrest aus der vergangenen lustig
sorglosen Welt; es wäre schade, wenn Ihr so jämmerlich um=
gekommen wäret."

„Herr Amtmann, ich hätte sollen Pfarrer werden, ich hätte   15
den Menschen gepredigt: ‚Macht euch nichts aus dem Leben, und
es kann euch nichts anhaben; schaut euch alles wie eine Narretei
an, und ihr seid die Gescheitesten; und gibt's noch auf der andern
Welt eine Nachkirchweihe, so tanzen wir sie auch mit!' Wenn
die Welt immer lustig wär', nichts tät', als arbeiten und tanzen,   20
da brauchte man keine Schullehrer, nicht schreiben und lesen
lernen, keine Pfarrer, und — mit Verlaub zu sagen, auch keine
Beamte. — Die ganze Welt ist eine große Geige, die Saiten sind
aufgespannt, der lustige Herrgott verstünde es schon, darauf zu
spielen, aber er muß immer an den Schrauben am Hals — das   25
sind die Herren Pfarrer und Beamten — drehen und drücken,
und es ist alles nichts als ein Probieren und Stimmen, und der
Tanz will nie losgehen."

Solcherlei Rede führte der Geigerley, und der Amtmann

nahm wohlwollend Abschied von ihm; denn auch er kannte die
Lebensgeschichte des seltsamen Mannes.

Es sind jetzt nahezu dreißig Jahre, seit der Geigerlex im
Dorf ist, gerade so lange, als die neue Kirche eingeweiht wurde.
5 Damals kam er in das Dorf und spielte drei Tage und drei
Nächte, nur einige Morgenstunden ausgesetzt, fast unaufhörlich
die tollsten Weisen. Abergläubische Leute munkelten, das müsse
der Teufel sein, der so viel Übermut aus dem Instrumente
zu locken vermag, der niemand ruhen und rasten ließ, wer ihm
10 zuhörte, wie er selbst kaum der Ruhe zu bedürfen schien. —
Er aß während dieser ganzen Zeit kaum einen Bissen und trank
nur, aber in mächtigen Zügen, während der Pausen. Manch=
mal war's, als bewegte er sich gar nicht, er legte nur den
Fiedelbogen auf die Saiten, und helle Töne sprangen daraus
15 hervor, der Fiedelbogen hüpfte fast von selbst in kurzen Sätzen
auf und nieder.

Hei! was war das ein Rasen und Springen auf dem
großen Tanzboden in der Sonne!

Einmal während einer Pause rief die Wirtin, eine behag=
20 liche runde Witwe: „Spielmann! halt doch einmal ein, alles
Vieh im Dorf verklagt dich und muß fast verkommen, die
Burschen und Mädchen gehen nicht heim zum Füttern. —
Wenn du's nicht wegen der Menschen tust, wegen des lieben
Viehes halt doch ein!"

25 „Recht so," rief der Geigerlex, „da könnt Ihr's sehen, wie
der Mensch das edelste Wesen auf der Erde ist, der Mensch
allein kann tanzen, paarweise tanzen. Wirtin, wenn du einen
Tanz mit mir machst, dann hör' ich eine Stunde auf."

Er stieg von dem Tisch herunter. Alles drang in die Wirtin,

bis sie nachgab. Sie mußte ihn um die Hüfte fassen; er aber
hielt seine Geige, entlockte ihr noch nie gehörte Töne, und in
solch seltsamer Stellung, spielend und tanzend, drehten sie sich
im Kreise, und zuletzt hörte er wie mit einem hellen Jauchzen
auf, umfaßte die Wirtin und gab ihr einen herzhaften Kuß. —   5
Er erhielt dafür einen ebenso herzhaften Schlag auf den Backen.
Das eine wie das andre geschah indes in Frieden und Lustbarkeit.

Von jener Zeit an blieb der Geigerlex im Hause der
Sonnenwirtin. Er nistete sich dort ein, und wenn eine Lust=
barkeit in der Umgegend war, spielte er auf, kehrte aber regel= 10
mäßig immer wieder zurück, und es war weit und breit kein
Dorf und kein Haus, in dem mehr getanzt wurde, als bei der
runden Sonnenwirtin.

Der Geigerlex benahm sich im Hause als dazu gehörig, er
bediente die Gäste (denn zur Feldarbeit kam er nie), unterhielt 15
alle Ankommenden, machte bisweilen ein Kartenspiel und wußte
den neu angekommenen Wein trefflich zu loben. „Wir haben
wieder einen frischen Tropfen; verschmeckt ihn nur, in dem Wein
da ist Musik drin!" Über alles, was das Wirtshaus betraf,
sprach er mit der Redeweise „Wir". „Wir liegen auf der   20
Straß'," — „man muß über uns stolpern," — „wir haben
den besten Keller," u.s.w.

Der Jahrestag der Kircheneinweihung kam wieder, und
der Geigerlex war noch immer da!

„Heut ist mein Purzeltag, heut bin ich hier auf die Welt 25
kommen!" — so rief er, und seine Geige war lustiger als je.

Man konnte sich im Dorf und in der ganzen Gegend das
Wirtshaus „zur Sonne" gar nicht mehr denken ohne den Geiger=
lex. Die Wirtin aber dachte sich's doch vielleicht anders. —

Als der zweite Jahrestag der Kirchweih vorüber war, faßte sie sich ein Herz und sagte: „Lex, du bist mir lieb und wert; du bezahlst, was du verzehrst; aber möchtest du nicht auch wieder einmal probieren, wie sich's unter einem andern Dach haust? Wie meinst?"

5 „Mir gefällt's bei uns! ‚Wer gut sitzt, soll nicht rücken,‘ sagt man im Sprichwort."

Die Wirtin schwieg.

Wieder vergingen einige Wochen, da begann sie abermals: „Lex, nicht wahr, du meinst's gut mit mir?"

10 „Rechtschaffen gut."

„Hör', es ist nur wegen der Leut', ich leg' dir nichts in den Weg, aber weißt, es ist ein Gerede. Du kannst ja wiederkommen, nach ein paar Monaten. Wenn du wiederkommst, steht dir mein Haus offen."

15 „Ich geh' nicht weg, da brauch' ich nicht wiederkommen."

„Mach' jetzt keine Späß', du mußt fort."

„Ja, zwingen kannst du mich. Geh nauf in meine Kammer, pack meine Sachen in einen Bündel und wirf sie auf die Straße. Anders kriegst du mich nicht vom Fleck."

20 „Du bist ein Teufelsbursch. Was soll ich denn mit dir anfangen?"

„Heirat' mich."

Er erhielt wieder einen Schlag auf den Backen, aber diesmal viel sanfter als bei der ersten Kirchweih.

25 Als die Wirtin den Rücken wendete, nahm er die Geige und spielte hell auf.

In kürzeren Zwischenräumen versuchte es nun die Wirtin, den Lex zum Fortgehen zu bewegen, aber seine beständige Antwort war: „Heirat' mich."

Einstmals sprach sie mit ihm, daß ihn wohl die Polizei nicht
mehr dulde, er habe ja eigentlich keinen rechten Ausweisschein u.
dergl. Drauf antwortete Lex keine Silbe, setzte den Hut auf
die linke Seite, pfiff ein lustiges Lied und ging nach dem zwei
Stunden entfernten Schlosse des Grafen. Das Dorf gehörte 5
damals noch dem reichsunmittelbaren Grafen von S.

Am Abend, als die Wirtin in der Küche am Herd stand
und ihre Wangen erglänzten im Widerschein des Feuers auf
dem Herd, trat Lex, ohne eine Miene zu verziehen, vor sie hin,
überreichte ihr ein Papier und sagte: „So, da hast du unsre 10
Heiratsbewilligung, der Graf dispensiert uns noch von jedem
Aufgebot, heut ist Freitag, übermorgen ist unsre Hochzeit.“

„Was? du Schelm wirst doch nicht —?“

„Herr Lehrer!“ rief Lex dem eben an der Küche Vorüber=
gehenden zu, „kommet herein und leset vor!“ 15

Er hielt die Wirtin am Arm fest, während der Lehrer las
und am Ende seinen Glückwunsch aussprach.

„Nun, meinetwegen!“ sagte die Wirtin endlich, „du bist mir
schon lang recht, aber es war nur auch wegen dem Gerede und
dem Gelauf.“ 20

„Also übermorgen?“

„Ja, du Schelm“ . . .

Das war nun ein lustiger Aufzug, als am Sonntag der
Geigerley, genannt Alexis Grubenmüller, sich selber den Hoch=
zeitsreigen aufspielte, geigend neben seiner Braut zur Kirche ging 25
und die Geige erst am Taufbecken ablegte, auf dem Heimweg aber
wieder so lustig geigte, daß allen Leuten das Herz im Leibe lachte.

Von dazumal also ist der Geigerley im Dorf, und das heißt
so viel als: die Lustigkeit lebt darin.

Seit mehreren Jahren aber ist er manchmal auch trübselig,
denn die hohe Kirchen= und Staatspolizei hat verordnet, daß
ohne obrigkeitliche Erlaubnis nicht mehr getanzt werden darf. —
Auch haben die Trompeten und Blasinstrumente die Geige ver=
5 drängt, und so spielte unser Lex nur noch den Kindern unter
der Dorflinde seine lustigen Weisen vor, bis auch dies das
hochlöbliche Pfarramt als schulpolizeiwidrig untersagte.   Vor
drei Jahren ist dem Lex noch gar seine Frau gestorben, mit
der er immer in Scherz und Heiterkeit gelebt.

10   So trotzig keck auch der Geigerlex anfangs sein Schicksal
aufgenommen hatte, so ward es ihm doch jetzt manchmal schwer,
mehr als er gestand.

„Der Mensch sollte nicht so alt werden,“ war das einzige,
was er manchmal sagte, und das war nur ein Aufschrei aus
15 einer großen inneren Gedankenreihe, in der er es wohl erkannte,
daß zum lustigen Leben eines fahrenden Musikanten auch ein
junger Leib gehört.

„Das Heu wächst nicht mehr so weich wie vor dreißig Jahren!“
pflegte er oft zu behaupten, wenn er sich in Scheunen gebettet hatte.

20   Der junge Amtmann, der ein besonderes Wohlwollen für
den Geigerlex hatte, war indes darauf bedacht, ihm sorgenfreie
Tage zu sichern.   Die nicht unbedeutende Summe, mit welcher
das Haus in der allgemeinen Landesfeuerkasse versichert war,
wurde statutenmäßig nur dann voll ausbezahlt, wenn ein an=
25 deres Haus an der Brandstelle aufgerichtet wurde.   Die Ge=
meinde, die sich schon lange nach einem Bauplatz zum neuen
Schulhaus in der Mitte des Dorfes umtat, kaufte nun, auf
Betreiben des Amtmanns, dem Geigerlex die Brandstätte mit
allem darauf Haftenden ab.   Der Alte aber wollte kein Geld,

und so ward ihm eine wohlausreichende Jahresrente bis zu
seinem Tod ausgesetzt. Das war nun gerade so nach seinem
Geschmack. Er erlustigte sich viel damit, wie er sich selbst auf=
zehre und das Glas voll austrinke, daß auch kein Tropfen
mehr darin sei. 5

Auch ward es ihm nun wieder nachgesehen, daß er den Kindern
unter der Dorflinde an Sommerabenden vorgeigen durfte. So
lebte er nun aufs neue frisch auf, und manchmal erblitzte wieder
sein alter Übermut.

Als man im Sommer darauf das neue Schulhaus zu bauen 10
begann, da war er beständig wie zauberisch dorthin gebannt.
Er saß auf dem Bauholz, auf den Steinen und sah mit be=
ständiger Aufmerksamkeit zu: hacken, graben und hämmern.
Mit dem frühesten Morgen, sobald die Bauleute auf ihrer
Arbeitsstätte erschienen, war der Geigerler schon da. Wenn die 15
Werkleute nach drei Stunden Arbeit ihr Frühstück verzehrten,
und wenn sie am Mittag eine Stunde Rast machten und die
Kinder und Weiber ihnen das Essen brachten, da saß der Geiger=
ler immer unter den Ruhenden und Genießenden und machte
ihnen „Tafelmusik", wie er's nannte. Viele aus dem Dorf 20
sammelten sich dazu, und so ward der ganze Bau eine sommer=
lange einzige Lustbarkeit.

Der Geigerler sagte oft, jetzt sehe er erst recht, wie er so viel
zu tun gehabt habe; er hätte sollen überall sein, meinte er, wo
fröhliche Menschen rasten; die Musik könnte den magern Kar= 25
toffelbrei zum schmackhaftesten Leckerbissen machen . . .

Noch ein schöner Ehrentag sollte dem Geigerler aufgehen,
es war der Tag, als der geschmückte Maien auf den fertigen
Giebel des neuen Schulhauses gesteckt wurde. Die Zimmerleute

kamen, sonntäglich angetan, mit einer Musikbande vorauf, um ihren Bauherrn, den Geigerlex, abzuholen. Er war den ganzen Tag über so voll Übermut, wie in seinen besten Jahren, er sang, trank und geigte bis in die tiefe Nacht hinein, und am 5 Morgen fand man ihn, den Fiedelbogen in der Hand, auf seinem Bette tot . . .

Manche Leute wollen in stiller Nacht, wenn es zwölf Uhr schlägt, im Schulhaus ein Klingen hören wie die zartesten Geigentöne. Einige sagen, es sei das Instrument des Geigerlex, das, 10 dem Schulhause vererbt, allein spiele. Andere wollen gar die Töne, die der Geigerlex beim Bau in Holz und Stein hineingespielt hat, in der Nacht herausklingen hören. Jedenfalls werden die Kinder nach allen neuen rationellen Methoden in einem Haus unterrichtet, das von der Sage umschwebt ist.

Der ordentliche Augustin

Von Peter Rosegger

Als der Vater Augustin Kernschimm=
lers sein vierzigjähriges Geschäfts=
jubiläum beging, sagte der Festredner
unter anderem auch die großartigen
Worte: „Unser teurer Jubilar nährte
andere und wurde selbst fett, machte
andere wohlhabend und wurde reich
dabei. Sein Glück gründet auf seinen
Tugenden!" Und Sekt darauf. — Denn
der Vater Augustin Kernschimmlers

war Bäcker und Fleischermeister gewesen — der einzige in dem
Städtlein. Als einziger Fleischer hatte er die einzige Bäckerin
geheiratet, und Augustin war von diesem einzigen Paar das
einzige Kind. Jemand behauptete, der Vater habe das aus
Geschäftsrücksichten so eingerichtet, denn er konnte keine Kon= 15
kurrenten leiden und wollte dem lieben Söhnlein auch die
Konkurrenz von Geschwistern ersparen.

Als nun bei dem oben erwähnten Jubiläum das Wochen=
blatt einen Festartikel über die Doppelfirma brachte und sogar
die Bildnisse des verehrten Ehepaares Kernschimmler, da war 20
es plötzlich ausgemacht, daß der kleine Augustin weder Flei=
scher noch Bäcker werden dürfe, sondern ein Doktor oder Pro=
fessor, womöglich ein sehr berühmter. Zwar sagte der Vater

zu seiner Frau, berühmt werde man ja auch als Fleischer, was eben der ehrerbietige Artikel und das mit einem Lorbeer= kranz umgebene Doppelbild des Jubelpaares im Wochenblatte bezeuge. Sie wußte das freilich besser, sagte es aber nicht, daß ihr die Veranlassung zu diesem illustrierten Festartikel runde hundert Gulden von ihrem Nadelgelde gekostet hatte.

Der Augustin kam in die Stadt, ins Gymnasium, und ward ein sehr ordentlicher Student. Seine Schulbücher hatten nicht ein einziges Eselsohr, doch bei den Examinationen ging es manchmal nicht ab ohne jegliche Erinnerung an das popu= läre Tier, auch wenn es nicht just Zoologie gab. Die Mutter schickte dem Söhnlein häufig Geräuchertes, Milchbrot, Krapfen und Zwieback, vor allem Powidlkuchen, die er so gerne aß. Einen Teil dieser guten Dinge verzehrte der Junge, der andere verschimmelte ihm im Nachtkästchen, der seine Vorratskammer war. Und als der Rest verschimmelt war, verzehrte er ihn auch, schon aus Ordnungsliebe und weil es ihm leid tat, die mütter= lichen Liebesgaben wegzuwerfen.

Seine Schulhefte waren stets wie neu und die Schriften und Ziffern wie gestochen, nur recht oft unrichtig. Über Fleiß und Sittlichkeit sangen seine Zeugnisse wahre Lobeshymnen, im übrigen jedoch gaben sie ihm Anlaß zur Unzufriedenheit mit den Professoren. So kam der Tag der Maturitätsprüfung. Die schwarzen Kleider mit dem Seidencylinder hatte der junge Kernschimmler sich schon am Vorabend auf das musterhafteste zurechtgerichtet, also auch im Notizbuche die Gegenstände, in denen er bereits geprüft war und noch geprüft werden sollte, mitsamt den erhaltenen und zu erhoffenden Noten sorgfältigst aufgeschrieben.

Als er nun auf der Gasse schon nahe dem Schulgebäude da=
hinging, bemerkte er mit Entsetzen, daß seine Stiefel nicht frisch
gewichst waren. Er kehrte in seine Wohnung zurück, fand aber
weder die Quartierfrau vor, sie war auf den Markt gegangen,
noch den Schlüssel zum Schrank, wo das Stiefelputzzeug auf= 5
bewahrt lag. Er mußte also zum Krämer und zum Bürsten=
binder, um Wichse und Bürsten zu kaufen und dann die Beschu=
hung selbst in einem des Tages würdigen Zustand zu versetzen.
Als er hernach die Stiefel wieder an die Beine zog, riß sich an
einem derselben eine Strupfe los. Man sah zwar den Schaden 10
hinter der Hose nicht, aber der junge Mann konnte keine Schlam=
perei leiden, er ging zu seinem Schuster, der die kleine Angele=
genheit auch zur besten Zufriedenheit schlichtete. Als er hernach
an den Lehrsaal kam, schritten die Kollegen und Professoren
gerade zum Tore heraus, das Rigorosum war vorüber. Augustin 15
hatte nun ein ganzes Jahr Zeit, um vor seiner Prüfung vielleicht
auch noch andere Mängel, als die an den Kleidern, zu beseitigen.

Mittlerweile starben rasch hintereinander seine Eltern. Der
Schlag würde für den guten Jungen vernichtend gewesen sein,
wenn nicht durch denselben in Haus und Geschäft eine Welt von 20
Unordnung aufgetaucht wäre, die in Ordnung gebracht werden
müßte. Das zerstreute ihn ein wenig. Das Ordnungmachen
dauerte aber Jahr und Tag, und mich wundert es nicht, daß
darob die Maturitätsprüfung ganz und gar vergessen worden war.

Augustin Kernschimmler fand sich plötzlich allein auf der 25
Welt, aber als Erbe eines großen Fleischergeschäftes und einer
Bäckerei, die sich auch auf Mühle und Kornhandel verzweigte.
Die Mühle und die gewerblichen Rechte verkaufte er, ebenso
auch die Grundstücke; die beiden alten Häuser aber, das

Fleischerhaus des Vaters und das Bäckerhaus der Mutter,
behielt er aus Gründen der Pietät, und seine Lebensaufgabe
bestand von nun an darin, diese Häuser und ihre Einrichtung
in Ordnung zu halten.

5   Jahraus jahrein beschäftigte er eine Anzahl Dienstboten,
um die Möbel abzustauben, die Spinnweben von den Ecken zu
fegen, den Schwamm im Fußboden zu vernichten und alles
Geschirr und Gezier blank und rein zu erhalten. Er konnte
sich nicht entschließen, irgend ein Kleidungsstück seiner Eltern
10 wegzugeben, die Dienstboten rangen für und für einen wahren
Verzweiflungskampf mit den Schaben und anderem Insekt, aber
mit Kampfer und anderen Mitteln gelang es immer noch, die
Sachen zu erhalten, so daß sie in ihren Schränken und Kasten
genau so liegen und hängen konnten, wie sie zu Lebzeiten oder
15 beim Tode seiner Eltern gelegen oder gehangen waren.

Kernschimmler war ein stattlicher Mann geworden, dem
außer Hause seine wunderliche Art nicht einmal angesehen
werden mochte. Er pflegte sich gut und kleidete sich stets mit
peinlicher Genauigkeit, freilich nicht gerade nach der Mode, aber
20 doch mit gutem Geschmacke und mit größter Accuratesse. Wenn
an einem Kleidungsstücke ein Knopf verloren ging, so mußte
seine alte Dienerin von Schneider zu Schneider, von Krämer
zu Krämer laufen, um genau den gleichen aufzutreiben, und
wenn das nicht glückte, so wurde das ganze Kleidungsstück dem
25 Trödler übergeben.

Sein Aus= und Eingang war pünktlich, wie eine Uhr, sein
Verkehr mit Bekannten verbindlich, aber gemessen, im Gespräche
stets der gleichen Worte und Redewendungen sich bedienend.
Alle Samstage ging er des Abends in heitere Gesellschaft, lachte

aber nur, wenn bei ihm Lachenszeit war, nämlich der Ordnung
halber bloß bei bestimmten, stets wiederkehrenden Späßen. Neue
Witze mochten zehnmal besser sein, er machte keine Ausnahme
von der Regel.

Er hätte sich zur Zeit — denn die Weiber garnten um und
um — sicherlich verliebt, allein das lag nicht in seiner Tages=
ordnung, und wie er schon so sehr dem Gesetze der Trägheit
unterworfen, so wäre nach dem einmaligen Verlieben zu be=
fürchten gewesen, er könnte sich der lieben Ordnung halber jeden
Tag wieder verlieben.

Augustin Kernschimmler war unverheiratet geboren und blieb
also unverheiratet. Er lebte so nach seiner Art behaglich und
zufrieden dahin und eine Entgleisung von dieser Lebensbahn
schien ausgeschlossen. Da — in seinem sechsundvierzigsten Lebens=
jahre — erkrankte er. Es geschah so allmählich, so sachte, daß
er die Ordnungswidrigkeit nicht einmal inneward. Er wurde
ein wenig magenleidend, dann ein wenig leberleidend, hernach
ein wenig halsleidend, endlich ein wenig brustleidend. Seine
große Sorge war, die Erscheinungen, die er an sich wahrnahm,
ordentlich zu verbuchen und vom Arzte die lateinischen oder
griechischen Namen dafür zu erfahren. Damit konnte der Doktor
recht sehr aufwarten. Wenn es aber einmal nicht stimmte,
wenn der Doktor und die medizinischen Werke, die Kernschimmler
genau studierte, sich widersprachen, dann war er gebrochen. Als
es sich aber sachte, doch haarscharf auf eine Lungensucht wies und
alle Anzeichen dazu auf das glänzendste auftraten, da rieb sich
der gute Kernschimmler fröstelnd die Hände, vergnügt darüber,
daß doch noch wenigstens bei schweren Krankheiten eine gute
Ordnung obwalte.

Sicherheitshalber hatte er mehrere Ärzte rufen lassen, und alle stimmten darin überein, daß der rechte Lungenflügel ganz kaput, der linke noch fast zur Hälfte intakt sei. Eine Frage der Zeit. In der Bestimmung dieser aber widersprachen sich die
5 Herren, die gutmütigeren gaben ihm Monate, sogar Jahre, die berühmten gestanden fast derb, daß es sich nur noch um Tage handeln könne. — In Gottes Namen! Es liegt ja in der ewigen Ordnung der Natur, daß der Mensch sterben muß. Wenn's jedoch wirklich schon ernst ist, dann frägt es sich um
10 die testamentarischen Angelegenheiten. Ein paar Verwandte, etliche gute Freunde werden ja wohl so gut sein, die Hinterlassen= schaft in Empfang zu nehmen und ordentlich anzuwenden. Die hohe Erbsteuer ist nicht in Ordnung und ist das überhaupt ein sehr umständlicher Weg durch Behörden und Advokaten, dessen
15 Ausgang mancher Erbe gar nicht erlebt. Da wird's vernünftiger sein, die Sachen unter der Hand zu verschenken.

Also hat Augustin Kernschimmler am nächsten Tage seine entfernten Vettern und Muhmen und einige gute Bekannte der Samstaggesellschaft zu sich beschieden. Wäre schier zu spät ge=
20 wesen, er hatte kaum noch eine vernehmliche Stimme, es versagte ihm schon der Atem. Zur Not wenigstens das Wichtigste: Die Häuser gehören den Verwandten, die Einrichtungsstücke den Freunden, das vorhandene Papier der Gemeinde für wohltätige Zwecke. Das alte Gewand in den Schränken soll verbrannt
25 werden.

Die Beschenkten weinten vor Rührung, vor freudiger. Wer seine Sachen mitnehmen konnte, der nahm sie gleich mit. Der Sterbende konnte sich nun auf die andere Seite legen — es war in Ordnung.

Am nächsten Morgen erwachte er später als sonst. Ah, das
war ein erkleckliches Schläfchen gewesen, diesmal. Er fühlte
sich nachgerade erfrischt. — Nun muß ich mich aber sputen mit
der Entwicklung, sonst errät es der Leser vorwegs, wo es hinaus
will. Also gut, der Augustin Kernschimmler wurde wieder 5
gesund, stocksteingesund, so gesund, als er vorher nie gewesen.
Und war arm wie eine Kirchenmaus, wenn der Küster die
Wachskrusten von den Leuchtern geschabt hat. Er hatte ja alles
verschenkt und es war in Ordnung.

So ein Testament ist doch ein gutes, kluges Ding. Man 10
giebt sein Vermögen so selbstlos, so großmütig hin — aber
erst, wenn man es selber nicht mehr braucht. Das, was einer
im Testament voll Edelsinn und Barmherzigkeit jemandem ver=
macht, kann er unbedenklich aufbrauchen, da ist keine Pflicht
vorhanden, es über den Tod hinaus zu bewahren, damit jenem, 15
dem es vermeint gewesen, auch richtig zukomme. Testamentarisch
vermachte Sachen bleiben Eigentum des ursprünglichen Besitzers,
solange er lebt; nach dem generösen Papier kann man ganze Häuser
vererben, die der Erblasser mittlerweile vertrinkt oder verspielt.

Wie brutal hingegen ist das Schenken! Was du heute ver= 20
schenkest, das ist morgen nicht mehr dein, und selbst wenn dein
Leben darauf stünde. Wolltest du es zurücknehmen, so könnte
der Beschenkte dich gerichtlich belangen, als strecktest du deine
Hand nach fremdem Eigentum aus. — In diesem Falle war
unser armer, stocksteingesunder Kernschimmler. Aber er fand 25
es in Ordnung.

Es fiel ihm durchaus nicht ein, auch nur auf einen Groschen
seines großen verschenkten Vermögens Anspruch zu machen,
oder scheinen zu lassen, daß er etwas bedürfe. Er griff seine

gewohnte Lebensordnung wieder auf und führte sie so lange,
bis der für sein Begräbnis bestimmt gewesene Betrag verbraucht
war. Dann ging er ins Gemeindeamt und ersuchte um eine
Versorgung. Er hatte früher das Wort „reich" nie ausgesprochen,
jetzt sprach er das Wort „arm" nicht aus. Er war jetzt so wenig
arm, als er früher reich gewesen. Er hatte früher den Lebens=
unterhalt gehabt, und den mußte er jetzt auch haben. Die
Gemeinde hatte über seine Widmung zu wohltätigen Zwecken
bereits verfügt, sie tat nichts desgleichen, als ob der Mann bei
ihr etwas besonders gut haben könne, sie fand nur, daß er für
das Spital zu gesund, für das Armenhaus zu fröhlich und für
die Altersversorgung zu jung war. Sie ließ in sehr vorsichtiger
Form bei ihm anfragen, ob er die zur Zeit offene, sorgenfreie
und Achtung gebietende Stelle eines Gemeindedieners würde
übernehmen wollen. Wenn ja, so wäre er der Bevorzugte.

Augustin Kernschimmler ward Gemeindediener und als solcher
ein wahrhaft bedeutender Mensch. Er hatte zwar nichts zu tun,
als den Willen anderer auszuführen, aber die Ausführung ist
ja schließlich Hauptsache. Er war ganz glücklich, der Selbst=
bestimmung enthoben zu sein, denn er hatte nie etwas mit sich
anzufangen gewußt, er fühlte sich als Werkzeug anderer geborgen
und gekräftigt und funktionierte mit wunderbarer Präcision.
Sein Wirkungskreis erstreckte sich nicht etwa über die Kanzlei,
sondern über die ganze Gemeinde bis zum Bezirksgerichte und
zu der Landeshauptmannschaft hinauf. Man soll gerade einmal
nachdenken, was ein Gemeindediener zu tun hat. Kernschimmler
besorgte sein Amt mit so unerhörter Ordnung, daß die Leute
sich fragten, wer denn das Räderwerk eingefettet haben könne,
daß es nun so glatt ginge?

Als er fünfundzwanzig Jahre lang der musterhafte Gemeinde=
diener gewesen, machte er etwas Dummes. Er ließ sich pen=
sionieren. Als siebzigjähriger Mann, meinte er, sei es in Ord=
nung, sich zur Ruhe zu setzen. Bald sah er aber, daß bei ihm
die Ruhe als solche nicht in Ordnung war. Denn er hatte so 5
lange in regelmäßiger Tätigkeit gelebt; jetzt auf einmal nichts
zu tun, als spazieren zu gehen, das war doch die größte Schlam=
perei. Jeden und jeden Tag dieselbe Schlamperei. Das wäre
freilich auch Regelmäßigkeit — aber in diese neue Ordnung konnte
er sich nicht mehr finden. Er erbot sich dem neuen Gemeinde= 10
diener freiwillig zu Diensten und wurde des Dieners Diener.

Seine persönliche Tagesordnung war das Uhrwerk geblieben,
das seit einem halben Jahrhundert kaum ein einziges Mal
stillstand — täglich dieselbe Sekunde zum Aufstehen, dieselben
dreiundzwanzig Minuten zum Anziehen des immer gleich ge= 15
formten Gewandes, dieselben neun Minuten zum Rasieren, und
die Haare kämmte er sich mit der gleichen gewohnten Sorgfalt
auch noch zur Zeit, als er längst keine mehr am Kopfe hatte.

Eines Tages aber ließ Augustin sich eine große Unregelmäßig=
keit zu schulden kommen. Er kämmte sich nicht und rasierte 20
sich nicht, er kleidete sich nicht einmal an. Lange über die ge=
wohnte Zeit hinaus blieb er in seinem Bette liegen und war tot.

Als der Schreiner ihm den Sarg zurechtmachte, sagte er zu
einem Nebenstehenden: „Ich wüßte schon, was zu machen wäre,
daß der Kernschimmler wieder aufstände. — Man brauchte bloß 25
einige Hobelspäne auf den Boden zu verstreuen, alsogleich wäre
er mit dem Besen da, um Ordnung zu schaffen.“

Tue es nicht. Laß ihn rasten mit neunundsiebzig Jahren —
es ist in Ordnung.

Kapitän

Von Gottfried Keller

Salomon Landolt, damals Landvogt
der Herrschaft Greifensee, lebte sieben
volle Jahre dahin, ohne sich weiter um
die Frauenzimmer zu kümmern, und
5 nur der Hanswurstel, wie er die
Figura Leu nannte, wohnte noch in
seinem Herzen. Endlich aber gab es
doch wieder eine Geschichte.

Aus holländischen Kriegsdiensten
10 zurückgekehrt, hauste damals in Zürich
ein gewisser Kapitän Gimmel, der von seiner verstorbenen
Frau, die eine Holländerin gewesen, eine Tochter mit sich führte
und von einem kleinen Vermögen, sowie von seiner Pension in
der Art lebte, daß er fast alles für sich allein brauchte.

15 Dieser Mann war ein arger Trunkenbold und Raufer, der sich
besonders auf seine Fechtkunst etwas einbildete und, obgleich kei=
neswegs mehr jung, doch immer mit den jungen Leuten verkehrte,
lärmte und Skandal machte. Als Landolt einst in seine Nähe
geriet und ihm die Prahlereien des Kapitäns zuwider wurden,
20 nahm er dessen Herausforderungen auf und begab sich mit der
Gesellschaft in das Haus Gimmels, wo ein förmlicher Fechtsaal
gehalten wurde.

Der Boden erdröhnte denn auch bald von den Tritten und

Sprüngen der Fechtenden und von dem Schalle der Waffen, und
Landolt setzte dem Kapitän allmählich so heftig zu, daß er zu
schnauben begann; aber jener ließ plötzlich seinen Degen sinken
und starrte wie verzaubert nach der aufgehenden Tür, durch
welche die Tochter des Kapitäns, die schöne Wendelgard, mit 5
einem Präsentierteller voll Likörgläschen hereintrat.

Landolt dachte nicht mehr daran, dem Kapitän Gimmel weh zu
tun; denn der war in seinen Augen mit einem Schlag in einen
Zauberer verwandelt, der goldene Schätze besaß und Glück oder
Unglück aus den Händen schütten konnte. Um von der schönen 10
Wendelgard etwas sprechen zu hören, brachte er von der Zeit an
ihren Namen mit behender List, aber so beiläufig und trocken als
möglich, überall aufs Tapet, und zu gleicher Zeit machte sie, die
sonst noch so wenig bekannt gewesen, selbst von sich reden durch den
Leichtsinn, mit welchem sie eine ziemliche Menge Schulden kontra= 15
hiert haben sollte, so daß der unerhörte Fall eintrat, daß ein jun=
ges Mädchen, eine Bürgerstochter, am Rande eines schimpflichen
Bankerottes schwebte, denn der Vater, hieß es, verweigere jegliche
Bezahlung der ohne sein Wissen gemachten Schulden und bedrohe
die mahnenden Gläubiger mit Gewalttaten, die Tochter aber mit 20
Verstoßung.

Die Sache schien sich so zu verhalten, daß letztere, um für die
Bedürfnisse des Haushaltes zu sorgen, und vom Vater ohne die
nötigen Mittel gelassen, zum Borgen ihre Zuflucht genommen
und dann für sich selbst diesen tröstlichen Ausweg zu oft und 25
immer öfter eingeschlagen hatte.

So war sie jetzt in aller Mund. Nur Salomon Landolt
gedachte mit verdoppelter Leidenschaft der in ihren Schul=
den trauernden Schönheit. Ein heißes Mitleid beseelte und

erfüllte ihn mit unüberwindlicher Sehnsucht, wie wenn die
Sünderin statt im Fegefeuer ihrer Not in einem blühenden
Rosengarten säße, der mit goldenem Gitter verschlossen wäre.
Er vermochte dem Drange, sie zu sehen und ihr zu helfen, nicht
5 länger zu widerstehen, und als er eines Abends den Kapitän in einem Wirtshause fest vor Anker sah, ging er rasch
entschlossen hin und zog am Hause der Wendelgard kräftig die
Glocke an. Der Magd, welche aus dem Fenster guckte und nach
seinem Begehr fragte, erwiderte er barsch, es sei jemand vom
10 Stadtgerichte da, der mit dem Fräulein zu sprechen habe, und
er wählte diese Einführung, um damit jedes unnütze Gerede und
anderweitiges Aufsehen abzuschneiden.

In größter Verlegenheit und mit einer zitternden Stimme,
der man Furcht und Schrecken wohl anmerkte, bat sie ihn,
15 Platz zu nehmen; denn sie war so unberaten und verlassen, daß
sie keine Einsicht in den Gang der Geschäfte besaß und vermutete,
sie würde jetzt in ein Gefängnis abgeführt werden.

Kaum hatte Landolt aber Platz genommen, so wechselten die
Rollen, und er war es nun, der für seine Eröffnungen nur schwer
20 das Wort fand. Endlich tat er ihr mit der Haltung eines
Schutzsuchenden kund, was ihn hergeführt; das wachsende Wohlgefallen, das er an ihrem Anschauen fand, stärkte seine Lebens-
geister dann so weit, daß er ihr ruhig auseinandersetzen konnte,
wie er als Beisitzender des Gerichts von ihrer verdrießlichen
25 Angelegenheit Kenntnis genommen habe und nun gekommen sei,
die Dinge mit ihr zu beraten und ausfindig zu machen, auf
welche Weise der Handel geschlichtet werden könne.

Mit einem großen Seufzer der Erleichterung und nachdem sie,
wie jenes erste Mal, einen forschenden Blick auf ihn geworfen,

eilte Wendelgard, eine Schachtel herbeizuholen, in welcher sie alle
Rechnungen, Mahnbriefe und Gerichtsakte, die bisher eingelau=
fen, zusammengesperrt hatte, ohne sie je wieder anzusehen. Mit
einem zweiten Seufzer, indem sie schamrot die Augen niederschlug,
schüttete sie den ganzen Kram auf den Tisch, lehnte sich auf 5
ihrem Sessel zurück und bedeckte das Gesicht mit der umgekehrten
leeren Schachtel, hinter welcher sie sachte zu schluchzen begann,
das Haupt abwendend.

Gerührt und beglückt, daß er so tröstlich einschreiten könne,
nahm Salomon ihr die Schachtel weg, faßte sanft ihre Hände und 10
bat sie, guten Mutes zu sein. Dann machte er sich mit den
Papieren zu schaffen, und wo er einer Auskunft bedurfte, fragte
er mit so guter und vertrauenerweckender Laune, daß die Ant=
wort ihr leicht wurde. Er zog nun das Skizzenbüchlein hervor,
das er immer bei sich führte und das mit flüchtigen Studien 15
von Pferden, Hunden, Bäumen und Wolkengebilden angefüllt
war. Dazwischenhinein verzeichnete er auf ein weißes Blatt
den Schuldenstand der guten Wendelgard. Es handelte sich
meistens um schöne Kleider und Putzsachen, sowie um zierliche
Möbelstücke; auch einige Näschereien waren darunter, obgleich 20
in bescheidenem Maße, und im ganzen erreichte die Summe bei
weitem nicht die ungeheuerliche Größe, die im Publikum spukte.
Doch betrug alles in allem immerhin gegen tausend Gulden
Züricher Währung und war von der Schuldnerin in keiner Weise
zu beschaffen. 25

Da Salomon Landolt noch bei seinen Eltern lebte und von
ihnen abhing, konnte er höchstens einen Teil der Summe auf=
bringen, deren es zur Erlösung Wendelgards bedurfte, weil
seine Einmischung verborgen bleiben mußte, wenn er sich die

spätere Verbindung mit dem Leichtsinnsphänomen nicht von vornherein noch mehr erschweren wollte. Dagegen besaß er eine reiche Großmutter, deren Liebling er war, und die ihm in allerhand Geldnöten beizustehen pflegte und ein Vergnügen daran
5 fand, es ganz im geheimen zu tun. Sie hatte dabei die Eigenheit, daß sie heftig gegen jede Verheiratung des Enkels protestierte, so oft etwa von einer solchen die Rede war, indem er, den sie am besten kenne, dadurch nur unglücklich werden und verkümmern würde; denn auch die Weiber, behauptete sie, kenne sie genugsam
10 und wisse wohl, was an ihnen sei.

Auch jetzt nahm er seine Zuflucht zu der wunderlichen Großmutter und vertraute ihr mit einem verstellten Seufzer, daß er nun doch endlich darauf werde denken müssen, durch eine gute Partie, welche sich zeige, aus der Not und überhaupt in eine
15 unabhängige Stellung zu kommen. Erschreckt nahm sie die Brille ab, durch die sie eben in ihrem Zinsbuche gelesen hatte, und betrachtete den unheilvollen Enkel wie einen Verlorenen, der sein eigenes Haus in Brand zu stecken im Begriffe steht. „Weißt du, daß ich dich enterbe, wenn du heiratest?" rief sie, selbst entsetzt
20 über diesen Gedanken; „das fehlte mir, daß so ein scharrendes Huhn einst über meine Kisten und Kasten kommt! Und du? Wie willst du denn ein Weib ertragen lernen? Wie willst du es aushalten, wenn z. B. eine den ganzen Tag lügt? Oder eine, die über alle Welt lästert, so daß dein ehrlicher Tisch eine Stätte
25 der Schmähsucht wird, oder eine, die immer etwas ißt, wo sie steht und geht, und dazu klatscht während des Kauens? Wie wirst du dastehen, wenn du eine hast, die in den Kaufläden mauset, oder die Schulden macht, wie die Gimmelin?"

Der Enkel unterdrückte das Lachen über die letzte Spezies, mit

der es die Großmutter so nahe getroffen, und er sagte möglichst
ernsthaft: „Wenn es so schlimm steht mit den armen Weiblein,
so kann man sie ja um so weniger sich selbst überlassen und man
muß sie heiraten, um zu retten, was zu retten ist!"

Aufs äußerste gebracht, rief die Feindin ihres eigenen Ge= 5
schlechtes: „Hör' auf, du Greuel! Was ist's, was brauchst du?"

„Ich habe tausend Gulden im Spiel verloren, daran fehlen
mir sechshundert!"

Die alte Dame setzte ihre Brille wieder auf, riß ihre Gloria=
haube vom Kopf, um in ihren kurzen, grauen Haaren zu kratzen, 10
und humpelte an den eingelegten Schreibtisch. Mit Vergnügen sah
Landolt hinter der zurückrollenden Klappe das Wunder erscheinen,
das dort aufbewahrt wurde und schon seine Kindheit erfreut hatte:
ein vier Zoll hohes Skelettchen mit einer silbernen Sense, welches
das Töblein genannt wurde und an dem kein Knöchlein fehlte. 15

Diesen zierlichen Tod nahm die Alte auf die zitternde Hand
und sagte, während das feine Elfenbein kaum hörbar ein wenig
klingelte und klapperte: „Sieh her, so sehen Mann und Frau
aus, wenn der Spaß vorbei ist! Wer wird denn lieben und
heiraten wollen!" 20

Salomon nahm das Töblein auch in die Hand und betrachtete
es aufmerksam; ein leichter Schauer durchfuhr ihn, als er sich die
schöne Gestalt der Wendelgard von einem solchen Gerüste herunter=
bröckelnd vorstellte; wie er aber an die schnelle Flucht der Zeit
und ihre Unwiederbringlichkeit dachte, klopfte ihm das Herz so 25
stark, daß das Gerippchen merklicher zitterte, und er warf einen
verlangenden Blick auf die Hand der Großmutter, welche jetzt
dem stets in einem Fache liegenden Barschatze eine Rolle schöner
Doppel=Louisdors enthob und sagte:

„Da sind die tausend Gulden! Nun bleib mir aber vom Halse mit allen Heiratsgedanken!"

Zunächst machte er sich nun an den Kapitän Gimmel, den er in der Schenke aufsuchte und beiseite nahm. Er trug ihm vor, wie er von einer dritten Person, die nicht genannt sein wolle, beauftragt und in den Stand gesetzt sei, die unangenehme Angelegenheit der Tochter in Ordnung zu bringen; allein es werde verlangt, daß der Kapitän die Sache in seinem eigenen Namen geschehen lasse, zur möglichsten Schonung der Tochter, und es dürfe auch diese nichts anderes glauben, als daß der Vater die Schulden bezahlt habe. In diesem Sinne werde Landolt die Summe, als vom Kapitän herrührend, an amtlicher Stelle einliefern und dafür sorgen, daß dort die Gläubiger in aller Stille befriedigt würden.

Der Herr Kapitän betrachtete den jungen Mann mit verwunderten Augen, sprach erst von unbefugten Einmischungen und Wahrung seines Hausrechtes und rückte an seinem Degen.

Salomon Landolt aber führte das Geschäft mit Vorsicht und Geschicklichkeit zu Ende, so daß die Gläubiger bezahlt wurden. Jedermann glaubte, der Kapitän Gimmel habe sich eines Besseren besonnen, und Wendelgard selbst wußte nichts anderes.

Sie war daher keineswegs über die Maßen erstaunt und fassungslos, als Salomon, der Geschäftsträger, eines Abends wieder erschien und ihr die quittierten Rechnungen über alle großen und kleinen Schulden in die Hände legte. Dies gönnte er ihr jedoch von Herzen und freute sich ihrer gewonnenen guten Haltung.

Sie dankte ihm mit kindlichen und herzlichen Worten für seine hilfreiche Bemühung; sie gab ihm dabei vertraulich die Hand und war jetzt so schön, daß er ohne weiteres Zögern ihr

seine Neigung gestand und daß nur diese ihn vermocht habe, sich
so aufdringlich in ihre Angelegenheiten zu mischen. Ja, er ging
in seiner rückhaltlosen Offenheit so weit, ihr auseinanderzusetzen,
wie sie ihm durch Erwiderung und Gewährung ihrer Hand eine
ungleich größere Hilfe erweisen und ihn veranlassen würde, ein   5
etwas unstetes und planloses Leben endlich zusammenzuraffen und
für Liebe und Schönheit das zu tun, was er für sich selbst nicht
habe tun mögen.

Diese ehrliche Unklugheit oder unkluge Ehrlichkeit erweckte aber
die Klugheit des schönen Mädchens. Mitten in aller Lieblich=   10
keit des Augenblickes besann sich die sonst so leichtsinnige wegen
der unsteten Lebensführung, deren ihr Liebhaber sich anklagte,
und sie erbat sich eine Bedenkzeit von sieben Tagen. Sie entließ
ihn aber durchaus huldvoll und atmete so schnell und kurz wie
ein junges Kaninchen, als sie sich wieder allein befand.   15

Indessen hatte sich der Kapitän die geheimnisvollen Andeutun=
gen Landolts eingehender überlegt und die Entdeckung gemacht,
daß seine Tochter allerdings nun reif sei für das Glück, um auf
den Markt gebracht zu werden.

Um gleich ins Zeug zu gehen, beschloß er, mit der Tochter   20
die Bäder von Baden zu besuchen, die wegen der schönen Pfingst=
zeit gerade voll Gäste waren.

Zufälliger=, aber auch glücklicherweise befand sich im gleichen
Badhofe Figura Leu im Begleit einer älteren Dame, die wegen
Gliederschmerzen die Bäder brauchte. Sie war jetzt in den Jahren   25
auch schon ein klein wenig vorgerückt und tat noch mehr als
früher, was sie wollte. Als sie die schöne und durch ihre Schulden
berühmt gewordene Wendelgard sah und wie diese in ihrer Ver=
lassenheit nichts mit sich anzufangen wußte, zog sie dieselbe in

ihre Gesellschaft und vertrieb sich selbst die Zeit damit, das selt=
same, eigenartige Geschöpf, in welchem die Schönheit ohne alle
andere Zutat persönlich geworden schien, zu studieren und kennen
zu lernen.

5   Sie gewann bald das Vertrauen des Mädchens, das die
Wohltat solchen Umganges noch nie erfahren hatte, und so
wußte sie auch schon am ersten Tage von dem Verhältnisse zu
Salomon Landolt und der siebentägigen Bedenkzeit. Am zwei=
ten Tage hielt sie es auch schon für das schwerste Mißgeschick,
10 welches dem unvorsichtigen Freier aufstoßen könnte, wenn er das
Mädchen gewänne. Sie wußte selbst nicht recht, warum? Sie
hatte nur das Gefühl, als ob Wendelgard keine eigentliche Seele
hätte. Dann dachte sie aber wieder, so sei sie ja ein reines weißes
Tuch, auf welches Salomon schon etwas Leidliches malen werde,
15 und alles könne sich noch ordentlich gestalten.

Bekümmert über ihre eigene Unsicherheit beschloß sie plötzlich,
eine Art Gottesgericht und Feuerprobe entscheiden zu lassen,
wozu die unverhofft angekündigte Erscheinung ihres Bruders
Martin ihr den Gedanken gab. Er stand schon seit fünf Jahren
20 als Hauptmann in dem Züricherregimente zu Paris und war
ein in allen Künsten erfahrener Gesell, besonders auch ein vor=
züglicher Komödiant in den Haustheatern der Pariser Gesell=
schaft geworden. Der Kapitän Gimmel und seine Tochter
hatten ihn noch nie gesehen, und übrigens verstand er sich auch
25 für andere unkenntlich zu machen, denen er wohl bekannt war.
Auf diesen Umstand gründete Figura ihren Plan, und sie wußte
dem Bruder, als er jetzt, unversehens in die Heimat auf Besuch
gekommen, auf dem Wege von Zürich nach Baden war, heimlich
entgegenzureisen und ihn eilig für ihr Projekt zu unterrichten

und zu gewinnen; denn er nahm fast ebensoviel teil an dem
Wohlergehen seines wackeren Freundes, wie seine Schwester.
Sie aber hatte große Eile, weil von den sieben Tagen schon vier
verflossen waren und sie wohl merkte, daß Wendelgard kein Nein
von sich geben werde.   5

So verzögerte denn Martin Leu seine Ankunft bis zur angebro-
chenen Dunkelheit, während Figura schnell vorauseilte und tat,
als ob nichts geschehen wäre. Über Nacht traf er seine Vor-
bereitungen und trat am anderen Tage als ein unbekannter
Fremder auf mit großen und geheimnisvollen Allüren.   10

Wie durch Zufall machte er sich, sobald er orientiert war, an
den Kapitän und ließ denselben, indem er eine Flasche mit ihm
trank, sofort im Würfelspiel ein paar Taler gewinnen, wobei er
es aber bewenden ließ. Dann lustwandelte er auf den öffentlichen
Spazierwegen und am Ufer des Flusses, während Figura auf 15
listige Weise das Gerücht verbreitet hatte, der Fremde sei ein
französischer Herr, der eine halbe Million Livres Renten besitze
und durchaus eine protestantische Schweizerin heiraten wolle, da
er selbst dieser Konfession angehöre.

Der Kapitän kam schleunig und gegen seine Gewohnheit schon 20
vor Tisch nach Hause, das heißt in den Gasthof, gelaufen und
holte die Tochter, die sich herausputzen mußte, zur Promenade.

Als er aber dem reichen Hugenotten begegnete, gab es einen
noch größeren Auftritt und einen langen Wechsel von Kom-
plimenten und Vorstellungen. Martin Leu brauchte kein Er- 25
staunen über Wendelgards Erscheinung zu heucheln, da er es in
der Tat empfand; doch sah er zu gleicher Zeit auch, wie notwendig es sei, den Freund Salomon dieser Gefahr zu entreißen.

Martin machte am ersten Tage seine Sache so gut, daß Wendelgard am späten Abend zu Figura Leu geflogen kam und ihr atemlos mitteilte, es werde sich etwas ereignen, der Hugenott habe sie soeben gefragt, ob sie nicht lieber in Frankreich leben möchte als in der Schweiz.

5   „Aber, liebes Kind," bemerkte Figura, „das alles will noch nicht viel sagen. Nimm dich doch in acht!"

Wendelgard aber fuhr fort: „Und als wir über eine Stunde allein zusammengingen, hat er mir die Hand geküßt und geseufzt."

„Und dann hat er dich gefragt?"

10   „Nein, aber er hat geseufzt und mir die Hand geküßt."

„Ein französischer Handkuß! Weißt du, was das ist? Gar nichts."

„Aber er ist ja ein ernsthafter Protestant."

„Wie heißt er denn?"

15   „Ich weiß es noch nicht, das heißt, ich glaub', ich weiß es noch nicht, ich habe nicht einmal achtgegeben."

„Das ändert freilich die Sache," sagte Figura nachdenklich; „aber wie soll es nun mit Salomon Landolt werden?"

„Ja, das frag' ich auch," erwiderte Wendelgard seufzend und
20 rieb sich die weiße Stirn mit den weißen Fingerspitzen; „aber bedenke doch, eine halbe Million Einkünfte! Da hört alle Sorge und aller Kummer auf! Und Salomon braucht eine Frau, die ihm hilft sein Leben zusammenraffen und etwas werden! Wie kann ich das, die selber nichts versteht?"

25   „Das meint er nicht so, du Gänschen! Er meint, wenn er dich nur hat, so wird er deinetwegen anfangen zu schaffen, zu wirken und zu befehlen, und du kannst nur zusehen und brauchst dich gar nicht zu rühren; und er wird es tun, sag' ich dir!"

„Nein, nein! Mein Leichtsinn wird ihn nur hindern! Ich

werde wieder Schulden machen und noch viel mehr, das fühle ich, wenn ich nicht reich, außerordentlich reich werde!"

„Das ändert freilich die Sache," versetzte Figura, „wenn du nicht vorziehst, dich von ihm ändern und bessern zu lassen! Und er ist der Mann dazu, glaub' es mir!"

Da sie aber sah, daß Wendelgard nur in eine ängstliche Verlegenheit geriet, ohne ein Gefühl für Salomon zu äußern, fuhr sie fort:

„Jedenfalls sieh zu, daß du nicht zwischen zwei Stühle zu sitzen kommst. Wenn der Franzose dich nun morgen fragt, so mußt du ihm aus freier Hand antworten können. Übermorgen ist der siebente Tag; dann mußt du gewärtig sein, daß Landolt herkommt, deine Entscheidung zu holen; dann gibt's Auftritte, Enthüllungen, und du läufst Gefahr, daß beide dir den Rücken kehren!"

„O Gott! Ja, das ist wahr! Aber was soll ich tun? Er ist ja nicht hier, und ich kann jetzt nicht hin!"

„Schreib ihm, und gleich heute noch! Denn morgen muß ein Expresser damit nach Zürich, sonst kommt er übermorgen, wie ich ihn kenne, unfehlbar."

„Das will ich tun, gib mir Papier und Feder!"

Sie setzte sich hin, und als sie nicht wußte, wie beginnen, diktierte ihr Figura Leu:

„Nach reiflicher Prüfung finde ich, daß es nur Gefühle der Dankbarkeit sind, die mich für Sie beseelen, und daß es Lüge wäre, wenn ich sie anders benennen wollte. Da überdem der Wille meines Vaters mir eine andere Lebensbahn anweist, so bitte ich Sie, meinen festen Entschluß, ihm zu gehorchen, als ein Zeichen des Vertrauens und der achtungsvollen Aufrichtig=

keit ehren zu wollen, die Ihnen stets bewahren wird Ihre er=
gebene usw."

"Punktum!" schloß Figura, "hast du unterschrieben?"

"Ja, aber es dünkt mich, man sollte doch etwas mehr sagen;
5 es ist mir nicht ganz recht so."

"Eben so ist's recht! Das ist der verzwickte Absagestil in
solcher Lage, die keine Erörterungen verträgt; das schneidet alles
weitere ab, und die Trinklustigen merken am Klange, daß sie an
ein leeres Faß geklopft haben!"

10   Diese etwas von Eifersucht gewürzte Anspielung verstand
Wendelgard nicht, da sie gutmütigen Herzens war. Sie bat
noch, Figura möchte die schleunige Absendung des Briefes be=
sorgen, damit ja kein Zusammentreffen stattfinde. Figura
versprach es, und um ganz sicher zu gehen, übergab sie die Mis=
15 sion mit Tagesanbruch ihrem Bruder, der unverzüglich damit
nach Zürich ritt und den Salomon Landolt überraschte, der eben
sich bereit machte, am nächsten Tage nach Baden zu gehen.

Er erblaßte, als er das Brieflein las, und wurde wieder
rot, als er bemerkte, daß Martin Leu wußte, was darin stand.
20 Der gab ihm aber ohne Säumen die mündlichen Erläuterungen
durch Erzählung des ganzen Vorganges. Er ließ ihn darauf
eine Stunde allein, kam dann wieder und sagte ihm:

"Salomon! Die Schwester Figura läßt dich grüßen und dir
sagen, wenn du die schöne Gimmelin doch haben wollest, so
25 möchtest du es ihr, der Schwester, nur kund tun, jene laufe dir
nicht fort."

"Ich will sie nicht und sehe meine Torheit ein," sagte Landolt;
"aber sie ist doch schön und liebenswert, und ihr seid Schelme!"

Martin blieb nun in seiner wahren Gestalt in Zürich, weshalb

der reiche Hugenott natürlich in Baden verschwunden war, als ob
ihn die Erde verschlungen hätte. Der Kapitän und Wendelgard
weilten noch zwei Wochen dort; dann kehrten sie nach Zürich
zurück, der Kapitän durstiger und unverträglicher als je, und die
Tochter, still und niedergeschlagen, hielt sich verborgen.   5

Damit war die Geschichte jedoch nicht zu Ende. Denn Martin
Leu stach die Neugierde und der Übermut, die seltsame Schön=
heit erst jetzt etwas näher zu besehen. Er machte sich mit aller
Vorsicht herzu, um nicht als der geheimnisvolle Franzose erkannt
zu werden, und besuchte den Fechtsaal des Kapitäns. Nun   10
drehte sich das Rad der Fortuna, als er die Arme in ihrer be=
scheidenen Trauer und Schönheit sah, und da der wilde Alte
jählings vom Schlage getroffen dahinstarb, verliebte er sich in
die Verlassene so heftig, daß er alle Einsprachen, Abmahnungen
und Vernunftgründe ungestüm wegräumte und nicht ruhte, bis   15
sie seine Frau war.

Vorher hatte er den Salomon noch ein letztes Mal gefragt:
„Willst du sie oder nicht?" Der hatte aber ohne Besinnen ge=
antwortet: „Ich halte es mit dem Bibelspruch: ‚Eure Rede sei
Ja, Ja und Nein, Nein!' Ich komme nicht mehr auf die Sache   20
zurück!"

„Kostet mich freilich tausend Gulden, was kein Mensch weiß,
Gott sei Dank!" setzte er in Gedanken hinzu; denn er wußte,
daß seine Großmutter in ihrer Gerechtigkeit alle ihre Vorschüsse
genau notierte, damit sie einst, seinen Geschwistern gegenüber,   25
von seinem Erbteile abgezogen würden.

Martin Leu lebte mit seiner Frau noch zwei Jahre in Paris
und nahm dann seinen Abschied. Sie war bei der Rückkehr eine
ganz ordentlich geschulte und gewitzigte Dame und machte keine

Schulden mehr. Sie kannte die Ereignisse von Baden und hatte den Hugenotten wieder erkannt, ehe er es ahnte und selbst erzählte.

Wenn aber die Figura Leu später den Salomon Landolt fragte, ob er ihr wegen ihrer Dazwischenkunft zürne und die Wendelgard doch lieber selbst hätte, da sie jetzt nicht so übel ausgefallen sei und sich früher offenbar dümmer gestellt habe, als sie gewesen, dann drückte er ihr die Hand und sagte: „Nein, es ist gut so!"

Der Landstreicher

Von Carl Hauptmann

Züge und Ausdruck der Menschen kann man in allerhand andrer Gestalt wiederfinden. In Wetterwolken, die jetzt seltsame Stirnen und Münder zeigen, und in mächtige Rachen sich auftun oder in fliehende Scharen sich lösen — oder flach und gedehnt wie träge stehende Fische am Himmel lasten, die dann, ein jedes lange, mächtige Tier, Augen gewinnt und zum unheim=  lichen Luft= und Nebelhaupt in der Höhe sich ausdehnt, mit wulstigen Lippen, darüber die Backenknochen aufwachsen und die Augen sich weiten, drein man in Licht sieht wie in Gründe — das Ganze einem furchtbaren Moloch ähnlich.

Das alles sind nur fliehende, schwankende Dinge. Das alles sind nur Träume, die am Himmel hinjagen und im eigenen Schauen hinjagen, ein Leben von wenig Atemhauchen führen und dann auch schon verwehen und zerrinnen.

Oder man findet Menschenzüge in Felsköpfen hoch oben, wenn drunten im Tale schon Schatten gehen und die Stein= häupter allein im Lichte ragen. Die Steinhäupter starren in Jahrtausenden unverwelklich. Sie sind in Jahrtausenden, was Wolken in Augenblicken. Aber sie zerrinnen und verwehen wie

71

sie. Was ist die Zeit? Die Mienen der Götter sind ihnen für lange eingegraben. Ewiger und dauernder wie Menschenzüge. Aber auch die Steinmienen sind Launenzüge. Sie verstreichen und verwehen. Wolkenbilder, die ein Jahrtausend stumm und 5 starr blieben. Was ist ein Jahrtausend?

Das alles sind nur Träume. Die Wolken und die Felsen, die in Wolken ragen, alles sind nur fliehende und schwankende Dinge. Die Jahrtausende gehen ungehört wie auf weichen Sohlen.

10 Und zwischen den Trümmern der Götterbilder grasen bunte Kühe und rufen verwehend in die Zeit. Und kleine Flatter= geister, Klümpchen Erde, die aufgeflogen, weben nie gedeutete Töne in die Lüfte, streichen flügelbebend ängstlich in Nebeln um die Steinwesen, von den Lüften verworfen, daß sie kämpfen 15 müssen.

Und Eulen flattern auf. Seltsame Schreie klingen dumpf wie Totenklage, eintönig und verhallend in den Schrunden, wenn die Nacht kommt. Die Nacht, die älter ist wie Jahr= tausende und wie Stürme. Die uralte Nacht, in der Gott 20 schlief, ehe das Licht in den Äther sprang.

Die Nacht — das große Grab, die große Mutter. Alles schlief in ihr. Alles deckt sie. Alles ruht zum Auferstehen bereit in ihr aus. Die Quellen raunen und rieseln in der Nacht. Wann flossen die ersten Tropfen aus Felsen in Nacht 25 zu Tale nieder? Die Welle plaudert und ist redselig immer und murmelt vor sich hin. Alle lauschen gespannt, wenn die Quellen in Nacht rieseln und raunen . . .

Ein Dorf lag im Tale, in die Enge der Wände hinein= gezwängt. Sonne lag auf den blauen Dächern und blitzte aus

den kleinen Scheiben. Die Obstgärten, die in die Fenster der
Häuschen hingen, glänzten in Tau, und die Wäschelaken an den
Zäunen waren eingeholt. Es war Sonntag. Der Bauer saß
am Tisch und sah reinlich aus. Er redete nicht. Er war ein
gewichtiger Mann unter den Seinen und nun gar Sonntags. 5
Er strahlte jetzt Würde und Sicherheit, sah sich um und dachte
kaum an werktägliche Dinge. Er hatte es im Blute, wie sein
weißes Hemd, und machte ein ganz feierliches Gesicht.

Und die Bäuerin schob noch alles hin und her. Die mußte
freilich auch Sonntags Ochs oder Esel aus dem Brunnen holen. 10
In der raschen Hantierung war da kein Nachlassen. Die Töpfe,
die brodelten, mußten eine rege Hand haben, die sie hin= und
herschob; und die Mägde mit den derben Armen, so rund wie
Würste, und mit dem Gekreisch und Gelächter draußen im
Rinderstalle, die mußten immer eine Stimme irgendwo fühlen 15
— auch im Dunkeln und Geheimen, von der sie auch fürchteten,
daß sie Ohren und Augen hätte, sonst waren sie bald in aller=
hand Lotterleben und hatten Rinder und Kälber vergessen.

Das schrie und stapfte und brüllte da drinnen und gab den
alten Grundakkord eines Bauernlebens. 20

Draußen zog auch der Sohn den alten Falben aus der
Schmiede heim, den er noch vor Kirchgang mußte mit Eisen
versehen. Aber auch der Sohn hatte ein weißes Hemd an und
sah reinlich aus. Es war eine Feierlichkeit, die selbst der Falbe
merkte, der nur ganz unbedenklich langsam trottete, gar nicht 25
etwa, als wenn es etwas anderes noch in der Welt gäbe, wie
Heu und Hafer, und der jetzt gar kaum die Beine hob, daß er
mit den neuen, plumpen Eisen die Stallschwelle streifte und ein
Stück Span mit abriß.

„Nu — da — ... heb nur wenigstens die Knochen, wenn's auch Sonntag ist," sagte sehr mild gestimmt der große, junge Bursche, und hatte bald das Wort vergessen.

In dem Dorfe gab es jetzt an Ecken und Enden, in den Höfen und aus den Hütten der Hänge festliche, bunte Menschen. Sie waren alle wohlgestimmt, und es war eine rechte Bereitschaft, einmal Hassen und Hasten zu vergessen und mit stiller Würde zu schreiten. Sonne lag hoch im Morgenäther. Sonne kam wie aus der Bergwand in die kleine Enge. Alles schritt darin heimlich angetastet bis ins Blut von Wärme und Glanz, und die reinlichen Hütten und Höfe und Felder, die ein jedes einem Paar Augen und einem bestimmten Blute zugehörten, gingen jetzt wie eine frohe, sonntägliche Vision mit Bauer und Bäuerin und Schmied und Wagner, die allmählich einer dem andern zur Kirche folgten.

Es waren alles feste, ehrwürdige Männer, bis auf den Schneider, der ein wenig wippte, auch vor der Kirche zu lachen wagte, und einen Witz nicht scheute, selbst wenn er in die sonntäg= liche Sonnenluft verklang.

Und die Glockenklänge brachen sich und klangen nun voll und heilig und tanzten in der Goldluft und wiegten sich. Allen hörenden Herzen wurde der Weg noch leichter, weil sie sich mit den Klängen wiegten. In alle die fuhr der volle, reiche Laut, und die ganze Würde des Dorfes war in jedes Blut gehoben, und niemand fühlte mehr das arme eigene Leben flüchtig und abgehastet — die Fülle und Reinlichkeit, die reifenden Felder und der Glanz der Obstgärten stand in jedes Auge; alle waren nun eine Sonntagsgemeinschaft und ein Fest.

Die Glocken klangen hin und klangen her. Sie verwehten

hoch in die letzte Hütte am Waldsaum und der stolze Hochton
ebbte nieder, und wer in der Ferne noch ging, strebte eiliger,
wer nahe war, sah die wogende Glockenzunge und sah die Dorf=
jugend auf dem Turm in dem Himmelsblau und sah den mäch=
tigen Metallhut schwanken . . . bis die letzten gekommen waren 5
. . . bis auch die letzten Töne zögernd klangen, einsilbiger, unter=
brochen, dann einmal Stille war, noch ein Laut, noch ein hartes
Klingen, scharf fast — und dann das Dorf einsam lag mit den
Sonnenstrahlen, die unter den Schattenbäumen sich ringelten
und tanzten. 10

Sonntag — in der stillen, kühlen Dorfkirche . . . der Pastor
stand unter den Einfältigen oder Stolzen, die alle ein festliches
Kleid anhatten. Der Gesang verbrauste. Dann kamen die
getragenen Worte. Das Evangelium vom reichen Manne und
vom armen Lazarus. Christus hat uns das Evangelium vor= 15
gelebt. Er war eine große Grundkraft. Er lehrte nicht mit
Worten. Er lebte uns die Menschenliebe vor. So konnte
Paulus dann sagen, was die Liebe ist. So konnte man es also
auch am Sonntag hören, die Geschichte vom reichen Manne und
armen Lazarus. 20

Der Bauer sah nur noch dann und wann sich um. Die
Bäuerin war feierlich und hielt das Tüchel vor die Nase. Die
Jungen auf dem Chore schrien nicht mehr, sie musterten längst
die gesenkten Köpfe, Reihe an Reihe, und stießen sich einmal an
und lachten. Sie hatten auch den Krähhahn, einen elendigen 25
Bettelmann im hinteren Gestühl entdeckt.

Und in der Wölbung brach sich das freundliche, eindringliche
Wort, und füllte alles mit Aufheben und Würde. Alles

saß versunken in dem feierlichen, kleinen Wortereigen, der einen
Augenblick klang wie Liebe in allen Seelen . . . „Liebe . . . Liebet
euch — — Liebe . . . Liebe . . . Liebe . . .

— Da . . . ein heimlicher Strahl kam durch die Kirchtür; als
5 wenn sie sich auftäte — und legte sich auf einige Köpfe wie ein
Schein, und man wußte nicht . . .

Der Pastor sprach, aber paßte auf den Lichtstrahl, denn jetzt
hinterdrein drückte sich ein Landstreicher zur Kirchtür herein,
dem Lichtstrahl nach; ein grauer, staubiger Mann mit Schweiß=
10 perlen auf der braunen Haut, ein Fremder — aus einem süd=
lichen Vaterlande . . . einer der durchs Dorf wanderte — einer
den das Schicksal ruhelos umtrieb!

Die schwarzen Haarsträhne glitten in das braunbleiche Gesicht.
Die Augen waren Glut, aber er sah niemand an. Nur die
15 Bauern sahen ihn an, so daß die Worte einen Augenblick ver=
hallten in ihren Ohren. Und der Pastor sah ihn an. Er empfand
es als Störung und hatte gleich einen Unmut in den Linien
seiner Stirn. Sein Mund sprach weiter, aber auch ihm ver=
hallten seine eigenen Worte, weil sich der fremde Landstreicher
20 in seine Kirche drängte und in seine Seele. Alle sahen heimlich
oder offen auf den grauen, staubigen Fremdling, der sich demuts=
voll in die hohen Tore hereingeschmiegt, und der nun auch unter
den Wölbungen nicht Halt gemacht.

Es war gar seltsam.

25 Der Wind hatte ihn hergeweht, diesen Durstigen nach der
Quelle. Er hatte nur an dem hohen Turme draußen erkannt,
daß einem hier eine Freistatt wäre, aufzublicken und zu ver=
sinken. Er achtete gar nicht, was man redete. Er verstand das

Wort nicht, das die Feier gab.   Die Schweißtropfen rannen
von seiner Stirn.   Der schwarze Haarsträhn hing lose über
den gesenkten Kopf.   Der verrissene Bettlerhut hing mit dem
Wanderstab in den gefalteten Händen.   Er fragte auch nicht
die Mienen, ob er ein hochzeitlich Kleid brauchte zu seinem 5
Trunke.

Die Jungen auf dem Chore lachten heimlich.   Der Geistliche
sah ihn wieder an wie mit einem zufälligen Blick aus seiner
Vertiefung in die klingend fließenden Worte des Evangeliums.
Im Dorfe war er ganz unbekannt.   Das hatte jetzt auch der 10
Pastor innerlich erkannt.   Aber weil er doch ruhig fortsprach,
senkten die Köpfe sich neu in die Worte, die herumklangen im
stillen Raume — und niemand sah dann anders als nur mit
einem heimlichen Seitenblick noch zu dem Fremdling.

Ein richtiger Vagabund, dachte man. —   15

Aber versunken war er — ganz anders noch gleich beim Herein=
treten, als der Bauer, der beim Horchen und Hören sich und
seinen Stolz nicht wegwarf, auch die Bauerndirne nicht, und die
alte Bäuerin, die heimlich an ihrem Spitzentuche zog, es glatt
zu machen.   Auch der Geistliche nicht, der zwar feierlich sprach, 20
aber gerade jetzt nur dachte: „Ach, ein Katholik, oder Grieche —
lassen wir nur den Fremdling! dulden wir ihn —" so etwas ging
neben seinen feierlichen Worten in ihm her.   Auch der alte Bettel=
mann des Dorfes fühlte wie eine Anwandlung gegen den Fremden,
der nicht gefragt hatte zu kommen, nur so mitten hindurchge= 25
gangen war durch den weiten Raum leise und in Demut, aber
nicht in Demut vor denen, die da saßen.

Des Fremdlings Augen waren Glut und Suchen, aber er
sah sich gar nicht um.   Er war leise hindurchgegangen und hatte

sein Knie vor dem Altare gesenkt, bekreuzte sich jetzt und lag auf
den Stufen und hörte nicht die Worte und sah nicht die Menge.
Aber vor seinem Gotte lag er jetzt da im Staube — und betete —
und die Schweißtropfen rannen.

5   So kam in alle allmählich ein heimlicher Schauer. Auch
der Pastor bekam einen Schauer. Der Pastor hob jetzt die
Worte und tränkte sie neu mit Liebe und trieb die Seelen zum
Aufschwung.

Die Hände des Fremdlings lagen hart um Wanderstab
10 und Hut und fieberten. Er lag lange versunken — als wenn
niemand um ihn wäre — nicht Sekten, nicht Heiden — tief
demütig lag er vor dem Unsichtbaren.

Er wischte sich wieder den Schweiß ab und sah auf zum sterbenden Christ am Kreuze — ein inbrünstiges, langes Versun-
15 kensein — dann bekreuzte er sich neu — vollendete seine heimlichen
Worte, so achtlos wie er gekommen war, erhob sich eilfertig —
scheu — und ging — eilig — demütig wieder auf seinen Wanderweg.

Es war wieder ein Sonnenstrahl hereingeschlüpft, ehe er
20 hinaus war. Die Worte des Pastors klangen nun fast freudig.
Die Seelen in den Bänken hatten die Quelle gespürt. Der
Pastor hatte die Quelle gespürt. Der graue Landstreicher hatte
die Quelle angerührt und getrunken. Keiner wußte, warum
jetzt der Pastor so freudig sprach. Es war ein Sonnenstrahl
25 vor ihm hergegangen, und der ewig Suchende hatte mit seinem
Wanderstecken an den Stein geschlagen. Die Quelle rann auch
irgendwo unter ihnen. Es war eine Feier in allen. Ein jeder
hatte das Dorf vergessen. Der Pastor hatte seine Kirche vergessen. Sie hatten alle eine Vision: wie im gelobten Lande

wie wenn einer am Rebekkabrunnen gelegen, wie wenn eine hohe Frau ihm den Eimer gereicht, zu trinken . . .

* * *

Er wandert jetzt weiter — längst — wie Wolken und Wind wandern, Jahrtausende, wie Blätter wandern, im Winde gejagt, wie Träume wandern. Er wandert — und wird nicht Ruhe 5 finden. Er ist ein Bruder der Lüfte und Sonne. Ein Staub= kleid trägt er, eine Miene wie graue Steine. Die Stolzen um ihn verharren im Stolze. Die Klugen in ihrer Weisheit. Keiner denkt, daß er nichts ist. Ein Amt hat er. Besitz hat er. Ein Mensch ist er. Gar ein Großer ist er. 10

Die Wolkengesichte gehen und wehen. Berge und Felsen, Kleine und Große verwehen. Der Atem des Unsichtbaren weiß Wandel zu schaffen. Die Eule hängt tot im alten Baumast und kann nicht rufen. Dörfer und Städte — nichts ist geblieben. Und die Jahrtausende verschütten die Quellen und Felssteine 15 türmen sie auf. Aber der aus der Tiefe durstet, hebt sie auf seinem Wanderweg von den stillenden Wassern. Und überall findet der Landstreicher die Stelle, vor seinem Gotte hinzusinken, und überall auch die Stelle, wo er einst begraben liegt.

Das verlorene Kalb

Von Clara Viebig

Nun wartete die Witwe Thoma schon Wochen. Aus Rom, der großen Stadt in Italien, war der Brief gekommen, der der Mutter verhieß,
5 daß nun bald ihr Sohn bei ihr sein werde. Ihr Joseph, ihr Letztgeborener!

Und mit ihr wartete das ganze Dorf. Wie eine frohe Botschaft war es durch die Stille von Hof zu Hof
10 geflogen; wie eine Verkündigung war

es hinter die Hainbuchenhecken, die, giebelhoch, Haus und Stall und Weide gegen Sturm und Schnee, gegen die ganze Welt schützen, gedrungen. Hell klang es wie Posaunenton, feierlich und froh zugleich: der Joseph Thoma, der nun schon
15 an die sieben Jahre zu Rom geistlich studierte, der kam nun her aus der weiten Ferne, um hier, in der kleinen Kirche des Heimatdorfes, seine erste Messe zu lesen.

Glückliche Mutter! Da war kein Weib im Dorf, das nicht die Witwe Thoma selig gepriesen hätte.

20 Alle die braunen, stattlichen Jungen, die das Vieh versorgten, das Heu mähten, die Kartoffeln hackten, den Torf fuhren, galten den Müttern jetzt nichts. Ja, die Witwe Thoma, die hatte einen Sohn! Das war einer, auf den man stolz sein konnte!

Ein armer Junge war er gewesen wie die andern auch, auf
der gleichen Schulbank hatte er gesessen mit denen, die jetzt als
Mäher, als Torfstecher, als Waldarbeiter sich plagten oder hinunter in die Fabriken rannten, dort am Webstuhl saßen, gebückt
und krumm; alle, alle waren sie das geblieben, was ihre Väter   5
auch gewesen waren, nur er, er allein war auserkoren.

Die Mädchen waren voll einer brennenden Neugier: wie
mochte er aussehen, der Joseph, der einstmals mit ihnen auf
dem Schlitten den Hang hinuntergesaust war, daß sie rechts
flogen, er links, und sie alle miteinander die Beine gen Himmel 10
streckten?   Oftmals hatten sie sich geknufft und mit Schnee-
bällen, in die Steine gedreht waren, in den Nacken geworfen,
aber später, als sie schon größer waren und verständiger, und
er auswärts auf einer höheren Schule lernte und nur zu den
Ferien heimkam, da hatten sie sich auch oftmals geküßt.   15

Die Stube der Witwe Thoma wurde nicht leer von Besuche-
rinnen.   „Hela! Wann kömmt hän dann, Euren Joseph?"
Hatte er denn nichts Genaues geschrieben, den Tag und die
Stunde? Je, was dauerte das so lang!

Dann holte die Witwe Thoma jedesmal mit spitzen Fingern 20
den Brief des Sohnes aus der Kommode, wischte sich die
Augen mit dem Zipfel der Schürze und las zwinkernd und
stockend und heiß und rot die Zeilen, die sie doch längst auswendig wußte. —

Sie hatte alles schon fertig für ihn.   Ihr Haus mit dem tief- 25
hängenden Strohdach, das bunt war von Moos, war schön neu
geweißt, die braun gestrichenen Balken hoben sich kräftig ab;
das Gadder mit dem Klopfer zeigte frisches Grün, die Brettertür der Scheune ein freudiges Tiefblau.   So froh lag das

farbige Haus hinter der jung treibenden Hainbuchenhecke, als
wären nie Stürme und Regen darüber hingesaust, als habe man
den Hauswirt, den Leonhard Thoma, nicht schon zu früh durch
den Heckenausschnitt auf die lange Dorfstraße und von da zum
5 Kirchhof getragen.

Wenn der Leonhard das noch erlebt hätte! Das sagte sich
die Witwe mit Wehmut und Freude zugleich, wenn sie morgens
ihre Kühe auf die Weide hinaustrieb.

Da waren freilich noch die Geschwister. Aber der Lennerd,
10 der Älteste, der die Wirtschaft führte, der wollte demnächst eine
junge Frau ins Haus holen, des Försters Tochter oben aus dem
Venn, der war so verliebt in seine Angenies, als wäre er noch
so viel in den Zwanzig, wie er in die Dreißig ging. Und die
Els und das Drückchen waren schon verheiratet, hatten selbst
15 Kinder, fühlten auch nicht mehr mit. Und der Gerred war bei
den Soldaten geblieben, und der Bärtes war Werkführer zu
Steele in einer großen Fabrik. Sie hatten alle gar nicht mehr
so recht den Sinn. Wenn sie auch stolz auf den Bruder waren:
wie sie, die Mutter, so fühlte doch keines von ihnen!

20 Els und Drück waren aus ihren Häusern gekommen und
hatten beim Reinmachen geholfen; es war kein Plätzchen zwischen
Dachsparren und Kellersohle, das nicht mit Sand und Seife
bearbeitet worden wäre und mit Wasser beschwemmt. Alle
blanken Kessel waren noch blänker gerieben worden, die alten
25 verbuckelten Melkgefäße glänzten wie pures Gold. Und nicht
nur außen war das Haus frisch geweißt worden, auch innen
hatte der Lennerd in Stall und Flur gekalkt, und ein feiner
Tapezierer aus der Stadt hatte die große Stube unten, wo sie
essen würden bei der Primiz, mit einer schönen Tapete aus=

geklebt; und auch oben die Giebelstube, darinnen der Joseph schlafen sollte, hatte eine Tapete, hellblau, mit lauter Rosen= knospen, gekriegt. Das kostete alles viel Geld, aber an solch einem seltenen Fest durfte man die Spargroschen nicht festhalten; zudem hatte die Maiblume, die braune Kuh, ein herrliches Kalb 5 geworfen, das würde man denn eben verkaufen, wenn's nicht anders war.

Das Schwein, das eigentlich für des Lennerd Hochzeit ge= mästet worden war, wurde jetzt schon geschlachtet. Jedes Ei sparte die Mutter auf, und jedes Stück Butter, das sie am Essen 10 abknappen konnte, drückte sie in den großen Steintopf — das war alles, alles fürs Kuchenbacken zu der Primiz.

Sie erwarteten sich alle etwas.

Der Gesangverein, den der Lehrer leitete, hatte jetzt alle Abend Übung. Es war ein hartes Stück Arbeit, diese Kehlen 15 harmonisch zu stimmen, die Wind und Wetter und der Staub im Websaal und der Rauch der Schlöte heiser gemacht hatten.

Über die stille Dorfstraße, die unterm Sternenhimmel ihren weißlich schimmernden, gewölbten Buckel dehnte, irrten oft noch um die Mitternachtstunde verworrene Klänge; Klänge von 20 Liedern. Vom Schulhaus kamen sie her. Da mühten die müden Arbeiter des Tags, die reifen Männer sich ab wie Kinder, noch am späten Abend die Einsätze zu erlernen, sich nicht zu verwirren beim mehrstimmigen Chor, den Ton reinzuhalten und stark und schwach, wie es erforderlich war. 25

Und wenn die eifrigen Sänger dann endlich nach Haus schlichen, um beim frühen Hahnenkrähen schon wieder sich auf= zuraffen, dann fühlten sie doch ihre Müdigkeit kaum, dann waren sie alle stolz und gehoben. Wer hätte nicht mitsingen

mögen am Fest der Primiz: ‚Gebenedeit sei, der da kommt im
Namen des Herrn!'

* * *

Frühlingsglanz lag über den begrünten Hecken des Venndorfs,
als der Pastor und der Lehrer miteinander den Weg zur Bahn=
station machten. „Sie jehn erunter, hän holen," sagten die
Leute, hielten still am Weg und guckten den beiden nach.

Beide Herren waren in Sonntagsröcken, auf ihren Gesichtern
lag eine gewisse Feierlichkeit. Während der Stunde Wegs, die
sie zu gehen hatten, unterhielten sie sich nur vom Joseph. Sie
sprachen mit Genugtuung, mit einer tief inneren Befriedigung,
die ihren Augen einen blanken Schimmer von Freude lieh. Ob
das wohl aus dem Joseph geworden wäre, wenn sie beide nicht
frühzeitig seine Begabung erkannt und ihm zu den Stipendien
verholfen hätten, die allein es dem Dorfjungen ermöglicht hatten,
zu lernen, sich zu bilden.

Und noch eine andere war unten an der Bahnstation, den
Joseph abzuholen. Das war die Mutter.

Schon vor Stunden war die Witwe Thoma von Haus auf=
gebrochen; viel zu früh, längst schon war sie hier.

Zwischen den Felsen der Talschlucht, durch deren Spalt sich
das schmale Bahngleis windet, zwängte sich jetzt Dampf heraus,
zerfetzt und flattrig; noch sah man den nahenden Zug nicht,
aber donnern hörte man ihn schon. Jetzt befuhr er die Brücke
über dem Bach — jetzt bog er um die schwarze Felsenecke oben —
jetzt rasselte er nieder ins sich erweiternde Tal, lang und schwarz.
Ein nervenerschütternder Pfiff — jetzt, jetzt!

Der Mutter stand das Herz still — jetzt war er angekommen,
ihr Joseph!

Sie sah nichts, die Sonne blendete so. Die stand am licht=
blauen Himmel so klar, wie sie selten über dem Venngebiet steht.
Sonst war es um diese Zeit oft noch wie Winter, grau und
kaltfeucht; dieses Jahr war alles schon sonnig und warm.

„Kennen Sie's noch?" fragte lachend der Lehrer und wies hinauf 5
zur Höhe, wo neben der Kirche das Schulhaus steht, nicht wie die
übrigen Dorfhäuser hinter Hecken versteckt, sondern weithin sicht=
bar, ein dunkler Steinwürfel mit glitzerndem blauem Schieferdach.

„Meine Augen haben etwas gelitten," antwortete flüchtig
lächelnd der Heimgekehrte, dessen schlanke Gestalt noch länger, 10
noch schlanker erschien im langfaltigen schwarzen Rock, mit der
zur Seite geknüpften langen Schärpe. „Ich sehe nicht mehr so
scharf wie früher!"

Er sprach mit einer eigentümlich deutlichen Betonung der
Endsilben und als hinge noch ein e hinten an jedem Wort, fast 15
wie bei dem Italienischen, das dadurch etwas Singendes und
Rhetorisches in sich trägt. „Sie haben es noch kalt hier. Bei
uns war es schon bedeutend wärmer!" Er fröstelte und kniff
leicht die geröteten Lider zusammen.

Was — was hatte er denn — sah er denn nicht mehr gut?! 20
Die Witwe Thoma, die zur Seite des Weges, hinter der Hecke,
die Weide und Straße trennt, unsichtbar nebenher schlich, kam
eine jähe Angst an. Sah er wirklich so schlecht, ihr Joseph?

Jetzt blieb er stehen, holte Luft — jetzt sah er sich um. Da
faßte sie sich ein Herz. Ob der Herr Pastor, ob der Herr Lehrer 25
neben ihm gingen, sie war seine Mutter, sie hatte doch auch ein
Recht! Und hastig sich durch eine Lücke der Hecke zwängend,
stürzte sie auf den Weg und stand plötzlich vor ihm, tief Atem
holend, sah ihn an und sagte kein Wort.

Der junge Priester blickte ein wenig erstaunt.

Da schrie sie laut: „Joseph!" fiel ihm an die Brust und küßte ihn sonder Scheu. Sieben Jahre, sieben lange Jahre war er in Rom gewesen.

5 Zitternd strich sie mit der arbeitsharten Hand seine zarte Wange, und dann, als habe sie sich vergessen, errötete sie tief bis unter ihre eisgrauen Haare, bückte sich hastig und küßte demutsvoll die Hand, die so weiß in den Falten des schwarzen Rocks hing — der Herr Sohn!

10 Pastor und Lehrer sahen es voller Rührung. Das war ein Wiedersehen nach so langer Trennung! Die gute Frau, wie froh sie war! Sie schüttelten ihr die Hand und beglückwünsch= ten sie.

Wie eine selige Braut an ihrem Ehrentag, so schritt die 15 Mutter an der Hand des Sohnes dem Dorf zu. Er hatte sie auch geküßt.

* * *

Die Glocken im Dorf läuteten diesen Samstagabend länger als sonst, eine volle Stunde, und wenige Ruhepausen nur gönnte sich des Glöckners ermüdeter Arm. Morgen war der große 20 Tag, morgen war ein Festtag für alle, morgen war Primiz!

Schon waren fremde Geistliche ins Dorf gekommen und beim Herrn Pastor abgestiegen; nicht nur die beiden Pastoren aus den Nachbarpfarreien, sogar ein geistlicher Herr, ein ganz hoher, aus der Abtei zu Cornelimünster. Vier Geistliche am Altar der 25 kleinen Dorfkirche auf einmal?!

Die Häuser unweit der Kirche: das Schulhaus, das Wirts= haus und die Bürgermeisterei, hatten geflaggt.

Frauen trugen langgehegte Blumentöpfe in die Kirche, Kinder

schleppten Körbe voll Tannengrün. Die ersten schüchternen
Blumen waren in die Guirlanden hineingebunden: gelbe Nar=
zissen, die wie goldene Sterne im Moor leuchten, und zartes
Wiesenschaumkraut, das, kaum gepflückt, schon vergeht. Stark
roch das kräftige Tannengrün. 5

Auch das Haus der Witwe Thoma war umkränzt.

Dünne Festons mit blauen und roten Papierblumen hingen
zwischen den Fenstern der nach der Straße gekehrten Giebelwand,
und selbst die Stallseite, halb verhangen vom tief sich senkenden
Strohdach, hatte einen Feston abgekriegt. Über dem Gadder 10
baumelte ein Kranz mit der Inschrift: ‚Willkommen in der
Heimat!'

Im Flur, der zugleich die Küche war, hatte man einen neuen
eisernen Herd aufgestellt; wie sollte man denn auf dem alt=
modisch gemauerten, auf dem das Feuer seinen Rauch noch offen 15
hinaufsandte in den geschwärzten Rauchfang, in dem die Speck=
seiten schaukelten, all das braten und kochen, was morgen
nottat?! Die Kuchen freilich, die waren schon gebacken.

Die Witwe Thoma hatte einen hochroten Kopf, sie hatte alle
Hände voll zu tun. Die Töchter waren auch zu gar nichts 20
nütze! Es war zu viel für ihren alten Kopf — alle die geist=
lichen Herren morgen zum Mittagsmahl!

Ihre Füße brannten; die ganze vorige Nacht war sie in kein
Bett gekommen; aber das machte nichts, sie hätte ja doch nicht
schlafen können. In ihr war eine große Unruhe. Ihr Leonhard 25
selig hatte vor seinem Tode oft geklagt, das Herz quäle ihn so,
das klopfe gegen die Rippen, wie der Specht mit dem Schnabel
gegen die Baumrinde hämmert — so tat es das ihre nun auch.
Das kam von der Freude.

Die erste Nacht daheim hatte der Joseph wunderherrlich geschlafen; als sie abends an der Tür der hellblauen Giebelstube lauschte, hörte sie seine ruhigen Atemzüge. Mit verklärtem Gesicht hatte sie draußen gestanden und gelächelt: ja, es schlief
5 sich doch sanft daheim!

An diesem Samstagabend war sie schon dreimal hinauf= gestiegen zur Giebelstube. Er hatte nichts zum Abend gegessen. Sie hörte ihn drinnen mit leisem Schritt auf und nieder gehen — ah, er betete, er bereitete sich vor auf den morgenden Tag.
10 Da durfte sie nicht stören.

Aber es ließ ihr unten keine Ruh. Er tat sich zu viel, der Joseph! Zart war er nur; er strengte sich viel zu viel an. Und sie nahm Milch und Brot, mit Butter bestrichen und mit Schinken belegt, und trug's ihm hinauf. Ängstlich pochte sie
15 an, sie traute sich nicht einzutreten im eigenen Haus.

Auf der Schwelle blieb sie stehen. „Willste nühst essen,“ fragte sie schüchtern und ein wenig verlegen lächelnd dabei.

„Danke,“ sprach er. „Danke! Ich esse nichts.“ Er sagte es freundlich und sanft, aber sie fühlte doch eine Abweisung in seinem
20 Ton. Kaum wagte sie es, ihn noch einmal zu drängen.

Da winkte er mit der Hand, nur leise wehrend, schritt wieder auf und nieder in der Stube und hob seinen Blick nicht mehr.

Das Fenster war geschlossen, das Rouleau mit der Spitze, die die Els gehäkelt hatte, heruntergelassen; kein Strählchen Abend=
25 sonne konnte herein. Und in dem Dämmerlicht, das die Stube erfüllte, erschien die schlanke Gestalt im schwarzen Kleid noch schwärzer und höher, viel zu hoch für den niedrigen Raum. Wie bleich seine Stirn war, wie ernst seine Augen blickten, gar nicht, als sei er noch so jung, erst fünfundzwanzig Jahr!

Von einem Schauer der Ehrfurcht erfaßt, kniete die Mutter
außen vor der Tür nieder. Während der Sohn drinnen betete,
betete sie draußen.

Sie war ganz versunken, sie hatte es nicht acht, daß die Katze
leise geschlichen kam, den Schinken stahl und die Butter vom
Brot leckte. Die Stirn gegen das Holz der Türe geneigt,
lauschte die Witwe Thoma, während ihre Lippen sich betend
bewegten, auf des Sohnes Stimme. Wenn er fertig war, ob
er dann wohl nach ihr rief? Oder war er ärgerlich ob ihrer
Störung?

Eine Inbrunst kam die Mutter an, diese Hand zu küssen.
‚Bitt für uns,‘ murmelten ihre Lippen, ‚bitt du für uns!‘ — — —

... Die Nacht vor dem Fest war vorgeschritten, verstummt
waren hinter den Haushecken die murmelnden Gebete von Müt=
tern und Kindern; alle schliefen sanft. Einzig hinter der Hecke
der Witwe Thoma blinkte noch Lämpchenschein. Oben im Haus
wachte der Sohn, unten im Haus wachte die Mutter.

Frau Thoma betete nicht mehr, sie schaffte, aber all ihr Tun
war ein Gebet. Bei jedem Löffel Mehl, den sie einquirlte, bei
jedem Ei, das sie zerrührte, bei jedem Stück Speck, das sie zer=
schnitt, dankte sie Gott für den Sohn.

Je näher sie der Stunde kam, in der sie den Sohn am Altar
sehen sollte, der Gemeinde den Segen erteilend, desto demütiger
wurde ihre Seele. War sie es denn wert, seine Mutter zu
heißen? War sie nicht zu einfältig, zu armselig, zu sündig dazu?!
Ach, wenn er jetzt zu ihr einträte, zu ihr ganz allein, hier hinein,
wo niemand sonst war, dann würde sie sich doch ein Herz fassen
und ihn befragen, ob er sie überhaupt denn noch liebhabe? So
lieb wie dazumal, als er vor seiner Abreise ins fremde Rom zum

letzten Mal bei ihr gewesen war, sie um den Hals gefaßt hatte
so zärtlich, wie man's sonst kaum gewohnt ist hierzuland?!
Und geweint hatte er, seine Tränen hatte sie verspürt an ihrem
Gesicht. Wenn er nun abreiste, wieder nach Rom, ob er da
5 wieder weinen würde?! .

Aber warum er sich nur so gar nichts mit ihr zu erzählen
hatte?! Wenn der Bärtes und der Gerred nach Hause kamen,
dann rannten die gleich in den Stall oder hinaus auf die Weide,
besahen alles, fragten nach allem, wollten von jedem wissen,
10 und es war immer so, als wären sie gar nicht fortgewesen. Und
die blieben doch auch oft lange fort.

Sich demutvoll neigend stand das Weib in der Küche — da
hörte es einen Tritt und erschrak.

Er kam von oben herunter. „Mutter, Ihr seid noch auf?“
15 Sie stammelte etwas.

„Ihr solltet zu Bett gehn, Mutter! Es ist längst Mitter=
nacht. Ihr werdet sonst morgen zu müde sein.“

O, wie besorgt er war! „Nee,“ sagte sie glücklich lachend, „ich
bin nit müd!“ Und dann wurde sie recht vertraulich: „Herrje,
20 wie hunnerdmal hab ich als eso lang aufjesessen un für euch
Jungens die Buxen geflickt!“

Sie lächelte ihn an, alle Runzeln auf ihrem Gesicht schienen
sich zu glätten.

Er lächelte auch; aber es war ein Lächeln, von dem die Seele
25 nichts wußte, ein Lächeln, das die Augen nicht erhellte.

Enttäuscht schlug sie ihren Blick nieder. Sie hatte ihn erin=
nern wollen, wie viele Hosen er zerrissen hatte, als er noch auf
die Hainbuchen kletterte, um junge Elstern auszunehmen, und
auf die höchsten Tannen kroch nach Eichkätzchen.

Er sagte: „Schläft der Bruder schon? Die Schwester auch?
Und Ihr allein seid noch wach? Das ist unrecht, Mutter!"

Allein — allein?! Sie war ja gar nicht allein. Er war doch
auch noch wach — und er war bei ihr!

Und von der Fülle ihrer Liebe jäh übermannt, vergaß die
Bauersfrau alles, was sich schickt, und wie es sich ziemt, ließ
den Wasserschöpfer, den ihre Hand grade hielt, fallen, schlang
beide Arme um des Sohnes Brust, drückte ihn an sich und
schluchzte auf: „Daß ich dich nu wiederhab, daß ich dich nu
wiederhab! Wenn das dein Vadder selig noch hätt erlebt, ach
der" — sie konnte nicht weitersprechen vor Weinen.

„O ja, es würde ihn auch sehr gefreut haben," sprach der Sohn.
„Wir wollen morgen seiner im Gebet gedenken!"

Heftig fühlte das Weib eine plötzliche Erschütterung: im
Gebet gedenken —?! Im Gebet — sicher und gewiß — ja, ja
— aber gesprochen vom Vater, von seinem Vater gesprochen
hatte er doch noch kein einziges Mal! Und ihr, die ihren Leon=
hard selig noch immer liebte, obgleich er nun schon mehr als
zehn Jahre im Grabe lag, tat es weh im Herzen, wenn sie an
den Vater in der einsamen kalten Grube dachte.

Sie ließ die Arme, die die Brust des Sohnes umfingen, sich
lockern. Und dann wischte sie die Augen mit dem Schürzen=
zipfel, rieb sie unsanft trocken: nein, nicht weinen! Sie hatte
doch wahrlich keine Ursache dazu!

Schwerfällig setzte sie sich auf den nächsten Schemel. Jetzt
fühlte sie's plötzlich: man war alt, man wurde doch leichter
müde als zuvor.

„Der Herr sei mit Euch!" Und dann reichte er ihr die Hand.
„Schlaft wohl, Mutter!"

Aber sie schlief nicht wohl. Etwas nagte in ihrer Brust,
das ließ sie nicht zur Ruhe kommen.

* * *

Die Glocken läuteten. Es strömte zur Kirche. Die Männer
waren frisch rasiert; mit den Stoppeln war auch manch Fetzchen
5 Haut hingegangen. Spitz, blaß und verarbeitet guckten die
Gesichter der Weiber aus den schweren, von Wolle und Seide
gewirkten Kopftüchern, unter denen die noch vollen Wangen
der Mädchen röter hervorglänzten. Kinder im höchsten Staat
belagerten die Straße.

10 Die Witwe Thoma kam aufrecht und langsam die ansteigende,
breite Straße zur Kirche herauf. Sie trug ihr bestes Kleid,
das schwarze, und ein schönes und buntes Kopftuch, das ihr der
Bärtes eigens zu diesem Tag hergeschickt hatte. Rechts und
links von ihr schritten die Töchter, auch in schönen, bunten
15 Kopftüchern und schwarzen Kleidern.

Auch Lennerd, der mit den beiden Männern der Schwestern
hinter den Frauen herschritt, war ernsthaft, kaum wagte er auf=
zusehen; ihn drückten die neuen Stiefel, mehr aber noch drückte
die Ehre ihn. — — —

20 Der letzte Ton der Glocke verhallte schon, als die Witwe
Thoma erst zur Ruhe gekommen war in ihrer Bank. Unauf=
hörlich hatte ihr Feierkleid über dem steifen Moirérock gerauscht
und geraschelt. Schier unwillig hatten die Töchter von links
und rechts nach ihr geblickt: warum war denn die Mutter so
25 wenig andächtig heute?!

Eine fieberhafte Unruhe war in der Frau — gleich kam er
aus der Sakristei! Gleich stand er vorm Altar! Sie vergaß

das Gebet. Ihre Lippen bewegten sich wohl, aber nicht in den
Worten des gewohnten Betens; dieses krampfhafte, unauf=
hörliche Zittern der Lippen kam von innen heraus. Und brennend
heiß wie die Lippen waren die Wangen der alten Frau, auf ihnen
flammte es.   5

Die Orgel spielte vor, voll und kräftig; der Lehrer hatte
heute alle Register gezogen. Brausend erklang es vom Chor:

"Kyrie eleison!"

Und um die zitternde Frau brauste es weiter:

"Christe eleison!"   10

Da stand er vorm Altar! Lang wallte das weiße Gewand
ihm auf die Füße, die Stola hing ihm vom Nacken herab über
die Schultern. Die Chorknaben waren ihm flink zur Hand,
und wendeten sich, wohin er sich wendete; setzten das heilige
Buch auf dem Ständer bald hierhin, bald dorthin, neigten die 15
Stirne bis auf die Stufen, und beteten an. Und wie aus
einer Wolke des Himmels erklang seine Stimme, stark und
durchdringend — man hätte dem Schmächtigen gar nicht solch
eine Stimme zugetraut —: ‚Gloria Patri et Filio et Spiritui
sancto!' . . .   20

Die kniende Frau fuhr sich nach dem Herzen. Wurde der
Mutter unwohl?

Die Sänger auf dem Chor strengten sich gewaltig an, so gut
hatten sie noch nie gesungen.

Die Witwe Thoma hörte nichts davon. Als seien all ihr 25
Verstand, all ihr Leben nur in den Augen, so hingen ihre Blicke
an dem jungen Geistlichen und folgten jeder seiner Bewegungen.
Jetzt schritt er um den Altar, jetzt verschwand er in der Sakristei;

jetzt erschien er wieder in der prächtigen Kasel, golden prangte das große Kreuz auf seinem Rücken. Wie ruhig und abgemessen er sich bewegte! Und wie sicher seine Stimme klang! Jetzt — die Mutter empfand das — jetzt war die Stimme hart fürs Ohr.

5
        "Benedictus, qui venit
        In nomine Domini!"

Was, was sangen sie jetzt da oben auf dem Chor? Fast erschrocken starrte das Weib zum Altar hin. Aha, sie begrüßten ihn! Gebenedeit sei, der da kommt im Namen des Herrn!

10 Ein plötzlicher Stolz schwellte die Seele der Mutter: ja, singt nur, singt, er, der da steht, ist ein Geweihter des Herrn, einer, der höher ist, als alle Menschen in der Welt!

Und ihr Joseph, ihr Sohn, der war so einer, der da opferte das Brot und bereitete das Opfer des Kelches, der da betete in der 15 Mitte des Altars — o, es war Sünde, etwas anderes von ihm zu verlangen!

Männer, Weiber, alle lagen demütig auf den Knieen, nur er, er allein stand aufgerichtet, hoch über allen!

Sie sah nichts mehr, brennende Tränen füllten ihre Augen.

20
        "Agnus Dei,
        Qui tollis peccata mundi,
        Miserere nobis!"

Miserere — miserere — das gellte vom Chor herab, das gellte von unten aus dem Schiff der Kirche nach oben zur Wöl= 25 bung; das gellte aus allen Ecken. Der Mutter Seele wußte nichts mehr von Stolz. Erbarme dich unser! Tief, tief neigte sie die Stirn. Sie atmete zittrig: wäre es nur schon zu Ende, ach, was dauerte das heute so lang!

Endlich, endlich hob der Priester vor der Mitte des Altars seine Hände, erteilte den Segen.

„Ite, missa est!"

Wirr blickte die Witwe Thoma um sich — Gott sei gelobt, nun war es gleich aus! Schweiß perlte ihr auf der Stirn, sie mußte seufzend nach Luft ringen, sie konnte nicht einfallen ins betende Murmeln.

Die Orgel brauste wieder. Es dröhnte mit Jubelton, es erhob sich rings wie Freudengeschmetter: ‚Großer Gott, wir loben dich!' Alle sangen, sie allein sang nicht mit.

Stumm, den Kopf gesenkt, schritt die Witwe Thoma aus der Kirche. — — —

Bald nachdem es Mittag geläutet hatte, erschienen die geist= lichen Herren. Joseph ging ihnen entgegen bis zur Haustür; sie küßten ihn mit dem Bruderkuß, und dann nahmen sie mit= einander Platz an der Tafel. Mutter und Geschwister sollten natürlich mitessen, aber sie hatten so viel zu tun mit Auftragen und Abtragen, mit Nötigen und Einschenken, daß sie gar nicht zum Sitzen kamen; und es war ihnen auch ganz lieb so, recht behaglich fühlten sie sich doch nicht. Nur der Lennerd mußte drinnen aushalten, er saß oben bei den Herren und konnte nicht leicht zur Tür. Er schwitzte, und verlangend glitt sein Blick, so oft sich die Tür auftat, hinaus, wo draußen in der Küche, rotangestrahlt vom prasselnden Herdfeuer, seine Braut, die junge Angenies, Waffeln buk.

... Nun hatten sie drinnen den Kaffee getrunken, nun gingen sie alle miteinander noch einmal zur Nachmittagskirche, die Glocke läutete schon. Frau Thoma atmete auf. Sie war nicht mitgegangen, am Nachmittag brauchte sie das ja nicht. Nun konnte sie doch niedersitzen und zu sich selber kommen und zu ihrem Leonhard.

Die Mutter schüttelte verwirrt den Kopf, und dann schlich sie hinaus zur Küche, nebenan in den Stall. Dort stand sie lange regungslos in der geöffneten Stalltür, sah durch die Lücke der Hecke hinaus über Weide und Anger und fühlte es nicht, daß von da ein Frühlingslüftchen sich herstahl und ihre verwelkte Wange küßte.

Mit einem Stoßseufzer wankte sie zurück in den Stall, hinein zu ihrem Vieh. Da stand die Maiblum, der man den Tag, bevor der Joseph gekommen war, das Kalb wegverkauft hatte, drehte den Kopf beim Geräusch der Tritte wie suchend herum und brüllte klagend.

„He, Maiblum," sagte die alte Frau. Und dann noch einmal ganz weich: „Ja, ja, Maiblum!"

Die mußte besonders gut gefüttert werden und auch ein wenig geliebkost! Sie ging hin und klopfte der Kuh den glatten, braunen Rücken; die suchte ja noch immer ihr Kalb, das man ihr wegverkauft hatte, vier Stunden weit weg!

* * *

Die Sterne blinkten am Himmel, als ein heimliches Sichregen im Dorf begann. Wie Diebe schlichen sie sich hervor unter ihren tiefhängenden Dächern hinter den dunklen Schutzhecken. Männer und Weiber, Burschen und Mädchen tuschelten und schienen freudig erregt, und die Kinder, die auch mitrannten, lachten und wurden zur Ruhe gewiesen und konnten ein heimliches Schwatzen voll froher Neugier nicht unterlassen.

Alle strebten dem Haus der Witwe Thoma zu. Der Lehrer erwartete sie dort schon, er sortierte seine Leute: vorn hin die

Sänger, rechts und links von diesen und dahinter die Later=
nenträger. Ah, wie die bunten Ballons, die die sechs Mann
trugen, rot, blau, grün und gelb schimmerten und rund waren
wie riesige Kürbisse — ah, das war einmal wunderschön! Die
Knaben und Mädchen reckten sich auf den Zehen, jedes von ihnen   5
wollte recht nahe daran sein. Welch eine Pracht!

Im Eingang der Hecke, vor der Tür des Hauses, das heute
so hell dalag wie sonst nie, stellten sie sich auf. St, nur leise!
Kein Räuspern durfte sich hören lassen, kein Tritt auf den
Pflastersteinen.   10

Glücklich der Junge, dem es gelungen war, am verknoteten,
knorrigen Astwerk der Hecke ein wenig hinanzukriechen; glück=
lich das Mädchen, das einen Prellstein ergattert hatte, um sich
darauf ein wenig erhöht zu stellen! Dicht drängte man sich
und dichter.   15

Kein Flüstern war hörbar, alles still, feierlich still.

Der Lehrer reckte den Arm — da stieg es empor zum näcyt=
lichen Sternenchor, schwach nur im Klang, fast zerflatternd in
der großen Weite und doch eindringlich durch die Hingebung, mit
der es gesungen ward: 20

„Die Himmel rühmen des Ewigen Ehre!"

Zuhörer und Sänger waren gleich erregt: der Joseph, der
Joseph Thoma, der hochwürdige Herr! — da stand er!

In der geöffneten Haustür, den hellerleuchteten Flur hinter
sich, haftete wie ein Schatten die schlanke schwarze Gestalt. Der 25
junge Priester stand da ganz allein; er war der Geehrte, die
andern hielten sich im Hintergrund.

Lied folgte auf Lied. Unbeweglich verharrte der Gefeierte.

Da hieß der Lehrer den Gesang enden, und noch ein paar Schritte vortretend und seine große, kraftvolle Gestalt vor der schmalen Priestergestalt verneigend, hub er an:

"Hochwürdiger Herr! Wir haben uns erlaubt, heute abend vor Ihnen zu erscheinen, um Ihnen am Schluß des Tags, der in den Annalen der Gemeinde eingetragen sein wird mit unverwischbaren Lettern als das größte Fest, das wir seit langem gefeiert haben, um Ihnen, hochwürdiger Herr, an diesem Abend zu danken für die Freude und Ehre, die uns durch Ihr Erscheinen hierselbst zuteil geworden ist!"

Der Lehrer stockte einen Augenblick, er hatte erst eine kleine Verlegenheit zu überwinden; der Gefeierte stand ja immer noch so still, hob den gesenkten Kopf gar nicht. Aber dann, die wohlgesetzte Steifheit verlierend, mit der er begonnen hatte, fuhr er wärmer werdend fort:

"Sie sind nach sieben langen Jahren zurückgekommen in die Heimat — o, wie muß Ihnen das Herz geklopft haben, als Sie unsere Eifelberge auftauchen sahen! Es zieht doch jeden Eifler gewaltig in die Heimat, er kann nicht leben anderswo. Unsere Söhne, unsere Töchter müssen in die Fremde, um ihr Brot zu verdienen — unser armes Land kann nicht alle ernähren — aber haben sie da draußen sich etwas erworben, so kehren sie mit Jauchzen wieder heim; sie fügen sich gern ins bescheidenste Los, nur froh, wieder Eifelhöhen zu sehen."

Die Liebe zur Heimat war ihm zu Kopf gestiegen, er redete wie im Rausch:

"Sie haben viel Neues in der Welt gesehen, Hochwürden, Sie haben viel Neues gelernt — da!" Er hob die Hand und

winkte wie abwehrend in die Ferne. „Wir haben nicht viel
Neues gesehn derweilen. Wir sind auch nicht emporgestiegen,
wie Sie es sind, wir sind nur die Alten geblieben. Aber,
Joseph, wir haben dir darum auch die alte Liebe bewahrt!"

‚Ja, das ist wahr! Ja, das haben wir!‘ Ein zustimmendes 5
Raunen ging durch die Menge, ein freudiges Murmeln. Die
Kleider raschelten, die Füße trappelten. Das war ein Näher=
kommen, ein Zudrängen, ein Heranrücken. Sie hätten ihm
ja alle so gern die Hand geschüttelt.

„St, st," mahnte irgendeiner.   10

Und der Lehrer, von einer Rührung, deren er sich nicht er=
wehren konnte, nun er des Wiedersehens der Mutter mit dem
Sohn gedachte, weich gemacht, fuhr leiser fort, als habe er dem
Sohn etwas Geheimes, etwas Heiliges anzuvertrauen:

„Und deine Mutter vor allem hat dir ihre Liebe bewahrt! 15
Sie hat dich allzeit auf betendem Herzen getragen, Joseph!
Fern waren Sie, hochwürdiger Herr, und ihr doch nicht fern!
‚Mein Joseph,‘ wie oft hat sie das gesprochen! O, es war
ein rührender Anblick, die glückselige Mutter vor dem heim=
gekehrten Sohne zu sehen! Ihr Stolz, ihre Freude, ihr 20
höchstes Glück — da war er nun, ihr Joseph!"

Ein plötzliches Aufschluchzen ließ sich vernehmen. Der Lehrer
stutzte: wer weinte denn, sollte das den Joseph so gerührt haben?
Nein, der stand unbeweglich mit seinem ernsten Gesicht.

Die junge Angenies war es gewesen. Sie hatte sich vorhin, 25
von hinten ums Haus herum, herangeschlichen; sie hatte doch
auch etwas sehen wollen. Nun zupfte sie Lennerd ganz erschrocken
am Rock: „Biste still, Angenies!" Was fiel ihr denn ein?!

Aber sie merkte nicht auf ihn. Auf den Zehen gereckt, den heißen Kopf vorgestreckt, lauschte sie.

Die Angenies weinte sonst nie; aber heute abend, da der Herr Lehrer so schön von der Mutter redete, war's ihr zum Weinen. Durch ihre harmlose Seele zog ein zartes Verstehen, ihr selbst unklar; sie wußte nicht, warum ihr gar so wehmütig zu Sinn ward. Sie ließ die Tränen über ihre Wangen rinnen.

„Hochwürdiger Herr," hub der Lehrer noch einmal an, „der Sohn unserer Eifel, das Kind unseres Dorfes, der Stolz unserer Gemeinde, der hochwürdige Herr, er lebe hoch! Und wieder hoch! Dreimal hoch!"

Sie schrieen alle; sie rissen die Mützen vom Kopf und schwenkten sie. Die Lampionträger reckten ihre Leuchten höher — rot, blau, grün und gelb schimmernd und rund wie riesige Kürbisse. Die Kinder jauchzten, Frauen= und Mädchenstimmen ertönten hell. Und alle, alle drängten sich dicht heran. Und nun setzten die Sänger ein, frisch und schwungvoll, es hätte kaum des aufmunternden Zeichens ihres Dirigenten bedurft:

„O Täler weit, o Höhen,
O schöner, grüner Wald!"

Das konnten sie am besten, das war das Lieblingsstück von Lehrer und Sängern, das kannten alle im Dorf, das mußte auch dem Joseph noch bekannt sein.

Der junge Priester hob den Kopf und blickte zum ersten Mal um sich. Und als der letzte Ton verklungen war, trat er von der Schwelle herunter, reichte dem Lehrer die Hand und trat dann wieder hinauf auf die Schwelle.

Die Sänger waren ein wenig enttäuscht; es waren so viele

alte Bekannte vom Joseph unter ihnen, sie hatten gehofft, auch
einen Händedruck zu bekommen.   Aber — „St!" — nachher,
nachher!   Jetzt wollte der Joseph reden!   Er räusperte sich.

Weit vernehmlich klang die Stimme.   Er sprach sehr deutlich,
jede Silbe, besonders die letzte, betonend: 5

„Verehrter Herr Lehrer!   Verehrte Anwesende!   Ich danke
Ihnen aufrichtig für die freundliche Begrüßung, danke auch
aufs beste für die mir freundlich dargebrachten Gesänge.
Beides war mir eine frohe Überraschung.   Bin ich doch so
lange von hier abwesend gewesen, in einem den meisten hier 10
gänzlich fremden Lande, daß ich nicht annehmen durfte, noch
in so guter Erinnerung bewahrt worden zu sein.   Mich hierin
getäuscht zu haben, ist mir eine große Genugtuung und Freude,
denn auch ich habe für die Stätten meiner Kindheit und für
alle jene, die die Schritte meiner Jugend behüteten und leiteten, 15
ein bleibendes Interesse bewahrt.   Möge unser Herz und
Sinnen noch so sehr auf das Einzigbleibende — das Ewige —
gerichtet sein, die Neigung zum Irdischen läßt sich, solange
wir noch auf dieser Welt atmen, doch nicht gänzlich abstreifen.
Als mich das Dampfroß durch die mittelrheinische Ebene trug, 20
suchten meine Blicke vergeblich die schöngeschwungenen Linien
der Albanerberge.   Aber, als ich dann das Eifelplateau sich
erheben sah, bescheiden nur und unfruchtbaren Charakters,
aber auf seiner Höhe das Dörfchen tragend, in dem ich geboren
wurde, fühlte sich meine Seele bewegt.   Wenn ich nun binnen 25
wenigen Tagen wieder zurückkehre, nehme ich mit mir in
jenes schöne Land, das mir zur neuen Heimat geworden ist,
die freundliche Erinnerung an die alte Heimat, nehme mit
mir die Gebete von Hunderten — euer aller Gebete! — und

werde sie auf fürbittendem Herzen tragen. Das sei mein
Gruß für die Heimatgemeinde im Eifelland. Das sei mein
Dank!"

Er hatte ohne Stocken gesprochen, flüssig, rhetorisch, für jeden
vernehmlich, wenn auch vielleicht nicht ganz verständlich. Oder
hatte man ihn doch verstanden?!

Still blieb's. So still, daß man jetzt einen zitternden Atemzug
laut vernahm und deutlich ein geflüstertes, wohl nur dem Nebenstehenden ins Ohr gerauntes: ‚De hat ja kein Herz!'

Man guckte sich um, man stieß sich an: wer hatte das gesprochen? Warum? Wieso? Woher wußte die denn das?!

Scheu drückte sich die junge Angenies auf die Seite. O weh,
das war ihr so entfahren, sie hatte das ja nur bei sich ganz heimlich gedacht! Nun schämte sie sich. Ihren Lennerd hinter sich
herziehend, hielt sie nicht eher an, als bis sie weit vom Haus und
seinem Festgedränge, als bis sie ganz weit draußen auf der
Weide standen, wo, durch die Hecken geschützt, die den Vennwind
abhalten, schon jungduftendes Gras sproßte. Wonniges Leben
nach karger Winterzeit. — — —

Das Dorf lag ganz im Dunkel, dunkel das Haus, dunkel die
Hecke. Die Laternenträger mit ihren Lampions waren heimgegangen; erloschen der Glanz, verklungen der Sang, aus das
Fest. Aber es strahlten die ewigen Sterne; sie standen ganz
still und leuchteten mit mildem, versöhnendem Glanz hernieder
auf alles Irdische. Auf Liebe und Leid.

Im Stall, hinterm festlich geschmückten, Guirlanden um-
kränzten Haus, stand die Witwe Thoma. Sie stand da schon
eine geraume Weile. Hier suchte sie keiner. Man hatte sie
gerufen, sie hatte es wohl gehört; aber sie hatte nicht geantwortet.

Was sollte sie denn noch? Geschafft hatte sie und gerüstet, gehofft hatte sie und sich gefreut — sieben Jahre, sieben lange Jahre.

— — ‚De hat kein Herz!' — —. Ihr war es, als sollte ihr das eigne Herz brechen. Laut aufgeschrien hätte sie fast vor Schrecken, als der Angenies Stimme das laut kundgetan, was sie dumpf gefühlt hatte, was ihr so weh getan hatte, heute, gestern, ehegestern schon. All die Tage schon, seitdem er wieder da war, der Joseph. Kaum, daß sie sich auf schwachen Füßen hatte davonschleichen können, unbemerkt von der lauschenden Menge.

Mit einem Stöhnen stützte sich die alte Frau gegen die Stall= wand. Sie konnte nicht mehr stehen, ihre Füße waren zu müde und matt. Bei der Kuh, die dumpf klagend brüllte um das Kalb, das man ihr wegverkauft hatte, vier Stunden weit weg, fiel die Mutter in die Kniee. Den Hals des Tieres mit beiden Armen umschlingend, sich daran klammernd in ihrem Schmerz, stammelte sie weinend:

„Maiblum, ach Maiblum — mein Joseph — der Joseph — ach nee, mein Herr Sohn!"

Fröhliche Leut'

Von Hermann Sudermann

Der Weihnachtsbaum, der in der Ecke
stand, neigte sich bedenklich nach vorne,
weil man die Seite, die sich den Wän=
den zukehrte und die deshalb schwer zu
5 erreichen war, nicht so reichlich behängt
hatte, daß sie den schatzbeladenen Zwei=
gen der vorderen Hälfte das Gleichge=
wicht hätte halten können.

Papa bemerkte es und schalt. „Was
10 würde Mama sagen, wenn sie das
sähe? Du weißt, Brigit, daß Mama solche Nachlässigkeit
nicht liebt. Wenn der Baum uns umfällt, müssen wir uns die
Augen aus dem Kopfe schämen."

Und Brigit wurde feuerrot, kletterte noch einmal auf die
15 Stehleiter und befestigte, die Arme weit hinüberreckend, aller=
hand, was sie gerade noch erraffen konnte, auf der Wandseite,
die sie, weil daran doch nichts zu sehen war, in der Tat ein wenig
stiefmütterlich bedacht hatte.

Und dann erst konnten die Lichter angezündet werden.

20 „Nun wollen wir auch noch die Geschenke durchsehen," sagte
Papa. „Welcher ist Mamas Teller?"

Brigit zeigte ihn.

Diesmal war Papa zufrieden. „Gut, daß du so viel Marzipan
104

daraufgelegt haft," sagte er, „denn sie muß ja immer was zum
Verschenken haben," und dann prüfte er das schöne, blanke
Safetyschloß, das daneben lag, und ließ die Finger liebkosend
über die harten Fächer der Chamäropspalme gleiten, die Mamas
Bescherungsplatz überschattete.   5

„Das Blumenglas haft du ihr gemalt?" fragte er.

Brigit bejahte. „Es ist ausschließlich für Rosen," sagte sie,
„und die Farben sind eingebrannt und ganz und gar wetter=
beständig."

„Was die Jungens ihr gemacht haben," meinte Papa, „können 10
sie ihr ja dann selber bringen. Mamas Geschenke haft du auch
hingelegt?"

Gewiß hatte sie sie hingelegt. Für Fritz ein Fischnetz mit
Holzgabeln zum Aufhängen und ein zehnklingiges Universal=
messer, — für Artur eine Hobelbank mit Trittbrett und aus= 15
wechselbaren Eisen und außerdem noch ein hochbordiges Hansa=
schiff mit einem goldhaarigen Meerweib als Gallionfigur.

„Das Meerweib wird Effekt machen," sagte Papa und
lachte.

Brigit hatte noch etwas auf dem Herzen. Sie steckte die 20
kleinen, festen Arbeitshände unter den Schürzenlatz, der sich
über der noch flachen Brust ein wenig sackte, und wippte auf den
Absätzen hin und her.

„Ich will's dir nur gleich verraten," sagte sie; „dir schenkt sie
auch etwas."   25

Papa wurde sehr hellhörig. „Was denn?" fragte er und
revidierte seinen Bescherungsplatz, auf dem sich jedoch neben
Brigits Handarbeit — über die hatten sie schon gesprochen —
nichts Bemerkenswertes vorfand.

Brigit lief eiligst zu der entgegengesetzten Ecke des Saales und zog unter dem Klavier einen etwa zwei Fuß hohen, in Papier gehüllten Kasten hervor, der sich für seine Größe merkwürdig leicht in die Höhe heben ließ.

5 Und als die Papierbogen gefallen waren, kam ein Holzkäfig mit einem großen, bunten Vogel zum Vorschein, dessen Gefieder schillerte, als hätten Himmelblau und Sonnengold sich darinnen gefangen.

„Eine Mandelkrähe!“ rief Papa, die Hände zusammenschlagend, 10 und um seinen Mund zuckte die Freude. „So ein seltener Vogel! Und den schenkt sie mir?“

„Ja,“ sagte Brigit. „Er hing im Herbst eines Morgens in der Drosselschlinge. Der Magazinverwalter hat ihn so lange aufbewahrt. Und weil er so schön und sozusagen eine Art von 15 Paradiesvogel ist, darum schenkt sie ihn dir.“

Papa streichelte ihren Blondkopf, und sie war wieder rot bis an die Haarwurzeln.

„So, und nun wollen wir die Jungens rufen,“ sagte er.

„Erst laß mich die Schürze ablegen,“ rief sie, nestelte die 20 Stecknadeln los und warf das häßliche schwarze Ding unter das Klavier, wo vorhin der Vogelkäfig seinen Platz gehabt hatte.

Nun stand sie in ihrem weißen, blauschleifigen Einsegnungskleide da und machte ein liebliches Schnäuzchen.

„Du hast recht daran getan,“ sagte Papa. „Mama liebt die 25 dunkeln Farben nun einmal nicht ... Alles soll licht und froh sein um sie herum.“

Und dann durften die Jungen hereinkommen.

Sie hielten die Prunkbogen ihrer Weihnachtsgedichte ängstlich in beiden Händen und scheuerten sich an den Türpfosten.

„Munter, munter!" sagte Papa, „oder glaubt ihr, euch wird heute der Kopf abgerissen?"

Und dann nahm er sie in beide Arme und knutschte sie ein wenig, so daß Arturs Gedichtbogen von rechts oben nach links unten einen Knick bekam.

Das war nun freilich ein Malheur, aber Papa tröstete, er wolle es schon verantworten, er sei ja selber schuld daran.

Herr Brüggemann, der lange Hauslehrer, steckte nun auch die Nase herein. Er hatte den feierlichen Predigtrock an, nickte vor sich hin wie ein Begräbnisgast und sagte mit einem kleinen Schnüffeln durch die Nase dreimal nacheinander: „Ja, ja ... Ja, ja ... Ja, ja."

„Was seufzen Sie denn so gottsjämmerlich, Sie alte Tränen= weide?" lachte Papa. „Hier sind wir fröhliche Leut'! Was, Brigit?"

„Natürlich sind wir das," lachte Brigit zurück, „und hier, Herr Kandidat, ist auch Ihr Weihnachtsteller."

Und sie führte ihn zu seinem Platze, wo ein kleines kalbledernes Portemonnaie verschämt unter den Pfefferkuchen hervorsah.

„Dies schenkt Ihnen Mama," fuhr sie fort und reichte ihm ein schwarzes, flaches Buch mit dickem Goldschnitt. „Es sind ,Die drei Wege zum Frieden,' die Sie doch immer so geliebt haben."

Der Kandidat zerdrückte ein Tränlein der Rührung, aber bald darauf schielte er wieder nach dem kleinen Portemonnaie hinüber. Dieses war der vierte Weg zum Frieden, denn er hatte alte Kneipschulden.

Auch die Hausbeamten durften nun hereinkommen. Voran Frau Pönsgen, die Wirtschafterin, die mit ihren krummen, rissigen Händen einen Porzellantopf mit Alpenveilchen trug.

„Das ist für Mamachen," sagte sie zu Brigit, und Brigit
nahm ihr den Topf aus der Hand und führte auch sie zu ihrem
Teller. Da gab es viele gute Sachen, unter andern ein gestricktes,
braunes Leibchen, wie sie es sich schon lange gewünscht hatte,
5 denn in der Küche blies von Osten her durch die Fensterritzen
ein böser Zugwind.

Frau Pönsgen sah es ebenso rasch, wie Herr Brüggemann sein
Portemonnaie gesehen hatte. Und als Brigit sagte: „Das ist
natürlich von Mama," da wunderte sie sich nicht im mindesten.
10 Sie wußte aus ihrer fünfzehnjährigen Dienstzeit: das Beste kam
immer von Mama.

Die beiden Jungen wollten inzwischen ihre Herzenslast los
sein und standen um Papa herum, um ihm ihre Gedichte auf=
zusagen.

15 Er, der mit den Inspektoren zu tun hatte, beachtete sie vorerst
nicht, dann aber wurde er sich über seine Versäumnis klar und
nahm ihnen lachend und bedauernd die Bogen aus den Händen.

Fritz stellte sich in Positur, und Papa tat desgleichen, aber
als er die Überschrift gelesen hatte: „Seinen lieben Eltern zum
20 Weihnachtsfeste," besann er sich eines Besseren und sagte: „Das
wollen wir lieber bis nachher lassen, wenn wir bei Mama
sind."

Nun durften die Jungen gleich zu ihren Weihnachtstellern
gehen. Und da ihre Freude sich noch in seligem Erstarren barg,
25 trat Papa hinter sie, schüttelte sie im Genick und sagte: „Werdet
ihr wohl fröhlich sein, ihr Banditen . . . Was soll Mama denken,
wenn ihr nicht fröhlich seid?"

Da löste sich der Bann, unter dem sie sich bisher befunden
hatten. Fritz hängte das Schleppnetz auf die Gabeln, und als

Artur auf seinem Schiffe gar noch eine „Barkasse" und eine
„Pinasse" entdeckt hatte, da schlug das Gefühl unermeßlichen
Reichtums in hellem Jubel über ihnen zusammen.

Wie das nun aber so geht. Kaum hatten sie alle ihre Herr=
lichkeiten durchstöbert, da lenkte sich ihr Begehren auch auf das, 5
was ihnen nicht gehörte.

Artur hatte das schöne blanke Schloß entdeckt, das zwischen
Mamas und seinem eigenen Teller lag. Wem es zukam, blieb
ungewiß. Ein ziemlich sicheres Gefühl sagte ihm zwar, daß
er nichts damit zu schaffen habe, aber anderseits: was sollte 10
Mama mit so einem Sicherheitsschloß anfangen, das übrigens,
wenn man sich nicht sehr irrte, von einem Bramahmodell her=
stammte? Oh! Man war nicht umsonst im tiefsten Innern
Mechanikus mit Leidenschaft und von Beruf.

Nun kam als zweiter Sachverständiger Fritz herzu. Der 15
wieder hielt es für ein kombiniertes Chubbschloß. Was natür=
lich ein haarsträubender Unsinn war. Aber Fritz redete ja
manchmal ins Blaue hinein.

Wie dem auch sein mochte, dieses Schloß war entschieden von
allem das schönste. Und wenn man den Schlüssel zurückschnappen 20
ließ, dann gab es einen leisen, langsam verklingenden Ton,
als säße in dem stählernen Leibe ein Geist, der die Harfe schlug.

Schnapp—ting! Schnapp—ting!

Aber da kam auch schon Papa und machte der Freude ein
Ende. „Was fällt euch ein, ihr Schlingel?" schalt er scherzend. 25
„Anstatt der armen Mama etwas zu Weihnachten zu schenken,
nehmt ihr ihr noch das bißchen weg, was sie bekommen hat."

Da schämten sie sich nicht schlecht. Und Artur meinte ver=
legen: sie hätten selbstverständlich etwas für Mama, aber sie

hätten es draußen im Korridor gelassen, um es gleich mitzunehmen, wenn man zu ihr ginge.

„Holt es nur immer herein," sagte Papa, „damit es um ihren
Teller herum nicht so mager aussieht."

5   Sie liefen eilig hinaus und brachten ihre Geschenke getragen.

Fritz hatte für sie eine Blumentopfmanschette gesägt, aus
sechs Teilen bestehend, jeder mit dem andern durch kunstvolle
Scharniere verbunden. Aber das bedeutete gar nichts, verglichen mit Arturs Luftfenster, das aus Roßhaarsträhnen
10 sorgsam geflochten war und sich zum äußeren Rahmen in jeden
beliebigen Winkel stellen ließ.

Papa freute sich sehr. „Nun können wir uns schon allenfalls
vor ihr sehen lassen," meinte er. Und dann erklärte er ihnen
auch den Mechanismus des Schlosses, und daß es den Zweck
15 habe, die Blumen der lieben Mama in bessere Hut zu nehmen,
denn schon öfters seien von ihren Lieblingsrosen einige weg-
gekommen, was sich nur durch Anwendung von Nachschlüsseln
erklären ließe.

„So — und nun wollen wir endlich zu ihr gehen," schloß er.
20 „Sie wird schon lange auf uns warten. Und fröhlich wollen
wir dabei sein! Denn Fröhlichsein ist die Hauptsache, sagt
Mama ... Hol uns die Schlüssel, Brigit, zum Gitter und
zur Kapelle."

* * *

Und Brigit holte die Schlüssel zum Gitter und zur Kapelle.

Die dreifache Warnung

Von Arthur Schnitzler

Im Duft des Morgens, umstrahlt von Himmelsbläue, wanderte ein Jüngling den winkenden Bergen zu und fühlte sein frohes Herz mit allen Pulsen der Welt in gleicher Welle schlagen. Unbedroht und frei trug ihn sein Weg viele Stunden lang über das offene Land, bis mit einem Male, an eines Waldes Eingang, rings um ihn, nah und fern zugleich, unbegreiflich, eine  Stimme klang: „Geh nicht durch diesen Wald, Jüngling, es sei denn, du wolltest einen Mord begehen."

Betroffen blieb der Jüngling stehen, blickte nach allen Seiten, und da nirgends ein lebendiges Wesen zu entdecken war, erkannte er, daß ein Geist zu ihm gesprochen hatte. Seine Kühnheit 15 aber lehnte sich auf, so dunklem Zuruf gehorsam zu sein, und, den Gang nur wenig mäßigend, schritt er unbeirrt vorwärts, doch mit angespannten Sinnen, den unbekannten Feind rechtzeitig zu erspähen, den ihm jene Warnung verkündigen mochte.

Niemand begegnete ihm, kein verdächtiges Geräusch ward 20 vernehmbar, und unangefochten trat der Jüngling bald aus den schweren Schatten der Bäume ins Freie. Unter den letzten breiten Ästen ließ er zu kurzer Rast sich nieder und sendete den

Blick über eine weite Wiese hin, den Bergen zu, aus denen schon mit strengem Umriß ein starrer Gipfel als letztes hohes Ziel sich aufrichtete.

Kaum aber hatte der Jüngling sich wieder erhoben, als sich
5 zum zweitenmal die unbegreifliche Stimme vernehmen ließ, rings um ihn, zugleich nah und fern, doch beschwörender als das erstemal: „Geh nicht über diese Wiese, Jüngling, es sei denn, du wolltest Verderben bringen über dein Vaterland." Auch dieser neuen Warnung zu achten, verbot dem Jüngling sein
10 Stolz, ja, er lächelte des leeren Wortschwalls, der geheimnis-vollen Sinnes sich brüsten wollte, und eilte vorwärts, im Innern ungewiß, ob Ungeduld oder Unruhe ihm den Schritt beflügelte. Feuchte Abendnebel dunsteten in der Ebene, als er endlich der Felswand gegenüberstand, die zu bezwingen er sich vorgenommen.

15 Doch kaum hatte er den Fuß auf das kahle Gestein gesetzt, so tönte es, unbegreiflich, nah und fern zugleich, drohender als zuvor um ihn: „Nicht weiter, Jüngling, es sei denn, du wolltest den Tod erleiden." Nun sandte der Jüngling ein überlautes Lachen in die Lüfte und setzte ohne Zögern und ohne Hast seine
20 Wanderung fort. Je schwindelnder ihn der Pfad emportrug, um so freier fühlte er seine Brust sich weiten, und auf der kühn erklommenen Spitze umglühte der letzte Glanz des Tages sein Haupt. „Hier bin ich!" rief er mit erlöster Stimme. „War dies eine Prüfung, guter oder böser Geist, so hab' ich sie be-
25 standen. Kein Mord belastet meine Seele, ungekränkt in der Tiefe schlummert mir die geliebte Heimat, und ich lebe. Und wer du auch sein magst, ich bin stärker als du, denn ich habe dir nicht geglaubt und tat recht daran."

Da rollte es wie Ungewitter von den fernsten Wänden und

immer näher heran: „Jüngling, du irrst!" und die Donnerge=
walt der Worte warf den Wanderer nieder.

Der aber streckte sich auf den schmalen Grat der Länge nach
hin, als wäre es eben seine Absicht gewesen, hier auszuruhen,
und mit spöttischem Zucken der Mundwinkel sprach er wie vor 5
sich hin: „So hätt' ich wirklich einen Mord begangen und hab'
es gar nicht gemerkt?"

Und es brauste um ihm: „Dein achtloser Schritt hat einen
Wurm zertreten."

Gleichgültig erwiderte der Jüngling: „Also weder ein guter 10
noch ein böser Geist sprach zu mir, sondern ein witziger Geist.
Ich habe nicht gewußt, daß auch derlei um uns Sterbliche in
den Lüften schwebt."

Da grollte es rings im fahlen Dämmerschein der Höhe:
„So bist du derselbe nicht mehr, der heut' morgens sein Herz 15
mit allen Pulsen der Welt in gleicher Welle schlagen fühlte,
daß dir ein Leben gering erscheint, von dessen Lust und Grauen
kein Wissen in deine taube Seele dringt?"

„Ist es so gemeint?" entgegnete der Jüngling stirnrunzelnd,
„so bin ich hundert= und tausendfach schuldig, wie andere Sterb= 20
liche auch, deren achtloser Schritt unzähliges kleines Getier
immer und immer wieder ohne böse Absicht vernichtet."

„Um des einen willen aber warst du gewarnt. Weißt du,
wozu gerade dieser Wurm bestimmt war im unendlichen Lauf
des Werdens und Geschehens?" 25

Gesenkten Hauptes erwiderte der Jüngling: „Da ich das
weder weiß noch wissen kann, so sei dir denn in Demut zu=
gestanden, daß ich auf meiner Waldeswanderung unter vielen
anderen auch gerade den Mord begangen habe, den zu verhüten

dein Wille war. Aber wie ich es angestellt habe, auf meinem Wiesenweg Unheil über mein Vaterland zu bringen, das zu hören, bin ich wirklich begierig."

„Sahst du den bunten Schmetterling," raunte es um ihn, „Jüngling, der eine Weile zu deiner Rechten flatterte?"

„Viele sah ich wohl, auch den, den du meinen magst."

„Viele sahst du! Manche trieb deiner Lippen Hauch ab von ihrer Bahn; den aber, den ich meine, jagte dein wilder Atem ostwärts, und so flatterte er meilenweit immer weiter, bis über die goldenen Gitterstäbe, die den königlichen Park um= schließen. Von diesem Schmetterling aber wird die Raupe stammen, die übers Jahr an heißem Sommernachmittag über der jungen Königin weißen Nacken kriechen und sie so jäh aus ihrem Schlummer wecken wird, daß ihr das Herz im Leib erstarren und die Frucht ihres Schoßes hinsiechen muß. Und statt des rechtmäßigen, um sein Dasein betrogenen Sprossen erbt des Königs Bruder das Reich; tückisch, lasterhaft und grausam, wie er geschaffen, stürzt er das Volk in Verzweiflung, Empörung und endlich, zu eigener Rettung, in Kriegswirrnis, deiner geliebten Heimat zum unermeßlichen Verderben. An all dem trägt kein anderer Schuld als du, Jüngling, dessen wilder Hauch den bunten Schmetterling auf jener Wiese ostwärts über goldene Gitterstäbe in den Park des Königs trieb."

Der Jüngling zuckte die Achseln: „Daß all dies eintreffen kann, so wie du voraussagst, unsichtbarer Geist, wie vermöcht' ich es zu leugnen, da ja auf Erden immer eins aus dem anderen folgt, gar oft Ungeheures aus Kleinem und Kleines wieder aus Ungeheurem? Aber was soll mich veranlassen, gerade dieser Prophezeiung zu trauen, da jene andere sich

nicht erfüllte, die mir für meinen Felsenaufstieg den Tod
angedroht hat?"

„Wer hier emporstieg," so klang es furchtbar um ihn, „der
muß auch wieder hinab, wenn es ihn gelüstet, weiter unter den
Lebendigen zu wandeln. Hast du das bedacht?"   5

Da erhob sich der Jüngling jäh, als wär' er gewillt, augen=
blicks den rettenden Rückweg anzutreten. Doch als er mit
plötzlichem Grauen der undurchdringlichen Nacht inne ward, die
ihn umgab, begriff er, daß er zu so verwegenem Beginnen des
Lichts bedurfte; und um seiner klaren Sinne für den Morgen 10
gewiß zu sein, streckte er sich wieder hin auf den schmalen Grat
und sehnte mit Inbrunst den stärkenden Schlaf herbei.

Doch so regungslos er dalag, Gedanken und Sinne blieben
ihm wach, schmerzlich geöffnet die müden Lider, und ahnungsvolle
Schauer rannen ihm durch Herz und Adern. Der schwindelnde 15
Abgrund stand ihm immer und immer vor Augen, der ihm
den einzigen Weg ins Leben zurück bedeutete; er, der sonst seines
Schrittes sich überall sicher gedünkt hatte, fühlte in seiner Seele
nie gekannte Zweifel aufbeben und immer peinvoller wühlen,
bis er sie nicht länger ertragen konnte und beschloß, lieber gleich 20
das Unvermeidliche zu wagen, als in Qual der Ungewißheit
den Tag zu erwarten.

Und wieder erhob er sich zu dem vermessenen Versuch, ohne den
Segen der Helle, nur mit seinem tastenden Tritt des gefähr=
lichen Weges Meister zu werden. Kaum aber hatte er den Fuß 25
in die Finsternis gesetzt, so war ihm wie ein unwiderrufliches
Urteil bewußt, daß sich nun in kürzester Frist sein geweissagtes
Schicksal erfüllen mußte. Und in düsterem Zorn rief er in die
Lüfte: Unsichtbarer Geist, der mich dreimal gewarnt, dem ich

dreimal nicht geglaubt habe und dem ich nun doch als dem
Stärkeren mich beuge — ehe du mich vernichtest, gib dich mir
zu erkennen."

Und es klang durch die Nacht, umklammernd nah und un-
ergründlich fern zugleich: „Erkannt hat mich kein Sterblicher
noch, der Namen hab' ich viele. Bestimmung nennen mich die
Abergläubischen, die Toren Zufall und die Frommen Gott.
Denen aber, die sich die Weisen dünken, bin ich die Kraft, die am
Anfang aller Tage war und weiter wirkt unaufhaltsam in die
Ewigkeit durch alles Geschehen."

„So fluch' ich dir in meinem letzten Augenblick," rief der
Jüngling, mit der Bitternis des Todes im Herzen. „Denn
bist du die Kraft, die am Anfang aller Tage war und weiter
wirkt in die Ewigkeit durch alles Geschehen, dann mußte ja
all dies kommen, wie es kam, dann mußt' ich den Wald durch-
schreiten, um einen Mord zu begehen, mußte über diese Wiese
wandern, um mein Vaterland zu verderben, mußte den Felsen
erklimmen, um meinen Untergang zu finden — deiner Warnung
zum Trotz. Warum also war ich verurteilt, sie zu hören,
dreimal, die mir doch nichts nützen durfte? Mußte auch dies
sein?"

Da war dem Jüngling, als fliehe an den Rändern des unsichtbaren Himmels, von ungeheurer Antwort schwer und ernst,
ein unbegreifliches Lachen hin. Doch wie er versuchte, ins
Weite zu horchen, wankte und glitt der Boden unter seinem
Fuß; und schon stürzte er hinab, tiefer als Millionen Abgründe
tief — in ein Dunkel, darin alle Nächte lauerten, die gekommen sind und kommen werden vom Anbeginn bis zum Ende
der Welten.

Versammlung

Von Auguste Supper

Winter war's, aber ein Tag wie im Frühling. Der klarblaue Himmel stand über dem leeren Feld, und auf den Wiesen lag schon der grüne Schimmer, als treibe das liebe Leben von unten her. Ein warmer Wind kam über die Hügel, die Wege und Straßen waren trocken, die Feldraine lagen in der Sonne, als wollten sie einladen zum Niedersitzen.

Und richtig: dort saß einer, barhaupt und das Ränzlein neben sich, die Füße übereinandergelegt und die Nase gegen den Wind.

Er hatte ein kühnes Gesicht mit fremdländischen Zügen. Die aus der Stirn gewehten Haare zeigten in der Sonne einen goldenen Glanz, und die in die Ferne gerichteten Augen blickten 15 stolz.

Aber sie hatten noch ein Pünktlein in sich, das war wie eine eigene kleine Sonne: warm, leuchtend, gütig, und das alles so selbstvergessen, als könne es nicht anders sein.

Jetzt kam ein Mann aus der Richtung des Dorfes, das man 20 am Fuß eines fernen Hügels hingebettet sah. Er sang vor sich hin und trottete des Wegs in einer schwerfälligen Geschäftigkeit, die auch seine augenscheinliche Eile nicht richtig beschwingen konnte.

Als er des Fremdlings ansichtig wurde, blieb er stehen. „He, woher des Wegs an dem schönen Tag?"

Da war es, als ob aus den Augen und dem Gesicht und der ganzen Gestalt des Angerufenen alles Fremde, Besondere, Leuch=
5 tende verschwände. Er sah aus wie ein Handwerksgeselle, der Rast gemacht hat.

„Vom Badischen drüben," rief er mit rauher, heiserer Stimme, „und du?"

Der Mann trat herzu. Seine kalten, scheuen und zugleich
10 scharfen Augen standen in seltsamem Widerspruch zu der schwer= fälligen Gehweise und der untersetzten, plumpen Gestalt, zu der eher schläfrige Augen gepaßt hätten.

„Vom Badischen kommst? Weißt b' nicht: streifen sie in Klingen?"

15 Es klang wie Gier aus der Frage, und der Fremdling verzog den Mund und spuckte aus. „Nein," sagte er hart.

„Nicht —? Warum nicht, die Himmelsackermenter!"

Der Gefragte bedeckte die Augen mit der Hand, als besinne er sich.

20 „Es ist einer drunter," sagte er, „der macht ihnen die Höll' heiß. Sagt, Kinder und Frauen und alte Leute müßten noch mehr hungern mit der ewigen Streiferei, und den Geldteufel ziehe man in die Welt erst recht herein, statt daß man ihn hinausjage."

25 Der andere brauste auf. „Das Rindvieh! Da stecken wieder die Pfaffen dahinter! Die haben's von jeher mit den Leute= schindern gehalten. Weißt du, wie er heißt, der Narr, der sein Maul nicht halten kann?"

„Gottlieb heißen sie ihn."

„Aha — der Gottlieb! Ja, ja, der Gottlieb! Natürlich der
Gottlieb! Immer iſt's der Gottlieb! Der Teufel ſoll ihn
holen, den Gottlieb!"

„Kennſt du ihn?"

Der Schwerfällige lachte. „Seh' ich ſo aus? — Von den
Narren will ich nichts; ich halt's mit den Geſcheiten."

Der Fremdling ſtand auf. „Nimm mich mit, ich ſuche ſchon
lang an die Geſcheiten heranzukommen." Als er ſich aufreckte,
war's, als ob ſeine Beine kürzer, ſeine Geſtalt plumper, ſeine
leuchtenden Haare ſtumpfer, ja ſelbſt ſein Ränzlein und ſein
Hut landläufiger und alltäglicher würden. Wie ein Bruder
neben dem anderen ſchritt er zur Seite des Mannes aus.

„Wohin gehen wir?" fragte er.

„Drüben im „Ochſen" in Eſdorf iſt Verſammlung. Ich habe
ſie einberufen. Ich bin der Bumaier, der Emil Bumaier, du
kennſt mich doch?" — Als der Plumpe das ſagte, war es, als
ob man ihm Luft ins Wams und unter die Haut geblaſen hätte,
ſo ging er auf.

Der Fremdling nickte eifrig. Rauh klang ſein Lachen und
ſeine Stimme.

„Natürlich! Wer kennt dich nicht! Du nimmſt dich an ums
Volk, du haſt ein Herz für unſereinen. Was iſt dein Metier?"

„Du fragſt aber ſaudumm! Was iſt denn dem Emil Bumaier
ſein Metier? Volksmann bin ich, Sekretär — — —"

„Nein, nein," unterbrach der andere, „ich meine von Haus
aus — vorher —?"

Der Gefragte fuhr ſich mit dem Ärmel über die feuchte Stirn.
„Es iſt, beim Blitz, Wetter wie im Mai! Mußt denn du auch
ſo ſchwitzen? — Sie werden doch im ‚Ochſen' nicht eingeheizt

haben! Wenn der Saal voll Leut' ist, hält man's nicht aus. Wenn nur das Bier nicht wieder so hundsmäßig schlecht ist."

„Über was sprichst du heut?"

„Über was? Über was? Über was kann man denn sprechen
5 heutzutag? Über das Elend, in dem wir stecken und aus dem wir nicht 'nauskommen, eh' der Kapitalismus an die Wand gedrückt ist. Aufrütteln muß man die Leut', sagen muß man ihnen, wo sie der Schuh drückt und warum er sie drückt."

„Bist du von Haus aus Schuhmacher?"

10 „Es ist doch viel weiter nach dem Esdorf, als man meint. Heut liegt alles so nah da, so daß es aussieht, als sei's ein Katzen= sprung. Es hält nicht — das Wetter."

„Darf jeder sprechen in der Versammlung?" —

„Freie Diskussion! Selbstverständlich! Aber selten, daß
15 einer das Maul auftut! Ich sag' schon selber, was zu sagen ist, da bleibt für die anderen nichts übrig. Ich bin eing'schafft, mußt du wissen! Wenn du's haben willst, ich mach fort, bis mir das Maul ausfranst."

„Hast wohl auf den Advokaten studiert?" meinte mit halbem
20 Lächeln der Fremdling.

„Könnt' nicht weit davon sein," entgegnete der andere und ließ seine scharfen Augen kurz über den Frager blitzen; „mancher stünd' an einem anderen Platz, wenn es recht zuging auf der Welt. Aber laß nur den Kapitalismus —"

25 „Was ist das eigentlich — Kapitalismus?" fragte leise und wie verschämt der Fremdling.

Der schwitzende Bumaier blieb stehen wie angedonnert. „Waas — ," schrie er dann laut hinaus, „das fragst du? Bist du denn vom Mond 'runterg'fallen, daß du das nicht weißt? —

Jedes Kind kann's dir fagen. Wie alt bift du eigentlich, Brü=
derle?" Und er mufterte den anderen mit ftechenden Äuglein
von oben bis unten.

Der Gefcholtene fenkte den Kopf. „Ich bin fchon alt," fagte
er demütig; „aber ich habe immer neben dem Gottlieb gearbeitet,   5
und der hat das auch nicht gewußt."

„Jetzt, da foll doch ein Donnerwetter dreinfchlagen! So, der
Gottlieb hat's alfo auch nicht gewußt! Aber das Maul auf=
reißen, das kann er, das bringt er fertig!"

„Er ift auch ein fehr tüchtiger Arbeiter," fagte wie entfchul=   10
digend oder begütigend der Fremdling.

Unwillig fetzte fich der andere wieder in Trab. „Ach was,
Arbeiter! Wenn einer nicht mit der Zeit geht!"

„Das tut er aber, der Gottlieb," fiel eifrig der Fremde ein,
„ich habe ihn oft fagen hören: ‚Man muß wirken, folang es   15
Tag ift; denn es kommt die Nacht, da niemand wirken kann.'
Oder auch: ‚Schicket euch in die Zeit, denn es ift böfe Zeit!' "

Wieder blieb der andere ftehen und lachte laut und hell.
„Das alfo heißt du ‚mit der Zeit gehen'! Wenn man fo lauter
alte Weiber hätte auf der Welt, das gäbe einen Fortfchritt!   20
Für dich ift's fchon gut, wenn du in die Verfammlung mit=
gehft. Da kannft b' deine Ohren fpitzen, du Mondkalb, du
einfältig's!"

Stumm, eilig und mit unwirfchen Gefichtern fetzten fie ihren
Weg fort und erreichten den „Ochfen" von Efdorf.   25

Ein dicker Qualm von fchlechtem Tabak füllte den weiten,
ftattlichen Saal, den der Ochfenwirt noch zu guter Zeit und um
billiges Geld feinem alten Anwefen angebaut hatte und der
heute voll Menfchen war.

Ein großer, hagerer Mann mit über die Glatze gekämmten
Haarsträhnen übernahm jetzt den Vorsitz in der Versammlung.
Er bestieg das Pult in der Nähe der Mitteltüre und sprach die
üblichen einleitenden Worte mit der Sicherheit dessen, der seine
5 Sache gut einstudiert und oft geübt hat, und dem seine Rolle
Freude macht.   Sein hageres Gesicht mit den raschen, hellen
Augen hatte dabei einen pfiffig-vergnügten Ausdruck, als erwarte
er für seine Person nur Gutes von dem Kommenden, so sehr
seine Worte von Zeitenernst und Volksnot widerhallten.

10 Dann nahm Bumaier, der inzwischen ein Glas Bier in
langem, durstigem Zuge geleert hatte, das Wort.

Wie ein Wasserschwall, wenn die Schleuse aufgezogen ist, so
kam die Rede daher, so strömte sie über alles hin, so verheerte
sie das Gelände, das sie berührte, bis nichts Gutes mehr da-
15 ran war.   Vom Kapitalismus bis zur Lohnsklaverei, von der
Pfaffenwirtschaft bis zum Ausbeutertum fehlte nichts in dem
tosenden Schwall, und es war eine helle Freude, zu sehen, wie
hier die grobzackigen Räder des Weltgeschehens von dem schäu-
menden und gestikulierenden Kenner auf dem Rednerpult in
20 ihrer zermalmenden Tätigkeit aufgezeigt wurden, so daß keine
Lücke und kein Rätsel blieb.

Dann aber, niemand weiß wie es zuging, war auf einmal der
Ernst da.   Die Ellbogen, die die Köpfe stützten, wurden weg-
genommen, die ausgestreckten Beine angezogen.

25 Ein Weib tat den ersten Zuruf.   Keinen widersprechenden.
Einen zustimmenden, anfeuernden.

Es war, wie wenn man Öl in loderndes Feuer spritzt.   Der
Bumaier erklomm jetzt keuchend den Gipfel seiner Leistung.   Seine
Geste, seine Stimme, seine Rede bekam jenes Allumfassende, dem

die Menge niemals widersteht. Er sprach nicht mehr wie von
sich aus, sondern wie im Namen und Auftrag, aus Geist und
Seele aller — der geniale Demagog ohne Wissen und Gewissen,
der Mitreißer, dem das Mitreißen Selbstzweck ist, sofern man
da noch von Zweck reden kann, wo etwas so Elementares sich   5
auswirkt.

Durch die flammenden Schreie des Redners klangen die
Schreie der Zurufenden, wie Schwert mit Schwert sich kreuzt.
Ein Weib stand auf und stieß gellende, von Leidenschaft durch=
zitterte Schmähungen aus, Männer schrien durcheinander, der 10
Tumult war da.

Die Glocke des Vorsitzenden, der jetzt eher noch pfiffiger und
fröhlicher aussah als zuvor, schrillte durch den Saal:

„Fräulein Emma Durst hat das Wort.“

Ein rotbäckiges, stattliches Mädchen stand am Pult. Ihr   15
dunkles Haar war zu reich für die modische Frisur, so daß ihr
Kopf plump und schwer wirkte, selbst auf der allzuvollen Ge=
stalt. Sie schien nichts von Befangenheit zu wissen; hell gingen
ihre Augen durch den rauchigen Saal; doch war Gebärde und
Ausdruck der ganzen Erscheinung nicht frech, eher kraftvoll und 20
selbstsicher.

Ohne Anrede fing sie an: „Mir soll’s auch recht sein, wenn es
einmal so weit kommt auf der Welt, wie der Bumaier meint,
daß es keine Arme mehr geben darf. Aber ich glaub’s nicht.
Es hat zu viel Leut’ auf der Welt, die nur das Maul aufreißen, 25
aber nicht schaffen mögen, das ist der Fehler. Hat jetzt der
Bumaier dafür gesorgt, daß wir das auch kriegen, was die beim
Hiller und Sohn? Versprochen hat er’s schon in Welsbronn
drüben, wo ihm der Christian selbigsmal den Kopf verhauen

hat. So — das hab' ich sagen wollen." Wuchtig trat sie ab und schritt wie eine Siegerin unter dem Lachen aller an ihren Platz, wo sie ihren Rest braunen Bieres hinuntertrank.

Drei, vier Redner meldeten sich noch zum Wort. Keiner hatte etwas Wesentliches zu sagen. In das dunkle Weltbild des Bumaier zeichneten sich noch einige Schatten, dann brandete wieder das Lärmen und Schreien los, das nur schwer zu stillen war. Jeder trat vom Pult, als hätte er eine Tat vollbracht. Schon machte sich der Hauptredner des Abends bereit, in einem zu= sammenfassenden Schlußwort noch die nötigen Aufklärungen und Antworten zu geben, da trat der Fremdling, der unbeachtet mit Bumaier in den Saal gekommen und still im Winkel geblieben war, zu dem Vorsitzenden und reichte ihm einen Papierstreifen.

„Herr — — — hat das Wort." Der Pfiffige hatte den Namen undeutlich ausgesprochen, vielleicht weil er ihn nicht richtig hatte lesen können und das nicht merken lassen wollte.

Der Fremdling trat hinter das Pult. Es wurde ganz still im Saal, und alle Augen schauten auf den unbekannten Mann. Über Bumaiers Gesicht ging ein Lächeln, halb geringschätzig, halb belustigt, als könnte jetzt der rechte Spaß erst losgehen.

„Liebe Männer und Frauen," sagte der Fremdling, und seine Stimme hatte einen klaren, guten Klang, „ich komme von weither, bin fast durchs ganze deutsche Land gewandert, habe all das große Elend, die tiefe Not, den schweren Jammer eurer Heimat gesehen, und dabei immer die Ohren gespitzt, ob ich nicht hören würde, daß die, die zum Volk reden, etwas von der rechten Hilfe wissen.

Aber wie ich horchte und wie ich fragte — von Hilfe habe ich nichts gehört. Es waren nur Klagen und Anklagen, nur Stiche

und Hiebe, die durch die Luft schwirrten, und davon wird kein
Volk gesund."

„Hoho," unterbrach hier Bumaier, „weißt du vielleicht oder
weiß der Gottlieb im Badischen drüben, wie ein Volk gesund
wird?"   5

„Was ist's mit dem Gottlieb?" schrie ein Weib.

„Ein Streikbrecher ist der."

„Schämen soll er sich —"

„Verhauen sollte man den —"

Die Glocke des Vorsitzenden schuf einigermaßen Ruhe.   10

„Kennt jemand den Gottlieb?" fragte der Fremdling mit
ruhiger Stimme in den Saal hinein.

Eine Zeitlang blieb alles still, dann sagte eine Weiberstimme
halblaut: „Es wird der sein, der beim Hirschwirt mit der Zeche
durch ist."   15

„— 's Naneles Gottlieb — freilich," rief's aus der Saaltiefe.

„Nix, nix — der Gottlieb von der hinteren Mühle, der bucklige
— — —," wieder gingen die Stimmen laut und heftig durcheinander, und der fremde Mann schaute mit stillem Blick und
ohne Lächeln über den Saal hin, als wolle er nur warten, bis 20
der Lärm sich lege.

Die Glocke schrillte. Als Ruhe war, sagte der Fremdling
in seltsamer Gelassenheit: „Ihr kennt ihn alle nicht. Er ist
ein ganz anderer, als ihr meint. Ihr seid wie Katzen in einem
dunklen Sack. Kratzet, beißet, schreiet und seht nicht, wo es 25
mit euch hingeht."

Die Männer duckten die Köpfe, die Weiber reckten die Hälse.
Aber dann dachten sie, daß eben die Sonne in den Saal scheine,
und die Spannung wich.

Der Fremdling fuhr fort zu sprechen. Erst leise und ruhig, wie sich ein Wind sachte auf den Weg macht, auf dem er zum Sturm wird.

„Ich will euch den dunklen Sack auftun, denn ich sehe wohl,
5 wie er zugebunden ist. Eine große Lüge ist der Strick, und die heißt — "

„Der Kapitalismus," fiel jetzt Bumaier ein, der sich gefaßt hatte.

„Der Kapitalismus," ging es grollend und drohend durch den
10 Saal.

Der Fremdling strich die Haare aus der Stirn und wollte etwas sagen, da schrie Bumaier los: „Er weiß gar nicht, was das ist; er weiß gar nicht, um was es geht; er ist ein Schwätzer, weiter nichts."

15 „Halt dein Maul," klang es jetzt aus Weibermund, „mag leicht sein, er versteht soviel wie's Bumaierle."

Es war Emma Durst, die Diskussionsrednerin, die das gerufen hatte, und ihre Augen blitzten dabei höhnend und drohend auf den Plumpen, der offenbar ihr Feind war.

20 Der Vorsitzende wollte zur Glocke greifen, da reckte sich der Fremdling auf und rief ein „Still!" in den Saal, das wie ein klatschender Hieb auf alle Köpfe sauste.

Wie Schmerz und Zorn klang es aus seiner Stimme, als er fortfuhr: „Seid ihr Kinder, seid ihr Tiere, daß kein Ernst in
25 euch ist, jetzt, da ihr am Abgrund hintaumelt! Lasset den da reden —," er zeigte auf Bumaier, „er ist wie dürres Laub, das schettern muß, wenn ein Lüftchen geht! Zum Schettern ist er geboren. Was nehmt ihr ihn wichtig! Worte füllen seine Taschen wie Kieselsteine, und er macht euch glauben, er habe

Brot. Er sagt die Wahrheit: ich verstehe seine, eure Worte
nicht. Sie klingen, sie klimpern wohl in meinen Ohren; aber
es ist kein Sinn darin. Ich habe überall gehorcht nach einem
Sinn. Ist das eine Schande bei euch, wenn man leere Worte
nicht versteht? In meinem Land, dort, wo ich zu Hause bin, 5
sind alle Worte mit einem Sinn gefüllt. Wer sie gebraucht,
der weiß auch, was sie meinen."

„Wo bist du her und wo stehst du in Arbeit?" rief eine kecke
Stimme.

„Ich bin weit hinter den Bergen her. In Arbeit stehe ich 10
bald da, bald dort, wo man mich braucht."

„Du meinst, wo du schön verdienst?"

„Verdienen tue ich dort am meisten, wo man mich am nötigsten
braucht."

„Da hast du's geschickt eingerichtet, beim Blitz!"   15

„Das habe ich gar nicht eingerichtet, das ist ein ewiges Gesetz
und gilt in eurem Lande wie in meinem."

„Kerl, du hast keine Augen im Kopf. Oft braucht man
einen recht nötig; aber man bleibt nicht, weil man nicht genug
verdient."   20

„Du meinst wohl, weil man nicht genug Geld bekommt?"

„Ja freilich — was denn sonst? Schafft man bei euch um
Eierschalen?"

„Nein, aber dort verwechselt man Geldbekommen und Ver=
dienen nicht. Was man verdient, ist das, was nicht mehr 25
verloren geht und von dem man wächst und reifer und freier
wird. Vom Geldbekommen wächst kein Lebendiges; da wächst
nur der Beutel."

„Ja, ja," schrie der Bumaier und schlug auf den Tisch, „so

schwätzen die, die genug davon haben. Die möchten es uns
verleiden, das Geld! Aber ich sag': das Vergnügen wächst auch
davon und die Freiheit! Herrgottblitz, wären wir nicht arm,
wir wären nicht Lohnsklaven."

5   „Du schwatzest Kieselsteine," sagte trocken der Fremdling.
„Ein Sklave wird man nicht von außen her, nicht von der Armut=
seite her. . Sonst wären sie nicht fast alle Sklaven, die, die im
Golde wühlen können."

Ein Lachen ging durch den Saal. „Mit denen tauschen wir,"
10 klang es auf.

Der Fremdling bekam blitzende Augen. „Seht ihr, ihr glaubt
mir nicht! Ihr könnt schon nicht mehr Wahrheit von Verlogen=
heit, Geschwätz vom Wesen unterscheiden! Bei uns geht man
einen ganz anderen Weg, wenn man frei werden will."

15   „Da wär' ich neugierig," rief Bumaier.

„Heraus damit!" befahl Emma Durst.

Der Fremdling sah über die Köpfe weg ins Abendlicht, das
durch die Fenster brach. Es war, als ob er sich besinnen müsse,
wie er das sagen könne, was er zu sagen hatte. Dann fing
20 er an:

„Eine Geschichte muß ich euch erzählen. In grauer Vorzeit
war unser Land in großer Not und tiefem Elend. Ein wahn=
sinnig wilder Krieg hatte jedes Glück und jede Kraft zerrüttet,
der Hunger wütete ringsum, das fiebergeschüttelte Volk vollen=
25 dete in sinnlosem Umsturz die Zerstörung, denn der Haß gegen
alles Bestehende war ihm von seinen Führern eingehämmert
seit Jahren. Treue und Ehrlichkeit, die Achtung vor den
Gesetzen, das Vertrauen von Mensch zu Mensch war dahin.
In wilder, selbstsüchtiger Gier sorgte jeder nur für sich, raffte,

wo etwas zu raffen war, forderte und wucherte, verweigerte
den Dienſt und die Arbeit fürs gemeine Beſte, nützte jede Notlage
ſeines Nächſten übel aus, wandte jede Gewalt an, um den
anderen unter ſich zu treten, und hatte keinen Gott als das Geld."

„Pfui Teufel!" rief ein Weib. 5

„Unſer von Haus aus tüchtiges, fleißiges, ehrliches Volk war
auf dem Weg, eine zuchtloſe, faule, verbrecheriſche Bande zu
werden, die Rauſch und Taumel für Glück und Freude, Gier
für Strebſamkeit, Geriebenheit für Klugheit, Gewiſſenloſigkeit
für Tüchtigkeit hielt. 10

Manche, die mit bitterem Herzeleid dieſe Wandlung ſahen,
wollten ſich dagegen ſtemmen, wollten das unſelige, leere Wort
dem Volk leiſe wieder entwinden und ihm dafür etwas Weſen=
haftes und Fruchtbares in die Hand ſpielen, damit endlich jeder
wieder zu ſich ſelber komme und zu denken, zu wirken anfange, 15
ſtatt vom Schreien und Schimpfen und Haſſen zu leben.

Aber das gab nur neuen Argwohn, neue Hetze, und nirgends
zeigte ſich Hilfe. Da geſchah das große Wunder, von dem an in
unſerem Land die neue Zeitrechnung geht."

„Aha," rief Bumaier, „riechſt d' den Braten!" — 20

„So läuft der Haſe," meinte pfiffig=fröhlich ſchmunzelnd der
Vorſitzende.

„Wunder? — Über d' Wunder ſind wir 'naus," klang es aus
dem Saal.

Der Fremdling ſchien nicht zu hören. Tiefer, voller, klingender 25
war ſeine Stimme.

„Ein Frühling kam, da blühte es über Berg und Tal, wie
man es nie geſehen. Jeder kranke und alte Stumpf, jede Hecke,
jeder Strauch, jeder Wegſaum ſchimmerte von Blüten. Und

jeder Fruchtbaum gar sah aus wie ein einziger Blütenstrauß. Am schönsten aber waren die Kirschbäume.

Im kleinsten, verstecktesten Dorf unseres Landes gingen zwei alte Bäuerlein auf ihre Wiesen, die nebeneinander lagen.

5   Gebückt, verhutzelt, langsam schlichen sie dahin, und jeder führte ein Kind an der Hand. Der eine einen Buben, der andere ein Mädchen.

Flachsblonde Köpfe und verschmierte Gesichter hatten die Kleinen, und in ihren blauen Augen lag es wie Mißmut. Sie 10 hatten sich gehauen und gekratzt, ehe die zwei Alten sie an der Hand genommen und so getrennt hatten.

Stumm und müd' waren die Greise auf dem ganzen Weg. Als sie aber auf die Wiese kamen, hoben sie die Köpfe, wackelten und hatten ein Glitzern in den Augen, deren rote Ränder tränten.

15   Ihre Kirschbäume sahen sie, und das gab ihnen einen Stoß. „Michel," mummelte der eine, „heuer gibt's Kirschen."

„Ja," entgegnete der andere, „viel Kirschen gibt's heuer."

Da rissen sich die Kinder los und liefen jubelnd durchs Gras: „Viel Kirschen gibt's, viel Kirschen."

20   „Bei uns gibt's mehr als bei euch," schrie der Bub jetzt.

„Nein," heulte das Mädchen, „bei uns gibt's mehr."

Da fuhren sie sich auch schon in den Schopf und fingen zu balgen an.

Einen scheuen Blick warf der Michel um sich, ob niemand sein 25 Vorhaben sehen und es seiner gefürchteten Söhnerin hinter= bringen könne. Und der andere, der Ulrich, schaute über den Rain, ob nicht sein grober Tochtermann um den Weg sei. Als sie merkten, daß nur die blühende, lachende, sonnige Einsamkeit da sei, griffen sie nach den raufenden Kindern, hoben die Stöcke,

die sie in den verkrümmten Händen trugen, und ließen das
gesegnete Holz auf dem rosigen Hinterfleisch der Kleinen tanzen
in seliger Versunkenheit.

Es war, als ob ihnen Kraft und Verjüngung zuströme aus
dem richterlichen Tun. Ihre Köpfe wackelten nicht mehr, ihre 5
Knie wurden fest, ihre Augen ließen das Tränen.

„Zucht muß wieder sein," rief der Ulrich unter das wilde
Kreischen seiner Enkelin hinein.   „Zucht gehört wieder her!"
bedeutete Michel dem verstockt schweigenden Enkel auf seinem
Knie, und sie walkten wacker und zielbewußt.   10

Dann setzten sie die beiden Kleinen nebeneinander ins Gras und
sich selbst rechts und links daneben, wie zur Rast nach guter Arbeit.

„Michel, heuer gibt's Kirschen," wiederholte Ulrich und schaute
hell in die weiße Blütenherrlichkeit.

„Viel Kirschen gibt's heuer, wenn nichts drüber kommt," 15
entgegnete Michel.

Nach einer Weile fing Ulrich wieder an.   „Der Herrgott hat
den schönen Blust kommen lassen, er wird schon nichts drüber
schicken.   Wär' doch schad' drum."

„Mein Sohn ist in der Versicherung," meinte Michel.   20

Ulrich nickte mit dem Kopf.   „Mein Tochtermann auch.
Aber was hilft's!   Die zahlt Geld aus, aber keine Kirschen.
Mit den Kirschen sind wir auf den Herrgott g'stellt."

Sie schwiegen, und die Kinder fingen sachte an, sich gegen=
seitig mit den Füßen zu stoßen.   25

„Ich mein' schon," fing Ulrich nachdenklich wieder an, „es sei
mit Birnen und Äpfeln, mit Weizen und Rüben, Gras und
Kraut auch nicht anders."

„Das schon," sagte Michel, „kein Bauer kann da etwas ver=

zwingen. Es wächst oder es wächst nicht. Der Mist allein macht's auch nicht." Er fingerte leise nach seinem Stock, der neben ihm im Gras lag.

Der Frühlingswind ging über die Blüten, daß die ersten Blättchen wie Schnee davonwirbelten, und die Bienen summten im Eifer ihrer Arbeit, so daß kein Zweiglein unbeflogen blieb.

„Wenn die Immen nicht wären — es gäb' keinen Honig und keine Kirschen," begann Ulrich wieder, der im Dorf für ein wenig blöd galt, weil er gerne Dinge sagte, die keinen Wert haben, und der nun schon einmal im Zug war.

„Sie machen jetzt auch Kunsthonig," gab Michel zu bedenken.

„Wer?" fragte Ulrich verwundert.

„D' Leut, natürlich," entgegnete Michel und grinste ein wenig.

Der Stock des Michels traf seines Enkels stoßendes Bein mit einem kräftigen Hieb. „Willst du Fried' geben, du Sackermenter!"

„Das Dichten und Trachten des menschlichen Herzens ist böse von Jugend auf," zitierte Ulrich und gab seiner Enkelin einen Klaps auf die rosigen Waden.

„G'rad das ist's," sagte Michel, „wenn d' Leut anders wären, wär' alles recht auf der Welt."

„Ja, daß der Herrgott seine Schuldigkeit tut, das sieht man," meinte Ulrich und deutete rundum.

„Ähne," fragte jetzt das kleine Mädchen, dem ein Gedanke durch den unruhigen Kopf geblitzt war, „schenkt der Herrgott alles her?"

Der bedächtige Ulrich legte sich eine Antwort zurecht, da fiel der raschere Michel ein: „Wär' noch schöner, wenn auch der sich noch bezahlen ließ."

„Dann bringt der's zu nichts," erklärte mit einer seltsamen

Härte und Keckheit in der hellen Stimme der Bub, und man
spürte heraus, wie er nachschwatzte, was er oft gehört hatte.

Die zwei Alten schauten sich an. Es war ein merkwürdiger,
wie wachgerüttelter, aufgeschreckter Blick. Sie verstanden ihn
wohl selbst nicht und wußten nicht, wo er seinen Ursprung hatte. 5
Und dann versanken sie für eine Weile im schweren Gang ihrer
zähen Gedanken." — —

Der Fremdling, der fließend und leichthin erzählt hatte, als
lese er seine Geschichte aus einem Buche ab, reckte den Kopf jetzt
höher und sagte wie in die Abendhelle hinein: „Da geschah in 10
des alten, blöden, verkrümmten Ulrich Herz das Wunder, von
dem aus man die neue Zeit bei uns rechnet. Wie ein Seher
durfte er die Not des Volkes durchschauen und die Hilfe erblicken,
und er sagte mit fester und klingender Stimme zu Michel und
zu den Kindern: „Dort, der große Kirschbaum ist mein, und 15
ich werde heuer meine Kirschen verschenken, wie sie der Herrgott
verschenkt, der auch kein Geld von uns fordert."

Es entstand eine Stille im Saal. Vielleicht die Stille der
Enttäuschung; denn alle hatten auf etwas ganz Besonderes
gewartet. Dann rief die Stimme Bumaiers: „Du lügst uns 20
nichts vor. So etwas tut kein Bauer."

„Holla," rief eine andere Stimme dagegen, „wenn wir's
hätten wie ihr und mit der Uhr in der Hand schaffen täten —"

„Still," rief Emma Durst, „lasset ihn doch die Geschichte fertig
erzählen. Er will ja gar nichts von euch. Es ist ja alles ganz 25
von alters her, was er sagt!"

Der Fremdling nickte. Sein Gesicht war ernst, ja traurig.
„Von Urzeiten her ist das alles. Eure Händel sind mir fremd
und fern, denn ich verstehe eure Wortschwälle nicht."

„Wie ist's weiter 'gangen?" rief ungeduldig Emma Durst.

„So ist's weiter gegangen," fuhr der Fremde fort; „die Kinder liefen davon, das Mädchen heulend und der Bub lachend, weil Ulrich seine Kirschen verschenken wollte. Sie verkündigten
5 es dem ganzen Dorf und wurden nicht müde, davon zu reden. Wenn es jemand nicht glauben wollte, so sagten sie: „Fraget nur den Michel, der ist dabei gewesen."

Der Michel aber bestätigte alles, und er setzte hinzu: „Wenn nichts über die Kirschen kommt, so will auch ich einen Baum
10 voll verschenken."

Der Leonhard, ein reicher und angesehener Bauer, der hart am Lebensleid trug, denn der Krieg hatte ihm seine zwei Söhne genommen, dachte bei sich: „Was der arme alte Narr, der Ulrich, kann, das kann ich auch," und er machte im Dorf bekannt, daß
15 er seine Kirschen heuer verschenken werde, weil der Herrgott vom anderen Obst einen so großen Segen an die Bäume gehängt habe, den er leicht zunichte machen könne, wenn man ihn durch Geiz gegen sich aufbringe. Die vom Dorf sagten, dem Leonhard sei der Sinn verstört und der werde einmal im Alter so blöd
20 wie der Ulrich. Aber weil er ein reicher und angesehener Mann war, so gaben sie heimlich doch etwas auf seine Worte, und keinem im Dorf war es so recht wohl bei dem unerhörten Blüten=segen des Frühlings, ehe er nicht durch ein Gelöbnis etwas davon weggeschenkt hatte.

25 So geschah es, daß in jenem Jahr in jenem kleinen, versteckten Dorf ein Abkommen zuwege kam, daß keine Kirschen verkauft werden dürften, sondern daß sie alle verschenkt werden müßten, weil der Herrgott leicht Frost oder Hagel, Sturm oder Ungeziefer schicken könnte, wenn er Geiz und Gier unter den Leuten sähe."

„So laß ich mir's gefallen," schrie ein Weib aus dem Saal. Und urplötzlich brach ein Beifallsklatschen los und dazwischen schreiender Widerspruch: „Das ist Narretei! Das geht nicht so! Das ist leicht zu sagen!"

Die Glocke des Vorsitzenden schuf Ruhe. 5

Der Fremdling fuhr fort: „Es steht das alles in den alten Urkunden unseres Landes geschrieben, sonst könnte ich es euch nicht sagen."

„Wie geht's weiter?" rief wieder ungeduldig Emma Durst.

„So geht's weiter: Zur Zeit der Kirschenernte kamen die 10 Leute aus der Stadt mit großen Körben, schweren Beuteln und grimmigen Gesichtern. Sie prügelten sich unter den vollen Bäumen, schimpften, seufzten, stöhnten und weinten, weil jeder vor dem anderen hinter die Kirschen wollte. Da kam der Büttel, schellte und rief, daß heuer alle Kirschen im Dorf verschenkt 15 werden würden, weil der Herrgott den großen Segen auch geschenkt habe. Wer aber Gier und Neid und Geiz zeige, der müsse ohne Kirschen davon.

Zuerst standen die Leute starr vor Staunen und Unglauben. Dann, als sie merkten, daß es kein schlechter Spaß war, stieg 20 ihnen vor Freude und vor Scham das Blut ins Gesicht. Manche Frauen weinten, weil sie daran gedachten, mit wieviel Not und Entbehrung und harter Mühe sie das Geld zusammengebracht hatten für die köstliche Gottesgabe, von der sie gern einen Anteil für sich und ihre bleichen Kinder gehabt hätten. 25

Es ging ein Ernten an, so froh und schön wie ein Feiertag. Von einem Baum zum anderen hallten die frohen Rufe. Die Bauern halfen und sorgten, daß den Bäumen nichts Übles geschah. Aber die von der Stadt hatten von selbst große Sorg=

falt, denn sie dachten daran, daß jeder Ast voll des heimlichen
Segens und Lebens sei, davon sie jetzt zehrten und später wieder
zehren würden.   Zuerst wollte jeder seine eigenen Körbe füllen.
Aber auf einmal war es Beschluß, daß man die ganze Ernte erst
5 nach getaner Arbeit ehrlich verteilen wolle.

Die Kinder aber vom Dorf, auch Ulrichs und Michels Enkel,
hängten sich Kirschen hinter die Ohren, aßen sich voll und zeigten
vor den Städtern alle ihre brotlosen Künste mit Schreien, Lachen
und Übermut.

10 Jener Tag heißt in unseres Landes Geschichte: Das Kirschenfest
von Edendorf.

Als am Abend die Leute zur Stadt zurückfuhren, war es
ihnen, als hätten sie alles geträumt.   Wo sie vorher in häßlichem
Neid und brutaler Gier sich gedrängt und gestoßen hatten, da
15 halfen sie einander mit freundlichen Worten und gütiger Tat,
und die sich am Morgen beschimpft hatten, schauten sich am
Abend hell in die Augen und schienen sich im Herzen zu fragen:
„Hast du es denn auch erlebt, das große Wunder?"

In der Woche danach gingen zwei Arbeitergruppen zu ihren
20 Herren.   Wie eine Verschwörung war's.   „Wir wollen eine
Stunde länger arbeiten ohne Lohn.   Die Bauern von Edendorf
sind in der Not, weil sie keine Hauen und Schaufeln, keine Pflüge
und Maschinen kaufen können.   Sie haben unseren Frauen und
Kindern Kirschen geschenkt.   Wir lassen sie nicht stecken.   Unsere
25 Zeit können wir nicht besser anwenden, als wenn wir ihnen helfen.
Der Bauer lebt von uns, und wir leben vom Bauern."

So geschah's, daß erst in zwei, dann in allen Fabriken der
Stadt und zuletzt in allen des Landes täglich eine Stunde
gearbeitet wurde für die Bauern, ganz ohne Lohn.

Die Fabrikanten traten zusammen. „Unsere Leute sind wie verwandelt. Wir bleiben nicht hinter ihnen zurück. Daß sie mit Lust und Eifer arbeiten, ist mehr, als wir zu hoffen wagten. Wir bezahlen ihnen die Stunde; die stärkere Produktion bringt uns genug ein, wir wollen uns nichts schenken lassen!" 5

Die Kaufleute hörten von der Sache. „Nun ist wieder Ware da, nun gibt es Umsatz! Die Preise müssen herunter! Das ganze Geschäft muß leichtflüssiger werden! Die hohen Prozente machen's nicht, sondern die vielen Prozente! Man muß den Leuten wieder Freude am Kaufen beibringen! Jeder muß jetzt 10 Opfer bringen, damit alle den Nutzen davon haben. Die Bauern sollen uns nicht über sein."

Das Wort vom Opfer war gefallen, und es schlief nicht mehr ein.

Als der Fremdling so gesprochen hatte, trat er rasch vom 15 Pult und verschwand durch die Mitteltüre.

Im Saal war es mit einem Male düster. Die Sonne war hinunter, die Dämmerung drückte an die Scheiben.

Bumaier trat hinter das Pult. „Meine Damen und Herren!"

„Halt," sagte der Vorsitzende, „will niemand mehr das 20 Wort?" —

„Nein," rief Emma Durst, „der Bumaier kann jetzt schwätzen, bis ihm das Maul ausfranst. Ich muß heim."

Und sie ging und hinter ihr her die anderen.

Der Sohn

Von Heinrich Mann

Als Färber heiraten konnte, hatte er
hinter sich schon achtzehn Jahre der
Arbeit, des Suchens, des wechselvollen
Kampfes mit der Menschenmasse, durch
5 die man hindurch muß, den Zufällen,
die man entwaffnen muß, mit dem
Leben. Luise hatte kein Geld; aber
mit vierzig Jahren wirst du doch
endlich dir und ihr genügen, oder du
10 bist kein Mann. Er genügte, wie jeder,
auch noch der Kleinen, die kam. Wie jeder, stand er nach seiner
Arbeit über eine Wiege gebeugt, suchte in dem Gesichtchen des
Säuglings nach sich selbst, nach seinen Ursprüngen und der von
ihm mitgeschaffenen Zukunft, die er nicht mehr sehen sollte;
15 entsann sich bei einem Aufseufzen des kleinen Schlafenden der
schweren Stunden die hinter ihm und vor diesem lagen; sah
es den Blick öffnen, der den Vater noch nicht kannte und einsam
schien, als wisse er schon alles. Nun aber lächelte es, und alles
war gut.

20 Es wuchs, und der Vater mit ihm. Die Freude, das Brot
und einen Anteil an Genuß der Welt beschaffen zu können für
zwei Wesen, die nur ihn hatten, machte ihn stärker, als er sich
kannte. Er gelangte in der Gesellschaft, die er vertrat, zu einer
leitenden Stellung.

Schöne Zeit! Draußen scharf wachen, den Gegnern auf die
Schliche kommen, seine Haut ihnen nicht lassen und lieber
Riemen schneiden aus der ihren. Zu Hause dann gesicherter
Friede, anständiges Menschentum, lauteres Wohlwollen von allen
zu allen. Man wechselte den Rock, wusch sich — und sah, ein
heiteres Zimmer betretend, in Gesichter voll Güte und Zutrauen,
voll Erwartung, Wunsch und Dank. Sein eigenes Gesicht, diese
beiden sahen es nie anders. Er hielt darauf, es ihnen niemals so
zu zeigen, wie es draußen im Leben wohl aussehen konnte.
Sein Luxus und seine Art von innerer Erhebung war es, das
Gesicht des Lebens vor diesen beruhigt und verklärt zu bewahren.

Beide waren so schön in ihrer Unwissenheit, so liebenswert
in ihrem Glauben, alles verlaufe rein und klar, erhalten nur wir
so unsere Seele. Und hatten sie nicht recht? Die Mutter, als
grade ihre letzte Verwandte gestorben war, blutjung, und arm
geheiratet vom Fleck weg, gehegt und gepflegt, mit allem be=
schenkt, was ein Frauenherz reich macht, — und von ihr wie
von Rosa, die seit ihrem ersten Atemzug nur Liebe kannte, ward
zum Entgelt für alles Glück nicht mehr verlangt als eben, daß
sie glücklich seien. Färber, dessen Werk sie doch waren, näherte
sich ihnen oftmals nur mit Ehrfurcht.

Welche tiefe Gefahr ein so lieblicher Betrug barg, hatte er
nicht vergessen. Dies alles stand einzig auf seinen Nerven,
seinem Kampfwert. Zuweilen quälte es ihn, er habe mehr
Verantwortung übernommen, als einem mittleren Manne zu=
komme. Der Kluge und Mächtige, der die Güte war, dies hieß
es bleiben oder ihr Vertrauen täuschen. Je fester ihr Vertrauen,
um so schärfer sah er um sich die Drohungen, überreizt und nur
darum nicht mehr sicher. Er beging geschäftliche Fehler, von

denen gesagt ward, sie entsprängen einer Überschätzung seiner
Kraft und Geltung. Dem Aufsichtsrat, der bereit gewesen
wäre, ihm seine früheren Verdienste anzurechnen, begegnete er
unverhältnismäßig schroff. Er ward entlassen.

Und eben jetzt nahte die Geburt eines zweiten Kindes.
Konnte er der Frau sich offenbaren?

Jeden Morgen verließ er wie sonst das Haus, und während
Frau und Kind ihn geborgen im Amt glaubten, ging er, wie
mit zwanzig Jahren, auf der Fährte des Zufalles. Nur daß
er mehr litt. Nicht allein die Enttäuschungen setzten ihm zu;
er spürte, auch die Unregelmäßigkeit und das Umherirren
entsprachen seinem Alter nicht.

Der Augenblick kam, da sein Wille plötzlich nachließ. Es war
in der Stadtbahn. Um ihn her schien jeder gespannt und zielbewußt; nur er, eine sich mit hinstehlende Existenz, fuhr zu
den Seinen heim, um sie nochmals zu belügen. Warum eigentlich? Man konnte gestehen, konnte nachgeben und es zulassen,
daß auch die Frau ihren Teil der Last trug. War man denn
allein? Aus seinen Augen drangen langsame, schwere Tränen,
er sah kein Getriebe mehr, er dachte: ja, man sei allein. Man
habe die Pflicht übernommen, diesen zwei Wesen zu beweisen,
das Leben sei gerecht und man selbst unangreifbar.

Zu ihnen kam bald nun ein drittes. Auf dem Spiele stand,
gab er es auf, sie zu schonen, nicht weniger als ihr Leben.

Darauf begann er zu zweifeln an dem Wert seines eigenen.
Das noch übrige Geld konnte ihnen irgendein Dasein begründen,
wenn er fort war. Blieb er, ward es von dem uneingeschränkten
Haushalt nutzlos verbraucht. Er konnte eine weite Reise vor-
geben. Aber auf den Ausflügen, mit denen er jetzt die Tage

verbrachte, fah er doch einst in ein Gewäffer hinab, durchdrungen, er fei beftimmt, noch gründlicher zu verfchwinden.

Was er noch befaß, follte zurückbleiben für feine Familie. Er hatte fich nur das Notwendigfte befchafft und ging auf den Bahnhof. Da fprach einer ihn an, den er zuletzt vor feiner Entlaffung gefehen hatte: „Denken Sie noch an unfere Sache?" Nein, eben an diefe hatte Färber nie wieder gedacht. Auch gab fich der andere fo unfchlüffig noch wie damals, das Gefchäft war wieder von der Wurzel ab zu erwägen. Als aber Färber gehoben und angefpannt, wie der Augenblick ihn traf, nur eben angriff, war auch fchon die Wirkung da. Er fah es vor Augen: dies war zu machen. Nur fefthalten und alle Kraft unerbittlich in diefe Viertelftunde! Nach ihrem Verlauf hatte er den anderen vor einem Tifch mit Berechnungen und nach zwei Stunden beim Notar. Indes jener den Vertrag unterfchrieb, entfann fich Färber, den Blick entfpannt, des abgegangenen Zuges, und einer fchon aufgegebenen Vergangenheit, in die er nun wieder Zutritt hatte, ehrbar und erfolgreich. Fahr hin, dachte er, und ging heim.

Dort fchlug ihm eine fchwere Stille entgegen — und dann ein Auffchrei. Seine Frau lag in den Wehen. Der Arzt neben dem Bett ließ ihn herankommen, fchien es ihm, wie einen Eindringling. Er wich fogar noch ein Stück zurück vor ihm und fagte erft dann, was hier zu fagen war. Färber neigte fich und nahm die Hand feiner Frau. Ihre Lippen zitterten, aber es fprach nur ihr Blick. „Du allein, wenn es noch möglich wäre, würdeft mich retten," fagte der Blick. „Du warft meine Kraft, mein Leben und mein Glück."

Stumm antwortete er ihr, fie dürfe vertrauen; und durch

Hand und Auge schickte er, ohne nachzulassen, seinen Willen in
sie hinüber, indes sie verging oder sich bäumte, indes sie irr
redete und wie sie Abschied nahm, während sie das Kind hervor=
brachte, und noch, als sie starb.

5 Da er nun sah, sein Wille hatte umsonst gekämpft, griff er
plötzlich um sich, als wiche der Boden. Entsetzen, zusammen=
schlagend über ihm. Gerade sah er noch, daß der Arzt einen
Schritt tat, um ihn aufzufangen, da riß er sich zusammen.
„Nein. Genug an dem. Mann bleiben, was immer geschehen ist."

10 Damit er nie wieder in die Gefahr komme, die Seinen im
Stich zu lassen, schränkte er zuerst seine Lebenshaltung ein.
Klein und umsichtig, mit einer inneren Bescheidenheit, die ihm
längst nicht mehr bekannt war, ging er in eine Unternehmung
hinein, verlor, und ward doch nur entschlossener und in seinem
15 Gewissen fester. Er zwang den Erfolg dorthin, wo es kein Aus=
weichen mehr gab; — und vergingen auch die Jahre, eines Tages
war er bezwungen. Gleichwohl durfte man ihm niemals ganz
trauen. Des Erfolges war niemand sicher; sicher, so sagte er
seinen Töchtern, müssen wir unser selbst und einander sein.

20 Er lag vor dem Einschlafen, ein Mann von Fünfzig, und
dachte an die beiden Kinder, an ihre Namen etwa, Rosa, den
der Älteren, und den letzten armen Schönheitstraum der ver=
storbenen Mutter, den Namen der kleinen Liliane. Er dachte,
Laut für Laut, ihre Namen durch und fand darin vorherbestimmt,
25 was sie sein sollten, das besonnte, schön sich entfaltende Dasein
der einen, und dann dies schwache, weiße Kind einer Sterbenden,
süß und schmerzlich, wie Blumenduft von einem Grabhügel.
Er besann ihre Haltung heute, als er eintrat, ihre klugen oder
zärtlichen Worte, und die letzte, angstvolle Vorstellung seines

Wachens war es oft, er wäre damals am Scheideweg falsch ge=
gangen, und sie hätten ihn nicht, die beiden, die nur ihn hatten.
Waren sie denn jetzt gesichert? Noch immer nicht, falls er an
einem Morgen nicht aufwachte. Doch schien es nicht vorgesehen,
daß er ihnen verloren gehe. Er hatte nie gefühlt, daß ein Gott 5
ihn ansehe; vielleicht aber sah er auf einen Vater?

Färber war in seinem Geschäftszweig führend geworden und
seine Tätigkeit ausgebreitet. Er bemerkte erst allmählich, wie
dies und jenes ihm aus der Hand fiel. Oder ward es genom=
men? Ein Mitbewerber, von einiger Großzügigkeit gleich 10
anfangs, trat vollends hervor. Ja, immer dieser, und nie
anders als gegen mich. War das noch Zufall? Färber kam
dahinter, daß seine Kundenlisten durch Verrat an jenen Lanz
gelangt waren, und der nützte sie aus, als seien sie das, worauf
er sein Dasein gründe. Es kam dahin, daß Färber sich fragte, 15
bin ich verfolgungswahnsinnig oder ... Das Oder, vom
Schrecken starr, flüsterte in ihm: Werde ich alt? Und eines
Tages, er hatte ein eigenes Unterlassen erkannt, das vor ihm
der Gegner erkannt hatte, sank er an seinem Tisch hin, und den
Kopf tief auf der Brust, erblickte er es zum erstenmal, daß er 20
in Wahrheit alt sei und darum ausersehen von einem jungen
Feind — nur Feind, weil jung —, aufgespürt von ihm, an=
geschossen wohl schon und gehetzt, von nun an immer gehetzt,
bis in den Ruin, bis in den Tod.

Eine kurze Spanne hielt sein Atem an. Dann ermahnte 25
er sich wohl und gedachte des Kämpfenmüssens. Aber zum
erstenmal war er, wo es einen Schlag galt, seiner nicht sicher.
Was ihn unsicher machte, war dies. In jener Erscheinung,
vorhin am stillen Tisch, hatte nicht nur der Feind gelächelt, auch

Rosa. Sie kannten sich, er wußte nicht ob im Leben, aber ihrer beider Jugend kannte sich — über ihn hinweg, trotz aller Unschuld seiner Tochter. Er sah fort, als dieser Lanz auf der Straße grüßen wollte, und er sagte zu Rosa: „Das ist ein unvornehmer Kaufmann." Sie erwiderte: „Ach! Wir hatten Tanzstunden zusammen!" Das war es, was ihn zum Besiegten machte von vornherein! Der, der ihn zur Strecke bringen wollte, mit seinem Kinde war er in die Tanzstunde gegangen.

Was tun? Wenn Rosa den Gruß dennoch erwiderte — heimlich und wohl mit etwas Selbstüberwindung, aber sie erwiderte ihn, was tun? Sollte der Vater ihr dann eingestehen, wie es stand, und daß das Seine und Ihre täglich dahinschwand zu dem da? Ihr eingestehen, daß er schwach war? O doppelte Ohnmacht, nicht aufhalten können das Verderben und auch nicht sprechen dürfen! Vielleicht war sein Kind schon nicht mehr würdig, daß er sprach, wußte alles und hielt es mit dem Feinde. Umsonst würde er es bei ihr aufgenommen haben mit dem Jungen. Er fing an, mißtrauisch Rosa nachzusehen, wenn sie ging, und ihrem Gesicht nicht zu glauben. Ward es davon etwa traurig? Mochte denn auch sie fühlen, wie es tat, verlassen zu werden! Kaum verbarg er ihr noch, wie viel näher ihm seine Jüngste war, Liliane, das leise Kind der Sterbenden. Als sie starb, war sie seine, des Alten, wahre Gefährtin gewesen, und sein wahres Kind war Liliane. Die eine behüten, die ihm noch blieb!

So stand er eines Tages in dem halbdunklen Vorraum seines Eßzimmers, hatte die Augen geschlossen und nach einem Tisch gegriffen. Das Gehirn darauf klapperte; sie hörten es wohl drinnen. Dennoch verging eine Weile, bis jemand die

Tür öffnete. Rosa war es. Er hatte sie nicht erwartet; sein
Arm zuckte, als sie ihn nahm. „Du weißt wohl nicht, daß
wir schon essen?" sagte sie, und führte ihn hinein. Obwohl sie
munter sein wollte, verbarg sie ihren Blick. Schämte sie sich
für ihn? Für sich? Für dies Leben, das nun das ihre war? 5

Er fühlte: Ah! Nein! — und als er nachher allein war,
immer wieder: Ah! Nein! So sollte dies nicht verlaufen.
Die neue Jugend dachte sich die Dinge denn doch zu glatt, ihre
Opfer zu widerstandslos. „Ihr kennt mich nicht, ihr sollt mich
kennen lernen!" Auf einmal sah er alles unerwartet leicht und 10
klar: denn die Hoffnung war aufgewacht, er könnte sein Kind
wieder für sich gewinnen.

Er fand: so war es zu machen. Ein Plan wie dieser rechnete
mit allen Eigenschaften des Gegners. Keine Falle, in die er,
wie er war, nicht tappen mußte. Färber, am stillen Tisch 15
lächelte in sich hinein. Er empfand sich als den klugen alten
Kriegselefanten, der den Rüssel aufstellt, bevor er die Dschungel
betritt. Der junge Tiger pürscht sich heran. Aussehen, als
merke man nichts. Springt er? Er springt, — und der Rüs=
sel fällt und zerbricht ihm den Schädel. 20

Er ist fällig nun, sogleich muß er da sein. Färber sah aus
dem Fenster: da kam er. Munter und seiner Sache getrost
führte er sich ein und legte los. Reden lassen! Die Stichworte
geben, vermittelst kleiner, harmloser Fragen, die in dem anderen
ein Loch aufrissen, eine Lücke in seiner törichten Selbstsicherheit! 25
— und jetzt, seine Samtaugen verrieten es, tat er den ersten
Blick in die ganze Tiefe seiner Trostlosigkeit.

Dies war der Zeitpunkt. Färber stand auf. Der erwartete
Zeitpunkt der Abrechnung. Zurücktretend sah er zu, wie der

dort vollends begriff und erstarrte. Erst als er ihn hilflos bat,
doch zu sprechen, sprach er — um ihm zu sagen, daß er verloren
sei, und er selbst habe es gewußt und gewollt.

„Sie täuschen sich über das Leben," sagte er mit einer Stimme,
hart vom Richten. „Wie Sie es sich denken, wäre es zu leicht
für Menschenverächter ohne Gewissen und für geistlose Gewalt=
verüber. Ich habe vieles gesehen, vieles erkannt. Die Scham=
losigkeit Ihrer Verfolgung hat mich zuletzt noch das Beste
erkennen lassen. Eine Sache, die, wie Ihre, auf Enteignung
und Vernichtung gestellt ist, bricht endlich zusammen, das ist
vorgesehen."

Aber anstatt jenes dort, fühlte Färber selbst sich niedergebeugt,
wie von großer Vergeblichkeit, und stürzte sich auf den Tisch.
Nur weil er sie sich vorgenommen hatte, sagte er noch einige
Sätze; aber seine Stimme, schien es ihm, verlor die Tragkraft.

„Um die Jugend wird man sonst beneidet: Sie aber sind,
Gott sei Dank, nicht zu beneiden. Sie lernen mit fünfund=
zwanzig Jahren schon eine Lage kennen, daß Sie mit sechzig
sich nicht einmal mehr wundern können, wenn Sie dastehen wie
jetzt und flehen. Und um dann, mit sechzig wieder loszukommen,"
sagte er und verhielt mühsam ein Aufschluchzen, „muß einer
stärker sein als Sie."

Der bleiche junge Mensch dort lächelte, betreten und spöttisch,
— was Färber plötzlich außer sich brachte. Er wisse noch einen
Grund, sagte Lanz, noch einen Grund für Färber zur Nachsicht.
Es sei ein außergeschäftlicher ... Da wies Färber ihm die Tür.

Der prüfte ihn leichthin von unten, ob wirklich nichts zu machen
sei, und dann wand er sich wohl, einigermaßen auf den Mund
geschlagen, durch die Möbel nach der Tür; aber kaum darunter,

klapfte er sich auf den Zylinder, und seine Hüften schaukelten
schon wieder, wie er abging, — indes Färber mit arbeitender
Brust es fühlte, daß nichts in der Welt ihn rächen könne an dem
da. Denn der war kein Vater, und war kein wirklicher Mann,
weil er von Recht und Unrecht nichts wußte. Er ging nur ab, 5
wenn die letzte Frechheit gesagt war — und was für eine! Und
auf irgendeiner anderen Seite fand er wohl wieder Zutritt in
das rohe Vergnügungslokal, das für Seinesgleichen das Leben
war.

Färber gewann dort, wo jener gescheitert war, eroberte alle 10
Stellungen zurück, die der Geschlagene, Verschwundene hinter=
ließ, und zu Rosa sagte er: „Dein Vater hat gehalten, was er
dir versprochen hatte." Dabei suchte er angstvoll in ihrer Miene.
War sie nicht im Einverständnis mit dem Verschwundenen und
mit seinem letzten, nicht beendeten Versuch, sich anzuklammern? 15
Er sah nichts. Was ließ sich auch sehen, das er nicht hinein=
spiegelte, erfüllt wie er war mit der Erinnerung an etwas
Unheilvolles, an furchtbare Zusammenhänge und einen ganz
vergeblichen Sieg. Sogar die kleine Liliane blieb unfroh, als
er ihnen ankündigte, es sei Zeit, die Koffer zu packen für die 20
Sommerreise.

Im Zuge, gereizt und unbeherrscht, wie man leider nun
war, hatte man sogleich einen Streit um die belegten Plätze.
Hier lag das Gepäck widerrechtlich entfernt von der Bank,
und dort standen die Töchter und warteten, daß man ihnen 25
gegen die Mitreisenden ihr Recht verschaffe. Behaupte dich, du
darfst nicht müde sein! Und lachen, wo die Welt nicht mit=
lacht? Das will viel Kraft. Als sie aber saßen und die Räder
sich schon drehten, sagte Liliane: „Herr Lanz kommt" — und

in der Stimme des Kindes dieser Schrecken und dies Geheimnis!
Rosa sah aus dem Fenster.

Dann wirklich drang er ein, fuhr, den Hut im Nacken, mit
den Augen über den Raum und die vier Bänke hin, mußte
doch bemerken, daß auch dahinten ein Platz freistand, — aber
gerade neben Rosa setzte er sich. Sie sah weiter aus dem Fenster.
Der junge Mensch seinerseits hatte keinen Gruß für Färber.
Nach einer Weile stand sie auf und trat in den Seitengang.
Lanz rückte sofort auf ihren Platz und riß das Fenster herab.
Gegenüber der kleinen Liliane warf der Wind den Hut vom
Kopf. Färber zog schweigend das Fenster wieder hinauf. Nach
einer Minute wiederholte der andere seine Bewegung, und dann
Färber die seine, beide schweigend. Als Lanz zum drittenmal den
Arm ausstreckte, sagte Färber stark, aber mit Beben: „Ich
ersuche Sie, das Kind nicht länger dem Zug auszusetzen. Es
ist nicht zu warm hier.“

Das sei Ansichtssache, sagte Lanz hell, — und da die Hand
Färbers ihm in den Arm fiel, schlug er nach der Hand. Färber
stand auf, umklammerte den Zugriemen des Fensters und zeigte
den Mitreisenden sein vergrämtes Gesicht, das verbissenen Zorn
preisgab, sein altes Gesicht. Sie murrten. Lanz wendete
ihnen sein junges zu und rief hell:

„Der Herr glaubt, alles geht nach ihm!“

„Das hat er schon vorhin geglaubt!“ riefen die, die mit ihrem
Gepäck hatten abziehen müssen. Ein Unbeteiligter sagte kräftig:

„Nervöse Bureaukraten sollen allein reisen.“

Die kleine Liliane zog sich zusammen auf ihrem Sitz und
weinte still. Rosa im Seitengang wendete sich nicht her. Und
der Vater stand da, ganz Spannung und Beben: dein Kind

verteidigen und nicht sinken in seiner Achtung! Stand, als gehe,
weil er endlich schwach genug sei, das Letzte dahin, stand am
Pranger mit seinem Herzen.

Die Mittagsstunde kam, im Speisewagen war schon alles
besetzt, nur am Tisch Färbers wartete der vierte Platz — auf
wen? Lanz fehlte. Färber sah es im Spiegel, wie er eintrat.
Er sah auch die gequälten Gesichter seiner Töchter und dachte
auffahrend: „Wenn er sich hersetzt . . . !" Aber dem Menschen
stand es zu deutlich in der Miene, was er sich wünschte. Färber
bezwang sich. „Ich habe kein Recht, die Kinder auch dies noch
sehen zu lassen. Es gab eine Zeit, da stand ich zwischen ihnen
und allen Feinden." Und aufstöhnend im Lärmen der Räder:
„Nimmt die Verfolgung denn nie ein Ende?"

Lanz hatte inzwischen Champagner bestellt, trank hastig und
schnitt Gesichter, als unterhielte er sich lebhaft mit sich selbst.
Einmal, Färber sah es im Spiegel, ließ er einen Blick zu Rosa
gleiten und bewegte merklich das Glas gegen sie. Sie sah aus
dem Fenster und Lanz gleich wieder sorglos in die Luft. Nach dem
Essen ging er hinüber zu den Rauchern. Färber blieb sitzen und
sagte den Mädchen, welche schönen Wochen sie haben würden
im Wald und an den Hügeln. Und öfter dann, sagte er. Denn
jetzt, jetzt sehe er freien Weg vor sich und die Aussicht, sich zurück=
zuziehen und ganz mit ihnen zu sein. Er sagte ihnen mehr, als
er je gesagt hatte.

Erst als der Zug ihr Ziel erreichte, standen sie auf. Färber
ließ sich Zeit mit Trägern und Koffern, schon gefaßt darauf,
auch der Verfolger werde aussteigen. Dort sprang er gerade
hinab, ganz ohne Gepäck, verwunderlicherweise.

„Wir gehen durch den Wald, das wird uns erfrischen," sagte

Färber, besorgt wegen eines neuen Zusammentreffens im Omni=
bus. So betraten sie, indes vom Himmel Tropfen fielen, das
niedrige Gewölbe der Buchen.

Moderig roch es in der feuchten Luft, denn der Grund weithin
5 war überhäuft mit altem Laub. Sie gingen auf ihrem Weg,
oben zwischen den Hängen, in einer drückenden Stille. Die
kleine Liliane voran, versuchte ein Lied zu singen, brach aber
gleich ab und tat eine flüchtende Bewegung zur Schwester.
Färber ging hinter ihnen und sann darauf, sie heiter zu machen.
10 Da fiel ein Schuß.

Es war da hinten, dort unten! Auf jener Seite! Nein,
hier, du siehst doch den Rauch ... Und noch immer standen
sie. „Ein Jäger," sagte Färber und reckte jäh den Arm aus.
„Dort läuft ein Reh!" Rosa stieg, ohne zu antworten, vom
15 Weg hinab. Darauf stieg auch Färber und überholte sie. Watend
durch Vertiefungen voll fauliger Laubmassen, heraushaftend und
endlich doch nur als Schleichende kamen sie hin. Färber räumte
Laub fort von der Brust des Gefallenen, von seinem Gesicht;
so tief war er versunken. „Mußte dies sein?" dachte er. „Wie
20 ein Tier im Dickicht!" Hinter ihm weinte Rosa auf:

„Hätte ich das gewußt!"

Da beugte Färber sein Gesicht bis in seine Hände.

„Ich selbst könnte so daliegen," murmelte er flehend.

Die kleine Liliane war nachgekommen. Sobald sie sah,
25 blieb sie stehen und schrie, schrie. Rosa nahm sie beim Arm,
dann holte sie Färber. „Noch nicht," bat er und sank auf einen
Baumstumpf. Da war er, jenseits eines letzten Schleiers, der
gnädig noch beschönigt hatte, was ist, allein mit seiner Wirk=
lichkeit: daß wir vergeblich unrecht üben, zur eigenen Qual

einander Feinde sein und, unbekannt jeder jedem, uns töten
müssen.

„Was hätte i⸓ tun sollen?" fragte er hilflos. Rosa umarmte
seinen Kopf.

„Armer Vater!"   5

Und seine Hand, die sich trostlos öffnete, ward unversehens
geliebkost von der ahnungsvollen der kleinen Liliane.

Er stand auf. Er sah noch einmal zu dem jungen Gesicht
des Toten hin, — und ihm ins Gesicht, als wäre nicht zwischen
ihnen das Leben und der Tod, beide mit ihren Verboten, ihm   10
ins Gesicht, sagte er:

„Mein Sohn!"

Der Dschin

Von Franz Werfel

Prinz Ghazanfar, Nachkomme des großen
Khalifen und ruhmreicher Seefahrer,
erlitt auf einer Reise, die er nach den
nordischen Meeren unternahm, mit seiner
5 wohlgerüsteten Gallione Schiffbruch.

Er konnte sich mit drei seiner Ge=
fährten an die Küste eines Nebellandes
retten, in dessen schmalen unzähligen
und zerklüfteten Buchten Sturm und
10 Meer sich beruhigten.

Die Schiffbrüchigen kannten den Namen des Landes nicht,
noch auch wußten sie, ob das Fatum sie an einen Kontinent
oder auf eine Insel verschlagen hatte; sie konnten auch nicht
feststellen, in welcher Breite, unter welchen Gestirnen sie ge=
15 borgen waren.

Der Abend brach an. Sie froren in ihren nassen Kleidern,
die der neblige Wind fest um die Leiber preßte. Ghazanfar,
der Prinz, sprach: „Lasset uns sehen, ob dies ein bewohntes
Gebiet ist! Wir wollen hier über die Felsen klettern, um auf
20 die Höhe zu gelangen."

Die drei anderen gehorchten schweigend und müde, und als
sie nach mancher Mühe die Hochfläche erreicht hatten, war es
gänzlich Nacht geworden.

Sie irrten eine geraume Weile umher, um die Richtung zu finden, die ins Innere des Landes führen mochte. Plötzlich entdeckte der Prinz, daß sie auf einen gar nicht sehr ausgetretenen Fußpfad geraten waren — und glücklich erleichtert verfolgten sie den, besorgt, daß er ihnen unter den Füßen nicht entwische. 5

So wanderten sie in sternloser Nacht dahin — und nur ein weißlicher Schein, wie von Nebel, gab ihnen soviel Licht, daß sie die Sicherheit der Füße nachprüfen konnten, die wie Pferde im Schnee mit großer Wachsamkeit den Weg weiterfühlten.

Sie glaubten, sie würden immer tiefer ins Land gelangen, 10 und es könnte lange nicht mehr währen, so müßten sich die ersten Wohnstätten von Menschen zeigen.

Wie freuten sie sich, als in der Ferne ein Lichtflecken auf= tauchte, ein zackig bewegter Schein. Da kümmerten sie sich nicht weiter um den Weg und eilten auf diesen Schein zu. 15

Bald aber merkten sie, daß sie entlang der Küste gewandert waren, und daß dieser Schein von einem großen Feuer kam, das auf der Spitze eines dicken uralten Turmes brannte. Sie waren doppelt froh, der gefährlichen Reise in götzendienerisches Land ledig zu sein und ein Quartier dicht am offenen Strand 20 gefunden zu haben. — Schon morgen vielleicht würde ein Schiff in Sicht kommen.

Ghazanfar schlug mit einem Stein gegen das niedrige eisen= rostige Tor des Turms. Bald hörten die Männer auch langsam knarrenden Schritt eine krachende Treppe hinab — das wider= 25 willige Schloß kreischte und die Türe wurde aufgetan.

Es stand in der Türe ein kleiner bartloser Greis mit einem geschützten Licht in der Hand. Er trug hohe Wasserstiefel, sein Mantel, der mit zwei Riemen um die Brust befestigt war, wurde

vom einstürmenden Wind ins Dunkel zurückgeweht. Bis über
die Hüfte des Alten schmiegte sich ein großer Hund, auf dessen
Kopf die rissige, dickadrige Hand lag, deutlich beleuchtet.

Auch der Hund schien sehr alt zu sein. Er knurrte, und wenn er
5 dabei den Rachen aufsperrte, sah man, daß der fast zahnlos war.
Die Schnauze rissig, die Augen von einer eiternden Krankheit
entstellt — und überall aus dem einstmals schönen Fell dichte
Büschel und Zotteln gerissen, glich dieses Tier einer vom Herbste
verwüsteten Heide.

10 Ghazanfar erzählte sein und seiner Gefährten Mißgeschick —
und bat den Alten um Speise und Nachtlager.

Gott, gepriesen sei der Glorreiche und Große, wird es ihm
lohnen.

Der Greis gluckste und zeigte auf den Mund. Er war stumm.
15 Doch während der Hund in aufgeregten Stößen bellte, winkte
der Alte den Fremdlingen, ihm zu folgen.

Voran stieg er jetzt mit seinem Licht die enge Treppe empor,
hinter ihm der Prinz und seine Begleiter. Ihre Schritte don=
nerten gewaltig. Der Hund huschte an allen vorbei. Bald war
20 er seinem Herrn voraus, bald beschnupperte er die Füße des
letzten Mannes, der keuchend, eine Hand aufs Knie gestützt, die
andre gegen die Mauer stemmend, die Treppe erklomm.

Eine unbändige Freude schien den alten Köter erfaßt zu
haben. Es mochte die Verwirrung sein, die in diese Einöde die
25 Schritte der Schiffbrüchigen gebracht hatten, Ahnung eines bes=
seren Bissens, vielleicht auch ein geheimnisvollerer Grund, der
ihn so erregte; denn wer erkennt den verschlossenen Ausdruck der
Tiere?

Die Treppe mündete endlich in ein großes Gemach, in welches

die Männer durch eine Falltüre stiegen. Drei Fensterscharten
im gewaltigen Gemäuer zeigten gegen das Meer. In einem
offnen Herde brannte ein Feuer von Lärchenholz, magisch rauchend
und duftend. Über diesem Feuer hing ein Suppenkessel, der
schon dampfte.   5

An den Wänden standen einige Pritschen. In der Mitte
des Saales ein riesiger Pritschentisch, der viele Schläfer beher=
bergen konnte. — Es hatte den Anschein, als würde hier täglich
für Gestrandete Speise und Lager bereitet. —

Auch war es klar, daß das große Feuer auf der Spitze des 10
Turmes ein Wacht= und Leuchtfeuer war. — Immer wieder
kletterte der Stumme eine Leiter empor, hob eine Klappe in
der Decke des Gewölbes auf und verschwand, während ein wilder
roter Widerschein den Raum erfüllte, mächtig aufatmend, denn
der Türmer warf riesige Holzbündel in die Glut.   15

Ghazanfar und seine Gefährten streckten sich auf den Pritschen
in glücklicher Erschöpfung aus, doch vergaß keiner, vorher sein
Gebet zu verrichten. Allah hatte sie vor Abenteuern bewahrt.

Inzwischen war die Suppe fertig geworden. Sie erquickten
sich an der warmen Speise, schlürften, und brachen das Brot, 20
von dem der Alte jedem einen Laib gereicht hatte.

Der Hund lag die ganze Zeit am Herde und starrte aus seinen
regungslosen kranken Augen die Männer an.

Das Herdfeuer wurde schütterer. Die Männer waren satt.
Der Turmwächter ergriff sein Windlicht, verbeugte sich, stieß 25
einen glucksenden Laut aus, der seinem Tiere galt. Er verschwand
durch die Falltüre, der Hund, nachschleichend, mit ihm.

Ehe noch das Getappe des Alten auf der Treppe verhallte,
waren die drei Edelleute eingeschlafen. Ghazanfar allein wachte

noch und überdachte mit Unmut seine Fahrt, die solch ein böses
Ende genommen hatte. Fast war es ihm leid, daß Gott ihn
vor Gefahren bewahrt, daß er, kaum aus grimmigem Meere
gerettet, so bald eine barmherzige Stätte hatte finden dürfen.

5   Kraft und Heldensinn rührten sich in ihm. Doch war die
Müdigkeit groß, und während sein Gefolge schon stöhnte und
schnarchte, sank er selbst in Schlaf.

Es schien ihm, daß er nicht lange geschlummert habe, als er
auf einmal erwacht war.

10   Noch immer glühten die Scheite am Herd.

Welcher Schrecken, als er kurze üble Atemstöße über seiner
Stirne fühlte. Wild setzte er sich auf. Dicht am Kopfende der
Pritsche stand des Türmers Hund und wandte sein Starren
nicht ab. Nur manchmal kniff er die gelben eitrigen Augen ein,
15 dann wieder ließ er die Zunge lang aus dem Maul hängen und
leckte die Schnauze ab.

Dem Prinzen und Moslem graute vor dem unreinen Tier.
Doch auch er konnte die Augen nicht abwenden; ihm waren die
Glieder wie gelähmt. Der Hund brummte und heulte leise;
20 seiner Räude entströmte ein schlechter Geruch, der Ghazanfar
mit Ekel erfüllte.

Immer deutlicher heulte der Hund — und nicht im mindesten
wunderte sich der Prinz, als er nach und nach Worte und Sätze
unterscheiden konnte, die das Tier ungelenk und gedämpft
25 hervorbellte.

„Gelobt sei, vor dem keine Macht ist, Gott der Glorreiche
und Große! Bist du Ghazanfar, der Prinz, der mir verheißen
wurde?"

„Ich bin Ghazanfar, der Prinz, Seefahrer auf allen Meeren,
schiffbrüchig am nordischen Strand."

„So bist du's?"

„Ich bin's."

Da begann der Hund wild mit dem Schwanze zu wedeln und   5
bellte fast unverständlich vor Erregung:

„Du bist's, du bist's! Mir verheißen als Erlöser! Denn
was bin ich denn anderes als auch ein Prinz, verzaubert in
diesen alten gebrechlichen Hundsleib, verschlagen auf diese lang=
weilige Insel, verdammt zum Sklaven des stummen Mannes? 10
In Hundsfell verzauberter Prinz bin ich! Wisse es, Ghazanfar,
mein Erlöser, wisse es!"

„Hund" — sagte Ghazanfar — „wenn du ein Prinz und
Edler meines Standes bist, was mußt du in diesem eklen un=
reinen Leibe leiden? Was mußt du am Gestank deines Haars und 15
deines Hauchs leiden, ewig fremd in dir selbst? Wenn du dein
Maul auftust, öffnest du einen Rachen und keinen Mund mit
schönen edlen Zahnreihen. Überall bist du behaart und räudig
— und den biegsamen Körper, den haarlosen Leib des König=
sohns, in dem du zu Hause bist, hast du verloren! Heimatloser 20
ist kein Geschöpf als du in Hundsleib Verzauberter!"

„Wohlverstanden hast du meinen Schmerz, gut mitgelitten
hast du meinen Schmerz, o Prinz — und du wirst nicht zögern,
mich zu dem zu erlösen, der ich bin."

Ghazanfar aber gab zu Antwort: 25

„Nichts Höheres kenne ich auf der Welt, als Unschönes in
Schönes zu wandeln, Unreines in Reines. Dafür kämpfe ich
und befahre die Meere. Hund, auch dir will ich helfen, wenn du
ein Prinz bist, und wenn ich es vermag."

„Wohl vermagst du es, wenn du standhältst, o Prinz!"

Ghazanfar sprang von seinem Lager auf.

„Wem soll ich standhalten? O wären es zehn, wären es hundert. Wieder sehnt sich Ghazanfar nach Kampf und raschem
5 Atem."

„Einem allein sollst du standhalten."

„Und wer ist das?"

„Der Dschin dieser Insel."

„Ist er zu fassen?"

10 „Nein! Er kommt nicht in die Nähe. Er spricht nur mit uns."

„Gleichviel, ich will ihm standhalten!"

„Das wirst du, das wirst du, mein Befreier, wenn du der bist, der du bist!"

Der Hund sprang wild an Ghazanfar empor und wedelte
15 gewaltig. Dann bellte er:

„Komm, komm! Es ist jetzt die gute Stunde! Da kann es geschehn!"

Ghazanfar wußte nicht recht, wie er ins Freie gekommen war. Wind warf sich wider ihn.

20 Unbedeckt das Haupt, ohne Mantel, fühlt er doch voll Vertrauens an seiner Seite das Schwert.

Der Hund lief vor ihm her und wandte von Zeit zu Zeit sich nach ihm um.

Jetzt klang sein Bellen ohne Wort und Bedeutung, denn das
25 Doppelgeheul von Meer und Sturm war so groß, daß es jeden Laut zerriß.

Doch wie mächtig der Orkan auch stampfte, Ghazanfar erschien es, als flöge er durch die besiegte Luft, als stieße sein Fuß gegen die Felsen nicht, die sich ihm widersetzten.

Ein gleichmäßig ungeheures Kraft= und Freudengefühl er=
schütterte seine Brust.

Der Weg führte hinab zum steinigen Strand, über riesige
Klippen nieder, die der Prinz übersprang, als wären sie Traum.
Er hielt die Augen geschlossen. Denn es leitete ihn der winselnde 5
Atem des Hundes, sein Keuchen, sein Bellen und gealtertes
Schnaufen.

Plötzlich fühlte er, daß die Zunge des Tiers seine Hand leckte.
Er öffnete die Augen und sah in dem schwachen Schein, der
über dem Wasser lag, daß sie auf einem felsigen Vorsprung des 10
Strandes standen.

Das Meer mit festen unmutigen Wellen wälzte sich ewig
heran und zurück.

Etwas Großes, Schwarzes tauchte immer in den Wellen
auf und ab. 15

Zuerst schien es eine Klippe zu sein, die das Wasser im Wechsel
verschluckte und ausspie — aber als Ghazanfar schärfer hin=
blickte, war es ein Wrack mit gekapptem Mast, das immer
wieder emporschaukelte und versank. Das Wrack hatte ganz
die Form einer chinesischen Dschunke. Der Kiel war hochgebaut 20
und lief in eine Gallionfigur aus, die den Rumpf eines zweiköp=
figen Götzen darstellte. Die beiden Köpfe waren im Verhältnis
zum Schiffsleib riesengroß, und schrecklich war der Anblick, sie
immer in einem wilden Takt aus den Wogen schnellen und in
ihnen verschwinden zu sehen. 25

Plötzlich hielt die Figur in ihrem rasenden Auf= und Unter=
tauchen inne, das Wrack schlingerte, drehte sich im Kreise und
wankte. Um die beiden Baalsköpfe stiegen Lichter, kleine Sterne
auf und nieder, und eine große Stimme, die zwei Stimmen in

einen Mißklang, wie von schlechtgestimmten Hörnern vereinigte, scholl übers Wasser.

Der Hund war von dem Augenblick an, da das Wrack im Kreise zu tanzen begann, in ein rasendes Gebell ausgebrochen, als müßte er überschwenglichen Gruß entbieten. Jetzt verstummte er.

Die Stimme aber schwoll immer mehr an und Ghazanfar vernahm Worte:

„Was willst du?" fragte der Dschin.

„Den Hund zu dem erlösen, was er ist —," rief Ghazanfar ins Wasser hinaus.

„Und was ist der Hund?"

„Ein Prinz ist der Hund!"

„Und was bist du selbst?"

„Ich bin Ghazanfar der Prinz, ein Seefahrer und durch Gottes Gnade, gepriesen sei der Glorreiche Mächtige, dem Tode der Seeleute entronnen."

„Weißt du's bestimmt?"

„Ich weiß es bestimmt."

„Warum willst du den Hund erlösen?"

„Er ist nur in Hundsleib verzaubert, drum will ich ihn erlösen."

„Kannst du standhalten?"

„Ich kann es!" —

Ghazanfar zog bei diesen Worten sein Schwert und zerschnitt die Luft über seinem Haupt. — „Ich kann es! Willst du den Kampf wagen, Dschin, so komm, komm an, komm an!"

Ein langes Gelächter durchbrach den Wind.

„Steck dein Schwert ein. Ich schlage mit dem Sinn und nicht mit Stahl! Steck dein Schwert ein und flieh!"

„Womit du auch schlägst, ich fliehe nicht, ehe die Tat vollbracht ist!"

„Kannst du standhalten?" 5

„Ich kann standhalten!"

„So sprich, bist du, der du bist?"

„Ich bin, der ich bin, Ghazanfar!"

„Und bist du nicht verzaubert?"

„Ich bin nicht verzaubert!" 10

„In keinen fremden Leib verwunschen, du?"

„In keinen fremden Leib verwunschen, ich!"

„Der Hund ist verzaubert, du aber nicht?"

„Der Hund ist verzaubert, ich nicht!"

„Kannst du standhalten?" 15

„Ich kann's! So komm doch! Komm endlich an! Komm an!"

„Ich schlage mit der Wahrheit, nicht mit Zerbrechlichkeit."

„So schlag zu!"

Ein neuer Sturm erfaßte das Wrack der Dschunke. Es 20 begann gewaltig zu tanzen. Wie rasend tauchte wieder die Gallionfigur auf und ab. Dann setzte plötzlich Windstille ein. Das Götzenbild stieg hoch über die Flut. Die Sterne, die um die beiden Köpfe kreisten, vermehrten sich, ballten sich zu einer Lichtkugel zusammen, die über dem Unhold schweben blieb. 25

Ghazanfar hielt das Schwert wagrecht vor sein Antlitz. Noch immer harrte er leiblichen Angriffs.

Wieder röhrte die Doppelstimme über das Wasser:

„Bist du, der du bist?"

„Ich bin, der ich bin, Ghazanfar!"

„Läßt du kein Jota nach?"

„Ich lasse kein Jota nach!"

„Ist dir der Hund, der sich für einen Prinzen ausgibt,
5 widerlich?"

„Widerlich ist mir der Hund!"

„Und du selbst bist dir nicht widerlich?"

„Ich bin mir nicht widerlich. Angenehm bin ich mir!"

„Warum?"

10   „Weil ich schön und wohlerzeugt bin."

„So bist du in keinen fremden Leib gezaubert!"

„Ich bin in keinen fremden Leib gezaubert!"

„Ich weiß es besser!"

„Was weißt du?"

15   „Kannst du standhalten?"

„Schweig du endlich! Schwatz-Gespenst! Und stell dich,
daß ich mit dir kämpfe!"

„Wogegen willst du kämpfen?"

„Gegen den Tod und gegen den Schaitan!"

20   „Gegen die Wahrheit aber nützt dein Schwert nichts."

„So sprich, du Alleswisser, du Besserwisser!"

„Auch du bist verzaubert!"

„Ich? Ich bin Ghazanfar . . ."

„Auch Ghazanfar ist in einen fremden Leib gefahren! Nur
25 weiß er es nicht. Er will es nicht wissen, um glücklich zu sein."

„Was sprichst du, was sprichst du?"

„Hund ist ein in Hund verwunschener Prinz. Mag sein!
Aber, wer ist denn Ghazanfar? Auch Ghazanfar ist nur ein in
Ghazanfar Verzauberter! Ghazanfar sieht den Hund und sagt:

Er ist widerlich. Aber für einen anderen ist Ghazanfar ebenso widerlich. Nur weiß es der Hund, aber Ghazanfar weiß es nicht."

„Für wen, für wen, du Ungeheuer?"

„In Ghazanfar Verwunschener, für dich selber."

„O ich Unseliger, der ich glücklich gelebt habe, einig mit mir, mich selbst erfreuend in Glanz und Nöten! Wer ist es, der in den Leib des Ghazanfar verwunschen ist, daß ich ihm so fletsche und abscheulich bin, wie mir dieses räudige Vieh? Wer ist es, wer ist es?"

„Der Dingsda ist es! Trage die Wahrheit."

Diese letzten Worte hatte die zwiefache Stimme des Dschin mit solcher Gewalt gesprochen, daß der Mond über dem Doppel= kopf zerbarst und das Wrack in tausend Splitter sprang. Nur der gebogene Kiel mit der Gallionfigur hielt sich noch über den immer tolleren Wellen.

Auf den beiden Köpfen aber, auf seinen Vorderpfoten ruhend, lag der Hund mit lodernden Augen und bellte das Gebelle des Orkans an. Dann verschwand auch er mit den letzten Trümmern in der Meernacht.

„Betrogen," schrie Ghazanfar, „betrogen, von schlechtem Hund betrogen, dem Bauernfänger und Zubringer des Dschin? Stell dich, stell dich, daß ich sterbe!"

Ghazanfar sprengte wie ein unbändiges Pferd den Strand entlang von Fels zu Fels und hieb mit seinem Schwert nach allen Seiten.

„Stell dich, Dschin, stell dich!"

Der Aufruhr der Brandungen gab keine Antwort. Nur ein Schwarm riesiger Nacht= und Meervögel klatschte lachend dicht über sein Haupt dahin.

Er aber lief und lief, bis er atemlos zusammensank.

Auf eine Klippe ließ er sich nieder und redete zum Meer und zur Nacht mit solchen Worten:

„Ghazanfar war ich! Geboren im großen Palaste! Jubel
5 begrüßte der Mutter Niederkunft. Dienerinnen wuschen mich des morgens, mittags und abends und pflegten die Lieblichkeit meiner Glieder. Den kleinen Knaben rieben sie singend mit guten dicken Tüchern und salbten ihn mit dem süßen Harz der Staude.

10 Es duftete das Kissen von der Weichheit meines Haars. Wenn ich die große Treppe niederstieg, erfüllte mit Lust mich das Spiel meiner Ellenbogen, der Gelenke, des Knies.

Mannbar ward ich! — Straffen Leibes ritt, schwamm, focht ich — und war wohl, so wohl zuhause in meinen
15 Gliedern.

Das war Ghazanfar, einig in sich, eines in seinem Sein. Aber was ist Ghazanfar jetzt? Wenn ich rede, rede ich mit der zwiefachen Stimme des Dschin. Und ein Hund bellt dazu. Ein verwunschener Hund, der mich betrog. Nicht habe ich
20 standgehalten. Meine Seele ist Zunder dem bösen Wort, das glimmt und zehrt, das zehrt und glimmt.

Wer blickt mir über die Schulter? Der andere Ghazanfar ist es! Was sagt er? Pfui — sagt er! In welche Gestalt bin ich verzaubert, in welche aussätzig törichte Gestalt? — So spricht
25 er. — Man kann sie ja nicht anrühren. Und das dünkt sich mehr als ein Hund, reinlicher, vollkommener wähnt es sich! Hat auch Augen, hat auch Haare! Wo ist denn der Unter=schied zwischen Mund und Maul? Und der will Ich sein, und der will Ich sein!!

So spricht der andere Ghazanfar, der Überprinz, der Dingsda,
dem ich nur ein verwunschener Hund bin.

Ja, ich bin ein verwunschener Hund, weil nun auch ich erlöst
werden will!

Ewig auf dieser Insel werde ich des stummen Türmers Hund 5
sein müssen, voll Heimweh nach meiner wahren Gestalt. O
Dschin, ich habe deiner Wahrheit nicht standgehalten. Doppelte
Stimme schallt in mir. Ekel — heißt die eine, Heimweh —
die andre! Nun werde ich keinem mehr standhalten, nimmermehr
siegen! Darum, mein Schwert, zerbreche ich dich!!" 10

Am nächsten Morgen, als die drei Gefährten Ghazanfar
den Prinzen suchten, fanden sie auf dem äußersten Vorsprung
der Küste einen gänzlich nackten Mann vor einem zerbrochenen
Schwert hocken, der seine Arme weitab vom Körper gespreizt
hielt, um sich nicht berühren zu müssen. 15

Hier aber steht das Lied, das dieser Mann vor sich hinsang:

Ich bin nicht, der ich war und bin.
        Wohin wohin
Ist, der ich war und bin?
Ich habe sein vergessen.
Ich habe ich nie besessen. 20
Dies lehrte mich im Sturm der Feind, der Dschin.

Ein Heimweh ist entflammt.
        Woher es stammt,
Ich weiß es nicht. Doch bin auch ich verdammt 25
Wie Hund im fremden Leib zu wohnen.
Das zeigen uns zweiköpfige Dämonen:
Verzaubert sind wir alle — allesamt!

Ich hinterlasse Tod.
　　　　Das heilge Brot
Genossen wird's zu Kot
Wir selber sind einst ausgespiene Brocken
5　　Mit unsern Brüsten, Fingern, Füßen, Locken —
So will's des Zaubers Banngebot.

Wo ist er, der ich war und bin?
　　　　Wo ist er hin?
Es zeigt ihn mir im Sturm kein Dschin.
10　Ach, mich verwunschenen Hund erlöst kein Löser.
Und ungeboren flieht die Welt der Aser
Mein reiner Leib, mein wahrer Sinn!

Der Hofpoet

Von Franz Karl Ginzkey

Um das zehnte Regierungsjahr des Sultans Abdul Dschamil geschah es, daß der damalige Hofpoet und kaiser= liche Kammerdichter Hassan Muley auf der Treppe zur Moschee ausglitt, das Genick brach und verschied.

Der Sultan hielt es nicht für nötig, den solcherart erledigten Posten eines Hofdichters im besonderen auszu= schreiben. Es war ja nicht daran zu zweifeln, daß die angesehensten Sänger des Landes sich schleunigst um den leckeren Posten bewerben würden, wie es seit Men= schengedenken der Brauch war. Aber merkwürdigerweise geschah das diesmal nicht. Man wartete und wartete bei Hofe, es meldete sich niemand.

Einmal nur, am fünften Tage nach dem Tode Hassan Muleys, war ein älterer, dürftig gekleideter Herr, seines Zeichens Regi= straturaushilfskanzlist, der in freien Stunden sich mit allerlei, Fest=, Vereins= und Gelegenheitsdichtungen zu befassen pflegte, im kaiserlichen Palaste erschienen. Der Mann war offenbar übergeschnappt, denn er bewarb sich allen Ernstes um den er= ledigten Posten des Hofdichters, worauf er, es war noch im Vorzimmer, von den dort versammelten Lakaien kurzerhand hinausgeworfen wurde.

Jetzt aber begann der Sultan ungeduldig zu werden. Er
ließ den Großwesir rufen und verlangte die volle Wahrheit zu
hören über das Fernbleiben aller Poeten.

Der Wesir begann: „Beherrscher aller Gläubigen! Vor
5 deiner Macht und Güte ist Wahrheit das Selbstverständliche.
Sie darf es wagen, vertrauensvoll vor deinem Thron zu er=
scheinen wie der geringste deiner Untertanen. So vernehme
denn in Gnaden: im Laufe der drei Jahrzehnte, da Hassan
Muley Hofdichter war, die alte Garde ist ja unterdessen ver=
10 storben, sind merkwürdige Veränderungen in der Gilde der
neuerwachsenen Poeten vor sich gegangen. Ich habe nach ver=
schiedenen Richtungen hin Erkundigungen eingezogen, und alle
stimmen darin überein, daß die Seele der jetzigen Dichter sich
von vielem loszulösen beginnt, was man Gemeinsamkeit der
15 Gefühle und Überzeugungen nennt. Sie behaupten, ihre ganz
besondere Welt in sich allein entdeckt zu haben, auf die es ihnen
vor allem ankommt und in der sie unumschränkt Herrscher sind.
So groß und vielgestaltig sei diese Welt, daß kein irdisches Reich
ihr gleichkomme. Ihre Schmerzen und Freuden erscheinen ihnen
20 demgemäß ungleich wichtiger, als was sich draußen in der Welt
begibt. Sie halten es daher auch nicht mit ihrer Würde ver=
einbar, in irgendwelche äußere Dienste zu treten, und selbst nicht
in die Dienste des mächtigsten Herrn der Welt.“

Der Sultan hatte seinen Kanzler lächelnd angehört. „So
25 werden wir uns denn ohne Hofdichter behelfen müssen,“ meinte
er dann. „Der Verlust wird zu ertragen sein, und fast erscheint
der Gewinn mir wesentlicher: es war mir stets willkommen, mir
der Grenzen meiner Macht bewußt zu sein.“

Damit war aber die Sache für den Sultan doch nicht abgetan.

Er hatte im Laufe seiner Regierungszeit nur allzu oft erfahren müssen, wieviel an Schmeichelei und Habsucht unter den Höflingen wucherte, die seinen Thron umdrängten. Der Gedanke berührte ihn wunderlich, es gäbe da in seinem Reiche eine ganze Schar von jungen, hoffnungsfreudigen Männern, die allein auf sich 5 gestellt sein wollten und sogar auf den Glanz und die Würde seines Hofes verzichteten. Aus der Achtung, die er ihnen ent= gegenbrachte, erwuchs Teilnahme, er ließ sich im geheimen ihre Werke kommen und begann alsbald, ein immer größeres Ver= gnügen an den abseitigen Stunden zu empfinden, da er sich in 10 das Wesen dieser jungen Stürmer und Dränger vertiefte, die sich zumeist wie ungebärdige Füllen auf der Sommerwiese ihres Geistes tummelten. Er erkannte: im Drange, die Welt sich neu zu erobern, fürchteten sie nichts so sehr als die Überlieferung. 15

Und so geschah es, daß der Sultan bald einer der besten und vergnügtesten Kenner der neuzeitlichen Tummelei des Schrift= tums wurde, was allerdings niemand bei Hofe wußte außer seinem Großwesir.

Unter dem beiläufigen Dutzend neuer Sänger, an denen sich 20 der kaiserliche Herr besonders erbaute, war ihm einer Namens Helim zweifellos der liebste. Obgleich ihn auch an diesem manche fast grausam beabsichtigte Schärfe und manche sprach= liche Sonderbarkeit des Ausdruckes betraf, fühlte er sich doch zu ihm in seltsamer Verwandtschaft hingezogen. Und schließlich 25 erwachte der Drang in ihm, den merkwürdigen Mann von Angesicht zu Angesicht kennen zu lernen.

Er begab sich verkleidet zu ihm, der auf einem bescheidenen Gütchen am Rande der Stadt hauste. Er gab sich für einen

Gelehrten der Literatur aus, der den Bestrebungen der „Jüng=
sten" besondere Aufmerksamkeit entgegenbringe.

Der Dichter erkannte bald den hohen menschlichen Wert
seines Besuches, ein Wort ergab das andere, und schließlich
schieden sie in der Überzeugung, bereits am ersten Tage Freunde
geworden zu sein.

Der Sultan erschien von da an immer häufiger auf dem
Gütchen Helims. Vom Garten aus, worin die beiden in weisen
Gesprächen sich ergingen, konnte Abdul Dschamil seinen mar=
mornen Palast gewahren, und nie noch hatte er die Fülle seiner
Macht und ihre Möglichkeiten in solcher Süße gefühlt, als da
er nun in diesen besinnlichen Stunden auf sie verzichtete und ein
anderer, ein Fremder, ein Unbekannter, war.

Eines Tages begann er zu Helim: „Ich bin dem Großwesir
befreundet und erfuhr durch ihn, der Sultan sei gekränkt, da
sich keiner unter den Sängern dieser Zeit um die Stelle des
Hofdichters bewerbe."

„Darüber möge Abdul Dschamil sich nicht wundern," er=
widerte Helim lächelnd. „Ihm gehört die Macht auf Erden,
uns aber die Herrschaft im Geiste. Man soll nicht Vasall
werden, wenn man König sein kann. Er belasse uns in unserm
Wahn!"

„Warum Vasall?" versetzte der Sultan. „Wäre dir Abdul
Dschamil persönlich bekannt, du würdest vielleicht anders darüber
denken. Er ist hoher Freundschaft fähig!"

„Möglich," erwiderte Helim, „aber ich kenne ihn nicht."

Da sagte Abdul Dschamil: „Er steht vor dir."

Es folgte hierauf eine kleine Stille. Helim sah den Sultan
ruhig an. Sein Antlitz übergoß immer hellere Freude.

„Ich habe dich liebgewonnen, o Herr," sagte er endlich, tief
bewegt, „ich will dir folgen, wohin du willst. Dein hohes, edles
Menschentum sei mir Ersatz für alles, was mich erwartet!"

Die Kunde, daß Helim, der Stolz und die Zier aller Ab=
seitigen und Neutöner, Poeta laureatus geworden sei, wirkte
auf die Gilde der jungen Dichter niederschmetternd. Die
Wirkung zeigte sich vorerst in einem allgemeinen Schweigen.
Man beglückwünschte ihn nicht, man tadelte ihn nicht. Man
bemühte sich vielmehr, der Sache als einer lediglich äußeren
Rangveränderung keinerlei Beachtung beizulegen, oder man tat
wenigstens so. Nur zwei der jüngstgegründeten Vierteljahrs=
schriften: der „Pfeil" und die „Deutung," schickten ihm Verse,
die er schon vorher eingesandt hatte, mit dem höflichen Vermerk
zurück, er möge keine Kritik in dieser Ablehnung erblicken, sie
hänge lediglich mit seiner veränderten Stellung in der Welt
zusammen, die ja immerhin eine Neuorientierung für die Re=
daktion bedeute.

Die Seele des Helim war eigenartig genug, über diesen
ersten Dolchstoß die Süßigkeit eines Schmerzes zu empfinden,
den er gern für seinen kaiserlichen Freund erlitt. Helim wußte,
wie sehr die Fruchtbarkeit aller Schmerzen dem Ackerland des
Dichters zugute komme, er wollte alles willkommen heißen,
was ihm noch fernerhin geschah.

Abdul Dschamil aber überhäufte ihn mit den zärtlichsten
Zeichen seiner Gnade und Freundschaft. Er zeigte sich dem
Volke an der Seite Helims häufiger als in der Gesellschaft
seines Großwesirs. Dem Volke aber, dem alle Dichtung immer
nur eines bedeutet (insofern es sie nämlich versteht), erschien
diese Rangerhöhung eines der Seinigen als besondere Gnade

des Herrschers, und man jubelte den beiden zu, so oft man sie
zusammen erblickte.

Am Geburtstage des Sultans veröffentlichte Helim das erste
Preisgedicht auf seinen kaiserlichen Herrn.   Die Aufnahme im
5 Volke war geteilt.   Die meisten behaupteten, damit nichts
Rechtes anfangen zu können, es gäbe, wie sie meinten, allerlei
verworrene und dunkle Stellen darin und seltsam ungebräuchliche
Wortgebilde, die dem Empfinden der vielen, auf die es doch
schließlich ankomme, nicht entsprächen.

10 Für den Abend aber hatte Abdul Dschamil den Dichter zu
sich geladen.   Sie saßen in einem prächtigen Rundgemach mit
malachitenen Wänden;   aus einer goldenen Schale sprangen
blaue Wasser hoch und kühl.   Hier las nun Helim dem Sultan
seine schweren, getragenen Verse vor, in denen es blitzte und
15 funkelte von neuen Edelsteinen des Geistes, die vor ihm noch
keiner aus dem geheimen Born der Sprache geschöpft, daher sie
auch zuerst wie fremde, glänzende Gäste vor dem Gemüt des
Hörers standen, ihres letzten Wertes sich erst für spätere Zeit
bewußt.

20 Der Sultan ließ sich manche Zeile wiederholen, erfreute sich
an mancher neuen Köstlichkeit, verhehlte auch einiges Bedenken
gegen manches Allzugewagte nicht, es war wie eine hohe, ver-
trauende Feierlichkeit zwischen den beiden, und schließlich umarmte
der Sultan den Sänger, überreichte ihm einen kostbaren Ring
25 und sprach: „Ich glaube, du sangst dieses Lied, o Helim, für
dich und mich allein.   Im Kreise der vielen wird es nicht ver=
standen werden, nämlich zur Stunde noch nicht; aber im Maße,
als die Menschheit sich an dir erheben wird, wird sie auch die
Größe deiner Schöpfung erkennen."

Die Hymne auf den Sultan war das erste, was von Helim
seit seiner Ernennung zum Hofdichter veröffentlicht wurde. Die
Erwiderung seiner einstigen Freunde traf ihn nicht unvorbereitet.
Es stand in all den kritischen Betrachtungen genau darin, was
er erwartet hatte. Nicht als ob man es gewagt hätte, ihm 5
plötzlichen Mangel an Können vorzuwerfen; man lobte ihn
vielmehr fast nicht weniger als vorher, aber es lag eine seltsam
spöttisch=beabsichtigte Überlegenheit darin, die ihm ankündigte,
er würde jetzt gemach und ganz bestimmt zu den Toten gelegt
werden, und all sein früheres Wirken sei dann kaum noch der 10
Rede wert. Und dabei verblieb es auch.

Der Sultan wußte vielleicht, was in Helim vorging. Aber
es war, als wagte er nicht, daran zu rühren. Es ist den Großen
unerträglich, sich ihnen gebrachte Opfer zu vergegenwärtigen, die
sie nicht auszugleichen vermögen. Auch war ihm Helim als 15
Freund und Berater geradezu unentbehrlich geworden. Er hätte
ihn niemals zu lassen vermocht.

Das Behagen am Schrifttum und all seinen immer neu
erwachenden Blüten (von edlerem oder minderem Dufte) ließen
sich aber beide deshalb nicht nehmen. Und immer wieder traten 20
neue Kämpen auf den Plan und wagten sich an das Wort und
suchten es zu bezwingen.

Unter all den jungen neuauftauchenden Sängern war es einer
namens Jussuf Feridun, der die Aufmerksamkeit des Sultans
am meisten erregte. Man erzählte sich, er lebe irgendwo in der 25
Provinz, aber niemand hatte ihn noch zu Gesicht bekommen.
Nur seine starken, strahlenden Verse lagen in den jungen Zeit=
schriften auf, die sich darum geradezu rissen. Es dauerte nicht
lange, und Jussuf Feridun war der Held des literarischen Tages.

Man las in den Vereinen fast nur mehr seine Geschichte vor,
jedes seiner Lieder wurde von einem Dutzend entzückter Musiker
vertont, man fand, es wüßte keiner die Seele der Zeit so im
Tiefsten zu treffen als Jussuf Feridun.

5   Das war auch die Meinung des Sultans. Er sprach oft
mit Helim darüber, nahm die funkelnden Dichtungen des Jussuf
mit ihm durch und meinte oft scherzweise: „Wenn du, o Helim,
nicht mein Sänger wärst, so müßte es Jussuf sein."

   Es machte den Sultan stutzig, daß Helim die Begeisterung
10 seines kaiserlichen Herrn, zum erstenmal seit ihrer hohen Ver=
brüderung, nicht zu teilen vermochte. Er rückte manchem Verse
des jungen Sängers mit wunderlicher Schärfe, ja mit einer
Art schlecht verhehlter Erbitterung, an den Leib, so daß der Sul=
tan mehrmals im geheimen dachte: „Sollte Helim, der Große,
15 längst Befreite, kleinlichen Neides fähig sein?"

   Aber schließlich darf man von keinem Sterblichen göttliche
Überlegenheit verlangen. So dachte der Sultan, als er ver=
nahm, die Gilde der Modernen spiele Jussuf nunmehr im be=
sonderen gegen Helim, den Abgestorbenen, aus. Sie wiese auf
20 merkwürdige Ähnlichkeiten unter den beiden hin, nur daß in
Jussuf strahlendste Vollendung geworden sei, was in Helim wie
ein unerfülltes Versprechen bereits so gut wie verdorrt wäre.

   Da vermied es der Sultan, aus der Zartheit seiner freund=
schaftlichen Empfindungen heraus, Helim mit Jussufs Versen
25 weiterhin zu quälen; er las sie nur mehr für sich im geheimen.
Er sah sich um so ängstlicher dazu veranlaßt, als Helim seit
einiger Zeit zu kränkeln begann und die Ärzte, vom Sultan
befragt, ihm die Bedenklichkeit des Falles nicht verhehlten.

   Und kurz darauf geschah, was Abdul Dschamil als den

schwersten Schlag seines Lebens empfand: sein geliebter Freund
und Sänger Helim war zu den Toten heimgegangen.

Da ließ der Sultan im ganzen Reiche Trauer verkündigen;
er stellte den Leichnam in seinem schönsten Prunksaale aus und
gab seinen Willen kund, dem toten Freunde zu Fuß das letzte 5
Geleite zu geben, wobei ihm die hundert höchsten seiner Würden=
träger gleichfalls zu Fuß zu folgen hätten.

So wurde des Sängers letzter Gang zu einem nationalen
Trauerfest von unerhörter Größe und Bedeutsamkeit. Der
Sultan schritt dicht hinter dem Sarge, ihm folgte in goldüber= 10
ladenen Uniformen alles, was Rang und Würden besaß. Das
Volk von Bagdad aber stand Kopf an Kopf und beweinte Helim
laut, obgleich es ihn niemals recht verstanden hatte.

So war der Zug bereits eine Strecke weit gekommen, als
plötzlich etwas Seltsames geschah. Es traten vier Männer aus 15
einem der Häuser, an denen der Zug vorbeikam, die trugen
einen schlichten, schwarzgestrichenen Sarg, und ein fünfter schritt
voran, verbeugte sich vor dem Sultan und sprach: „Dies als
Beschwörung und letzter Wunsch des Sängers Helim, o Herr:
es möge dieser Sarg seinem eigenen Sarge folgen und erst an 20
seinem Grabe geöffnet werden.“

Der tiefbetroffene Sultan wußte nicht, wie ihm geschah.
Um aber die Weihe der erhabenen Stunde nicht zu stören, ließ
er den geheimnisvollen Sarg an sich vorbei und ging nun hinter
beiden her, in all seinem Schmerze der Dinge gewärtig, die da 25
kommen sollten.

Und als man endlich an dem für Helim bestimmten Ehren=
grabe stand, setzten auch die vier gespenstigen Männer ihren
Sarg zu Boden und öffneten ihn.

Und siehe — er erwies sich als leer. Nur ein Zettel lag darin, den man dem Sultan überreichte. Darauf stand von Helims wohlbekannter Hand: „Mit mir geht nicht nur Helim, es geht auch Jussuf Feridun mit mir zur Ruhe. Verzeihe dieses Doppel= 5 spiel deinem treuesten Diener, o Herr! Treue war es, was ihn dazu veranlaßte. Treue zu Dir und — Treue zu sich selbst."

Abdul Dschamil verharrte lange tief betroffen vor den beiden Särgen. Da hörte er die Stimme des Großwesirs an seinem Ohr: „Welch schändliches Spiel, o Herr! Und er nannte sich 10 deinen treuesten Diener."

„Ich befehle dir, zu schweigen," fuhr der Sultan auf. „Wenn es jemals einen Gerechten gab, so war es dieser." Dann aber wehrte er schmerzlich lächelnd ab: „Er spielte vielleicht dem Leben kein anderes Spiel, als ich selbst und wir alle . . ."

15 Er ließ dem toten Sänger ein herrliches Grabmal errichten, das ganz von Rosenbüschen umsponnen war. Darüber singt noch heute in milden Vollmondnächten süß und bedeutsam Bülbül, die Nachtigall.

Das Tier

Von Jakob Wassermann

In einer mitteldeutschen ehemaligen
Residenz brachen im Gefolge der Revo=
lution große Streikunruhen aus, deren
sich die Bürger noch mit Schrecken
erinnern. Tausende von feiernden
Arbeitern rotteten sich zusammen und
zogen, es war ein nebliger Februar=
morgen, gegen die verkehrsreichen
Straßen der inneren Stadt; johlend
schloß sich ihnen zahlloser Pöbel an,

der zu allen Zeiten des Tages müßig ist, und die aufmarschierende
Polizei war bald nicht mehr imstande, die bedrohliche Menschen=
flut zu hemmen. Die Rolläden rasselten über die Auslagen
der Geschäfte, Kaffee= und Gasthäuser wurden in panischer Eile
gesperrt, die Haustore donnerten zu, und in den Fenstern zeigten 15
sich neugierige und angstvolle Gesichter, als das wilde Schreien
und Pfeifen der sich heranwälzenden Massen hörbar wurde.
Die setzten ihren Weg unbeirrbar wie eine Sturmflut fort;
Steine flogen gegen die Häuser und zertrümmerten die Scheiben;
da und dort fiel ein Schuß; die Schutzwache sah sich bereits im 20
Zustand der Verteidigung und wehrte sich mit Säbeln und
Knütteln; Getöse und Erbitterung wuchsen mit jeder Minute;
immer schauerlicher klang das Geschrei; nackte Arme und grim=
mig geschüttelte Fäuste reckten sich empor; Augen brannten

177

raub= und rachgierig; die Weiber ſtachelten die Männer an,
zerlumpte Kinder erfüllten die Luft mit ohrenbetäubendem
Kreiſchen, und nur eines geringen Anlaſſes ſchien es noch zu
bedürfen, eines frechen Stichworts vielleicht, und Mord und
5 Plünderung waren unabwendbar.

　　Da fuhr über einen freien Platz, den die Vorderſten der Menge
eben erreicht hatten, ein ziemlich großer Wagen, in der Form
einem Möbelwagen ähnlich, der aber keine feſten Seitenwände
hatte, ſondern Decken aus braunem Segeltuch, und dieſe Decken
10 zeigten das Wappen der königlichen Familie, die bis vor kurzem
im Lande regiert hatte. Der Anblick des verhaßten Emblems
ſteigerte die Wut der Aufrührer zur Raſerei. Im Nu war das
Gefährt umzingelt; die Bemühungen der Poliziſten, den ge=
ſchloſſenen Ring zu durchbrechen, waren vergeblich. Der Kutſcher
15 hatte die beiden Pferde angehalten, die unter den Zügeln auf=
fallend ſtark zitterten, vom hinteren Trittbrett ſprang ein Mann
herab, der einen Karabiner von der Schulter riß und den Hahn
ſpannte. Das war das Signal zum Angriff; ein Fauſtſchlag
ſchmetterte ihn aufs Pflaſter; dreißig, vierzig Arme langten
20 nach dem wappengeſchmückten Tuch, eine heftig warnende Ge=
bärde des Wagenführers blieb unbeachtet, ein Wort, das er
ihnen zurief, wurde vom Getöſe verſchlungen, die ſchützende
Hülle fiel in Fetzen vom Gerüſt, und kaum war dies geſchehen,
ſo wichen, vom allertiefſten Schrecken erfaßt, ſogar die Ver=
25 wegenſten zurück, das Pfeifen, Kreiſchen und Johlen erſtarb
wie auf Kommando, und diejenigen, die ſehen konnten, was
vorging, bezwangen in ihrer gelähmten Stille die andern, die
es nur dumpf ſpürten und die Blicke furchtſam und unwillig in
die Nacken ihrer Vordermänner bohrten.

Auf dem Wagen befand sich ein nubischer Löwe aus dem
königlichen Tiergarten. Die neue Regierung hatte der Kosten
wegen, die seine Ernährung und Erhaltung verursachte, auch in
einer gewissen Abneigung gegen derlei Spielzeug ihrer früheren
Herren, den Beschluß gefaßt, ihn ins Ausland zu verkaufen, 5
und er sollte gerade an diesem Morgen auf den Bahnhof geschafft
und dort verladen werden.

Als die Segeltuchwand von dem Gestell gefallen war, hatte
sich der Löwe erhoben, und nun schaute er mit einem Ausdruck
von ehrfurchtgebietender Majestät über die tausendköpfige Menge, 10
so lang, bis kein Laut sich mehr aus ihr erhob, kein Atemzug
mehr vernehmbar war. In seinem Flammenauge malte sich
das Bild der fremdesten Welt. Und diese nun dagegen, was war
diese? Eine steinerne und himmellose, geheimnisvoll lärmende
und widrig riechende. Den Brodem des Elends und Hungers, 15
ob er ihn witterte? Ob er die der Verzweiflung und Bosheit
entqualmten Leidenschaften zu ahnen vermochte, er, der weder
Verzweiflung noch Bosheit kannte und von Leidenschaften nur
die einfachen seiner grandiosen Art? Ob er die zerrütteten und
häßlichen Gesichter wirklich sah oder nur einen Schein von 20
ihnen aufnahm, Teile nur: die gefletschten Zähne, verzogenen
Stirnen, gereckten Kinne, die Vernichtungswut in den Mienen,
den entseelten Blick der Megären, den verbissenen Hohn der
Halbwüchslinge?

Jene aber empfanden in einem fast religiösen Schauer etwas 25
ihnen völlig Unbekanntes. In den schmutzigen Löchern, wo sie
hausten und Unheil brüteten, wo ihre Kranken lagen und ihre
Kinder geboren wurden und wo sie sich dem Groll über die
Ungerechtigkeit hingaben, die durch eine üble Ordnung ihr Erbe

war, auf all ihren Wegen und Fahrten und in all den Träumen
ihrer geknechteten Phantasie hatten sie niemals eine Erscheinung
gehabt, die so an das gemahnte, was außer ihrer Welt war, an
die Größe und Gewalt der Natur. Ein Unbestimmbares von
5 Grauen und Ahnung regte sich in den verfinsterten Gemütern,
sie bebten zurück, die Sehnen ihrer Arme wurden schlaff, sie
schlugen die Augen zu Boden, ihre dichten Reihen öffneten sich,
alsbald konnten sich die Schutzleute einiger gefährlicher Rädels=
führer versichern, und für dieses Mal war der Aufstand im
10 Keim erstickt.

Das Eisenbahnunglück

Etwas erzählen? Aber ich weiß
nichts. Gut, also ich werde etwas
erzählen.

Einmal, es ist schon zwei Jahre
her, habe ich ein Eisenbahnunglück
mitgemacht — alle Einzelheiten stehen
mir klar vor Augen.

Es war keines vom ersten Range,
das nicht. Aber es war doch ein
ganz richtiges Eisenbahnunglück mit

Zubehör und obendrein zu nächtlicher Stunde. Nicht jeder
hat das erlebt, und darum will ich es zum besten geben.

Ich fuhr damals nach Dresden, eingeladen von Förderern
der Literatur. Eine Kunst= und Virtuosenfahrt also, wie ich
sie von Zeit zu Zeit nicht ungern unternehme. Man reprä= 15
sentiert, man tritt auf, man zeigt sich der jauchzenden Menge.
Auch ist Dresden ja schön (besonders der Zwinger), und nachher
wollte ich auf zehn, vierzehn Tage zum „Weißen Hirsch“ hinauf,
um mich ein wenig zu pflegen und, wenn der Geist über mich
käme, auch wohl zu arbeiten. Zu diesem Behufe hatte ich mein 20
Manuskript zuunterst in meinen Koffer gelegt, zusammen mit
dem Notizenmaterial, ein stattliches Konvolut, in braunes Pack=
papier geschlagen und mit starkem Spagat in den bayrischen
Farben umwunden.

Ich reise gern mit Komfort, besonders, wenn man es mir
bezahlt. Ich benützte also den Schlafwagen, hatte mir tags
zuvor ein Abteil erster Klasse gesichert und war geborgen. Trotzdem hatte ich Fieber, wie immer bei solchen Gelegenheiten, denn
eine Abreise bleibt ein Abenteuer, und nie werde ich in Verkehrs-
dingen die rechte Abgebrühtheit gewinnen. Ich weiß ganz gut,
daß der Nachtzug nach Dresden gewohnheitsmäßig jeden Abend
vom Münchener Hauptbahnhof abfährt und jeden Morgen in
Dresden ist. Aber wenn ich selber mitfahre und mein bedeutsames
Schicksal mit dem seinen verbinde, so ist das eben doch eine große
Sache.

Ich kann mich dann der Vorstellung nicht entschlagen, als
führe er einzig heute und meinetwegen, und dieser unvernünftige
Irrtum hat natürlich eine stille, tiefe Erregung zur Folge, die
mich nicht eher verläßt, als bis ich alle Umständlichkeiten der
Abreise, das Kofferpacken, die Fahrt mit der belasteten Droschke
zum Bahnhof, die Ankunft dortselbst, die Aufgabe des Gepäcks
hinter mir habe und mich endgültig untergebracht und in Sicherheit weiß. Dann freilich tritt eine wohlige Abspannung ein,
der Geist wendet sich neuen Dingen zu, die große Fremde
eröffnet sich dort hinter den Bogen des Glasgewölbes, und
freudige Erwartung beschäftigt das Gemüt.

So war es auch diesmal. Ich hatte den Träger meines
Handgepäcks reich belohnt, so daß er die Mütze gezogen und mir
angenehme Reise gewünscht hatte, und stand mit meiner Abend-
zigarre an einem Gangfenster des Schlafwagens, um das Treiben auf dem Perron zu betrachten. Da war Zischen und Rollen,
Hasten, Abschiednehmen und das singende Ausrufen der Zeitungs-
und Erfrischungsverkäufer, und über allem glühten die großen

elektrischen Monde im Nebel des Oktoberabends. Zwei rüstige
Männer zogen einen Handkarren mit großem Gepäck den Zug
entlang nach vorn zum Gepäckwagen. Ich erkannte wohl, an
gewissen vertrauten Merkmalen, meinen eigenen Koffer. Da
lag er, ein Stück unter vielen, und auf seinem Grunde ruhte das   5
kostbare Konvolut.

Nun, dachte ich, keine Besorgnis, es ist in guten Händen
Sieh diesen Schaffner an mit dem Lederbandelier, dem ge=
waltigen Wachtmeisterschnauzbart und dem unwirsch wachsamen
Blick. Sieh, wie er die alte Frau in der fadenscheinigen schwar= 10
zen Mantille anherrscht, weil sie um ein Haar in die zweite
Klasse gestiegen wäre. Das ist der Staat, unser Vater, die
Autorität und die Sicherheit. Man verkehrt nicht gern mit
ihm, er ist streng, er ist wohl gar rauh, aber Verlaß, Verlaß ist
auf ihn, und dein Koffer ist aufgehoben wie in Abrahams Schoß. 15

Ein Herr lustwandelt auf dem Perron, in Gamaschen und
gelbem Herbstpaletot, einen Hund an der Leine führend. Nie
sah ich ein hübscheres Hündchen. Es ist eine gedrungene Dogge,
blank, muskulös, schwarz gefleckt und so gepflegt und drollig
wie die Hündchen, die man zuweilen im Zirkus sieht und die   20
das Publikum belustigen, indem sie aus allen Kräften ihres
kleinen Leibes um die Manege rennen. Der Hund trägt ein
silbernes Halsband, und die Schnur, daran er geführt wird,
ist aus farbig geflochtenem Leder.

Aber das alles kann nicht wundernehmen angesichts seines   25
Herrn, des Herrn in Gamaschen, der sicher von edelster Abkunft
ist. Er trägt ein Glas im Auge, was seine Miene verschärft,
ohne sie zu verzerren, und sein Schnurrbart ist trotzig aufgesetzt,
wodurch seine Mundwinkel wie sein Kinn einen verachtungs=

vollen und willensstarken Ausdruck gewinnen. Er richtet eine
Frage an den martialischen Schaffner, und der schlichte Mann,
der deutlich fühlt, mit wem er es zu tun hat, antwortet ihm,
die Hand an der Mütze.

5   Als es ihn an der Zeit dünkt, steigt er ein (der Schaffner
wandte gerade den Rücken). Er geht im Korridor hinter
mir vorbei, und obgleich er mich anstößt, sagt er nicht
„Pardon!" Was für ein Herr! Aber das ist nichts gegen
das Weitere, was nun folgt: Der Herr nimmt, ohne mit der
10 Wimper zu zucken, seinen Hund mit sich in sein Schlafkabinett
hinein! Das ist zweifellos verboten. Wie würde ich mich ver=
messen, einen Hund mit in den Schlafwagen zu nehmen. Er
aber tut es kraft seines Herrenrechtes im Leben und zieht die
Tür hinter sich zu.

15   Es pfiff, die Lokomotive antwortete, der Zug setzte sich sanft
in Bewegung. Ich blieb noch ein wenig am Fenster stehen,
sah die zurückbleibenden winkenden Menschen, sah die eiserne
Brücke, sah Lichter schweben und wandern ... Dann zog ich
mich ins Innere des Wagens zurück.

20   Der Schlafwagen war nicht übermäßig besetzt; ein Abteil
neben dem meinen war leer, war nicht zum Schlafen einge=
richtet, und ich beschloß, es mir auf eine friedliche Lesestunde
darin bequem zu machen. Ich holte also mein Buch und richtete
mich ein. Das Sofa ist mit seidigem lachsfarbenem Stoff
25 überzogen, auf dem Klapptischchen steht der Aschenbecher, das
Glas brennt hell. Und rauchend las ich.

    Der Schlafwagenkondukteur kommt dienstlich herein, er
ersucht mich um mein Fahrscheinheft für die Nacht und ich
übergebe es seinen schwärzlichen Händen. Er redet höflich, aber

rein amtlich, er spart sich den „Gute Nacht!"=Gruß von Mensch zu Mensch und geht, um an das anstoßende Kabinett zu klopfen.

Aber das hätte er lassen sollen, denn dort wohnte der Herr mit den Gamaschen, und sei es nun, daß der Herr seinen Hund nicht sehen lassen wollte oder daß er bereits zu Bette gegangen war, kurz, er wurde furchtbar zornig, weil man es unternahm, ihn zu stören, ja, trotz dem Rollen des Zuges vernahm ich durch die dünne Wand den unmittelbaren und elementaren Ausbruch seines Grimmes. „Was ist denn?!" schrie er. „Lassen Sie mich in Ruhe — Affenschwanz!!" Er gebrauchte den Ausdruck Affenschwanz — ein Herrenausdruck, ein Reiter= und Kava=liersausdruck, herzstärkend anzuhören.

Aber der Schlafwagenkondukteur legte sich aufs Unterhandeln, denn er mußte den Fahrschein des Herrn wohl wirklich haben, und da ich auf den Gang trat, um alles genau zu verfolgen, so sah ich mit an, wie schließlich die Tür des Herrn mit kurzem Ruck ein wenig geöffnet wurde und das Fahrscheinheft dem Kondukteur ins Gesicht flog, hart und heftig gerade ins Gesicht. Er fing es mit beiden Armen auf, und obgleich er die eine Ecke ins Auge bekommen hatte, so daß es tränte, zog er die Beine zusammen und dankte, die Hand an der Mütze. Erschüttert kehrte ich zu meinem Buch zurück.

Ich erwäge, was etwa dagegen sprechen könnte, noch eine Zigarre zu rauchen, und finde, daß es so gut wie nichts ist. Ich rauche also noch eine im Rollen und Lesen und fühle mich wohl und gedankenreich. Die Zeit vergeht, es wird zehn Uhr, halb elf Uhr oder mehr, die Insassen des Schlafwagens sind alle zur Ruhe gegangen, und schließlich komme ich mit mir überein, ein Gleiches zu tun.

Ich erhebe mich also und gehe in mein Schlafkabinett. Ein richtiges, luxuriöses Schlafzimmerchen, mit gepreßter Leder=tapete, mit Kleiderhaken und vernickeltem Waschbecken. Das untere Bett ist schneeig bereitet, die Decke einladend zurück=
5 geschlagen. O große Neuzeit! denke ich. Man legt sich in dieses Bett wie zu Hause, es bebt ein wenig die Nacht hindurch, und das hat zur Folge, daß man am Morgen in Dresden ist. Ich nahm meine Handtasche aus dem Netz, um etwas Toilette zu machen. Mit ausgestreckten Armen hielt ich sie über meinem
10 Kopfe.

In diesem Augenblick geschieht das Eisenbahnunglück. Ich weiß es wie heute.

Es gab einen Stoß — aber mit „Stoß" ist wenig gesagt. Es war ein Stoß, der sich sofort als unbedingt bösartig kenn=
15 zeichnete, ein in sich abscheulich krachender Stoß und von solcher Gewalt, daß mir die Handtasche, ich weiß nicht, wohin, aus den Händen flog und ich selbst mit der Schulter schmerzhaft gegen die Wand geschleudert wurde. Dabei war keine Zeit zur Besinnung.

20 Aber was folgte, war ein entsetzliches Schlenkern des Wagens, und während seiner Dauer hatte man Muße, sich zu ängstigen. Ein Eisenbahnwagen schlenkert wohl, bei Weichen, bei scharfen Kurven, das kennt man. Aber dies war ein Schlenkern, daß man nicht stehen konnte, daß man von einer Wand zur andern
25 geworfen wurde und dem Kentern des Wagens entgegensah. Ich dachte etwas sehr Einfaches, aber ich dachte es konzentriert und ausschließlich. Ich dachte: „Das geht nicht gut, das geht nicht gut, das geht keinesfalls gut." Wörtlich so. Außerdem dachte ich: „Halt! Halt! Halt!" Denn ich wußte, daß, wenn der

Zug erst stünde, sehr viel gewonnen sein würde. Und siehe, auf dieses mein stilles und inbrünstiges Kommando stand der Zug.

Bisher hatte Totenstille im Schlafwagen geherrscht. Nun kam der Schrecken zum Ausbruch. Schrille Damenschreie mischen sich mit den dumpfen Bestürzungsrufen von Männern. Neben mir höre ich „Hilfe!" rufen, und kein Zweifel, es ist die Stimme, die sich vorhin des Ausdrucks Affenschwanz bediente, die Stimme des Herrn in Gamaschen, seine von Angst entstellte Stimme. „Hilfe!" ruft er, und in dem Augenblick, wo ich den Gang betrete, auf dem die Fahrgäste zusammenlaufen, bricht er in seidenem Schlafanzug aus seinem Abteil hervor und steht da mit irren Blicken. „Großer Gott!" sagt er, „Allmächtiger Gott!" Und um sich gänzlich zu demütigen und so vielleicht seine Vernichtung abzuwenden, sagt er auch noch in bittendem Tone: „Lieber Gott . . ."

Aber plötzlich besinnt er sich eines andern und greift zur Selbst=hilfe. Er wirft sich auf das Wandschränkchen, in welchem für alle Fälle ein Beil und eine Säge hängen, schlägt mit der Faust die Glasscheibe entzwei, läßt aber, da er nicht gleich dazu ge=langen kann, das Werkzeug in Ruh, bahnt sich mit wilden Püffen einen Weg durch die versammelten Fahrgäste, so daß die Damen aufs neue kreischen, und springt ins Freie.

Das war das Werk eines Augenblicks. Ich spürte erst jetzt meinen Schrecken: eine gewisse Schwäche im Rücken, eine vorü=bergehende Unfähigkeit, hinunterzuschlucken. Alles umdrängte den schwarzhändigen Schlafwagenbeamten, der mit roten Augen ebenfalls herbeigekommen war; die Damen rangen die Hände.

Das sei eine Entgleisung, erklärte der Mann, wir seien entgleist. Was nicht zutraf, wie sich später erwies. Aber siehe,

der Mann war gesprächig unter diesen Umständen, er ließ
seine amtliche Sachlichkeit dahinfahren, die großen Ereignisse
lösten seine Zunge und er sprach intim von seiner Frau. „Ich
hab' noch zu meiner Frau gesagt: Frau, sag' ich, mir ist ganz,
als ob heut was passieren müßt'!" Na und ob nun vielleicht
nichts passiert sei. Ja, darin gaben alle ihm recht. Rauch ent=
wickelte sich im Wagen, dichter Qualm, man wußte nicht,
woher, und nun zogen wir alle es vor, uns in die Nacht hinaus=
zubegeben.

Das war nur mittelst eines ziemlich hohen Sprunges vom
Trittbrett auf den Bahnkörper möglich, denn es war kein Perron
vorhanden, und zudem stand unser Schlafwagen bemerkbar schief,
auf die andere Seite geneigt. Aber die Damen sprangen ver=
zweifelt, und bald standen wir alle zwischen den Schienensträngen.

Es war fast finster, aber man sah doch, daß bei uns hinten
den Wagen eigentlich nichts fehlte, obgleich sie schief standen.
Aber vorn — fünfzehn oder zwanzig Schritte weiter vorn!
Nicht umsonst hatte der Stoß in sich so abscheulich gekracht.
Dort war eine Trümmerwüste — man sah ihre Ränder, wenn
man sich näherte, und die kleinen Laternen der Schaffner irrten
darüber hin.

Nachrichten kamen von dort, aufgeregte Leute, die Meldungen
über die Lage brachten. Wir befanden uns dicht bei einer kleinen
Station, nicht weit hinter Regensburg, und durch Schuld einer
defekten Weiche war unser Schnellzug auf ein falsches Geleise
geraten und in voller Fahrt einem Güterzug, der dort hielt, in
den Rücken gefahren, hatte ihn aus der Station hinausgeworfen,
seinen hinteren Teil zermalmt und selbst schwer gelitten.

Die große Schnellzugsmaschine von Maffei in München war

hin und entzwei. Preis siebzigtausend Mark. Und in den
vorderen Wagen, die beinahe auf der Seite lagen, waren zum
Teil die Bänke ineinandergeschoben. Nein, Menschenverluste
waren, gottlob, wohl nicht zu beklagen. Man sprach von einer
alten Frau, die „herausgezogen“ worden sei, aber niemand hatte 5
sie gesehen. Jedenfalls waren die Leute durcheinandergeworfen
worden, Kinder hatten unter Gepäck vergraben gelegen, und das
Entsetzen war groß. Der Gepäckwagen war zertrümmert. Wie
war das mit dem Gepäckwagen? Er war zertrümmert.

Da stand ich ... 10

Ein Beamter läuft ohne Mütze den Zug entlang, es ist der
Stationschef, und wild und weinerlich erteilt er Befehle an die
Passagiere, um sie in Zucht zu halten und von den Geleisen
in die Wagen zu schicken. Aber niemand achtet sein, da er ohne
Mütze und Haltung ist. Beklagenswerter Mann! Ihn traf 15
wohl die Verantwortung. Vielleicht war seine Laufbahn zu
Ende, sein Leben zerstört. Es wäre nicht taktvoll gewesen, ihn
nach dem großen Gepäck zu fragen.

Ein anderer Beamter kommt daher — er hinkt daher, und
ich erkenne ihn an seinem Wachtmeisterschnauzbart. Es ist der 20
Schaffner, der unwirsch wachsame Schaffner von heute abend,
der Staat, unser Vater. Er hinkt gebückt, die eine Hand auf
sein Knie gestützt, und kümmert sich um nichts, als um dieses
sein Knie. „Ach, ach!“ sagt er. „Ach! — „Nun, nun, was ist
denn?“ — „Ach, mein Herr, mein Herr, ich steckte ja dazwischen, 25
es ging mir ja gegen die Brust, ich bin ja über das Dach ent=
kommen, ach, ach!“ — Dieses „über das Dach entkommen“
schmeckte nach Zeitungsbericht, der Mann brauchte bestimmt in
der Regel nicht das Wort „entkommen,“ er hatte nicht sowohl

sein Unglück, als vielmehr einen Zeitungsbericht über sein
Unglück erlebt, aber was half mir das? Er war nicht in dem
Zustande, mir Auskunft über mein Manuskript zu geben. Und
ich fragte einen jungen Menschen, der frisch, wichtig und angeregt
5 von der Trümmerwüste kam, nach dem großen Gepäck.

„Ja, mein Herr, das weiß niemand nicht, wie es da aus-
schaut!" Und sein Ton bedeutete mir, daß ich froh sein solle,
mit heilen Gliedern davongekommen zu sein. „Da liegt alles
durcheinander. Damenschuhe . . ." sagte er mit einer wilden
10 Vernichtungsgebärde und zog die Nase kraus. „Die Räumungsarbeiten müssen es zeigen. Damenschuhe . . ."

Da stand ich. Ganz für mich allein stand ich in der Nacht
zwischen den Schienensträngen und prüfte mein Herz. Räumungsarbeiten. Es sollten Räumungsarbeiten mit meinem
15 Manuskript vorgenommen werden. Zerstört also, zerfetzt, zer-
quetscht, wahrscheinlich. Mein Bienenstock, mein Kunstgespinst,
mein kluger Fuchsbau, mein Stolz und Mühsal, das Beste
von mir. Was würde ich tun, wenn es sich so verhielt?

Ich hatte keine Abschrift von dem, was schon dastand, schon
20 fertig gefügt und geschmiedet war, schon lebte und klang — zu
schweigen von meinen Notizen und Studien, meinem ganzen
in Jahren zusammengetragenen, erworbenen, erhorchten, er-
schlichenen, erlittenen Hamsterschatz von Material. Was würde
ich also tun? Ich prüfte mich genau und ich erkannte, daß
25 ich von vorn beginnen würde. Ja, mit tierischer Geduld, mit
der Zähigkeit eines tiefstehenden Lebewesens, dem man das
wunderliche und komplizierte Werk seines kleinen Scharf-
sinnes und Fleißes zerstört hat, würde ich nach einem Augenblick der Verwirrung und Ratlosigkeit das Ganze wieder von

vorn beginnen, und vielleicht würde es diesmal ein wenig leichter
gehen . . .

Aber unterdessen war Feuerwehr eingetroffen, mit Fackeln,
die rotes Licht über die Trümmerwüste warfen, und als ich
nach vorn ging, um nach dem Gepäckwagen zu sehen, da zeigte 5
es sich, daß er fast heil war, und daß den Koffern nichts fehlte.
Die Dinge und Waren, die dort verstreut lagen, stammten
aus dem Güterzuge, eine unzählige Menge Spagatknäuel
zumal, ein Meer von Spagatknäueln, das weithin den Boden
bedeckte.   10

Da ward mir leicht, und ich mischte mich unter die Leute,
die standen und schwatzten und sich anfreundeten gelegentlich
ihres Mißgeschickes und aufschnitten und sich wichtig machten.
So viel schien sicher, daß der Zugführer sich brav benommen
und großem Unglück vorgebeugt hatte, indem er im letzten 15
Augenblick die Notbremse gezogen.   Sonst, sagte man, hätte
es unweigerlich eine allgemeine Harmonika gegeben, und der
Zug wäre wohl auch die ziemlich hohe Böschung zur Linken
hinabgestürzt.

Preiswürd'ger Zugführer!   Er war nicht sichtbar, niemand 20
hatte ihn gesehen.   Aber sein Ruhm verbreitete sich den ganzen
Zug entlang, und wir alle lobten ihn in seiner Abwesenheit.
„Der Mann," sagte ein Herr und wies mit der ausgestreckten
Hand irgendwohin in die Nacht, „der Mann hat uns alle gerettet."
Und jeder nickte dazu.   25

Aber unser Zug stand auf einem Geleise, das ihm nicht
zukam, und darum galt es, ihn nach hinten zu sichern, damit
ihm kein anderer in den Rücken fahre.   So stellten sich Feuer=
wehrleute mit Pechfackeln am letzten Wagen auf, und auch der

angeregte junge Mann, der mich so sehr mit seinen Damen=
stiefeln geängstigt, hatte eine Fackel ergriffen und schwenkte
sie signalisierend, obgleich in aller Weite kein Zug zu sehen war.

Und mehr und mehr kam etwas wie Ordnung in die Sache,
5 und der Staat, unser Vater, gewann wieder Haltung und
Ansehen. Man hatte telegraphiert und alle Schritte getan,
ein Hilfszug aus Regensburg dampfte behutsam in die Station
und große Gasleuchtapparate mit Reflektoren wurden an der
Trümmerstätte aufgestellt. Wir Passagiere wurden nun aus=
10 quartiert und angewiesen, im Stationshäuschen unserer Weiter=
beförderung zu harren. Beladen mit unserem Handgepäck und
zum Teil mit verbundenen Köpfen zogen wir durch ein Spalier
von neugierigen Eingeborenen in das Warteräumchen ein, wo
wir uns, wie es gehen wollte, zusammenpferchten. Und abermals
15 nach einer Stunde war alles aufs Geratewohl in einem Extrazuge
verstaut.

Ich hatte einen Fahrschein erster Klasse (weil man mir die
Reise bezahlte), aber das half mir gar nichts, denn jedermann
gab der ersten Klasse den Vorzug, und diese Abteile waren noch
20 voller als die anderen. Jedoch, wie ich eben mein Plätzchen ge=
funden, wen gewahre ich mir schräg gegenüber, in eine Ecke
gedrängt? Den Herrn mit den Gamaschen und den Reiterraus=
drücken, meinen Helden. Er hat sein Hündchen nicht bei sich,
man hat es ihm genommen, es sitzt, allen Herrenrechten zuwider,
25 in einem finsteren Verließ gleich hinter der Lokomotive und heult.
Der Herr hat auch einen gelben Fahrschein, der ihm nichts nützt,
und er murrt, er macht einen Versuch, sich aufzulehnen gegen
den Kommunismus, gegen den großen Ausgleich vor der Ma=
jestät des Unglücks. Aber ein Mann antwortet ihm mit biede=

rer Stimme: „San's froh, daß Sie sitzen!" Und sauer lächelnd
ergibt sich der Herr in die tolle Lage.

Wer kommt herein, gestützt auf zwei Feuerwehrmänner?
Eine kleine Alte, ein Mütterchen in zerschlissener Mantille,
dasselbe, das in München um ein Haar in die zweite Klasse 5
gestiegen wäre. „Ist dies die erste Klasse?" fragte sie immer
wieder. „Ist dies auch wirklich die erste Klasse?" Und als
man es ihr versichert und ihr Platz macht, sinkt sie mit einem
„Gottlob!" auf das Plüschkissen nieder, als ob sie erst jetzt
gerettet sei. 10

In Hof war es fünf Uhr und hell. Dort gab es Frühstück
und dort nahm ein Schnellzug mich auf, der mich und das
Meine mit dreistündiger Verspätung nach Dresden brachte.

Ja, das war das Eisenbahnunglück, das ich erlebte. Ein=
mal mußte es ja wohl sein. Und obgleich die Logiker Einwände 15
machen, glaube ich nun doch gute Chancen zu haben, daß mir
sobald nicht wieder dergleichen begegnet.

Gretchen Vollbeck

Von Ludwig Thoma

Von meinem Zimmer aus konnte ich in den Vollbeckschen Garten sehen, weil die Rückseite unseres Hauses gegen die Korngasse hinausging.

5 Wenn ich nachmittags meine Schul=aufgaben machte, sah ich Herrn Rat Vollbeck mit seiner Frau beim Kaffee sitzen, und ich hörte fast jedes Wort, das sie sprachen.

10 Er fragte immer: „Wo ist denn nur unser Gretchen so lange?" und sie antwortete alle Tage: „Ach Gott, das arme Kind studiert wieder einmal."

Ich hatte damals, wie heute, kein Verständnis dafür, daß ein Mensch gerne studiert und sich dadurch vom Kaffeetrinken 15 oder irgend etwas anderem abhalten lassen kann. Dennoch machte es einen großen Eindruck auf mich, obwohl ich dies nie eingestand.

Wir sprachen im Gymnasium öfters von Gretchen Vollbeck, und ich verteidigte sie nie, wenn einer erklärte, sie sei eine ekel= 20 hafte Gans, die sich bloß gescheit mache.

Auch daheim äußerte ich mich einmal wegwerfend über dieses weibliche Wesen, das wahrscheinlich keinen Strumpf stricken könne und sich den Kopf mit allem möglichen Zeug vollpfropfe.

194

Meine Mutter unterbrach mich aber mit der Bemerkung,
sie würde Gott danken, wenn ein gewisser Jemand nur halb
so fleißig wäre, wie dieses talentierte Mädchen, das seinen Eltern
nur Freude bereite und sicherlich nie so schmachvolle Schulzeugnisse
heimbringe. 5

Ich haßte persönliche Anspielungen und vermied es daher,
das Gespräch wieder auf dieses unangenehme Thema zu bringen.

Dagegen übte meine Mutter nicht die gleiche Rücksicht, und
ich wurde häufig aufgefordert, mir an Gretchen Vollbeck ein
Beispiel zu nehmen. 10

Ich tat es nicht und brachte an Ostern ein Zeugnis heim,
welches selbst den nächsten Verwandten nicht gezeigt werden
konnte.

Man drohte mir, daß ich nächster Tage zu einem Schuster
in die Lehre gegeben würde, und als ich gegen dieses ehrbare 15
Handwerk keine Abneigung zeigte, erwuchsen mir sogar daraus
heftige Vorwürfe.

Es folgten recht unerquickliche Tage, und jedermann im
Hause war bemüht, mich so zu behandeln, daß in mir keine rechte
Festesfreude aufkommen konnte. 20

Schließlich sagte meine Mutter, sie sehe nur noch ein Mittel,
mich auf bessere Wege zu bringen, und dies sei der Umgang
mit Gretchen.

Vielleicht gelinge es dem Mädchen, günstig auf mich ein=
zuwirken. Herr Rat Vollbeck habe seine Zustimmung erteilt, 25
und ich solle mich bereit halten, den Nachmittag mit ihr hin=
überzugehen.

Die Sache war mir unangenehm. Man verkehrt als Latein=
schüler nicht so gerne mit Mädchen wie später, und außerdem

hatte ich begründete Furcht, daß gewisse Gegensätze zu stark hervorgehoben würden.

Aber da half nun einmal nichts, ich mußte mit.

Vollbecks saßen gerade beim Kaffee, als wir kamen; Gretchen
5 fehlte, und Frau Rat sagte gleich: „Ach Gott, das Mädchen studiert schon wieder, und noch dazu Scheologie.“ Meine Mutter nickte so nachdenklich und ernst mit dem Kopfe, daß mir wirklich ein Stich durchs Herz ging und der Gedanke in mir auftauchte, der lieben alten Frau doch auch einmal Freude zu machen. Der
10 Herr Rat trommelte mit den Fingern auf den Tisch und zog die Augenbrauen furchtbar in die Höhe.

Dann sagte er: „Ja, ja, die Scheologie!“

Jetzt glaubte meine Mutter, daß es Zeit sei, mich ein bißchen in das Licht zu rücken, und sie fragte mich aufmunternd: „Habt
15 ihr das auch in eurer Klasse?“

Frau Rat Vollbeck lächelte über die Zumutung, daß anderer Leute Kinder derartiges lernten, und ihr Mann sah mich durch= bohrend an, das ärgerte mich so stark, daß ich beschloß, ihnen eines zu geben.

20 „Es heißt gar nicht Scheologie, sondern Geologie, und das braucht man nicht zu lernen,“ sagte ich.

Beinahe hätte mich diese Bemerkung gereut, als ich die große Verlegenheit meiner Mutter sah; sie mochte sich wohl sehr über mich schämen, und sie hatte Tränen in den Augen, als Herr
25 Vollbeck sie mit einem recht schmerzlichen Mitleid ansah.

Der alte Esel schnitt eine Menge Grimassen, von denen jede bedeuten sollte, daß er sehr trübe in meine Zukunft sehe.

„Du scheinst der Ansicht zu sein,“ sagte er zu mir, „daß man sehr vieles nicht lernen muß. Dein Osterzeugnis soll ja nicht

ganz zur Zufriedenheit deiner beklagenswerten Frau Mutter
ausgefallen sein.   Übrigens konnte man zu meiner Zeit auch
Scheologie sagen."

Ich war durch diese Worte nicht so vernichtet, wie Herr
Vollbeck annahm, aber ich war doch froh, daß Gretchen ankam. 5
Sie wurde von ihren Eltern stürmisch begrüßt, ganz anders, wie
sonst, wenn ich von meinem Fenster aus zusah.   Sie wollten
meiner Mutter zeigen, eine wie große Freude die Eltern gut=
gearteter Kinder genießen.

Da saß nun dieses langbeinige, magere Frauenzimmer, das 10
mit ihren sechzehn Jahren so wichtig und altklug die Nase in die
Luft hielt, als hätte es nie mit einer Puppe gespielt.

„Nun, bist du fertig geworden mit der Scheologie?" fragte
Mama Vollbeck und sah mich herausfordernd an, ob ich es vielleicht
wagte, in Gegenwart der Tochter den wissenschaftlichen Streit 15
mit der Familie Vollbeck fortzusetzen.

„Nein, ich habe heute abend noch einige Kapitel zu erledigen;
die Materie ist sehr anregend," antwortete Gretchen.

Sie sagte das so gleichgültig, als wenn sie Professor darin wäre.

„Noch einige Kapitel?" wiederholte Frau Rat, und ihr Mann 20
erklärte mit einer von Hohn durchtränkten Stimme:

„Es ist eben doch eine Wissenschaft, die scheinbar gelernt
werden muß."

Gretchen nickte nur zustimmend, da sie zwei handgroße Butter=
brote im Munde hatte, und es trat eine Pause ein, während 25
welcher meine Mutter bald bewundernd auf das merkwürdige
Mädchen und bald kummervoll auf mich blickte.

Dies weckte in Frau Vollbeck die Erinnerung an den eigent=
lichen Zweck unseres Besuches.

„Die gute Frau Thoma hat ihren Ludwig mitgebracht, Gretchen; sie meint, er könnte durch dich ein bißchen in den Wissenschaften vorwärtskommen."

„Fräulein Gretchen ist ja in der ganzen Stadt bekannt wegen
5 ihres Eifers," fiel meine Mutter ein. „Man hört so viel davon rühmen, und da dachte ich mir, ob das nicht vielleicht eine Auf= munterung für meinen Ludwig wäre. Er ist nämlich etwas zurück in seinen Leistungen."

„Ziemlich stark, sagen wir, ziemlich stark, liebe Frau Thoma,"
10 sagte der Rat Vollbeck, indem er mich wieder durchbohrend anblickte.

„Ja, leider etwas stark. Aber mit Hilfe von Fräulein Gretchen, und wenn er selbst seiner Mutter zuliebe sich anstrengt, wird es doch gehen. Er hat es mir fest versprochen, gelt, Ludwig?"

15 Freilich hatte ich es versprochen, aber niemand hätte mich dazu gebracht, in dieser Gesellschaft meinen schönen Vorsatz zu wieder= holen. Ich fühlte besser als meine herzensgute, arglose Mutter, daß sich diese Musterfamilie an meiner Verkommenheit erbaute. Inzwischen hatte die gelehrte Tochter ihre Butterbrote verschlun=
20 gen und schien geneigt, ihre Meinung abzugeben.

„In welcher Klasse bist du eigentlich?" fragte sie mich.

„In der vierten."

„Da habt ihr den Cornelius Nepos, das Leben berühmter Männer," sagte sie, als hätte ich das erst von ihr erfahren müssen.

25 „Du hast das natürlich alles gelesen, Gretchen?" fragte Frau Vollbeck.

„Schon vor drei Jahren. Hie und da nehme ich ihn wieder zur Hand. Erst gestern las ich das Leben des Epaminondas."

„Ja, ja, dieser Epaminondas!" sagte der Rat und trommelte

auf den Tisch. „Er muß ein sehr interessanter Mensch gewesen sein."

„Hast du ihn daheim?" fragte mich meine Mutter, „sprich doch ein bißchen mit Fräulein Gretchen darüber, damit sie sieht, wie weit du bist."

„Wir haben keinen Epaminondas nicht gelesen," knurrte ich.

„Dann hattet ihr den Alcibiades, oder so etwas. Cornelius Nepos ist ja sehr leicht. Aber wenn du wirklich in die fünfte Klasse kommst, beginnen die Schwierigkeiten."

Ich beschloß, ihr dieses „wirklich" einzutränken, und leistete heimlich einen Eid, daß ich sie verhauen wollte bei der ersten Gelegenheit.

Vorläufig saß ich grimmig da und redete kein Wort. Es wäre auch nicht möglich gewesen, denn das Frauenzimmer war jetzt im Gang und mußte ablaufen, wie eine Spieluhr.

Sie bewarf meine Mutter mit lateinischen Namen und ließ die arme Frau nicht mehr zu Atem kommen; sie leerte sich ganz aus, und ich glaube, daß nichts mehr in ihr darin war, als sie endlich aufhörte.

Papa und Mama Vollbeck versuchten das Wundermädchen noch einmal aufzuziehen, aber es hatte keine Luft mehr und ging schnell weg, um die Scheologie weiter zu studieren.

Wir blieben schweigend zurück. Die glücklichen Eltern be= trachteten die Wirkung, welche das alles auf meine Mutter gemacht hatte, und fanden es recht und billig, daß sie vollkommen breitgequetscht war. —

Sie nahm in gedrückter Stimmung Abschied von den Voll= beckschen und verließ mit mir den Garten.

Erst als wir daheim waren, fand sie ihre Sprache wieder.

Sie strich mir zärtlich über den Kopf und sagte: „Armer Junge, du wirst das nicht durchmachen können."

Ich wollte sie trösten und ihr alles versprechen, aber sie schüttelte nur den Kopf.

5 „Nein, nein, Ludwig, das wird nicht gehen."

Es ist dann doch gegangen, weil meine Schwester bald darauf den Professor Bindinger geheiratet hat.

Die schöne Frau

Von Hermann Bahr

Ich treffe meinen lieben alten Freund
Paul Dorn auf der Gasse. „Servus!"
sage ich. „Endlich sieht man dich wieder
einmal! Ist das eine Manier? Es
sind wenigstens sechs Monate — no,
aber laß dich anschaun! Wie geht's dir
denn immer — jetzt, in der Ehe? Paul,
Paul, wer hätte das von dir gedacht!
Auf dich hätt' ich geschworen! Aber
die Weiber — ja, die Weiber!"

Paul lacht, nimmt meinen Arm, hängt sich ein und wir
bummeln so durch die Stadt. Ich werde beinahe sentimental:
„Paul Dorn als Gatte! Ich kann es noch immer kaum glauben!
Wo ist unsere Jugend hin? Erinnerst du dich noch, wie wir
damals —"   15

Aber ich merke, daß er sich lieber nicht erinnert. Ich lasse
es also fallen. Wir gehen weiter, er nimmt sich eine Zigarre,
ich sehe ihn mir so von der Seite an. Er scheint ernster als er
sonst war; er hat jetzt eine gewisse bürgerliche Ruhe, fast Würde.
Ja, die Ehe! Ich schäme mich vor ihm, so frivol zu sein: „Schau, 20
du kennst mich doch, wie ich bin. Ich meine es ja gar nicht so,
und bei dir ist das ja auch etwas ganz anderes. Wenn man so
eine schöne Frau hat wie du —"

Er läßt meinen Arm los und wird nervös: „Ich bitt' dich,
fang du mir jetzt auch noch an! Das fehlt mir gerade noch.
Das hab' ich gar gern!"

Ich, förmlich erschrocken: „Aber Paul!"

5 „Weil es wahr ist! Immer mit diesen blöden Sachen!
Meine schöne Frau und wieder meine schöne Frau und immer
meine schöne Frau! Mei' Lieber, das kriegt man endlich satt!
Ich hab' meine Frau gewiß sehr gern, aber alles was recht ist!
Hast du eine Ahnung, was das heißt, eine schöne Frau zu haben?
10 Mei' Lieber, das muß man kennen, sonst kann man überhaupt
nicht reden! Da gehört eine Geduld dazu — ich sag' dir, da
muß einer von gesunden Eltern sein!" Und er fängt grimmig zu
pfeifen an.

Ich glaube zu verstehen und freue mich riesig. „Siehst' es,
15 Paul, das ist die sogenannte Nemesis! Geschieht dir ganz recht!
Es wird dir gar nicht schaden, wenn du auch einmal siehst, wie
das ist, wenn man eifersüchtig ist."

Paul schaut mich verblüfft an. „Ah, du bist ein Aff'! Von
Eifersucht ist doch gar nicht die Rede! Was fällt dir denn ein?"

20 „Nicht? Du bist nicht eifersüchtig?" sage ich; es tut mir
eigentlich ein bißchen leid.

„Aber keine Spur! Sondern — aber das ist nicht so leicht,
du wirst es nicht verstehen! Die Sache ist nämlich die: eine
schöne Frau wär' ja etwas sehr Schönes, wenn sie nur — wenn
25 sie nur nicht schön wär'!"

„Herr, dunkel ist der Rede Sinn —"

„Also, mei' Lieber, hör' zu! Was soll ich dir das erst lange
explizieren — ich werd' dir einfach erzählen, was mir passiert
ist. Damit du einmal eine Idee hast!"

Ich sah ihm an, daß es ihm wohl tat, sich auszusprechen. Gut! Er zündete sich seine Zigarre wieder an und begann:

„Also, mei' Lieber, stell' dir vor, die Hochzeit ist aus, wir fahren fort — ich war schon sehr froh, diese ganze Heiraterei macht einen schrecklich nervös! Wir fahren also nach München, ich will ihr die Stadt zeigen, ein paar alte Freunde besuchen und dann noch ein bißchen ins bayrische Hochgebirg'. No, die ersten Tage kannst du dir ja denken, ich bin sehr glücklich, sie ist sehr glücklich — und so weiter! Aber ich merke doch bald: da ist was nicht in Ordnung — es fehlt ihr was, es paßt ihr etwas nicht. Was? Was kann das sein? Ich frage sie, ich geb' mir alle Mühe, aber sie behauptet, daß ich mich irre. Nein, sie ist sehr glücklich, es fehlt ihr gar nichts, sie ist zufrieden, sie findet München ganz hübsch, nur freilich — was? Sie will es zuerst nicht sagen, aber endlich und schließlich: die Leute sind hier so roh!

Ich verstehe das gar nicht. Mein Gott, die guten Münchner sind ein bißchen langsam und schwer, ja — aber roh?

‚Nein,' sagt sie, ‚sie sind direkt roh! Paß nur einmal auf! Man kann eine Stunde auf der Gasse gehen, und es dreht sich kein Mensch nach einem um, absolut nicht! Das ist roh. Mir ist es ja ganz gleich — ich konstatiere bloß, daß es roh ist!'

Merkst was, mei' Lieber? Die Dame war beleidigt! Die schöne Frau ist gewohnt, daß man Spalier macht, wenn sie kommt — und das kann man von meinen guten Münchnern wirklich nicht verlangen! Natürlich, du hast leicht lachen! Aber wart' nur, dir wird das Lachen auch noch vergehen. Das war nämlich erst der Anfang.

Den nächsten Tag in der Früh' sitz' ich unten im Café

Maximilian. Es ist zehn Uhr, wir wollen in die Sezession,
und meine Frau zieht sich oben in unserem Zimmer an. Da
muß man auch erst heiraten, um zu wissen, was das heißt: eine
Frau zieht sich an! Ich sitze seit neun Uhr da und warte, ich
5 habe bereits alle Zeitungen gelesen, ich bin schon bei den Annoncen,
ich habe gefrühstückt, ich trinke schon das zweite Bier, weil ich
mich vor der Kellnerin geniere, und ich sehe von meinem Tische,
in der Nische des Fensters, melancholisch auf die Straße, zum
Hoftheater hin.

10   Du kennst das Lokal ja — weißt, wo der alte Ibsen immer ge=
sessen ist! Es ist um diese Zeit ganz leer, die Kellnerinnen lehnen
an der Kasse, nur ein paar Studenten sitzen in der Mitte um
einen großen Tisch und spielen Skat. Das Lokal ist dunkel,
man sieht nur die grünen Mützen der Saxonen, die an der Wand
15 hängen — es sind nämlich die Saxonen, die hier kneipen. Und
es ist ganz still, man hört nur die Studenten auf den Tisch
schlagen, wenn sie ausspielen. Es wird halb elf, es wird elf,
ich lese sogar schon den Baedeker — vorne über die Fußbekleidung
bei Hochtouren. Dabei schiele ich nach der Tür hinten, wo sie
20 kommen muß. Endlich ist sie da. Sehr elegant natürlich, sehr
lieb in dem drapen englischen Kleid, mit dem kleinen Sträußchen,
sehr gnädig, sie lächelt der Kassierin zu und fragt die Kellnerin,
wo ich sitze. Lächelnd folgt sie ihr durch das ganze Café, an dem
Tisch der Studenten vorüber, die gerade in einer höchst inte=
25 ressanten Partie sind, man sieht es ihnen an.

Wie sie neben dem Tisch ist, läßt sie den Schirm fallen. Ich
springe auf, ich bin aber zu weit weg, die Kellnerin bückt sich,
Agathe dankt ihr, die Studenten spielen ihren Skat. Ich frage
sie, was sie frühstücken will, aber ich bemerke: sie hat schon wie=

der etwas, sie ist schon wieder verletzt. ‚Nein,‘ sagt sie, ‚da am
Fenster kann ich nicht sitzen, das blendet fürchterlich — diese weiße
Mauer vom Hoftheater — geh, sei lieb, komm!‘

Und sie steht auf, um sich an einen anderen Tisch zu setzen,
ganz in der Mitte, neben den Studenten. Und wie sie sich
setzt, wirft sie einen Stuhl um, mit Zeitungen. Aber die
Studenten spielen immer noch ihren Skat.

Ich komme, hebe die Zeitungen auf, frage, was sie früh=
stücken will, bin überhaupt möglichst nett, weil ich gern endlich
in die Sezession kommen möchte. Sie nimmt ihre Lorgnette,
schaut die Studenten an, die ihren Skat spielen, und fragt mich
dann mit der vollen Melodie ihrer kräftigen Stimme: ‚Sag’
du mir, haben diese jungen Leute gar nichts zu tun, daß sie schon
in der Früh’ Bier trinken und Karten spielen?‘

Mei’ Lieber, was soll ich tun? Ich lese krampfhaft in der
‚Neuen Freien Presse‘ und sogar in der ‚Kölnischen,‘ die hat ein
größeres Format. Aber sie läßt sich nicht stören. Sie hat sich
eine Schokolade kommen lassen, hält den Löffel sehr graziös
zwischen den süßen schmalen Fingern und wird immer lauter:

‚Wenn die armen Eltern eine Ahnung hätten! Die sparen
zu Haus’, damit die Herren Buben hier Karten spielen und
Bier trinken! Ja, wo bleibt denn da der Lehrer mit dem
Staberl?‘

Ich bin ganz in die ‚Kölnische Zeitung‘ versunken. Aber
sie läßt nicht nach: ‚Und die grünen Kapperln, ich bitte dich!
Auf diesen Schädeln! Überhaupt, ausschaun tun sie wie die
Dienstmänner!‘

Du kannst dir denken, wie mir zumute war. Ich bin nicht
feig, aber im Sommer — in den Ferien! Nein, danke! Ich

mache also kurzen Prozeß und sage: München gefällt dir nicht,
ich sehe es dir an, das hat gar keinen Sinn, in zwei Stunden
geht der Zug nach Schliersee, da ist mein alter Freund Drescher,
und es soll da überhaupt sehr gemütlich sein — also lassen wir
5 die dumme Sezession, packen wir und in zwei Stunden sind wir
auf der Bahn! Fertig! Diesen Ton kennt sie und weiß, daß
es da nichts gibt.

Um vier Uhr kamen wir in Schliersee an, dem guten Drescher
hatte ich telegraphiert, er brachte uns ins Seehaus und wir
10 bekamen ein großes Zimmer mit einer prachtvollen Aussicht
auf den See und über das ganze Tal. Agathe war ein bißchen
müde und legte sich schlafen. Ich nahm mein Rad und fuhr
um den See, durch den Ort, auf die Post und so hin und her.
Gegen acht kam ich zurück. Sie saß im Garten, in einem Buche
15 lesend. An einem Tisch waren ein paar Bauern, an einem
anderen der Pfarrer mit dem alten Förster. Ich fühlte: hier ist
Ruhe, hier ist es schön, hier möcht' ich bleiben! Ich lehnte mein
Rad an die Tür und ging zu ihr. Sie saß da in einem weiten
weißen Gewande und sah, über das Buch weg, mit ihren großen
20 stillen Augen, schwärmerisch und verträumt, auf den See hin.
Es war wirklich ein liebes Bild, aber leider — weißt, da die
Bauern, dort der Pfarrer mit dem alten Förster: dem Bilde
fehlte das Publikum.

Ich näherte mich schüchtern: ‚Wie geht's dir denn, Mädi?‘
25 Sie sah mich an, ich werde diesen Blick nie vergessen. Dann
sagte sie: ‚Also das nennt sich Schliersee — aber das schwöre
ich dir, nicht zwei Tage bleibe ich dir hier; das ist keine Gegend
für mich!‘

‚Aber schau, es ist doch ganz nett hier: der See — .‘

‚Der See ist mir zu klein!'

‚Das liebe Tal —'

‚Täler sind ungesund, da wird man nur nervös, das sagt jeder Doktor!'

‚Und rings die Berge —.'

‚Berge mag ich überhaupt nicht!'

Pause. Schließlich resümiert sie: ‚Dann ist das Essen schlecht, von diesem bayrischen Bier wird man dick, und ich habe keine Lust, hier zu verbauern. Wenn ich das gewollt hätte, hätte ich nicht geheiratet, sondern wäre ins Kloster gegangen. Aber du hast mich eben nie geliebt!'

‚No,' sage ich, ‚gut, wenn du nicht willst — fahren wir halt morgen wieder fort!'

Ich bin aber ein bißchen traurig: Dieses ewige Wandern, immer hin und her, immer auf der Bahn, täglich packen, täglich in einem anderen Hotel, fremde Gesichter — das ist mir schreck= lich! Ich will irgendwo ruhig sitzen und mich ausschnaufen. Aber was konnte ich tun? Agathe ist nun einmal gewohnt, bewundert zu werden. Gehen wir hier in Wien aus und kommen ins Theater, in ein Konzert oder in einen Garten, so machen alle Leute große Augen. Seit sie sich erinnern kann, ist das immer so gewesen. Sie kann es nicht mehr entbehren. Ohne Bewunderung ist sie wie ein Raucher ohne Zigarren. Mei' Lieber, da gibt's keine Argumente — das ist einfach so. Wenn's einem nicht paßt, dann darf man eben keine schöne Frau haben. Entweder — oder!

Das alles sagte ich mir den anderen Tag in der Früh', als ich, sie schlief noch, einsam im Walde ging. Traurig sah ich auf den schimmernden See, in das heitere Tal. Ich liebe diese frohe

Gegend mit ihren immer singenden Menschen sehr; wie gerne wäre ich dageblieben!

Da kam mir plötzlich eine Idee. Ja — vielleicht! Vielleicht ließ sich das machen. Und ich lief mehr als ich ging zu Drescher, meinem lieben alten Freund Drescher, dem berühmten bayrischen Komiker, den Lenbach und Stuck gemalt haben; der hat dort eine reizende Villa. Na, du kennst ihn ja, du weißt, wie er ist: immer fidel, immer die größten Pläne im Kopf, immer ein bißchen zerstreut, verwurstelt alles, aber der beste Kamerad, den es gibt.

‚Drescher,‘ sage ich, ‚Sie müssen mir einen Gefallen tun! Schauen Sie, Sie kennen hier doch alle Leute — wissen Sie mir nicht einen netten jungen Menschen, einen Bauer oder einen Schreiber von der Gemeinde, der — gegen Bezahlung natürlich — bewundern kann?‘

‚Was soll er?‘

‚Bewundern, nichts als bloß bewundern, meine Frau ist das so gewohnt. Wissen Sie, ich denke mir das so: ich zahle ihm, was er ißt und trinkt, und extra noch drei Mark für jeden Tag, dafür hat der Jüngling gar nichts zu tun, als daß er täglich zwei, drei Stunden bei uns im Garten sitzt und halt meine Frau liebevoll ansieht — liebevoll, oder sagen wir sogar: schmachtend.‘

‚Schmachtend?‘ sagt Drescher, ‚abgemacht!‘

Ich erkläre ihm nun geschwind das Ganze — was ich in München erlebt habe, und daß mir Agathe nicht hier bleibt, wenn sie keinen Bewunderer hat.

‚Aber,‘ sagt Drescher, ‚wird gemacht! Warten Sie nur — wer ist denn da? Vom Theater kann ich halt jetzt keinen — die brauchen wir jetzt alle selber — aber großartig! der Meßner —

Sie, das is überhaupt ein begabter Mensch — und der hat sogar einen schwarzen Salonrock! Also, sind Sie ganz ruhig, ich laß mir ihn gleich kommen, der ist sehr intelligent, heute nach= mittag funktioniert er schon! Nicht wahr, bewundern —'

‚Schmachten,' sage ich noch einmal.

‚Schmachten — Augen verdrehen — und dann kann er viel= leicht auch amal die Hand aufs Herz legen, was? Na also, da können Sie sich auf mich verlassen! Was die Regie betrifft — das wissen Sie ja!'

‚Lieber Drescher, ich danke Ihnen sehr! Nur, wissen Sie: ein Meßner! Ist er denn ein hübscher Mensch?'

‚Aber geh', zu was denn hübsch? Wer sie bewundert, das ist den Frauen ganz gleich — wenn sie nur bewundert werden! Paß nur auf!'

Er hatte recht. Ich sage dir: Der Meßner — nicht zu schil= dern! Malvolio, von Oberländer gezeichnet — und ein Salon= rock! Aber ‚geschmachtet' hat der Mann — das hab' ich in meinem Leben noch nicht gesehen! Der Drescher ist doch ein großer Regisseur.

Ich ging abends auf die Post. Agathe blieb im Garten sitzen, der schmachtende Meßner wich nicht. Als ich zurückkam, sagte ich: ‚Ich war jetzt auf der Bahn und habe mir die Züge ange= sehen; es wird am besten sein: wir fahren morgen um zehn.'

‚Warum denn?' fragte Agathe verwundert. ‚Ich begreife dich wirklich nicht. Kannst du denn nirgends ruhig sitzen? Schau, hier ist es so schön! Der liebe See —'

‚No,' sagte ich, ‚der See ist ein bißchen klein!'

‚Gerade so ein kleiner See hat seinen Reiz; es ist viel intimer!'

‚Und dann so in den Bergen stecken!'

‚Das wird dir sehr gesund sein! Da atmet man erst auf.
Frag' nur einen Arzt! Und dann schau: dieses ewige Hin und
Her, immer auf der Bahn, täglich packen, täglich in einem anderen
Hotel, das ist mir schrecklich! Geh', sei nett, bleiben wir hier!'

5   Wir sind drei Wochen dort geblieben. Jeden Sonntag brachte
mir der Meßner die Rechnung: einundzwanzig Mark Gage,
für zehn bis zwölf Mark Bier, etliche drei Mark für Weißwürste.
Zum Abschied ließ ich ihm noch im Miesbach einen neuen Salon=
rock machen; den alten hatte er beim Schmachten am Ärmel
10 ganz abgewetzt.

    „Ich denke," schloß Paul, „wir gehen heuer wieder nach
Schliersee."

Die Fahrkarte

Von Heinz Tovote

Wir saßen vor dem Atelier, das, auf
der Düne erbaut, den Blick über das
weite Meer bot. Die große Halle zu
dem Arbeitsraume stand offen. Da=
hinter lehnte sich das alte Fischerhaus
an, das ausgebaut und überaus wohn=
lich eingerichtet war.

Seit Jahren saß Klaus Hottinger hier
in der kleinen Malerkolonie, die er mit
als einer der ersten hatte gründen helfen.

Die Sonne ging hinter dem Vorgebirge unter, das sich in
einem malerischen Bogen nach Norden weit in das Meer schob.
Jene seltsame Stille trat ein, die dem Verschwinden des
Sonnenballes zu folgen pflegt. Die Natur hielt den Atem an.
Selbst das leise Anschlagen der Wellen an die flache sandige 15
Küste schien zu verstummen. Der Wind war eingeschlafen, und
die matte Scheibe des fast vollen Mondes hing in silberiger
Farblosigkeit am wolkenlosen Himmel, über den die blasse Röte
vom Widerschein des Sonnenunterganges strahlte.

Seit Jahren hatte ich Klaus Hottinger nicht mehr gesehen. 20
Früher war er den Winter über meist in Berlin gewesen, und
erst zum Frühjahr ging er wieder in sein Strand= und Malernest
zurück. Aber in der letzten Zeit hatte ich ihn gar nicht mehr
gesehen. Er war wie verschwunden.

Nun, da ich in seine Gegend gekommen war, wollte ich natürlich die Gelegenheit nicht vorübergehen lassen, ihn einmal wieder aufzusuchen.

Er hatte mich mit aufrichtiger Freude begrüßt, und so saßen
5 wir bald bei einer Flasche Wein. Denn es ging ihm gut; und seine Bilder, meist hier aus der Gegend, wurden ihm glänzend bezahlt.

Wir hatten von gemeinsamen Bekannten geplaudert, und dann fragte ich:

10   — Weshalb haben Sie sich eigentlich so plötzlich aus der Großstadt zurückgezogen? Das war doch sehr überraschend für uns alle.

— Ist das aufgefallen?... Ich wüßte nicht, daß es so unerwartet gewesen wäre.

15   — Doch! Das war es. — Sie sollten doch damals noch das Fest bei der Gräfin Versen leiten. Sie haben alle Welt in arge Verlegenheit gesetzt. Niemand wußte den rechten Grund, und allerlei Vermutungen wurden laut.

Er saß da, zurückgelehnt in den geflochtenen Weidenstuhl,
20 dem durch die seidenen Kissen die Härte genommen war.

Dann blickte er auf, nickte vor sich hin und sagte:

— Ja, es war ein ganz plötzlicher Entschluß. Mir selber überraschend. In meinen Plänen stand es nicht. Und eine winzige Kleinigkeit war daran schuld.

25 Ich erwiderte nichts, sondern ließ ihn seinen Gedanken nach=
hängen. Ich wußte, daß es die beste Art war, ihn aus sich herauszulocken.

Er hob das Glas, setzte es mit Bedacht wieder auf das kleine Tischchen, das zwischen uns stand und sagte:

— Eine winzige Kleinigkeit. Nur ein Farbenunterschied!
Ein kleines Pappstückchen, nicht viel größer als zwei Daumennä=
gel. Und nur, weil dieses Fetzchen Pappe gelb und nicht rot
war! Das war das ganze Unglück.

Er schwieg wieder und starrte vor sich hin.   5

Dann sagte er:

— Ich sehe das alles so deutlich vor mir, als ob es gestern
gewesen. Ich hatte in der Stadt zu tun gehabt, hatte ein paar
Besorgungen gemacht und stand nun auf der Untergrundbahn
Leipziger Platz. Ich hatte mir eine Mittagszeitung gekauft und 10
trat damit unter das Licht der Anzeigetafel, als jemand auf
mich zukam, der mich veranlaßte, meine Zeitung gleich wieder
zusammenzufalten: Natürlich eine Dame — eine mir sehr gut
bekannte, mir sehr liebe Dame.

Wir schüttelten uns die Hand und sahen uns lachend in die 15
Augen. Wir sind eigentlich schon seit langem sehr befreundet;
aber wir haben noch nie Gelegenheit gehabt, es uns so recht zu
sagen. Warum eigentlich nicht?... Wir wissen es selber nicht.

Wir haben so selten Gelegenheit, uns allein zu sprechen, und
zuletzt war sie überhaupt wochenlang von Berlin fortgewesen. 20
Aber wir freuen uns, daß wir uns endlich einmal wiedersehen.
An anderes denken wir nicht.

Der Zug läuft ein, und sie dreht sich um und geht darauf
zu. Ich folge ihr und steige mit in den Wagen ein, der gerade
vor uns steht. Ich wäre ihr blindlings gefolgt, wohin sie mich 25
geführt hätte.

Und dann sitzen wir nebeneinander und plaudern, und sehen
nichts von den anderen Menschen rings um uns.

Wie lieb und nett sie ist. Ich kenne keine andere junge Dame

in meinem ganzen Kreise, die mir so sympathisch wäre, als wie
. . . als wie diese.

Der Zug fährt aus dem Dunkel hinauf in das Tageslicht.
Die Glühbirnen erlöschen, die helle Sonne fällt in den Wagen.
Haltestelle! . . . Menschen strömen zu, nehmen neben uns
Platz. Ich sehe es kaum. Was geht mich die Welt ringsum an?

Ich sehe nur ihre Augen, sehe die feine Linie ihres Nackens,
ich höre diese weiche Stimme, die mir immer so gefallen hat,
der ich stundenlang lauschen könnte. Mir wird so warm um
das Herz, wenn ich sie nur ansehe. Ich habe keinen Wunsch
mehr.

Der Zug fährt weiter. — Ich habe die Nebenempfindung
gerade für diese Äußerlichkeiten, sonst aber weiß ich von nichts.
Wir gleiten über die große Brücke, die sich hier über den ganzen
Bahnkörper mit seinen vielen Schienenpaaren spannt.

An der Bülowstraße will ich eigentlich aussteigen; aber schon
fahren wir weiter. Ich fahre so weit, wie sie die Bahn benutzt.
Das ist doch selbstverständlich.

Der Zug setzt sich am Nollendorfplatz wieder in Bewegung
und gleitet die schiefe Ebene hinunter. Da steht ein Mann im
Wagen vor mir und sagt:

— Bitte, die Fahrkarten! . . .

Ich greife mechanisch in die Billettasche und reiche ihm meine
Karte hin, ohne dabei aufzusehen.

— Das ist dritter! sagt er und behält sie in der Hand, während
er die kleine rote Karte meiner Begleiterin kontrolliert und
zurückgibt.

Wir fahren in die Erde, und das Licht flammt auf.

Ich weiß gar nicht, weshalb alle Menschen mich so seltsam

anstarren.   Die Aufmerksamkeit des ganzen Wagens ist auf
mich gerichtet.

Ich sehe noch, wie rot vor Verlegenheit sie, die neben mir
sitzt, geworden ist.

Der Zug verlangsamt seine Fahrt; ich habe das dunkle
Gefühl, daß ich nachzahlen muß.   Da steht der Beamte wieder
vor mir und sagt:

— Wollen Sie mir bitte folgen!

Ich habe mein Portemonnaie herausgenommen, das kommt
mir dabei so unangebracht vor, und frage:

— Wieviel macht es denn?

Aber der Mann sagt:

— Kommen Sie bitte mit!

Ich will mich im ersten Augenblick dagegen wehren, will
etwas sagen; aber da sehe ich, wie sie in töblicher Verlegenheit
die Augen zu Boden geschlagen hat und nicht weiß, wohin sie
blicken soll.

Nein, ich darf mich nicht sträuben.   Das geht nicht.

Und ohne sie zum Abschied zu grüßen, ohne weiter noch Notiz
von ihr zu nehmen, als ob sie gar nicht zu mir gehöre, folge ich
dem Manne.

Ich sehe noch, wie der Zug aus der Halle fährt, dann gehe
ich mit in den Dienstraum.

Und da mußte ich mich legitimieren und die festgesetzte Strafe
zahlen.

Ich erklärte dem Beamten, daß mir nichts ferner gelegen
habe, als mich einer Fahrgeldhinterziehung schuldig zu machen.
Ich sei nur der Dame, einer Bekannten, einfach gefolgt, ohne
im Augenblick an was anderes zu denken.

— Das mag ja sein! Ich habe nur meine Pflicht zu tun und Ihre Persönlichkeit festzustellen. Das weitere wird sich finden.

Damit bin ich entlassen.

Ich wartete, was nun weiter erfolgen würde. Ich traute
5 mich nicht, das Haus zu verlassen. Ich ging mit dem Gedanken um, mich persönlich an die Direktion zu wenden, vielleicht
kannten sie dort meinen Namen und glaubten mir. Aber dann
ließ ich es.

Ich sah immer noch ihren entsetzten und verlegenen Blick,
10 wie ich ganz wie ein Verbrecher von ihrer Seite abgeführt wurde.

Ich überlegte, ob ich ihr ein Wort der Aufklärung schreiben
sollte; aber ich hatte das Gefühl, daß ich ihr nicht wieder unter
die Augen kommen durfte.

Vor all den Leuten, die mit uns in dem Wagen gewesen,
15 hatte ich sie kompromittiert. Das war nicht wieder gutzu-
machen. Sie mußten alle denken, daß ich die Bahn um das
Fahrgeld der zweiten Klasse hatte beschwindeln wollen. Ich
nahm immer nur Dritter, wenn ich allein war, wie ich das
aus der Zeit gewöhnt war, da ein Groschen weniger oder mehr
20 für mich noch in Betracht kam.

Das konnte sie vielleicht nicht verstehen. Wie sollte ich ihr
das erklären? — Aber sie hatte ja alles miterlebt und mußte
eigentlich wissen, wie ich dazu gekommen war, einfach mit ihr
in den Wagen Zweiter hineinzugehen. Ihr brauchte ich das
25 doch nicht noch zu erklären. Sie mußte doch fühlen, daß ich
ganz unschuldig war.

Aber ich hörte nichts von ihr; und auch von der Gesellschaft
erfuhr ich nichts weiter. Es blieb vorläufig alles still. Allein
eine immer stärker werdende Nervosität bemächtigte sich meiner,

daß ich es in der Stadt nicht mehr aushielt. Ich flüchtete
hierher, um in der Einsamkeit mein Gleichgewicht wiederzuer=
langen.

Und hier saß ich und wartete und wartete, daß sich irgend
etwas ereignen sollte.

Nichts geschah! — Alles blieb still.

Jedesmal, wenn der Postbote kam, schlug mir das Herz
zum Zerspringen. Jedes Kuvert, das wie amtlich aussah, ließ
mich erzittern. Am liebsten hätte ich keine Post mehr in Empfang
genommen. Es war nicht zum Ertragen.

Und die Wochen vergingen. Da faßte ich wieder Mut.
Vielleicht, ja wahrscheinlich war die Sache mit der Nachzahlung
abgetan. Und nun hatte ich doch schon Nächte, wo ich wieder
ruhig schlief, Stunden, in denen mir jene entsetzlich beschämende
Szene nicht mehr vor Augen stand, wie ich da vor ihr abgeführt
wurde, während sie, die ich in solche Verlegenheit gebracht, be=
schämt sitzen blieb. Und alle Leute hatten sie gewiß voller Mitleid
betrachtet, daß sie solch einen Begleiter hatte, der die Bahn
betrog.

Vielleicht hatte sie erwartet, daß ich was von mir hören
lassen mußte, irgendein Wort wenigstens der Entschuldigung.
Aber das hatte ich nicht für nötig gehalten, sondern hüllte mich
in Schweigen, stellte mich tot — und meinte, damit sei die
Sache abgetan.

Nun war es zu spät geworden, ich hatte den rechten Zeitpunkt
verstreichen lassen und konnte jetzt unmöglich von neuem davon
anfangen.

Und so traute ich mich nicht mehr in die Stadt zurück, hockte
hier in meinem Fischerdorfe und kam nur, wenn es gar nicht

anders ging, einmal nach Berlin, wo ich es dann vermied, mit
anderen Leuten zusammenzukommen.

Ich habe sie nie wieder gesehen. Aber ich habe sie nicht
vergessen.

5 Im vorigen Jahre habe ich gelesen, daß sie sich verheiratet
hat. Ich weiß ja gar nicht, ob sie sich so viel aus mir gemacht
hat, daß ich je um sie hätte werben können. Vielleicht lagen die
Dinge gar nicht so, wie ich mir einredete, sonst hätte sie wohl
doch einmal was von sich hören lassen. Ich aber hatte mit
10 allerlei Zukunftsmöglichkeiten gespielt, die nun freilich alle
vernichtet waren. Und das alles, weil ein Stückchen Pappe nicht
die erforderliche rote Farbe hatte.

* * *

Er schwieg — und in der tiefen Stille der Nacht hörte man
das Anschlagen der Wellen an den flachen Strand, wie ein
15 sanftes Atmen des Meeres. Das Mädchen war hinter uns in
das Atelier getreten, und in der Dunkelheit, die sich über Wasser
und Land gelegt hatte, machte sie drinnen Licht.

Von dem plötzlichen Scheine gestört, wandte ich mich um.
Man konnte in das Atelier tief hineinsehen, und das volle Licht
20 der Lampe fiel auf ein großes Porträt, das den ganzen Raum
beherrschte.

Es war ihr Bild. Ich hatte gleich auf sie geraten.

Um die Lippen hatte sie einen hochmütigen Zug, den ich nie
an ihr gesehen hatte. Die Oberlippe war geschürzt, wie in
25 Verachtung. Das hatte ich nie an ihr gemerkt.

Das war das einzig Fremde daran. Ich wußte, daß er sie
nie gemalt, daß sie ihm nie gesessen hatte. Dieses Bild war ganz

aus der Erinnerung gemalt. Aber so lebendig und überzeugend
es wirkte, der Zug der Verachtung war fremd.

Er hatte sich umgekehrt und starrte gleich mir das Bild an.

Dann stand er auf, fuhr sich mit der Hand über die Augen
und trat in die Dunkelheit hinaus — auf den Dünenhügel, von   5
dem aus man das ganze Meer überschauen konnte, das schweigend
unter dem Sternenhimmel lag, der sich über uns wölbte. Ich
rührte mich nicht, sah ihn im Mondlichte langsam auf und ab
gehen, wie verträumt.

Nach einer Weile kehrte er zurück und sagte: 10

— Es wird kühl. Wir wollen hineingehen!

Er trat in das Atelier, während ich ihm langsam folgte und
gar nicht tat, als ob ich es bemerkte, wie er wortlos ein dunkles
Tuch nahm und es über das Bild warf, das nun wie ein düsterer
Trauerfleck unter all den leuchtenden Dünenlandschaften wirkte, 15
die so beredtes Zeugnis von seiner Kunst und der Feinheit seiner
Empfindung ablegten — einer Empfindlichkeit, die ihn vielleicht
um sein Lebensglück gebracht hatte.

Der Ärger des Herrn Tobias Stöckl

Von Alice Berend

Man muß leben, während man
lebt. Das ist nicht so einfach wie
es klingt. Herr Privatier Tobias
Stöckl hatte Pech in dieser Bezie=
5 hung. Seine Zinsjahre fielen in
eine Zeit, durch die ein großer
Wind blies. Wenig blieb am alten
Platz. Vieles wurde anders. Mancher
war damit zufrieden. Tobias Stöckl
10 sagte nur, er glaube, daß es lange
dauern werde, bis man auch diese Zeit die gute alte nennen werde.

Tobias Stöckl hatte gespart. Immer. An allem. An
Vergnügungen, an Zärtlichkeit, an Kleidern und an Mahlzeiten.
Nur nicht an Arbeit. Er war kein Ehemann geworden, um sich
15 das Leben nicht unnütz zu erschweren. Er hatte zu bemerken
geglaubt, daß es im Familienleben nur friedlich zuging, wenn
Besuch anwesend. Er blieb Besuch.

Zum Glück besaß Herr Tobias Stöckl kein Geld mehr. Er
hatte es in ein Mietshaus umgewandelt. Kurz bevor die Welt
20 auf den Kopf gestellt wurde. Dicht neben einem Stadtbahnhof,
wo Eile, Geschwindigkeit, Fleiß und Gewinnsucht im Groß=
stadttempo ein und aus jagten, besaß er ein Stück dieser Großstadt.
Es war dies ein Wunsch gewesen, solange Herr Tobias Stöckl

220

zurückdenken konnte. Eingenistet seit der ersten Ohrfeige des
Hauswirts Lehmann, als man fünfjährig Treppenstufen mit
Kirschkernen zu verzieren versuchte. Ein Erlebnis, dem ähnliche
gefolgt. Nicht immer so handgreifliche. Jedoch in jedem
Lebensalter.

Tobias Stöckl hatte Hausbesitzer werden müssen. Er wollte
endlich selbst schikanieren können. Er wollte es sein, der be=
stimmen konnte, wie lange der Herr Staatsanwalt Kunze im
ersten Stock duschen dürfe. Dauerte es ihm zu lange, stellte
er die Wasserleitung ab. Grüßte ihn die Frau Regierungsrat
nicht höflich genug, bestellte er den Kaminkehrer für ihre Küche,
sobald er bemerkte, daß sie dort weiße Wäsche aufgehangen.
Weil sie sich schämte, die geflickten Lappen auf dem allgemeinen
Trockenboden an den Pranger zu stellen. Knickste die Frau
Postsekretär beinahe vor ihm, weil sie die Miete des vorigen
Monats noch schuldete, nahm er nicht den Hut ab, sondern legte
flüchtig zwei Finger gegen die rechte Schläfe. Wie es früher die
Könige getan, wenn sie im Wagen durch die Menge fuhren.

Ein Hauswirt war auch ein Herrscher. Nur gewann er mehr
Einblick ins Menschenleben als ein gekrönter.

Aber Einblick hilft nicht weiter als Unwissenheit, wenn die
Welt auf dem Kopf steht. Herr Tobias Stöckl mußte einsehen,
daß man niemand ärgern könne, der sich nicht ärgern lassen will.
Die Leute von heute ließen sich nicht mehr ärgern. Nur er,
der noch aus der guten alten Zeit stammte, konnte diese Eigen=
schaft nicht loswerden.

Im vierten Stock die Zimmermannsfamilie schuldete die
Miete fast ein Jahr. Ging Herr Stöckl mahnen, sangen der
Mann und zwei erwachsene Söhne im Chor, daß die Arbeit

kein Frosch sei, die davonhüpfe. Sie hätten also keine Eile
damit. Sie waren in Hemdsärmeln. Womit Herr Tobias
Stöckl Gelegenheit gegeben, die Muskulatur ihrer Arme zu
bemerken. Allzu gewaltsam wünschte er hier nicht vorzugehen.

5   Kündigen aber durfte man jetzt niemand. Herr Tobias
Stöckl erkundigte sich, warum man plötzlich nur Schikanen
gegen den Hausbesitzer dulde, ohne daß diesem Recht gegeben,
mit gleichen Waffen zu kämpfen. Er bekam den behördlichen
Bescheid, daß man sich solche Witze verbäte. Ein kleiner Unter=
10 schied zwischen einer Behörde und einem Lustspielhaus sei auf=
rechtzuerhalten.

Man konnte sich überhaupt mit niemand mehr aussprechen.
Jeder war anderer Meinung. Jeder wollte voraus wissen, was
kommen werde. Alles prophezeite, anstatt sich an Tatsachen zu
15 halten.

Nur in Briefen konnte sich Herr Tobias Stöckl manchmal
entladen, seinem Freund Wilhelm Scharrelmann gegenüber.
Wilhelm war sein einziger Freund gewesen. Und geblieben.
Sie hatten sich zwanzig Jahre nicht mehr gesprochen. Anderer
20 Meinung waren sie von jeher gewesen. Noch als sie Seite
an Seite Baumwollstoffe importierten, sortierten, notierten.
Scharrelmann hatte schon damals die Großstadt stets mit
einem Misthaufen verglichen.

Er sprach immer nur von grünen Bäumen und Waldesduft.
25 Er sparte für ein kleines Landgut. Für Tobias waren grüne
Bäume fest verbunden mit Maikäfern, Ameisen, eventuell so=
gar mit Wespen und Stechmücken. Er war kein Freund von
Insekten. Er hatte nicht einmal als Junge Schmetterlinge
gejagt. Er war den Straßenbahnbilletten nachgesprungen, die

der Wind an den Haltestellen herumwirbelte. Zu Tausenden
gesammelt, brachten sie auch eine winzige Summe ein. Früh
übt sich, wer ein Meister werden will.

Wilhelms Lebensanschauung war kostspieliger. Er benutzte
jeden Urlaub zu einer kleinen Reise aufs Land. Er kannte eine 5
Sommerfrische, die in keinem Reisebuch stand. Aber Tannen=
wald besaß, eine kleine Anhöhe mit dem Blick über ein erdenes
Schachbrett grüner und gelber Felder, und zwischen allem ein
Bach, an dem es sich angeln ließ. Manchmal sogar nicht ohne
Erfolg.   10

Wo man sich wohl fühlt, geht einem das Herz auf. In
Wilhelms der Freude geöffnetes Herz schlüpfte die Landwirts=
tochter Marie. Blond wie Weizen, schien sie selbst ein blühendes
Land zu sein. Sie hätte es eigentlich nicht nötig gehabt, auf
einen Mann zu warten, der von weither angereist kommen mußte. 15
Man wußte auch an Ort und Stelle, daß sie ein hübsches
Mädchen war und doch zu arbeiten verstand, wie der derbste
Knecht. Zudem auf eigenem Grund und Boden. Wo nur noch
eine alte Mutter auf der Sonnenbank saß. Aber den Mädchen
gefällt das, was sie nicht alle Tage haben können, am besten.   20

Marie meinte, ein Städter könne immer noch leichter ein
Bauer werden, als umgekehrt. Es zeigte sich, daß sie recht
hatte. Niemand sah heute Wilhelm Scharrelmann mehr an,
daß er einmal Baumwollstoffe sortiert hatte. Fachmann da=
rin gewesen, Manchestergewebe von sächsischer Ware auf den 25
ersten Blick unterscheiden zu können. Seine ganze geschäftliche
Gewiegtheit war in die Landwirtschaft gesprungen. Das kleine
Landgut wuchs, ordnungsgemäß mit Zahl und Ansprüchen
der Familienmitglieder. Mit der Stadt verband Wilhelm

nur noch Tobias Stöckl, der für die ganze Familie Scharrelmann die Großstadt repräsentierte. Was er schrieb, wurde nach Feierabend vorgelesen. Sobald eines der Kinder sprechen konnte, redete es von dem Onkel Tobias in der großen Stadt.

5 Die Photographie von Herrn Tobias' Haus hing eingerahmt in der Wohnstube. Mit seinen zahllosen Fenstern und seinen vielen, blumengeschmückten Balkonen. Frau Marie bewunderte es sehr. Nur darin wohnen hätte sie nicht mögen. Sie hätte dann nie gewußt, aus welchem der vielen Fenster sie des Morgens 10 zuerst den Kopf hätte hinausstecken sollen, wenn der Hahn gekräht. Wilhelm lachte. In der Großstadt wären die Fabrikschornsteine die Hähne, und aus dem Fenster stecke niemand seinen Kopf in die frische Luft, weil keine frische Luft da wäre.

Früher hatte Wilhelm Herrn Tobias jedes Jahr eingeladen. 15 Seit dieser Hausbesitzer, meinte er, eine solche Einladung nicht mehr anbringen zu können. Ganz abgesehen davon, daß man auch keinen Platz mehr für einen Gast gehabt. Eine Familie läßt sich jederzeit vergrößern, ein Haus nicht.

Aber gerade jetzt bekam Herr Tobias Stöckl Verlangen 20 danach, seinen alten Freund endlich einmal zu besuchen. Wozu war Freundschaft sonst da?

Herr Tobias Stöckl mußte zur Abreise sehr früh aufstehen. Die Fahrt war nicht unangenehm. Bei jeder Ortschaft, wo der Zug hielt, freute sich Herr Tobias Stöckl, daß er hier nicht zu 25 wohnen brauchte. Es sah überall ungeheuer langweilig aus. Aus allen Fenstern blickten stets alte und junge Köpfe dem forteilenden Zuge nach. Herr Tobias Stöckl konnte es keinem von ihnen verdenken. Er hätte es wahrscheinlich auch nicht anders getan.

Mitgefühl wärmt. Recht wohlgemut gelangte Herr Tobias
ans Ziel. Am Bahnhof wies man ihm gern den Weg zu Schar=
relmanns Gütchen. Doch machte man ihn darauf aufmerksam,
daß dort nicht vermietet würde. Er lächelte und gab sich stolz
als Freund zu erkennen.   5

Auch der Weg durch die Felder erweckte angenehme Emp=
findungen in Tobias. Er sagte sich, es hätte auch sein können,
daß er ihn mittags hätte gehen müssen. Ohne Schatten weit
und breit. Jetzt ging es dem Abend zu. Der rötliche Glanz
auf allem sah recht nett aus. Auch konnte die Landstraße, 10
was den Staub betraf, mit jeder Straße der Großstadt wett=
eifern. Nur, daß ihn dort Sprengwagen, Wasser spritzend,
beseitigten.

Rock und Stiefel weißgepudert, stand Herr Tobias Stöckl
schließlich vor Scharrelmanns Gehöft. Das erste, was er be= 15
merkte, war ein großer Misthaufen. An dem er jedoch vorüber
mußte, wollte er den Hauseingang gewinnen. Es gelang ihm.
Als er jedoch versuchte, die feuchte Stelle um den Brunnen
herum auf Zehenspitzen zu durchqueren, öffneten sich vor ihm
die Stalltüren. Er sah sich plötzlich inmitten einer Kuhherde. 20
Besonders eine Kuh, braun wie Kaffee, schien es auf ihn per=
sönlich abgesehen zu haben. Mit gesenkten Hörnern, schien sie
zu überlegen, wo bei diesem Herrn die Eingeweide sitzen mochten.
Eine Frau und ein Mädchen übersahen das vollkommen. Sie
starrten nur auf Herrn Tobias Stöckl.   25

„Rufen Sie doch die wildgewordene Bestie,“ schrie Herr To=
bias Stöckl.

Die Weiblichkeiten lächelten. Die Ältere sagte: „Sie scherzt
ja nur.“

„Nette Scherze," schnauzte Herr Tobias Stöckl. In jenem
Ton, den er sich für seinen Hausbesitzerstand zeitlebens auf=
gespart. Und noch nicht hatte anwenden können. Er lockte
damit einen Mann aus der Stalltür. Mistbespritzt bis zu
5 den Hüften, eine Riesengabel in den Händen, fragte er, wer
sich hier auf seinem Hof zu lärmen erlaube. Hier würde nichts
vermietet. Butter gäbe es nicht. Eier wären auch nicht vor=
handen. Also rechtsum kehrt!

Einige Knaben, die plötzlich da waren, formten aus einer
10 dunkelfeuchten Masse Wurfgeschosse.

Jedoch ehe sie abgeschossen worden, erkannte man sich ge=
genseitig. Herr Tobias Stöckl hatte seinen einzigen Freund
vor sich. Und Wilhelm Scharrelmann ging es nicht anders.
Er stellte dem Großstädter die übrigen Anwesenden vor. Es
15 war alles seine Familie.

Tobias erfuhr, daß er zu recht ungünstiger Stunde gekommen.
Man hatte gerade gemolken, die Ställe müßten gereinigt werden,
und anderes mehr war zu tun. Beim Bauer hat jede Stunde
ihre bestimmte Pflicht.

20 Frau Scharrelmann, sich entschuldigend über die Art ihres
Gewandes, zur Arbeit aber notwendig, reichte dem Gast wenig=
stens ein Glas frischer Milch zum Willkomm.

„Schon gekocht?" fragte Herr Tobias Stöckl und wollte ein
Großstadtkompliment hinzufügen.

25 Aber die ganze Familie sagte stolz: „Frisch gemolken."

Herrn Tobias Stöckl wurde es sauer im Mund. Das sollte
er trinken? Was eines dieser kotbespritzten Tiere eben noch da
unten in seinem Pompadour gehabt?

Die ganze Familie starrte auf ihn.

Herr Tobias Stöckl sagte sich: Du willst bei diesen Leuten wohnen. Und sei es auch nur für eine Nacht. Du darfst sie nicht kränken. Er schloß die Augen und trank.

Alle hatten ihm zugesehen.

„Das bekommst du nicht in der Stadt," sagte Wilhelm 5 feierlich.

Aber nun mußte man wieder an die Arbeit. Gesinde hatte man nicht. Die Familie bestellte alles selber. Daher ihr Wohlergehen. Es konnte daher niemand Herrn Stöckl zum Gasthaus begleiten. Aber er würde es schon finden. Dicht 10 am Bahnhof. Den gleichen Weg zurück. „Zur grünen Tanne." Hier im Haus hatte man leider nicht Platz. Die einzige kleine Kammer, die bis vor kurzem noch vielleicht als Gaststube brauchbar gewesen, wäre nun Kaninchenstall geworden. Nach Feierabend jedoch würde Wilhelm ins Gasthaus kommen, um 15 mit seinem besten Freund ein Seidel zu trinken.

Herr Tobias Stöckl ging zurück. In der „Grünen Tanne" hatte man ihn schon erwartet. Er wunderte sich. Er hatte nicht telegraphiert. Man lächelte. Man hatte schon das beste Zimmer für ihn gelüftet. Es kostete Großstadtpreis. Daher 20 wurde es fast nie bewohnt. Es roch darin wie in Herrn Tobias Stöckls Kartoffelkeller. Der Wirt lobte die Waldesruhe und die Landluft.

Auch hier schaffte alles die Familie selbst. Mama kochte, Papa schenkte Bier aus, die Tochter servierte. Also nicht einmal 25 ein Kellner, bei dem man sich beschweren konnte.

Nach Feierabend kam Wilhelm. Er trug einen handgewebten Anzug, dem man ansah, daß er nur viermal im Monat, stun= denweise, getragen wurde. Lebhaft wurde die Unterhaltung

nicht. Obwohl man sich nachrechnete, daß man sich den Inhalt
von mehr als zwanzig Jahren hätte erzählen können.

Wilhelm sagte jedoch nur manchmal: „Ja, ja, so!" Manch=
mal allerdings auch: „So, so, ja!" Er war es nicht mehr ge=
5 wöhnt, sich zu unterhalten, außer mit Haustieren. Um neun
Uhr gähnte er häufig und erhob sich. Herr Tobias Stöckl zog
erstaunt die Uhr. Er sagte: „Bei uns fangen jetzt die Theater
an, respektive die Gartenkonzerte."

Wilhelm sagte, daß bei ihm Theater und Gartenkonzerte
10 bei Sonnenaufgang begönnen. Es war nur ein klein wenig
Gereiztheit in seiner Stimme.

Herr Tobias Stöckl blieb allein bei seiner Zigarre. Er be=
griff schließlich, daß man nicht seinetwegen Licht und Nachtruhe
länger zu opfern gewillt war. Er begab sich in sein Prunkzimmer.
15 Die Kartoffelkellerluft hatte sich etwas verflüchtigt. Draußen
zirpten Grillen. Man sah Sterne.

Was Herr Tobias Stöckl sonst zu sehen gewohnt, waren die
Signallampen der Stadtbahn, wenn er abends hinaussah. Er
fand dies hier ganz nett. Aber nach einiger Überlegung fragte
20 er sich, warum Signallampen als weniger poetisch galten als
Sterne. Der einzige Unterschied war, daß die Signallampen
auch bei bewölktem Himmel leuchteten. Er sah darin nichts
Verwerfliches.

Der andere Tag war ein Sonntag. Scharrelmann hatte
25 sich darüber gefreut. So hatte man ein wenig Zeit für den
besten Freund. Montag begann die Heuernte, und dann war
nicht mehr viel anderes zu wollen für die nächste Zeit.

Vormittags gingen Scharrelmanns in die Kirche.

Herr Tobias Stöckl hatte sich auf eine schattige Waldbank

gesetzt. Er hörte die Glocken läuten: hübsch, friedlich, feierlich. Schließlich könnte er auch in die Kirche gehen, anstatt die zwei Stunden hier zu verwarten.

Angenehm kühl war es in der Kirche. Tobias Stöckl bemerkte die Familie Scharrelmann. Sonntagsgeputzt. Starr und steif, wie die großen Bandschleifen auf den Kopfbedeckungen der weiblichen Mitglieder.

Der Pfarrer sprach. Heftig warnte er vor den Stadtleuten, die mit ihren feisten Wänsten herkämen, um Eitelkeit, Oberflächlichkeit, Genußsucht und Trägheit zu säen.

Als der Gottesdienst zu Ende, fühlte sich Herr Tobias Stöckl in dem gleichen Zustand wie nach einem Dampfbad.

Draußen traf er mit Scharrelmanns zusammen. Sie äußerten sich mit keinem Wort über die Predigt. Tobias, der sie in der Kirche unruhig beobachtet hatte, hatte nicht feststellen können, ob sie schliefen oder nur aus Andacht die Augen geschlossen hatten, wie viele andere.

In Scharrelmanns Wohnstube gab es bald ein gutes Essen. Am Sonntag aß man um elf Uhr. Die Speisen standen schon fertig in der Röhre. Man aß von Tellern. Während man sonst gemeinsam aus einer Schüssel löffelte oder gabelte. Selten ahnt ein Gast alle die Umstände, die er verursacht.

Nach Tisch ging die Frau wieder in die Kirche. Zur Zeit der Ernte konnte man Gebet gebrauchen.

Wilhelm begann die Sensen zu schleifen, ein gräßliches Geräusch. Außerdem hatte man das Gefühl, daß das scharfe Ding einem jeden Augenblick ins Auge fahren könne. Sogar die halbwüchsigen Burschen hantierten schon mit solchen Instrumenten in nächster Nähe des einzigen Freundes ihres Vaters.

Herr Tobias Stöckl unternahm einen kleinen Spaziergang. Niemand wendete etwas dagegen ein.

Als Herr Tobias Stöckl nach zwei Stunden zurückkehrte, hatte er alle Sehenswürdigkeiten des Ortes erledigt. Er hatte den
5 Blick vom Hügel genossen. Dann hatte er die Quelle gesehen. Sie rieselte sacht, so wie wenn sich in der Großstadt alle Mieter beschweren, weil die Badewannen nicht voll werden wollen. Dann hatte er den Gedenkstein entziffert, wo vor hundertfünfundzwanzig Jahren ein unglücklicher Mann unter die Räder des eignen
10 Wagens gekommen. Dies hatte Tobias am meisten interessiert. Es zeugte für die Bekömmlichkeit des Orts. Unglücksfälle schienen selten zu sein. Er dachte an den Großstadtverkehr.

Bei Scharrelmanns gab es nun Kaffee mit reichlich Rahm. In der Laube, die Herr Tobias Stöckl von der Abbildung her
15 kannte. Es war ein Gesumm herum wie in einem Bienenstock. Immer wieder mußte Herrn Tobias Stöckl versichert werden, daß weder Bienen noch Wespen in diesem eifrigen Sommerchor.

Nach dem Kaffee wurde die Familie Scharrelmann auffällig unruhig. Herr Tobias Stöckl fragte, ob in den Ställen ein
20 Malheur passiert. Seit er die Hörner und die gewaltige Klumpigkeit dieser Tiere in der Nähe gesehen, wunderte er sich, daß nicht jeden Tag ein Unglück geschah.

Tobias Stöckl wollte natürlich seinem einzigen Freund keinen Schaden bringen. Er bat, sich nicht stören zu lassen. Man
25 schlug vor, daß sich Herr Tobias Stöckl in die Wiese legen solle, wo man mähte. Er dachte es sich jedoch nicht angenehm, ausgestreckt zwischen sausenden Mordinstrumenten zu liegen.

Er setzte sich in den Garten und dachte dieses und jenes. Er sah auf die Uhr, es war immer noch Nachmittag. Als er auf=

blickte, sah er, daß sich an dem grünen Lattenzaun die ganze
Dorfjugend die Nasen plattdrückte, um ihn anzustarren. Als
wäre er ein Orang=Utang in einem zoologischen Garten.

Er ging in sein Zimmer. Das kannte er nun. Er sah
hinaus in die grünen Bäume. So etwas kannte er schon früher. 5

Am Abend kam Wilhelm, höflich sein Seidel mit dem einzigen
Freunde zu leeren. Er war sehr sonnverbrannt und sagte noch
einige Male weniger: „Ja, ja, so!“

Tobias Stöckl gähnte heute jedoch noch früher als sein bester
Freund. Das In=die=grünen=Bäume=Gucken machte merk= 10
würdig müde.

Am nächsten Mittag kam plötzlich hinter der Tannenwand ein
Gewitter hervor. Herr Tobias Stöckl hatte erst gedacht, es
wäre ein Auto. Er sehnte sich nach etwas, das Lärm machte und
sich schnell, eilig, unruhig bewegte. Blitz, Hagel, Donner wettei= 15
ferten miteinander. Der Wirt bejammerte die Ernte. Sobald
sich das Wetter verzogen, begab sich Herr Tobias Stöckl zu
seinem besten Freund. Jetzt konnte dieser wohl einen Freund
brauchen. Tobias war zu vielen tröstlichen Worten bereit.

Die Landstraße war nicht mehr staubig; sie stand unter 20
Wasser. Herr Tobias begriff jetzt, warum Großstadtstraßen
gepflastert waren.

Auch in seinem besten Freund kann man sich täuschen. Herr
Tobias Stöckl hatte geglaubt, die ganze Familie in tiefster
Zerknirschung zu finden; denn heute nachmittag hätte die Ernte 25
trocken hereingebracht werden sollen. Aber man war ganz ruhig.
Man hatte nun doppelte Arbeit, neues Breiten, neues Wenden,
wenn die Sonne wiedergekommen.

„Ärgerst du dich nicht fürchterlich?“ forschte Tobias.

„Das hätte keinen Zweck," sagte Wilhelm Scharrelmann. Und fügte hinzu, daß es selten so gehe, wie man möchte.

Tobias wollte etwas sagen, aber er schloß den Mund wieder. Er hatte sagen wollen, es müsse verdammt langweilig sein, sich nicht mehr ärgern zu können.

Er stand auf und ging im Zimmer herum. Ein Bild glitt in seinen Blick. Sein Haus, sein eigenes Stück Großstadt, mit seinen vielen Fenstern, seinen pelagoniengeschmückten Balkonen bis unters Dach, seinen erquickenden Badestuben, seiner ganzen Reinlichkeit und Ordnung nach polizeilicher Vorschrift. Er hörte ordentlich Räderrollen, Summen, Surren, Leben, Lärm, während er es betrachtete. Er wurde gerührt, wie sonst nur bei Bildern aus seiner Kindheit.

Sehnsucht packte ihn. Dies unangenehme Gefühl, das er zeitlebens beiseitezuschieben gesucht.

Sie hielt an, genau wie das Regenwetter. Tobias fragte Wilhelm, ob er sich nicht langweile, so bei Regenwetter auf dem Land, ob er noch Pikett spielen könne. Dieser sah erstaunt hoch. Er weißte in diesen Tagen Stallwände gegen Fliegenplage, kalkte die Schweinetröge, teerte die Räder des Heuwagens, besserte die Scheunendielen aus.

Tobias fragte, ob ihm dies alles Vergnügen mache.

Nach einiger Überlegung antwortete Scharrelmann, daß er dies nicht wisse, jedenfalls wäre es nötig.

Herr Tobias Stöckl fühlte Reißen in der großen Zeh'. Bei dem Herumstehen in der Feuchtigkeit.

Er fragte, ob sich Wilhelm über gar nichts mehr ärgere und aufrege.

„Ich brauche es nicht mehr. Es kommt auch ohnedies alles

zurecht," sagte Wilhelm in der langsamen, ruhigen Weise, in der er alles sprach.

Am Abend war Tobias Stöckl abgereist, obgleich der Nachbar mit der Wetternase gutes Wetter prophezeit.

Die kurze Reise hatte ihm außerordentlich gut getan. Er 5 ärgerte sich zwar schon eine Stunde nach seiner Ankunft, er ärgerte sich täglich, aber es bekam ihm gut. Er sagte sich dabei, Ärger ist die Seele der Großstadt.

Wächter-Legende

Von Franz Adam Beyerlein

Zu der Zeit des Interregnums lebte
in Goslar am Harze ein redlicher
Mann namens Kunrad. Er versah
in dieser guten Stadt das Amt des
5 Wächters, dergestalt, daß er allnächt=
lich vom Complet bis zur Frühmette
die Plätze, Straßen und Gäßlein
beging, ob etwa in einem Winkel ein
Spitzbube zu lichtscheuem Vorhaben
10 sich berge oder gar eine Feuersbrunst
irgendwo, vielleicht beim Bäck oder Leimsieder, im stillen glimme.

Ausgerüstet war er gegen das Diebsgesindel mit einer Helle=
barde und einem Weidmesser, das er an der Hüfte trug; vor
der Brust aber hing ihm an einem ledernen Riemen ein Horn,
15 in welches er bei Feuergefahr mit aller Macht seines Odems
stieß. Blies er jedoch sänftlich hinein, so geschah dies zum
Zeichen, daß die Stadt trotz Nacht und Finsternis wohlbehütet
sei, und die Bürger dehnten sich, insoweit sie den zarten Ton
überhaupt vernahmen, sogleich um so wohliger und zu um so
20 ruhigerem Schlafe in den Betten.

Dieser Kunrad hatte vordem das Kreuz genommen gehabt
und war mit weiland Kaiser Friederich dem Andern ins Heilige
Land gegen die Ungläubigen gezogen. Er hatte mit abertausend

234

Rittern und Knappen „Heilo" gerufen, als der erlauchte Herrscher
sich die Krone des Königs von Jerusalem aufs Haupt setzte,
und war in der Kirche des allerheiligsten Grabes zu Gebet und
Andacht ein und aus gegangen wie ein Goslarer Kind im Dom
oder in der Kirche auf dem Frankenberg.   Nach mehr denn 5
zwanzig Jahren und manchem Abenteuer hatte er sich dann
wieder heimwärts gewandt.   Daß er aber den Krummsäbeln
der Seldschuken und den Enterbeilen der Seeräuber, dem Fieber
von Edessa und der Pest von Akkon heil entronnen war, schrieb
er der Macht des heiligen Erzengels Michael zu, den er sich 10
zum Schutzpatron erkoren hatte, als er der Heimat Valet sagte.

Mehr freilich hatte auch er nicht vermocht, und arm, wie er
ausgeflogen, kehrte Kunrad zum Neste zurück.   Als einziges
dürftiges Denkmal des Kreuzzuges hatte er ein seltsames Gefäß
gerettet, das wie eine bauchige Flasche aussah.   Die Wände 15
waren gleichsam von leichtem dünnem Holz und ließen durchaus
keine Feuchtigkeit durch; verschlossen war es mit einem Pfropfen
aus altem Wollzeug.

Die Kalebasse — wie Kunrad das Behältnis nannte, — war
neben Hellebarde, Weidmesser und Horn das letzte Stück seiner 20
Wächterausrüstung, und er mochte sie um so weniger missen,
als er darin für die Zeit der kalten, regnerischen und stürmischen
Nächte einen wärmenden Labetrunk mitzuführen pflegte.   Als
solchen verwandte er den schönen kräftigen Branntwein, den die
Goslarer Brenner aus Korn und Gerste vortrefflich herzustellen 25
wußten.   Von diesem Getränk, dessen Geruch schon einem Frieren-
den wohltat wie ein warmer Kachelofen, kaufte er eine große
Steinkruke ein und goß es alsdann nach dem täglichen Bedarf
in die Kalebasse um.   Wie er es nun in den Wüsten des Morgen-

landes trotz Hunger und Durst allzeit gehalten hatte, daß er
nämlich auch vom letzten Bissen Brot eine Krume und von der
kargsten Handvoll trüben Pfützenwassers ein paar Tropfen für
den heiligen Michael hingab, zum Dank für die genossenen
Gnaden und zur Fürbitte für die Zukunft, so hielt er es auch
in der Heimat.

Vom Brot und Kraut des Werktags, vom Fisch der Fasten
und vom Fleisch der drei hochheiligen Feste legte er stets ein
Stücklein vors Fenster, sei es, daß ein Bettler es fand oder
Sperling, Taube oder Hund es erschnappten. Den Anteil vom
Branntwein aber brachte er dem Erzengel unmittelbar dar, der
in Stein ausgehauen in einer seitlichen Nische links vom Mittags=
portal des Domes den Drachen erstach. Jeweils beim Rundgang
nahm er angesichts des Bildes aus der Kalebasse einen dankbar=
andächtigen Schluck, hob danach das Gefäß und befeuchtete den
Felsen, auf dem das Roß des reisigen Heiligen sich bäumte, mit
einigem Naß wie einen Altar.

Da nun sogleich hinter dem Schweif des steinernen Pferdes
die Dombauhütte vorsprang, ergab sich halb überdeckt von dem
Balkendach der Hütte, halb vom Bildwerk des Drachentöters
ein artiges Unterschlüpfchen, in dem sich ein besonders wütender
Regenguß oder ein besonders eisiges Schnee= oder Hagelwetter
leidlich trocken abwarten ließ. Ein von den Bauknechten ver=
worfener Block fristete darin ein unfruchtbares Dasein und lud
deutlich zum Niedersitzen ein.

Lange widerstand Kunrad der Verlockung. Schließlich aber
kauerte er sich einmal versuchsweise auf dem äußersten Rand
des Blockes nieder, um ein wenig zu verschnaufen, und wie denn
die Sünde um sich frißt wie eine Motte im Pelz, so wurde ihm,

genährt aus dem weiten Bauche der Kalebasse, ganz allmählich
ein immer längeres Schläfchen in dem windstillen Winkel zur
immer süßeren Gewohnheit. Gar nun in den wilden Wetter=
nächten, in denen man sich nicht einmal einen Dieb hinauszujagen
getraute, nur einen armen Wächter, und in denen die Leute ganz   5
selbstverständlich die glimmende Glut auf dem Herd abends vor
dem Zubettgehen ausgossen, schaute er kaum noch einmal um
die Ecke, — bis der Tag zu grauen anfing und ihn weckte.

Niemals aber versäumte er, dem heiligen Michael aus der
Kalebasse mitzuteilen, indem er dabei mit einem dreistschlauen   10
Zutrauen betete: „O heiliger Michael, wach' für mich!", und
wenn er auch — leider muß es gesagt werden — den Anteil des
Erzengels immer kleiner bemaß, einen Schluck, ein Schlückchen,
ein paar Tropfen behielt er doch immer noch übrig, um dem
Patron ein Opfer darzubieten.   15

Die Goslarer Bürger ahnten nicht, wie übel behütet sie
schliefen, eben weil sie — das Zeichen eines guten, frommen
Gewissens — schliefen. Dagegen erhub sich im gebenedeiten
Erzengel Michael gemach ein heiliger Zorn. Es kümmerte
ihn gar nicht, daß sein Zehnte an Branntwein immer geringer   20
ausfiel, denn auf seiner Tafel duftete der süße Wein aus den
himmlischen Weinbergen. Aber Kunrads Pflichtvergessenheit
wurmte den edlen Ritter aufs heftigste. Es war auch der Tag
an den Fingern abzuzählen, an dem Kunrad seine Kalebasse
ganz allein leeren und für den Patron gar nichts, nicht den   25
ärmsten Tropfen mehr übriglassen würde.

Zu dieser Zeit begab es sich, daß der schwarze Hannes von
Ilfeld, ein großer Räuber und Wegelagerer aus den Harzbergen,
sich in der Verkappung eines Roßkamms in die Stadt einschlich.

Er hatte es auf die Geldtruhe des reichen Schöffen Dütemeyer
abgesehen. Als er bei Anbruch der Nacht aus dem warmen
Stall seiner Herberge auf die Gasse schlüpfte, warf ihn der
Sturm fast zu Boden. Eisiger Regen peitschte sein Gesicht, und
es heulte und pfiff schaurig um Giebel und Firste. Aber der
Räuber lachte wild in sich hinein; das Unwetter kam ihm just
gelegen.

Auch den Wächter Kunrad wehte die Gewalt des Winds
zurück, als er zu seiner nächtlichen Runde aufbrach. Da schritt
er noch einmal zur Branntweinkrufe und nahm einen mäßig
großen Becher als Herzstärkung zu sich. Dann verließ er
scheltend sein warmes Stübchen und trottete auf einem an=
ständigen Umwege zum Dom. Sein Zufluchtswinkel unter dem
Drachentöter war trocken geblieben, denn der Sturm blies aus
Nordwesten. Knurrend hockte er sich nieder, die Kalebasse hielt
er auf den Knien. An diesem Abend warnte ihn eine heimliche
Bangigkeit immer wieder, sich mit ihrem starken feurigen Inhalt
einzulassen, aber in unchristlichem Trotz scheuchte er die Bedenken
zurück und sog um so hastiger an dem Gefäß, je lauter die innere
Stimme ihm zurief: „Halt ein! Halt ein!"

Zuletzt aber schrak er doch zusammen; denn er hatte ganz
und gar verabsäumt, dem heiligen Michael das Seine zu geben.
Geschwind hob er sich in das Wüten des Sturmes empor, kehrte
die Kalebasse um, drückte sie sogar mit beiden Händen (als wenn
je dabei etwas hätte herauskommen können!) — und siehe da:
wirklich floß noch ein kleines dünnes Tröpflein auf den Stein.
Dann fiel er zurück auf den Block und sank in einen tiefen Schlaf.

Droben aber im Himmel atmete der Erzengel gleichsam erlöst
auf. Denn es war hohe Zeit. Schon klomm der schwarze

Hannes zum Fenster des Schöffen Dütemeyer empor, und in wenigen Augenblicken wäre es um das Leben des wackeren Mannes, eines Wohltäters der Armen, geschehen gewesen. Kunrad war derzeit auch von dem Donner des jüngsten Gerichts nicht zu erwecken, das wußte der Drachentöter. Daher nahm er 5 flugs die Gestalt des Wächters an und sein Gewaffen zur Hand, während die schlummernde Seele Kunrads in einem rosigen Branntweinwölkchen schwebend in der Domnische zurückblieb.

Der Erzengel piekte den diebischen Klettervogel heftig mit der Hellebarde in die Kehrseite, und als Hannes sich grimmig zur 10 Wehr setzte, rannte er ihm das Weidmesser durch die Brust, so daß der schlimme Mann alsbald seinen schwarzen Geist aufgab und also den seines Lasterlebens würdigen Lohn erntete. Darnach gab der Gebenedeite der in ihrem Räuschlein glücklichen Seele des Kunrad den irdischen Leib zurück, schwang sich auf sein Roß 15 und ritt wieder als General an der Spitze der himmlischen Heerscharen.

Kunrad aber tappte im Morgengrauen noch ein wenig duselig aus seiner Ecke los. An Dütemeyers Hause stolperte er über etwas, das den Weg sperrte, und schlug im Fallen die Stirn 20 wider den Prellstein an der Wand. Ohne Besinnung blieb er liegen. Als bald darauf der Meßner zur Frühmette nach der Kirche Unserer Lieben Frau eilte, fand er zwei Männer in ihrem Blute. Dem einen von ihnen war die Brust durchbohrt; er rührte und regte sich nicht mehr. An den Schlüsseln, mit denen 25 ihn einst der Bremer Scharfrichter auf den Schultern gebrand= markt hatte, erkannte man ihn als den schwarzen Hannes von Ilfeld.

Der andere, der Wächter Kunrad, trug eine Wunde über dem

rechten Auge, aber er atmete noch; Dütemeyer nahm ihn, froh,
seinem Retter eine Guttat erweisen zu können, in sein Haus auf.
Kunrad wachte nun zwar wieder zum Bewußtsein auf, aber er
blickte verstört um sich und schwieg beharrlich, und je lauter die
5 Leute ihn lobten, je herzhafter sie seine Hand drückten, desto
hartnäckiger verschloß er die Lippen.   Er deutete nur auf seine
Stirn und zuckte dazu die Achseln, als wolle er sagen: „Nein auf
gar nichts besinn' ich mich mehr."   Mittags jedoch vermochte
er am Arm der handfesten Magd des Schöffen nach seiner
10 Behausung zu wanken.

In der Einsamkeit seiner Klause begann er emsig nachzudenken.
Aber er zersann sich vergebens den wunden Kopf, bis ihm denn
endlich ein Licht aufging, daß ein himmlisches Wunder ihn vor
Schimpf und Schande bewahrt hatte.   Wer für diesmal den
15 Schild über ihn gehalten hatte, darüber konnte kein Zweifel
sein, und sogleich warf er sich auf die Knie, um dem Erzengel
Michael aus ehrlichem Herzen und aufs innigste zu danken.
Nun war es Kunrad schon vordem beim Wechselgespräch am
Schenktisch auf ein Dutzend erlegter Sarazenen mehr oder we=
20 niger nicht angekommen.

Das Ereignis der verflossenen Nacht dünkte ihn demzufolge
nicht übel geeignet, den gemach etwas zerschlissenen Ruhm seines
Kreuzzuges wieder auszuflicken.   Bevor er jedoch ans Erfinden
sich machte, meinte er seine Phantasie mit einem Becherlein
25 Branntwein anfeuchten zu sollen, auf daß sie recht bildkräftige
Blüten treibe.   Da aber geschah ihm ein zweites Wunder.   In
der Kruke befand sich wohl Branntwein, er sah ihn auch in den
Becher fließen, aber sobald er trinken wollte, war alles Naß
vertrocknet.   Er versuchte es mit der Kalebasse, wähnend, der

Zinnbecher habe ein Loch oder verzehre anderswie die Flüssigkeit,
— auch sie blieb dürr und unergiebig, sobald er sie an die Lippen
führte. Da schauerte und schüttelte es ihn gewaltig, und er
erkannte, daß sozusagen seine Seele am höllischen Feuer sich
schon die Flügel versengt hatte. 5

Er empfand inbrünstige Reue über seine Pflichtvergessenheit,
schlug weinend an seine Brust und stieß die verbundene Stirn
wider die Erde. Sogleich beschloß er, alle Hoffart von sich zu tun
und es bei der Unkenntnis über den Tod des schwarzen Hannes
bewenden zu lassen, und zuletzt gelobte er dem Drachentöter mit 10
tausend teuren Eiden, künftig ein treuer, untadeliger Wächter
zu sein.

Und er hielt das Gelübde. Eine Veränderung freilich voll=
zog sich an ihm; aber die Leute schoben sie auf die Kopfwunde.
War nämlich Kunrad zuvor ein behäbiger Mann von frischer, 15
gesunder Gesichtsfarbe gewesen, hatte zumal seine Nase ein
wenig rötlich geglänzt, so wich jetzt alles Fett von ihm, er wurde
zäh und mager, und Wind und Wetter gerbten seine Haut zu
einem tiefen Braun. Zuweilen schickte er einen kleinen sehn=
süchtigen Seitenblick nach der Nische am Domportal, und oft 20
prüfte er die Kalebasse, die er auch jetzt beständig am Gürtel
trug, erst am rechten und dann noch am linken Ohr, ob es nicht
darin schlappe und gluckse, aber nie ließ er sich wieder auf dem
Steinblock nieder, der darüber allmählich von Moos überwuchert
wurde, und — die Kalebasse an den Mund zu bringen, hätte 25
ja doch keinen Sinn gehabt.

Nach langem, treuem Dienst kam er schließlich im vierten
Jahre des Kaisers Rudolf von Habsburg auf eine rühmliche
Weise ums Leben. Kirchenräuber waren in einer regnerischen

Herbstnacht dabei, durch die Bauhütte in den Dom einzubrechen. Kunrad, bereits ein Greis von siebzig Jahren, ertappte sie und warf sich ihnen furchtlos entgegen. Da es ihrer drei waren, stieß er in sein Horn um Hilfe. Aber ehe die Schläfer in den
5 benachbarten Häusern sich ermuntert hatten, riß ihm einer der Diebsgesellen das Weidmesser von der Hüfte und rannte es ihm tief in die Brust.

Als die Bürger mit Fackeln und Windlichtern herzuliefen, lag der Wächter in den letzten Zügen. Ein Domherr nahm
10 ihm geschwind die Beichte ab und sprach ihn seiner Sünden ledig. Dann trug man den Todwunden sanft in die Ecke unter dem Balkendach der Bauhütte und dem Bildnis des Erzengels Michael; dort war er vor Sturm und Regen geschützt. Nur noch schwach ging sein Odem. Mit einem Male stöhnte er: „Durst! Oh,
15 Durst!" Da entfernte der Domherr den Wollpfropfen von der Kalebasse und führte sie ihm an den Mund. Kunrad lächelte traurig dazu, aber — siehe! — aus der Öffnung der Kalebasse stieg ein Duft, kräftig und herb und doch himmlisch süß zugleich, wie von einem paradiesischen Würzgärtlein, und eine köstliche,
20 goldleuchtende Flüssigkeit floß daraus hervor und letzte die ver= schmachtende Zunge des Wächters. Von dem Trank gewann das schon erblassende Antlitz neue lebendige Farbe, die Augen strahlten in einem hohen, festlichen Glanz, und selbst die Nasen= spitze belebte sich mit einem schüchternen Rot.
25 Nachdem Kunrad aber getrunken hatte, seufzte er noch einmal auf, behaglich und zufrieden, streckte sich lang aus und ging ein zur ewigen Ruhe.

Die Häupter ringsum senkten sich zu einem stillen Gebet für den Sterbenden und ein paar alte Mütterchen schluchzten

leise dazu. Da rief von rückwärts aus der Menge ein vor=
witziges Jüngferchen in das Schweigen hinein: „Mutter,
Mutter! Der steinerne Michel droben grüßt mit der Lanze,
genau wie letzt der Stolberger Graf vor dem Kaiser!"

Aller Augen hoben sich zu dem Bildwerk des Drachentöters, 5
das hell von den Fackeln beschienen war. Aber das Kind
mußte sich wohl im Flackerlicht geirrt haben; der Erzengel
verharrte regungslos.

Der zerbrochene Krug

Von Robert Hohlbaum

Die verschlafenen, laubfroschgrünen
Weimarer Wachsoldaten streckten nur
lässig die Köpfe aus den weiten Män=
teln, mißmutig nahm der Vorwerfer
5 den üblichen Wehrpfennig entgegen,
dann ratterte die Kalesche über die
Kegelbrücke, durch das Tor, in die
Stadt. Mühsam zwängte sich der
Turm von Sankt Peter und Paul
10 aus dem Dunkel des verregneten Mor=

gens, und sein anhebendes Geläute war zu hören, als klänge es
aus weitester Ferne.

Der Insasse riß die Kutschtüre auf. „Zuerst nach dem
Frauenplan!"

15 Kopfschüttelnd bequemte sich der Schwager zu dem Umweg.

„Wo ist Herrn Goethes Haus?" schrie der Passagier.

„Das große, breite, da vorne," beschied der Postillon, „das
da. — Nu, haben Sie sich satt geguckt? Jetzt mach' ich fort. Wir
sind ja schon naß wie die Wassermäuse, ich und meine Pferde."

20 Am Marktplatz hielten sie, vor dem Gasthause „Zum Erb=
prinzen," das sich aus der Front vorschob wie ein gewaltiger
Wirtsbauch. Der Kutscher zog an der Glocke. Lange Stille,
endlich schlürfende Schritte; quietschend öffnete sich das wuchtige
Tor.

„Ein Zimmer!" befahl der Gast. „Und die armen Tiere rasch in den Stall!"

„Und ich werd' doch wohl 'nen heißen Grog trinken dürfen," brummte der Postillon.

Heinrich von Kleist hörte nicht mehr. Er sprang die Treppe empor und, im Zimmer angelangt, wartete er ungeduldig, bis der Diener sich entfernte. Mählich tauchten die Dächer aus dem Grau. Und endlich lag die kleine, trüb verregnete Stadt vor seinem Blick: der Turm, das Schloß, die kahlen Bäume des Parkes.

In den Regenfall mengte sich das Rauschen der Ilm. Ein paar Bauernkarren zwängten sich aus den Gassen; dann standen sie, und der knarrende Laut der Räder versank.

Kleists aufgerüttelte Nerven beruhigten sich in der Eintönigkeit des stetig fallenden Regens. Er mußte ruhig sein, heute mehr als je. Und wovor trug er denn Scheu? Was der heutige Tag ihm bringen sollte, das hatte er ersehnt, jahre-, jahrelang: gehört werden! Und die Menschen mußten doch fühlen, wer zu ihnen sprach! Es war wohl nicht sein Tiefstes, was er ihnen heute geben würde, aber Leben war sie doch, diese Komödie, blutwarmes Leben. In einer seiner wenigen Sonnenstunden war sie erwachsen, und Sonne mußte sie tragen in alle Herzen. Den Dorfrichter Adam, den sollte ihm nur einer nachbilden; wie liebte er ihn, diesen lustigen Schurken. Und dann, wenn dies vorüber ist, dann wird er sein Reichstes, Tiefstes aufstrahlen lassen, und alle müssen geblendet sein und knien vor seinem Geist! Und der Große, an dessen Wort ihm in Wahrheit allein gelegen war, wird ihm die Hand reichen und ihn Bruder nennen.

Ein junges Bauernpaar kramte unten seinen Karren aus und

barg den Inhalt unter einem breitgespannten Schirm. Und
als die Arbeit getan war, duckten sie sich darunter, mitten unter
Kartoffelsäcke und Hühnerkäfige hinein, und Kleist sah, sie
küßten sich. Jäher Neid ergriff ihn. Der schlechteste Kerl
5 hatte ein Weib, bei dem er sich Ruhe holte. Nur er war einsam;
niemand brachte ihm Weichheit. Auch seine Kunst brauchte
sie; auch an ihr waren Ecken und Schroffen, er mußte ein Weib
haben, das ihn seinem dumpfen Grübeln entriß, die Lücken
füllte, die in ihm klafften, ein Weib, das ihn zu dem machte,
10 was er werden mußte. So ein Mädel wie in dem alten Ammen=
märchen von Goldschmieds Töchterlein und dem fremden Ritter,
das er, weiß Gott, warum, mit auf die Reise genommen und
im Postwagen zu lesen begonnen hatte, die schlafarmen Stunden
zu kürzen. Er trat ins Zimmer zurück und kramte den alten
15 Schweinslederband aus dem Reisesack. Dann entzündete er die
kleine Öllampe und las. Plötzlich warf er das Buch in die Ecke.
Es war ja alles Lüge, so ein Weib gab's nicht! Er dachte an
Juliane Kunze und all die andern, die ihn enttäuscht hatten.

　　　Es pochte, zum dritten Male schon; ängstlich schaute der
20 Wirt durch den Türspalt. „Ich wollte nur fragen, ob der gnä=
dige Herr nicht einen Frühtrunk genehmigen wollen. Es geht
schon auf zehn.“

　　　Kleist war wieder ganz ruhig. „Ja, bitte,“ sagte er sanft,
„ich komme in kurzem.“

25 　　　Hastig legte er den Staatsfrack an und die Schuhe mit den
silbernen Schnallen, puderte und kämmte das widerborstige
Haar; Exzellenz Goethe hielt viel aufs Äußere, hatte man ihm
gesagt. Dann stieg er hinunter nach der gegen Mitternacht ge=
legenen Extrastube.

Trotz der frühen Stunde saß da schon eine Runde beim Um=
trunk. Es waren zumeist jüngere Leute, die sich schweigend
verhielten und dem Ältesten, einem kleinen, dicken, roten Herrn
lauschten, der in den Pausen seiner lauten Rede große Dampf=
wolken aus seiner Pfeife zur Decke stieß oder einen kräftigen 5
Trunk aus seinem Römer tat.

Als Kleist in das Zimmer trat und einen Schoppen bestellte,
hielt der laute Herr plötzlich inne, winkte den Wirt herbei,
wechselte ein paar Worte, erhob sich dann würdig und schritt
auf den Neugekommenen zu. „Sie permittieren, werter Herr,“ 10
sagte er mit leichter Verbeugung.

Kleist errötete in der sonderbaren Schüchternheit, die ihn
zuweilen noch gefangen nahm als Erbstück seiner traurigen,
unfreien Jahre.

„Bitte,“ sagte er unsicher.   15

„Ich heiße Böttiger, Christian Adolf Böttiger, Konrektor am
hierortigen Gymnasio. Mein Name ist Ihnen wohl vertraut?“

„Ich kenne einige Ihrer Schriften,“ erwiderte Kleist und
nannte nun auch seinen Namen.

„Das ist schön, und ich werde mir erlauben, Ihnen jene, die 20
Ihnen noch nicht bekannt sind, demnächst als Dedicatio mit
Widmung zu überreichen.“

Er setzte sich und blickte dem andern eine Weile forschend ins
Gesicht. Dem Dichter wurde unbehaglich, er trank, hob das
herabgefallene Wischtuch auf und fragte dann: „Womit kann 25
ich dienen?“

Ohne seine Forschung zu unterbrechen, fragte der Konrektor:
„Sie sind heute mit der Morgenpost angekommen? Ja, Sie
staunen, nicht wahr? Ich bin über alles wohl unterrichtet,

was sich in unserer Stadt und darüber hinaus an Literarisch=
Bedeutsamem begibt. Das ist meine Pflicht. Denn, obzwar,
wie Sie wissen, im Reiche der Griechen und Römer meine
Heimstatt ist, hab' ich nie den Blick für die Dichtung unserer
5 Zeit verloren."

Er rückte näher und schob sein Glas neben das des Nachbarn.

„Ich schätze Sie sehr, Herr von Kleist, ich schätze Sie schon
lange. Mir entging keine Zeile aus Ihrer Feder. Schon als
die ‚Schroffensteiner‘ erschienen, sagte ich: Ein bißchen allzu
10 starker Furor, Furor teutonicus, der mir, dem Griechenfreunde,
nicht ganz konvenierte, aber trotz alledem: Ecce poeta! Ja,
das habe ich gesagt, und nicht allein gesagt..." er holte ein
Bündel Papiere aus der Brusttasche und blätterte eifrig darin.

„Hier, in der ‚Nicolaischen Bibliothek,‘ der Anonymus, der unter
15 dem Titel: ‚Ein Dichter voll Witz und Kraft‘ über Ihren
‚Amphitryon‘ schrieb, wissen Sie, wer das war? Er sitzt vor
Ihnen. Und hier, im ‚Freymütigen,‘ und da in der ‚Jenaischen
Literaturzeitung‘! Nun?"

Hastig griff Kleist nach den Zeitungen.

20 Aber der andere ließ ihm nicht Ruhe zum Lesen.

„Heute morgen schon ist an sieben Blätter folgende Notiz
abgegangen: — Der noch immer nicht nach Gebühr geschätzte
Autor, Herr Heinrich von Kleist, ist soeben in Weimar einge=
troffen, um einer Aufführung seiner ingeniösen Komödie ‚Der
25 zerbrochene Krug‘ beizuwohnen. — In den zehn vornehmsten
Journalen Deutschlands werde ich darüber berichten!" Er hielt
das Glas hoch. „Auf gutes Gelingen also!"

Die Stehuhr tat elf schnarrende Schläge. Kleist sprang auf:
„Ich muß fort!"

„So eilig," schmollte Böttiger, „jetzt, da wir im besten Dis=
putieren sind!"

„Ich muß Herrn Goethe meine Aufwartung machen."

Der andere aber zog die Brauen zusammen und schürzte
die Lippen. „Herrn von Goethe," sagte er spitz; dann aber 5
griff er hastig nach Hut und Pelerine. „Ich akkompagniere Sie."

Rasch trat Kleist aus dem Tor und schritt so eilend über den
vom Regen verweichten Marktplatz, auf dem sich die Käufer
und Feilbieter drängten, daß Herr Böttiger kaum zu folgen
vermochte. 10

„Na, na," rief er keuchend, „Sie laufen ja, als ob's zum
Mädel ging! Glauben Sie, ich werde mir Ihrer Launen wegen
wieder meinen morbus catarrhalicus auf den Hals hetzen?"
Mit einer letzten Anstrengung sprang er dem Dichter einen
Schritt vorauf, stellte sich ihm breitbeinig hindernd in den Weg 15
und hielt ihn am Rocke fest.

„So, jetzt bleiben Sie stehen. Exzellenz von Goethe liebt es
ohnedies nicht, vor zwölf Uhr molestiert zu werden," höhnte er.
Dann aber bat er ernst: „Lassen Sie sich raten, Kleist, gehen
Sie nicht, Sie würden's bereuen. Sie erwarten sich etwas 20
ganz Falsches. Sie werden nicht den großen Dichter finden,
sondern den zugeknöpften Minister."

„Er hat Sie in seinen ‚Xenien' angegriffen."

„Bei Gott, das hat er. Als ‚Ubique' führte er mich ein, als
den Allerweltsmann, der überall herumschnüffelt. Wo wäre 25
der Herr von Goethe heute, wenn der Konrektor Böttiger nicht
allerorten geforscht hätte nach Stoffen aus dem erhabenen
Altertum? Mit seinem Griechisch lockte er keinen Hund herbei!
Ich will nichts von Schiller sagen, de mortuis nil nisi bene,

obwohl auch er ohne mich nicht das ‚Siegesfest‘ und den ‚Spazier=
gang‘ geschrieben hätte.   Aber Goethe!   Glauben Sie, es gäbe
die ‚Braut von Korinth,‘ ‚Alexis und Dora,‘ ja, die ‚Iphigenie‘
ohne mich?   Sie meinen jetzt, er protegiere Sie, weil er Ihr
5 Stück aufführt.   Sie kennen ihn schlecht.   Verhunzen wird er’s,
unmöglich machen wird er Sie!   Seine Partei tanzt, wie er
pfeift,“ er dämpfte die Stimme, „es gibt nämlich hier zwei
Lager, Er oder Ich ist die Losung.   Ich rate Ihnen gut, ver=
trauen Sie mir, lieber Kleist.   Ich setze Ihnen hundert Leute
10 ins Theater, jetzt noch, die einen Applaus schlagen, daß die
Herren Goetheaner einfach mundtot sind.

Und damit nicht genug: ich mache Sie; alle Monate, alle
Wochen schicke ich eine Notiz über Sie an die bedeutendsten
Blätter.   Ich habe Einfluß, Herr Goethe spürt es.   Erst
15 gestern erzählte mir der einstige Adjutor des Cottaschen Verlages,
daß Herrn Goethes Bücher, seit er sich mit mir verfeindet, die
dreißig Prozent im Absatz verloren haben!“   Ein Wagen rasselte
lärmend vorüber, und Herr Böttiger schrie: „Es geschieht ihm
schon recht, dem schmierigen Neidhammel!“   Da riß sich Kleist
20 los.   Bald war er um die Ecke nach dem Frauenplan verschwun=
den.   Herr Böttiger stand starr und hielt einen Mantelknopf
in der Hand, den einzigen Überrest des entflohenen Dichters.

Kleist mäßigte seinen Schritt erst, als er in das Portal des
Goetheschen Hauses trat.   Schier noch kühler als draußen war
25 es in der großen Vorhalle.   Langsam stieg er die Treppen
empor.   Vor der Türe schöpfte er Atem und betrachtete Jupiters
Adler, der seine steinernen Fänge an die Pfosten krallte.   Wild
schlug des Dichters Herz.   Gewaltsam zwang er sich zur Ruhe.
‚Er ist nicht größer als du,‘ dachte er ganz eindringlich, und

dennoch legte sich's wie ein kaltes Tuch um seine Brust, als der
Diener ihm öffnete.

„Exzellenz sind noch mit der Toilette beschäftigt und haben
überdies Gesellschaft."

„Ich muß ihn sprechen," stieß Kleist hervor.   5

Der Diener ging.

Die Türe zum großen Saale flog auf und Kleist fühlte Blick
an Blick neugierig auf sich gerichtet.

Eine beleibte Dame auf dem Kanapee gab sich durch auf=
munterndes Nicken als die Hausfrau zu erkennen und streckte   10
dem Gast die Hand zum Kusse entgegen. Einen Augenblick
lang ruhte sein Auge auf ihrem Gesicht und sah den gewöhnlichen
Zug, der sich um ihre Lippen formte, der auf ihrer niederen
Stirne nistete. Der Kleist regte sich in ihm. Er verneigte
sich nur. Gekränkt zog sie unauffällig die Hand zurück. Sie   15
stellte vor: „Herr . . ., ich vergaß Ihren Namen."

„Von Kleist," ergänzte er scharf.

„Der Geheimrat wird bald kommen," beschied sie kühl und
wandte sich wieder den sie umschwärmenden Herren und Da=
men zu.   20

Eine große schöne Frau unterhielt sich in einer Ecke mit einem
dicken, gutmütig lachenden Mann, der ihr zuweilen etwas täppisch
über Haar und Wangen strich, wofür sie ihm in den Arm kniff.
Nun waffnete sie das Auge mit der Lorgnette und musterte
Kleist halb spöttisch, halb interessiert. Der fühlte, daß er unter 25
diesem Blick errötete und ärgerte sich. Er kannte das schöne
Weib vom Bilde her: es war Madame Jagemann, der Stern
der Weimarer Bühne.

Eine bucklige Dame huschte von einem zum andern, sagte

dem eine Liebenswürdigkeit, jenem eine geistreiche Sottise. Die
ganze Gesellschaft rief, lachte, summte durcheinander. Plötzlich
Stille. Die Tür war aufgegangen: Goethe.

Tiefe Verbeugungen, Knickse.

5 Exzellenz war heute sonniger Laune, hatte für jeden ein
freundliches Wort; bis er zu Kleist kam. Als dieser seinen
Namen nannte, huschte ein Schatten über Goethes Gesicht, wie
wenn ein dunkler Vogel eine lichte Statue streift. Dann zwang
er sich zur Freundlichkeit.

10 „Ich hatte Sie nicht mehr erwartet. Sie sind heut erst in
Weimar angekommen?"

Kleist wollte antworten, aber das Herz schlug ihm bis in die
Kehle, kein Wort konnte er herauswürgen. Wenn Goethe jetzt
dem Stummen vor ihm ein gutes, weiches Wort gesagt, ihm
15 nur die Hand gedrückt hätte, der Bann wäre gewichen. Aber
das war nicht mehr der Goethe der Iphigenie. Es war der
Goethe, der sein heißes Herz umpanzert hatte, umpanzern
mußte im kalten Leben.

Der viel Falschheit gesehen, um den sich viele eigennützig
20 drängten. Dies Erz löste sich nicht so rasch.

So fragte er nur in kühler Liebenswürdigkeit:

„Warum sind Sie nicht früher gekommen?"

„Weil," konnte Kleist die Wahrheit sagen? Weil er kein
Geld gehabt. Vielleicht hätte Goethe dies gerührt. Nein, dies
25 Wort sprach ein Kleist nicht. Er preßte nur herb den Mund
zusammen, furchte die Stirne.

„Weil mir meine Geschäfte nicht Zeit ließen."

Befremdet blickte Goethe auf ihn. Nun ward sein Gesicht
ganz kalt und streng. Noch ein paar gleichgültige Dinge sprach

er, dann wandte er sich wieder den andern zu.   Der fragenden
Göchhausen sagte er erklärende Worte.

Da stürzte sie vor:

„Ach, Sie sind ein Kleist!" rief sie entzückt, „nein, welche
Freude!   Ein Neffe des großen Dichters des ‚Frühling!'   Als   5
Kind wußte ich das Gedicht par cœur zu rezitieren!"

„Mein Oheim ist mir teurer als Soldat denn als Dichter,"
erwiderte Kleist hart.   Die Göchhausen war beleidigt.

Frau Jagemann kam am Arme des dicken Bassisten Stroh=
meyer herbei.   10

„Seien Sie galant, Herr von Kleist, und schreiben Sie mir
eine gute Rolle!"

„Ich schreibe für mich, für keinen sonst!" brauste er auf; aber
dann, in der Sorge, es mit der einflußreichen Dame zu verderben,
milderte er: „Meine ‚Penthesilea' möcht' ich von Ihnen sehen."   15

Gekränkt zog sich die Verwöhnte zurück.   Aber bald dachte
Kleist nicht mehr an ihre Worte.   Wie gebannt richtete er den
Blick auf Goethe, der inmitten der Gäste stand.   Voll tiefster
Bewunderung.   Er mußte sich's gestehen: die Bilder, die er
von Goethe gesehen, blieben weit zurück hinter der Wirklichkeit.   20
Solche Züge, solch eine Stirne, solch überirdisch klare Augen
hatte er noch nie gesehen.   Und die wundervolle, olympische Ruhe,
die über der ganzen Gestalt lag.   Es war, als ströme sie auch
auf ihn über, den Ruhelosen.

Goethe hatte unterdes mit ein paar jungen Literaten ein   25
Gespräch geführt.   Nun sah er die traurigen Augen seiner
einfachen Frau, die da nicht mit konnte.

Rasch machte er sich los von den Jüngern.

„Christiane," ertönte seine helle Stimme, „die Obstbäume

setzen schon an; ich schätze, wir werden in diesem Jahre eine
herrliche Ernte haben!"

Und nun sprach er über seine Bäume mit einer ruhigen
Sachlichkeit.

5　　 „Hausbackenheit," sagte der Aristokrat in Kleist. Und doch,
und doch! Zutiefst fühlte er, das war Reichtum, wenn sich
einer für Stunden an die kleinste Nichtigkeit verschenken durfte.
Während er, er, nur immer ein und denselben Gedanken hatte,
sein Werk, sein Ziel.

10　　 Unterdes hatte sich ihm ein junger Mann genähert, der bisher,
von der riesigen Junobüste halb verdeckt, in einer Ecke gestanden.
Seine Züge wiesen eine auffallende Ähnlichkeit mit denen Goethes,
nur war alles ins Unsichere, Weiche verzogen. Seine Stimme
zitterte.

15　　 „Herr von Kleist, ich verehre Sie schon seit Langem. Ich
habe über Ihre ‚Penthesilea' Tränen vergossen; ich fand das
Manuskript auf meines Vaters Schreibtisch und nahm es heim=
lich fort; er hat es gar nicht bemerkt. Sie haben es gut, Sie
sind allein, es steht keiner über Ihnen. Und doch, Sie sehen so
20　gütig aus, ich habe Vertrauen zu Ihnen. — Ich schreibe auch
in meinen Mußestunden." Er zögerte, und dann kam's ganz
ungeschickt heraus: „Möchten Sie meine Gedichte lesen? Bitte!
Und dann sagen Sie mir Ihr Urteil!"

„Ich?" fragte Kleist befremdet, „warum nicht Ihr Vater?"
25　Blutrot wurde der junge Goethe:

„Mein Vater hat mir das Versemachen verboten."

Wieder klang des Geheimrats Stimme:

„Also, was wird heute vorgenommen nach der Komödie?"

Fragend glitt sein Blick durch die Reihen. Er sah den Sohn:

„August!"

Der junge Mann erschrak und schlich zu den andern.

Kleist trat vor.

„Exzellenz, ein Wort!"

„Bitte."

„Kann ich noch einer Probe meines Stückes beiwohnen?"

„Das ist unmöglich. Da hätten Sie früher kommen müssen."

„Wollen mir Exzellenz nicht ein paar Worte sagen über meine
‚Penthesilea,' die ich Ihnen übersandte? Ich tat's auf den
Knien meines Herzens!"

Goethe stutzte: „Ein kühnes Bild — aber es grenzt an Komik.
Seien Sie künftig maßvoller in Ihrer Phantasie! — Sie wollen
mein Urteil über Ihr Stück?"

„Ich bitte darum, Exzellenz!"

Leiser Widerwille trat in Goethes Gesicht:

„Ich hätte Ihnen dies gerne erspart. Aber, da Sie es fordern!
Es liegt eine krankhaft=überhitzte Phantasie darin. Es ist krank.
Nur Gesundes frommt der Kunst."

„Exzellenz!"

„Sie sehen, ich kann mich der Gesellschaft nicht weiter ent=
ziehen. Wollen Sie das Mittagmahl mit uns nehmen?"

„Ich bitte um die Erlaubnis, mich entfernen zu dürfen!"

Ein kurzes Nicken Goethes, ein erstauntes Rücken und Tuscheln
im Kreise der Gäste, Kleist verbeugte sich und ging.

* * *

Um die vierte Stunde, den Beginn der Theaterzeit, saß
Heinrich von Kleist im dunklen Grunde seiner Loge. Er war
noch zu früh gekommen, ein Ballett leitete den Abend ein. In

höfisch=steifer Grazie drehten sich die Herren und Damen, in
lange griechische Gewänder gehüllt. Aber dem Publikum gefiel es,
und Exzellenz Goethe klatschte am meisten Beifall. Eine Pause.
Wieder hob sich der Vorhang. Starr sah Kleist hinab. Herr
5 im Himmel, das sollte eine flämische Dorfrichterstube sein!
Polstersessel und Spiegel, Tische mit Nippes und allem Firle=
fanz! Da begann schon der Richter Adam zu sprechen. Er
mochte ein ganz guter Attinghausen sein oder ein Marc Anton.
Er sprach mit tadelloser Weimarer Betonung und schien so
10 verliebt in jedes Wort, daß er sich kaum davon trennen wollte.
Des Schreibers Licht Glanzrolle war wohl der Franz Moor,
denn er machte aus dem pfiffigen kleinen Kerl einen bösen Intri=
ganten, der die Augen rollte und grimmige Gesichter schnitt.
Kleist klammerte sich an die Lehne seines Stuhles und drückte
15 sich die Kanten ins Fleisch. Herrgott, es war nicht zum
Aushalten, an die Gurgel den Kerls, die ihm sein Werk
verhunzten!

„Denn jeder Schreck purgiert mich von Natur," sagte der
Dorfrichter gewichtig, und eine Dame in der Nachbarloge
20 stampfte unwillig mit dem kleinen Fuß.

Jetzt verbesserten sie auch noch: Daß, wie sich der verwirrte
Adam beklagen sollte, die Katze ihm in die Perücke gejungt habe,
war den Herren wohl zu wenig fein gewesen; „die Katze hat mir
Junge in die Perück' gelegt," sagte er, ein ganzer Versfuß zu
25 viel, und wie eckig der Lump skandierte! — Der Gerichtsrat
Walter steht vor der Tür, die Handlung kommt in rascheren
Fluß, da — fällt der Vorhang. Keine Hand rührt sich. Kleist
nimmt den Zettel vor, den er bisher noch nicht betrachtet hat,
da steht es: Komödie in drei Akten! Drei Akte, sein Lustspiel,

deſſen Vorzug die ſchnelle, gedrungene Handlung war, die keine
Störung vertrug! — Zu Goethe!

Der Geheimrat unterbrach unwillig ſeine Unterhaltung mit
einer ſchwärmenden Weimarer Dame, als Kleiſt in die Loge
ſtürmte. „Exzellenz, was haben Sie mit meinem Stück ge= 5
macht? Sie zerreißen es, Sie bringen es um!“

„Ihr Stück war totgeboren, Herr von Kleiſt. Ich bereue,
die venia für die Aufführung gegeben zu haben.“

Damit wandte er ſich wieder ſeiner Dame zu. Einen Augen=
blick ſtand Kleiſt noch, dann ging er. Fort! Fort! Aber nein, 10
er wollte bleiben, es mußte noch ein Sieg werden, trotz allem;
ſein Werk war ja unverwüſtlich, ganz konnten ſie's nicht töten.
Wieder hob ſich der Vorhang. Schlecht und recht ſpielte der
Gerichtsrat, Marthe Krull brachte manches von der Namens=
ſchweſter im ‚Fauſt‘ mit, der Ruprecht war wohl ein wenig 15
allzu täppiſch, aber es ließ ſich hören. Nur der Richter Adam
wurde immer unerträglicher. Immer langſamer wurde ſein
Tempo, immer ſchwerfälliger ſprach er ſeine Worte. Etwas
allzulaut ſchalt unten Ruprecht ſeine Braut; trotzdem auch ſeine
Worte gemildert waren, entſetzte ſich die feine Dame in der 20
Nachbarloge. „Dieſe Derbheiten. Meine Nerven vertragen ſie
nicht!“ Und der Galan nickte. „Vraiment, ſie ſollten es
wenigſtens franzöſiſch ſagen.“

Über Kleiſt kam eine ſtumpfe Ergebung. Er ſchlug die
Hände vors Geſicht und wollte nichts mehr ſehen und hören. 25
Da plötzlich blickte er auf; es war nur ein Wort: „Ruprecht!“
ſagt Eva, aber es lag ein Klang darin, der Klang, den er gedacht,
als er es geſchrieben. Ein Mädchen ſtand unten, das früher
der Wucht der andern verdeckt geweſen; ſie ſprach weiter; und

jedes Wort war so, wie Kleist es gefühlt, wie er es selber ge=
sprochen in seinem Sinn. Wieder überschrien das Mädchen
lärmend die andern. Aber sonderbar, sie störten ihn nicht mehr;
er hörte ihr Reden nur wie aus der Ferne, wie ein lästiges
5 Fliegensummen. Langsam rückte er seinen Sessel näher an die
Brüstung und blickte hinunter. Er sah nur die Kleine. Wie
sie dastand in rührender, frühlinghafter Kindlichkeit! Dann
sprach sie wieder. Und Kleist war erstaunt. Hatte er wirklich
so Großes gewollt? Dieses Weib, das, dem schimpflichsten
10 Verdachte preisgegeben, dennoch schweigt, dem verständnislosen
Mann zuliebe, diese herbe, liebliche Keuschheit, diese jungfräuliche
Mütterlichkeit, war das wirklich alles sein Werk? Weit beugte
er sich über die Brüstung. Da traf ihn ein Blick aus ihrem
Auge; ein Blick vollen Verstehens, des leisen Beifallheischens
15 in tiefster Demut. Kleist nickte ihr zu; nun sprach sie nur noch
für ihn, und alles andere versank.

Mit einmal gellt ein Pfiff durchs Haus. Die Schauspieler
schweigen verschreckt, nur die kleine Eva spricht weiter. Still sitzt
Herr von Goethe in seiner Loge. Da erhebt sich der Herzog. „Wer
20 ist der freche Kerl, der es wagt, in Gegenwart meiner Gemahlin
zu pfeifen? Husaren, nehmt ihn fest!" Sporenrasselnd stürzen
sich zwei Soldaten auf den Übeltäter und schleppen ihn hinaus.

Das Stück geht weiter. Frau Herzogin Luise flüstert er=
zürnten Gesichts dem Gatten ein paar Worte zu; er nickt, bald
25 ist die Loge leer.

Eben hält Evchen dem Bräutigam sein rohes Nichtverstehen
vor. Da wieder ein Pfiff, ein zweiter, ein dritter, Trampeln,
Pfuirufe. „Schluß, Schluß!" —

Blaß, aber fest steht die Schauspielerin und spricht weiter, wie ein einsamer Held im Kugelregen; keine Miene verzieht Exzellenz von Goethe; mit leichter Handbewegung befiehlt er, den Vorhang zu senken.

Wie ein wilder Bienenschwarm strömt das Volk hinaus.

Jetzt erst erwacht Kleist aus seiner Betäubung und fühlt mit 5 einmal das ganze Schreckliche. Reglos sitzt er in seinem Stuhl, bis ihn der Schließer zum drittenmal gehen heißt; dann schleppt er sich fort, an ein paar Verspäteten vorüber, die ihn nicht kennen.

„Es ist eine Blasphemie!" schreit ein Herr seiner Dame zu, „auf derselben Bühne, auf der die ‚Iphigenie' präsentiert wurde, 10 nun dieser vulgäre, respektlose Schwank! Exzellenz von Goethe geht zu weit in seiner Unparteilichkeit."

Wie ein Peitschenhieb trafen Kleist diese Worte. Plötzlich fühlte er seinen Arm berührt, ganz weich und sanft. Der junge August Goethe steht vor ihm und blickt ihn an aus ängstlichen, 15 mitfühlenden Augen, in denen Tränen stehen.

„Herr von Kleist!"

Gierig faßte der Dichter nach der gebotenen Hand in seiner Einsamkeit.

„Keinen läßt er aufkommen, er bringt alle um, Sie und mich, 20 Herr von Kleist!"

Mit jähem Ruck machte sich Kleist frei, ganz hart war plötzlich sein Gesicht. „Achten Sie die Grenze, Herr Goethe!"

Er ging, und erst als er um die nächste Ecke bog, sank er wieder zurück in seine Hilflosigkeit.   25

Mühsam schleppte er sich nach seinem Zimmer. Sein Kopf war müde und wund. Nur das eine konnte er denken: ‚Jetzt ist's aus, jetzt ist alles aus.' — —

Es war schon ganz dunkel, als er aus seiner Dumpfheit empor-

schrak. Er stieß das Fenster auf; noch immer troff ein trauriger
Regen vom Himmel nieder. Es ging nicht mehr weiter; seine
Kraft war zerbrochen, er fühlte, er konnte nicht mehr warten.
Wenn sie schon das nicht verstanden, wie würden sie erst die
5 ‚Penthesilea‘ verhöhnen, den Aufschrei seines Herzens!

Mit einem Wehlaut sank er zu Boden wie ein verwundetes
Tier. Endlich erhob er sich. Eine unheimlich kalte Klarheit
überkam ihn. Nur eins blieb ihm noch zu tun übrig. Der
Gedanke daran hatte sich oft bei ihm eingenistet. Freilich, er
10 hatte sich's anders gedacht: ein Frühlingsmorgen und weite,
weite Sonne und in ihm die Gewißheit des herrlichsten Weiter=
lebens. Und daß Freunde um ihn weinen würden. — Aber
sei's. Es war ja bald vorüber. Er tastete die Pistole aus
dem Reisesack, lud mit ganz sicherer Hand und legte die Waffe
15 vor sich auf den Tisch. — Sollte er Briefe schreiben? Wem
denn! Er hatte ja niemand. Und wieder kam das Gefühl der
grenzenlosen Verlassenheit über ihn und machte ihn weich. Es
war schwer, das Sterben, so allein. Wenn jemand mit ihm
ginge, seine Hand hielte, dann wäre es fröhlich und leicht. — Aber
20 es mußte sein. Seine Ahnen waren dem Feind entgegen geritten,
und er fürchtete den Tod? War er nicht auch ein Kleist?
Er griff nach der Waffe. — Er schrak zusammen. Die Tür
knarrte. Der Diener sagte ins dunkle Zimmer hinein: „Gnä=
diger Herr, eine Demoiselle ist hier, die Sie sprechen will.“

25 Schon drängte eine Gestalt den Knecht über die Schwelle
zurück, trat ins Zimmer und drückte die Türe ins Schloß.

Halb im Traume blieb Kleist und regte sich nicht. Die Dame
warf ihren Überhang ab; dann schloß sie das Fenster, forschte
nach der Lampe, schlug Licht. In wortlosem Staunen starrte

Kleist sie an; sie nickte. „Ich bin's, ja, Ihr Evchen. Ich erfuhr durch Herrn Böttiger, daß Sie hier logieren."

Dann kniete sie sich zum Kamin, suchte Brennholz und ent= zündete ein Feuer.

„Man bedient Sie hier schlecht," tadelte sie, „es ist ein kalter Märznebel draußen."

Mißtrauen hatte das Staunen in Kleist verdrängt. Was wollte das Weib hier? War sie eine Kokette, die mit ihm spielte? Sein Blick folgte all ihren Bewegungen. Bald brodelte der Teekessel. Dann kramte sie allerlei aus ihrem Ridiküle: Fleisch, Brot, Süßigkeiten.

„Sie richten wohl meine Henkermahlzeit? Warum sind Sie hierher gekommen? Warum läßt man mir nicht meine Ruhe?" Sein Blick nahm etwas Lauerndes an. „Sie wollen wohl mor= gen der Weimarer Hofgesellschaft eine Anekdote erzählen vom durchgefallenen Dichter?"

Nun sah sie ihn an aus großen, klaren Augen. Viel Güte lag darin und ein leiser Vorwurf. Kleist senkte den Blick.

„Sie haben lange Zeit am offenen Fenster gesessen, Sie müssen nun einen heißen Tee trinken, sonst erkälten Sie sich." Sie wollte ihm die Tasse reichen und stieß an die Pistole.

„Halt!" schrie Kleist, „sie ist geladen!"

„Ich weiß," nickte sie traurig.

Über Kleist kam eine plötzliche Schwäche; willenlos wie ein Kind ließ er sich den Trank einflößen. Dann nahm das Mädchen die Waffe und entlud sie.

„Auch das lernt man beim Theater," lächelte sie tränenden Auges. Sie bot ihm von den Eßwaren an. Jetzt fühlte Kleist erst, wie hungrig er war. Fast gierig griff er nach den Vorräten.

Dann rückte sie ihm das Polster unter den Kopf und strich ihm das Haar aus der Stirn. Ganz fremd war Kleist diese Weich= heit. Wenn's auch Lüge war, es war doch schön, noch einmal vor dem Ende. Lange saßen sie so, mählich kam seine Kraft zurück.

5 Er brauchte niemand, er mußte stark sein, allein.

„Warum sind Sie gekommen?" forschte er. „Aus Mitleid?"

Ganz klar ruhte ihr Blick auf ihm.

„Nein."

„Warum denn?"

10 „Weil ich an Sie glaube."

Tief bohrte Kleist seinen Blick in den ihren. Mit einmal fiel langsam und leise wie ein lästiges Kleid von ihm alles Harte und Kalte.

Still öffnete er das Fenster. Laue Luft grüßte ihn, es war 15 Frühling geworden. Kleist sah sich selbst und das Mädchen wie Fremde, die ihm nahe standen und deren Schicksal ihn in festen Bann zog. Ferner und ferner wich es, und eine goldene Märchen= haftigkeit breitete sich darüber. Und endlich schied es ganz aus seiner Zeit, wogte zurück in weite Jahrhunderte und war gehüllt 20 in Farbenfülle, Waffenglanz und bunten, allmächtigen Glauben. Er selbst trug Harnisch und stolze Ahnenkraft, und sie ging im Tanzschritt über einen leuchtenden Wiesenplan, und ein weiß= rosiges, blütengleiches Kleid umglitt ihre Gestalt; sie war eine demütige Bürgermagd, die dem Ritter folgte durch Schlacht und 25 Unrast, alles vergessend, nur an einen glaubend.

Seinen Hausgarten durchwanderte Herr von Goethe und musterte die Knospen, die Früchte versprachen.

Aber weit hinweg über seine Kraft und Sicherheit, hinweg über Liebe und Leben, flog der Traum eines Dichters.

NOTES

NOTES

Johann Wolfgang von Goethe spent the first twenty-six years of his life at Frankfurt-am-Main where he was born, August 28, 1749, and the last fifty-six at Weimar where he died, March 22, 1832. By the suffrage of dependable critics he is the greatest lyric writer the world has ever known, and the most versatile creative genius since the days of Leonardo da Vinci (1452–1519). The student of letters may well approach Goethe through the channels of Fauſt and Wil= helm Meiſter, each of which appeared in four separate parts that mark so many epochs in his development.

The present story is taken from chapter VIII, book iii of the second part of Wilhelm Meiſters Wanderjahre (1829). It was originally written in June 1807, the year in which Goethe visited Karlsbad, where he may have received his initial inspiration through a similar occurrence. It is not the greatest of Goethe's nineteen stories that editors of to-day refer to as Novellen. It is included here rather because it reveals a Goethe with whom the world is unfamiliar — a Goethe in laughter.

Page 3. — 1–5. Es ... ſollen. Goethe's works abound in bits of epigrammatic wisdom; he is the most frequently quoted writer that ever lived. In this sentence he emphasizes the idea that constitutes the core of Fauſt: happiness is found not in ease, nor even in the contemplation of a deed done, but in useful activity.

14. Mich. The story is told by one St. Christoph, a clumsy, good-natured fellow, who is introduced much earlier in the Wander= jahre, and with whom the students have formed a friendship, very much as students of to-day frequently take up with some "character" in the college town. Goethe more than once had a seemingly odd person tell a tale. Die neue Meluſine, one of his most imaginative stories, is told by a barber, Rotmantel by name.

17. Suitiers. When Eduard Engel (Gutes Deutſch, 1918) felt impelled to explain even Goethe's frequent use of French words, he

265

did so on the ground that in Goethe's day all Germans used a great
deal of French.

19. **Poſſen trieb,** *played tricks.* Compare: eine Kunſt treiben,
cultivate an art; er treibt Deutſch, *he studies German;* Kurzweil treiben,
amuse oneself.

23. **Man wollte ausruhen.** A striking use of the impersonal;
anyone who stayed at the isolated village in the mountains did so in
order to rest.

Page 4. — 9. **Die Bedienten,** *The servants.* Literally the expression should mean " those served." It is one of those linguistic incon-
sistencies such as may be found in any highly developed language.
Adelbert von Chamisso (1781–1838), for whom German was an acquired language, gave expression to this peculiarity in his story Peter
Schlemihl, where (section 1, paragraph 8) he wrote: Ich fürchtete mich
faſt mehr vor den Herren Bedienten, als vor den bedienten Herren, *I was
almost more afraid of the gentlemen who were doing the serving than of
the gentlemen who were being served.*

22–23. **ja ich . . . verdienen.** St. Christoph felt he would not only
have no trouble with the dignified gentleman, but would win his
approval by pulling his nose.

24. **Raufbold.** Nothing more than a nickname; every active
student gets one sooner or later. Cf. Raufebold in Fauſt, II.

Page 5. — 5. **und . . . Not.** For the more common expression,
es iſt die höchſte Not, *it is high time.*

7. **abſolut** = ganz und gar, durchaus.

8. **hingegangen.** Supply iſt.

15. **herausphyſiognomieren.** The study of physiognomies was
carried on in quite serious fashion in Goethe's day. — **Verſteht Er,**
for Verſtehen Sie. The pronoun of address in German did not come
to enjoy fixed usage until about the time Goethe wrote this story;
but the dignified old gentleman would hardly have adhered to
'custom' in addressing a barber.

17. **Ich ſuche meinesgleichen.** About the equivalent of *I know my
business.*

19. **edle.** St. Christoph merely exploits the usage of his day in
his emphasis on the dignity of his trade. Rotmantel is likewise
called a Bartkünſtler, just as we have the *tonsorial artist.*

23. **füglich** = leicht or gleich.

26. **beſcheidentlich** = beſcheiden.

27. **bei Ausübung.** Note the omission of the article, for which there is no " reason." No philologist can really " explain " the use of the article in either German or English; no philologist knows why we say " The man went to jail, to college, to congress," but " The man went to the penitentiary, to the university, to the legislature."

Page 6. — 23. **der Perſon.** Dative; equivalent to über die Naſe der Perſon.

Page 7. — 3. **was ich konnte,** *as fast as I could.*

4. **verführten** = modern aus=brechen with in and accusative.

16. **welches.** Better usage would demand was, *a fact that.*

19–20. **Die Geſchichte ... ich auch,** *The story was so delightful that people could not keep it to themselves, however much I ...*

22. **der Fährige.** Another nickname; translate, *Hot-head.*

24. **genug,** *suffice it to say.* Common use of genug, and should not be rendered by 'enough.'

29. **den Tag über,** *throughout the entire day,* über is used adverbially.

Page 8. — 4. **er,** i.e., der kleine Kellner.

16–18. **hier ſind ... Edelgebornen.** Read, hier ſind nicht allein Schläge zu fürchten, aber auch Beſchimpfung, was für einen Edelgebornen noch ſchlimmer wäre.

23. **zur Hintertüre hinaus.** German is more precise than English. The former says, " He rushed out at the door," which is correct; the latter, " He rushed out of the door," which is incorrect; for it is really the room out of which he rushed.

26. **wollte,** *was on the point of.*

Page 9. — 1. **der ich.** Ich is inserted in order to put the verb in the first person. Compare the opening words of the Lord's Prayer: Vater unſer, der du biſt, *etc.* — **mit ... aufgab,** *I had already given up the idea of escaping safe and sound.*

Merkwürdige Schickſale

Johann Peter Hebel was born May 10, 1760, at Basel and died at Schwetzingen, near Heidelberg, on September 22, 1826. He attended the elementary schools of Basel, the *Gymnasium Illustre* at Karlsruhe, and the University of Erlangen. He was always indigent but happy; he spent his active life in the classroom and the pulpit. After holding a vicarage at Lörrach for eight years, he went to Karlsruhe, where he became a teacher of dogmatics. In 1821 Heidelberg conferred on him the degree of Doctor of Theology. Modest, genial, indulgent, fonder of people and fields than of libraries, he was greater as a man than as a scholar. His fame in verse rests on his Alemannische Gedichte (1803), his proudest achievement in prose is his Schatzkästlein des Rheinischen Hausfreundes (1811), from which the present story is taken. The tales of the Schatzkästlein were influenced by the tales of Jörg Wickram's Rollwagenbüchlein (1555), and have in turn influenced the writings of such men as Klaus Groth and Berthold Auerbach. The story before us is quite representative; no description of characters or scenery, good-naturedly crude, realistic, replete with sharp turns and sudden surprises, and not without the mother-wit that flourishes in the school of human adversity.

Page 10. — 15. **kam erst . . . an,** *did not arrive in London until late at night.* Note the meaning of erst. The construction is quite common. It will give the student less trouble if he studies its real significance, and bears in mind that word-for-word translations rarely make sense. Er kam nicht in London an, bis es spät war, the literal rendering of the English idiom, would be understood by a German, though it would hardly be regarded as good German. Contrast page 15, line 8.

18–20. **und . . . Stecknadel,** *The poor youth could no more find his brother-in-law's house in that awfully big city, in pitch-dark night, than he could find a needle in a haystack.*

Page 11. — 3–4. **Das . . . sagen,** *The young man did not have to be coaxed,* i.e., *he did not have to be told twice.*

8. **Da . . . nie,** *He was never in such a fix in his life.*

13. **Die Türe.** The more colloquial form Türe occurs frequently in the present texts, though Tür is to be preferred.

15. **Roquelorsack.** The *roquelaure*, a top coat that reached to the knees and was provided with great pockets (–sack), was fashionable in the eighteenth century. Theodor Storm makes vivid use of the word in his story entitled Carsten Curator, in the description of the old oil painting. Cf. Storm's Sämtliche Werke, volume III, page

214. — zwiſchen dem. The accusative would seem more natural. Hebel's works contain not a few constructions that irritate purists.

23. Allein means *but* only at the beginning of a sentence, and even then is used more frequently in verse than in prose, because in the former it makes a good start in an iambic pentameter. Compare: Allein das Recht auf mein geweihtes Leben (Goethe's *Iphigenie*, l. 439). — ob. Wegen with genitive would be more natural.

25. nachtfertige. It is customary to say that the English language has approximately 500,000 words, while the German has only 250,000. It is such compounds as nachtfertig, however, that make the German language so much richer than its number of root-words would seem to indicate. Grimm's German Dictionary lists 730 compounds with Land, over 600 with Hand, 510 with Geiſt, 613 with Kunſt, 615 with Krieg. These compounds can, of course, be translated without difficulty. Nachtfertig, to be found in no dictionary, means that the man, by the nature of his occupation, was prepared for any emergency service during the night, and hence was only half asleep.

28. kommen, for gekommen.

29. gepreßt. Pressing individuals into military service was a common custom in many countries a century ago.

Page 12. — 8. und Gott befohlen, *and then, good-bye!*

21. immer . . . wollte, *it seemed as though he were never going to come.*

Page 13. — 13. auf einmal, *at any one time.*

Page 14. — 7. mir nichts dir nichts, *calmly*, i.e., "it is nothing to me, nor anything to you."

15-16. habt . . . getragen. Characteristic of the grim humor that pervades the anecdote; real Galgenhumor, that species of desperate gaiety that so frequently plays a rôle in the earlier German stories of this type.

Page 15. — 1. Wo . . . Nachtläufer? The strong language is not typical of Hebel, who obviously felt, on this occasion, that he must use the idiom of a disgruntled marine.

2. daß . . . worden = daß ich . . . gepreßt worden bin. German word order frequently disagrees with the rules.

5. zu den zwei Kronen, *at the sign of the Two Crowns.*

6. **Schicksal.** Hebel originally entitled the story Merkwürdige Schicksale eines jungen Engländers. Since both of the leading characters have some remarkable experiences, however, the title was changed to Merkwürdige Schicksale.

Der Affe als Mensch

Wilhelm Hauff (1802–1827) crowded much work into his brief life. He secured his doctorate, traveled widely, established a home, acted as a private tutor, and left four large volumes of creative work. This favorite son of Stuttgart was a born narrator. He wrote a few poems, to be sure, but he will be forever known to posterity as the author of Lichtenstein (1826), a novel in the style of Scott, and his three collections of tales each of which consists of a story made up of stories, tales within a tale, held together by the familiar frame device. Der Affe als Mensch is taken from the Märchen=Almanach für Söhne und Töchter gebildeter Stände auf das Jahr 1827. It is the second of the three collections, and is entitled Der Scheik von Alessandria und seine Sklaven.

Page 16. — 2. **Grünwiesel.** A fictitious town; there are quite a number of small towns in South Germany with the prefix Grün.

3–4. **Es . . . sind.** Hauff is quite right in admitting the similarity of the small German towns; they are about as completely standardized as is the case in America, but of course along different lines.

11. **Alles kennt sich,** *Everybody knows everybody else.* When both masculine and feminine genders are used, German employs a neuter, or compromise, pronoun.

13. **könnet** = könnt. Hauff wrote all of his works hurriedly, so that the student need not be surprised at finding strange forms and unusual constructions. His style may however be described as natural rather than careless.

16. **von was** = wovon.

17. **Paß.** At the beginning of the eighteenth century, indeed almost to the establishment of the Empire in 1871, passports were necessary in going from one kingdom or duchy to another. — **bei Doktors,** *at the home of the village physician.* The construction is found to-day only in very provincial usage.

Page 17. — 4. **als,** *such as;* about equal to wie zum Beispiel.
8. **in,** *in the way of.*

11–12. **in meiner Baterstadt einzog,** *moved into my native city.* The accusative would be more natural here, but in the language of Eduard Engel, **Hauff leidet an dem Dativ,** *Hauff suffers from the dative.* He seems frequently to confuse the two, though it is always possible to explain his usage.

26. **Künste.** In the sense of **Kunststücke,** *tricks,* as opposed to **Kunstwerke** *works of art.*

28. **Orang=Utang.** Of the various sources that have been suggested in connection with Hauff's tale, that of E. T. A. Hoffmann's **Nachrichten von einem gebildeten jungen Manne** is clearly the nearest and best. Hoffmann's tale is no. 4. of the **Kreisleriana** in the second part of the **Phantasiestücke in Callots Manier.**

Page 19. — 1. **Dero.** Old form for **Euer** or **Jhr.**

12. **wäre.** The uncle and his nephew must be regarded as of one blood, hence as of one nationality or citizenship.

27. **Hetzpeitsche.** Accusative after some such verbal form as **habend** or **tragend** understood.

Page 20. — 1. **die Menge.** The position renders the expression much more effective than it would be if we arranged it as English word order would dictate. German word order, which is derived from, or based on, Latin word order to a considerable degree, adds at once to the forcefulness and difficulty of the German language.

9. **solchen,** *the same;* meaning **den Jüngling.**

9–15. **er sei...** The remarks of the stranger as they are given in indirect discourse show how advantageously the subjunctive mode may be used in German, making "said I," "said he," etc., unnecessary.

29. **unter der Hand,** *confidentially.* Compare "under-handed."

Page 21. — 13. **Mütze.** Accusative. Cf. **Hetzpeitsche,** page 19, line 27.

27. **des öden Hauses.** Cf. page 17, lines 2–3, and page 22, line 17. One of E. T. A. Hoffmann's tales is entitled **Das öde Haus.**

Page 22. — 7. **unter den Boden.** Compare "under the sod."

7–9. **aber ... wiederkam.** Compare Tennyson's " But the jingling of the guinea helps the hurt that Honor feels."

17. **sei = habe.** The construction **Jch bin gestanden** is quite common in South Germany, and is stoutly defended by a number of scholars.

₂₅. **Bürgermeisters.** The article is omitted, because the mayor's title, in Grünwiesel, has come in time to be the equivalent of his family name.

Page 23. — 1. **seit zehn Jahren,** *in ten years.* Seit in temporal constructions may be rendered *in* or *for*, but not *since*.

Page 24. — 18. **Springinsfeld.** Virtually the only compound in the German language that does not take the gender of the final element. But this is not a pure noun compound, such as Baumast.

Page 25. — 29. **nächste beste,** i.e., the lady nearest him was for him the best. Compare erste beste, 'the first that comes along.'

Page 26. — 16–17. **Zu was ... fortkommt?** Compare Gray's " Where ignorance is bliss, 'tis folly to be wise."
21–22. — **standen sie in die Reihe.** Accusative, with the idea that they *took their places in;* hence motion, as opposed to position.

Page 27. — 14. **indem.** Weil or denn ... ja would be more natural.

Page 28. — 16. **hielten sich vortrefflich,** *played excellently.*

Page 29. — 25–26. **Zwei ... C !** *My dear Sir, you are two notes too high! You must sing middle C !*

Page 30. — 18. **Er setzte über,** *He leaped over.* Compare, er übersetzte, "he translated."

Page 31. — 3–4. **Herren und Damen!** *Gentlemen and ladies!* In the past, it was permissible to reverse the order of salutation, though the custom has long since been abandoned.

Page 32. — 15–25. **Meine Lieben ...** The note left by the stranger might be interpreted as revealing a measure of malice on Hauff's part, were it not for the fact that he was under æsthetic obligations to keep this in harmony with the rest of the story. Hauff is merely poking fun at the foibles of human beings wherever they may reside, and at the age-old habit of the Germans as a people to take kindly to anything that is foreign.

Der Geigerlex

Berthold Auerbach was born at Nordstetten, in the Württemberg section of the Black Forest, on February 28, 1812, and died at Cannes, on the Riviera, on February 8, 1882. He translated Spinoza, whom he regarded as one of the best and greatest of men, and around whom he wrote a novel with Spinoza as the titular hero. Of his other novels, his Auf der Höhe (1865) and Das Landhaus am Rhein (1868) have met with the most unqualified success. It was his various volumes of Schwarzwälder Dorfgeschichten (from 1843 on) to which he himself attached the greatest importance and on which his renown is most surely built. Despite his numerous following in this field, the interest in these regional tales shows no sign of weakening, other than such as must inevitably follow with the lapse of time. They represent one of the most wholesome phases of Heimatkunst, or " national art," They do more than merely visualize Rousseau's cry of " back to Nature "; they memorialize characters that never abandoned Nature. Der Geigerlex, taken from volume III of the Cotta edition of Auerbach's complete works, is superior to some of his other stories in that the author does not yield to the temptation to say: "Here are men who, unspoiled by the corrupting artifices of modern progress, are deserving of imitation."

Page 33. — 1–2. Es ... Luft, *There is a humming and buzzing in the midnight air.* An effective impersonal opening. Auerbach has made abundant use of the impersonal construction with es in this story, though not for the same reason that he used it in the first sentence.

19. erst. See page 10, line 15.

21. Eibingen. Village near Rüdesheim, noted for its Benedictine convent dating from 1148.

Page 34. — 22. zurückfinden. Should come at the end of the sentence; Auerbach offers the student a rare chance to study word order as a quite unaffected and somewhat homely writer conceived of it.

26. Geistergestalt. See page 36, line 19.

Page 35. — 6. Geigerlex. His real name was Alexis Grubenmüller. Being a Geiger, *fiddler,* he received this nickname.

22. alles. See page 16, line 11. — die = diejenigen, welche.

Page 36. — 29. **prächtigen Durſt.** First intimation as to the hero's unconventional but lovable character.

Page 37. — 1–2. **der ... rote Hahn.** Figurative for *fire*.

21. **Frau Figeline.** His fiddle.

22. **Es ... einwenden,** *There was no use to contradict the eccentric man.*

26. **Landecker.** There are a number of small places in Germany and Austria by the name of Landeck. Auerbach probably refers to the one in Baden.

Page 38. — 6. **wind und weh.** Obsolete use of **wind,** or **winn,** meaning 'distorted,' 'crooked.' Translate freely: *I was always down and out.* Note the typical humor of the paragraph, including the reference to the new-born child, to whom one always gives clothing, **die ihm nicht angemeſſen.**

Page 39. — 4. **abfratzen.** Another specimen of Auerbach's humor. Lex did not learn the "match-scratching" trick until he himself was about to "scratch-off," or "pass out."

16–18. **Macht ... Geſcheiteſten.** Precisely the same idea is expressed in Schnitzler's drama on Paracelsus, though Schnitzler is more metaphysical. See also, for a quite unusual parallel, Auguste Supper's **Verſammlung,** page 119, line 5 and following.

19. **Nachkirchweihe. Nach,** for this would be a church celebration in the next world. Compare the philosophy of the entire paragraph with the opening chapter of **Werthers Leiden,** where Werther bemoans the fact that man's real life is consumed in an effort to live.

Page 40. — 5–12. **ſpielte ... Pauſen.** Compare modern endurance tests in dancing, swimming, bicycle racing, and the playing of jazz orchestras.

Page 41. — 17. **Wir.** Not exactly an editorial "we"; rather that of the firm in which the clerk gives harmless expression to the significance of his connection with it.

26. **kommen,** for **gekommen.** See page 11, line 28.

Page 42. — 15. **wiederkommen,** for **wiederzukommen.**

Page 43. — 2–3. **u. dergl.** = **und dergleichen,** *and so forth.*

19. **wegen dem.** Rare with the dative, but gives a tone of naturalness to the language of the mistress of the Inn at the Sign of the Sun.

Page 44. — 3. **getanzt werden darf.** Subject, **es** understood.

Page 45. — 28. **geschmückte Maien.** The placing of a small green shrub on the gable of a new building upon the erection of the rafters is a common custom.

Page 46. — 7–8. **wollen . . . hören,** *claim to hear.*

12–14. **Jedenfalls . . . ist.** Auerbach implies no more than that the children will be taught the stern realities of life, realities against which Lex has offered such resistance as he could; and that this is as it should be, since the genius of Lex's type is self-made, whereas the more prosaic, and more useful, members of human society have to be made by others. Lex's philosophy of life, as expressed by Auerbach, is not unlike that of Knut Hamsun.

Der ordentliche Augustin

Peter Rosegger was born at Alpl, in Obersteiermark, Austria, on July 31, 1843, and died on June 26, 1918. He enriched civilization without benefit of schooling. It was during his years of apprentice-ship as a tailor-to-be that he wandered from place to place and stored up that fund of insight into human nature that enabled him to publish his works (1914) in 40 volumes. He believed, even more firmly than Auerbach, that the saving strength of a nation is to be recruited from the rural plains and not from the urban palaces. He had a higher regard for the natural, rustic, and simple than for the made, citified, and complex. He placed deeds higher than knowledge, the heart higher than the head. It was his **Schriften des Waldschul=meisters** (1875) that stamped him as one of the really gifted prose writers of his day. In 1876, he established **Der Heimgarten,** a popular monthly. The present story, which is the reverse of Auerbach's **Geigerlex,** is taken from **Die Älpler, Gestalten aus dem Volke der öster-reichischen Alpenwelt** (from 1872 on).

Page 47. — 2. **Geschäftsjubiläum.** The celebration of business anniversaries is exceedingly common in Germany and Scandinavia.

9. **Und Sekt darauf.** At the close of the speech, delivered by the optimistic orator of the day, they drank a toast in Kernschimmler's honor. **Sekt** (champagne) is cognate with English 'sack,' though the sack referred to by Shakespeare would not be regarded as a high-grade champagne.

19. **Doppelfirma,** *double firm,* because of the two related industries he engaged in, and because of the foresight he revealed in selecting a wife.

22. **Profeſſor.** The title is used with more discrimination in Germany and has, consequently, greater significance.

Page 48. — 6. **Nadelgelde,** *pin-money.* We should really speak of "needle-money," for Nadelgeld was originally money allowed the wife by the husband for the purchase of the more refined articles of dress, which are sewed and not pinned.

8. **Student.** Rosegger uses the word loosely; Augustin is a Gymnaſiaſt; he will become a Student when he enters the Univerſität.

13. **die er ſo gerne aß,** *which he liked to eat.* "Which he so willingly ate" is not English, any more than die er zu eſſen liebte is German.

17. **Ordnungsliebe.** The entire story is a good-natured gibe at the German love of order and system, a virtue which, like any virtue, becomes a vice when carried to excess.

21. **Sittlichkeit.** A word made famous by Nietzsche, who contended that Sittlichkeit verdummt. Nietzsche did not mean that "morality" in itself "makes people stupid"; he merely felt that something higher than custom (Sitte) should determine the morals of a people. In English likewise 'morals' comes from Latin *mores,* 'customs.'

24. **Seidencylinder.** The final examination, particularly for the doctorate, is attended by all manner of ceremony, including the appearance of the candidate in evening dress.

28. **mitſamt ... Noten,** *together with the grades he had received and those he hoped to receive.* Cf. page 225, line 26. Note the gerundive construction, zu erhoffenden, very rare in literary prose, the only case in this entire book.

Page 49. — 22. **müßte.** The subjunctive implies, "would have to be straightened out."

Page 50. — 5. **Anzahl Dienſtboten,** *number of servants.* After nouns of number, weight, measure, and kind, the older partitive genitive, or the dative with von, has for the most part given way to simple apposition. Dienſtboten is in the accusative, in apposition with Anzahl.

8. **Geſchirr und Gezier.** The prefix ge gives a collective idea: all

kinds of dishes, kitchen utensils, and bric-a-brac.   Cf. ŏebirge,
"mountain system," ŏefinbe, 'household servants.'

20. Accuratesse, for ŏenauigfeit, though the former implies the
accuracy that is akin to finesse.

21. verloren ging, *was lost.* 'Went lost' would be meaningless.

29. Samstage.   Austrian for Sonnabenb.

Page 51. — 13. Entgleisung . . . Lebensbahn.   A happy figure,
since Augustin lives his life with the precision of a railroad train as
contrasted with conveyances that go when ready and where possible.

Page 52. — 3. faput.   A common word in ordinary speech, but
rare in books.   From French *faire capot,* verlieren machen, 'make (the
opponent) lose.'   Introduced into Germany during the Thirty Years'
War.

13. unb ist bas, for unb bas ist.   The inversion after unb is common
in legal and colloquial language.

Page 53. — 3. sputen.   Cognate with English 'speed.'

4–5. wo es hinaus will, *how it is going to end.*

22. stünbe = stänbe.

Page 54. — 4. Verforgung.   Pre-war Germany had a highly
developed system of old-age pensions or allowances, so that it was
quite unnecessary to institute special community chests for the aged
poor; they were cared for by the government to which they had
paid a special tax while able to work.•

14. Achtung gebietenbe Stelle.   Literally, *position-commanding
respect.*   The first two words might have been written as one;
achtunggebietenbe.   This would have given a long word.   But words
are no longer in German than in any other modern language; they
merely seem so, because of the fact that they are not divided.   The
"long" word of German is frequently superior to the "short" word
in English.   Tierschutzverein is certainly superior to "The Society for
the Prevention of Cruelty to Animals."

28. wer . . . fönne, *who in the world could have greased the wheels.*
Note the difference between this and hätte einfetten fönnen, 'who could
have greased the wheels,' i.e., could have been physically able to
do it.

Page 55. — 18. am Kopfe.   He was naturally bald on the top of
his head, hence there was no hair auf bem Kopfe.   Cf. Das Bilb

hängt an der Wand, 'the picture hangs on the wall,' but Der Stuhl steht auf dem Fußboden, 'The chair is on the floor.'

25. daß ... aufstände, *I can tell you what we could do that would make Kernschimmler get up again.* — brauchte, for würde brauchen. Grammatical usage does not permit the preterite subjunctive for the present conditional in the case of weak verbs; but Rosegger's meaning is clear.

Kapitän

Gottfried Keller (1819–1891) is one of the most virile person-alities in modern German literature. To mention his name is to conjure up certain clear pictures and epochal creations: His birth and life in Switzerland, his unjustified dismissal from the prepar-atory school of his home town, his coquetting with art, his student days in Munich and Heidelberg, his residence in Berlin, his secre-taryship extending over years in his native Zürich, his bachelor-hood; the publication of his first book of poems in 1846, the thirty years of work on his master-novel Der grüne Heinrich (1850–1880), and above all else the writing of his numerous *Novellen* from Romeo und Julia auf dem Dorfe, widely regarded as his best, down to which-ever one a critic would reluctantly refer to as his weakest, but with the modifying clause that even his minor works reveal at times the gifts of a major writer. Kapitän is only one of the five stories, or sections, that go to make up Der Landvogt von Greifensee (1878). It is taken from volume VI of the Cotta edition (28th edition) of Keller's complete works.

Page 56. — 1. Salomon Landolt. Keller based the entire book on history; David Hess published his biography of Landolt in 1820. Landolt remained a bachelor though, like Keller's hero, he was by no means irresponsive to feminine charms. According to Hess, it was the lack of money that caused him to forego the pleas-ure of an independent home. See Gottfried Kellers Leben, by Emil Ermatinger, Stuttgart, 1916, chapter XIX, Die Züricher Novellen.

6. Figura Leu. The character is historical. — wohnte. One might expect lebte. Keller's style, however, is always striking.

11. Kapitän Gimmel. Gimmel is also historical. Note: Kapitän = captain of navy; Hauptmann = captain of infantry; Rittmeister = captain of cavalry.

Page 57. — 27. **aller,** genitive plural.

28. **verdoppelter.** Double, because of his love for her, and because of his familiarity with indigence. Cf. page 47, line 19.

Page 58. — 6. **feſt vor Anker.** A case in which it is possible to speak only figuratively of Keller's " dry" humor. The Captain was of course anchored, in this instance near a sea of beer.

Page 59. — 23. **gegen,** *approximately.* There are many other words in German that convey the idea of 'approximately,' such as **etwa, ungefähr, rund, annähernd, circa, approximativ, an.**

Page 60. — 20–21. **das fehlte ... kommt,** *the very idea, that such a hen should be allowed to go scratching around in my belongings!*

28. **die Gimmelin.** Keller's delightful description of a disagreeable wife is enriched by the use of this old-fashioned form of the feminine of the proper name.

Page 61. — 29. **Doppel=Louisdors.** The **Louisdor** was first struck in 1640; it varied in value from $4 to $4.79.

Page 62. — 1. **Nun ... Halſe,** *Now don't bother me any more with.*

Page 63. — 21. **Baden.** Baden-Baden, so-called in order to distinguish it from Baden near Vienna, and Baden in Switzerland, lies at the entrance to the Black Forest and is visited annually by thousands because of its splendid baths, the most popular in Germany next to those of Wiesbaden.

29. **nichts ... wußte,** *didn't know what in the world she should do with herself.*

Page 65. — 11. **orientiert,** *got his bearings.* Figure is taken from looking to the East for the rising sun.

26–17. **in der Tat:** compare English "indeed," written together, without the article.

Page 66. — 1. **geflogen kam.** This popular and colloquial construction is logical, for he 'came' having 'flown.' Cf. **verloren ging,** page 50, line 21, and **Daß die Katze leiſe geſchlichen kam,** page 89, line 4.

Page 67. — 9–10. **zwiſchen ... kommſt,** 'to sit between two chairs,' i.e., *miss both opportunities.*

Page 69. — 19. 𝔅𝔦𝔟𝔢𝔩𝔰𝔭𝔯𝔲𝔠𝔥: Matthew, v, 37.

Page 70. — 7–8. 𝔑𝔢𝔦𝔫, 𝔦𝔰𝔱 𝔢𝔰 𝔤𝔲𝔱 𝔰𝔬. But in the subsequent story of Keller, entitled 𝔊𝔯𝔞𝔰𝔪ü𝔠𝔨𝔢 𝔲𝔫𝔡 𝔄𝔪𝔰𝔢𝔩 (Warbler and Blackbird) Salomon Landolt has another affair of the heart.

Der Landstreicher

Carl Hauptmann was compared throughout his mature life with his brother Gerhart, and naturally suffered from the comparison, though there have been a few critics who have asserted that Carl was the greater of the two. The assertion cannot be defended despite the fact that Carl was a writer of real merit and occasionally, in his shorter works, revealed the gifts of an inspired creator. Born at Obersalzbrunn in Silesia, 1858, he studied science and philosophy at Zena and Zürich, took his doctorate at the former, and lived at Schreiberhau until his death in 1921. He wrote much: dramas, novels, short stories, poems, diaries, and critical works. For his 𝔅𝔢𝔯𝔤𝔰𝔠𝔥𝔪𝔦𝔢𝔡𝔢 (1901) he was given the Schiller Prize. The editor first became acquainted with 𝔇𝔢𝔯 𝔏𝔞𝔫𝔡𝔰𝔱𝔯𝔢𝔦𝔠𝔥𝔢𝔯 when Carl Hauptmann read it at Columbia University in 1908. The present text is taken from 𝔇𝔢𝔯 𝔖𝔠𝔥𝔞𝔱𝔤𝔯ä𝔟𝔢𝔯: 𝔥𝔢𝔯𝔞𝔲𝔰𝔤𝔢𝔤𝔢𝔟𝔢𝔫 𝔳𝔬𝔪 𝔇ü𝔯𝔢𝔯𝔟𝔲𝔫𝔡, No. 17.

Page 71. — 1. 𝔷ü𝔤𝔢 ... The introduction extends to page 75, line 11. It is typical of Hauptmann; having prepared the reader for the kind of individuals with whom he will have to deal, he is able to make the real story quite brief. The contrast between the fleecy, fleeting clouds and the mighty rocks that have stood imperishable, unchanged for thousands of years motivates the action.

14. 𝔐𝔬𝔩𝔬𝔠𝔥. Frequently mentioned in the Bible as the god of the Ammonites, whose worship consisted chiefly of human sacrifices, ordeals by fire, and mutilation.

Page 72. — 2. 𝔈𝔴𝔦𝔤𝔢𝔯 ... 𝔐𝔢𝔫𝔰𝔠𝔥𝔢𝔫𝔷ü𝔤𝔢. Complete omission of verb adds to effect. Alice Berend makes persistent use of similar construction in quite dissimilar subject-matter.

18. 𝔴𝔦𝔢. 𝔄𝔩𝔰 would be more natural. Cf. Eduard Engel's 𝔇𝔢𝔲𝔱𝔰𝔠𝔥𝔢 𝔖𝔱𝔦𝔩𝔨𝔲𝔫𝔰𝔱 (30th ed.), pages 68–70. Engel regards such a construction as a cardinal sin against syntactical usage. The matter

is not really so serious, though confusion may arise through a careless, or affected, use of wie for als or als for wie.

19. Die uralte Nacht. Hauptmann was always a philosopher;
his explanation of the origin of light may or may not entirely agree
with that given in the Pentateuch.

21. die große Mutter. Reminiscent of Faust, II. The general
idea however is very old and widespread.

28. Ein Dorf... Beginning of the material setting.

29. Sonne = Sonnenschein. Note the omission of the article.

Page 73. — 1. in die Fenster. Accusative, with the idea that the
vines grow *into* the windows.

5. und nun gar Sonntags, i.e., though he was an important character on weekdays, you should have seen him on Sundays!

9. Und die Bäuerin. Though the man's work was done when
Sunday came, the woman kept right on; her work was never done.

21–29. Draußen zog... Admirable picture of the peasant lad
who had to shoe the old horse before going to church, even though
it was Sunday.

Page 74. — 3. das Wort vergessen. Refers to Sonntag, not to any
robust language that might have been used under trying circum-
stances.

24. in jedes Blut. The construction, like in alle die in line 23,
and in jedes Auge in line 27, calls for the accusative. The thought
in line 27 is that the splendor of the fields and gardens struck each
one in the eye on that gloriously sunny morning. Hauptmann obviously uses the jedes in both cases as an accusative neuter of the
pronominal adjective rather than a genitive of the indefinite pronoun. Had he meant the latter, he should have written in das Auge
eines jeden, or in jedermanns Auge.

29. Die Glocken... The description of the tones of the bell is
not unlike that in Gerhart Hauptmann's Die versunkene Glocke (1896).

Page 75. — 11. Sonntag. The church service is that of pietistic
Silesia.

14–15. Das Evangelium. Cf. Luke, XVI, 19–31.

Page 78. — 25. der ewig Suchende. Cf. Deuteronomy, VIII, 15.

Page 79. — 1. Rebekkabrunnen. Cf. Genesis, XXIV, 15–67.

Das verlorene Kalb

Clara Viebig, born at Trier in 1860, will be remembered longest for the work she has done by way of immortalizing, through the medium of narrative prose, the Eifel region abutting on France, and the Oder-Posen region next to Poland. Her first published book, a collection of *Novellen* entitled Kinder der Eifel (1897), is a representative visualization of her interest in the West, while her novel entitled Das schlafende Heer (1904) sets forth with equal adequacy her sympathy with the East. Das verlorene Kalb, or Die Primiz as it was originally entitled, is taken from the thirteenth edition of the collection of stories known as Die heilige Einfalt (Berlin, Egon Fleischel, 1910). It is one of the most virile of her many tales and depicts the age-long conflict in the soul of an impressionable youth between the attractions of the city and the drabness of the province. Other than to pity her leading character, Clara Viebig remains quite objective. That she associates him with the Church rather than with any of the other institutions of modern civilization is purely incidental and has no bearing whatever on the moral. The same point could have been made just as well with Joseph about to enter upon any one of the numerous careers that society as at present constituted makes necessary and inviting.

Page 80. — 6. werde. Subjunctive of indirect discourse after verhieß, *promised*.

8. frohe Botschaft, *glad tidings*. Since Joseph geistlich studierte, *studied for the ministry*, the story contains a number of expressions that remind of the Bible.

19. selig gepriesen hätte, *would have called blessed*.

Page 81. — 5. alle . . . geblieben, *all had remained what their fathers had also been*. From the English point of view, the das is superfluous; German, however, uses a pronoun, personal or demonstrative, as a sort of antecedent. Cf. Er ist reich, ich bin es nicht, *He is rich, I am not*.

17. Wann kömmt hän dann. Eifel dialect for Wann kommt er denn?

19. Je, was dauerte das so lang! The not quite "correct" but expressive language of the common people. Translate, *Good gracious, what's been keeping him all this time!*

25–29. Sie hatte . . . An excellent description of a humble home in the Eifel region with its over-hanging thatched roof, open frame-work so painted as to stand out in sharp relief from the rest of the walls, its hedges, fences, and well-kept out-buildings.

28. **Das Gadder** = Das Gatter, with its variant Das Gitter, all implying *lattice work, trellis.* Cf. Über den Eifeldialekt. Ein Beitrag zur Kenntnis des Mittelfränkischen, by Theodor Büsch, Malmedy, 1888.

Page 82. — 12. **Venn.** The Hohes Venn is a plateau about 20 miles southeast of Aachen.

17. **Steele.** Mining town on the Ruhr, not far from Essen. — 17–18. **Sie hatten ... Sinn,** *They had all somehow got out of touch with* their mother and her home ties.

Page 83. — 6–7. **wenn's nicht anders war** = wenn es nicht anders ginge, i.e., if the worst came to the worst, the mother would sell Maiblume's calf, however much she disliked the idea, in order to have the necessary money to entertain her educated son.

14. **Der Gesangverein,** *choral society.* The picture is not at all overdrawn; every German village has its singing society.

Page 84. — 4. **Bahnstation** = Bahnhof.

5. **Sie jehn erunter, hän holen** = Sie gehen hinunter, um ihn abzu-holen.

Page 85. — 12–13. **Ich ... früher.** Hardly has Joseph arrived when he shows that his prolonged stay in Rome has made him "different" from the ordinary folks of his native village.

20. **sah er denn nicht mehr gut?!** The double punctuation is quite common in German and for a good reason. In such a statement we have both a question and an exclamation, and it is not always easy in any language to draw a sharp line between the two.

Page 86. — 3. **sonder Scheu,** *without timidity.* The use of sonder instead of ohne is becoming more and more uncommon.

17. **Samstagabend.** Dialectal; also fitting here in order to avoid the juxtaposition of Sonnabend and Abend. The time is Saturday evening. Cf. page 50, line 29.

24. **Cornelimünster.** Town a few miles from Aachen, has a Bene-dictine Abbey that dates from the ninth century. The late-Gothic church boasts of the possession of the relics given by Louis the Pious, which are shown once every seven years.

Page 88. — 16. **Willſte nühſt eſſen** = Willſt du nichts eſſen?

24. **Die Els.** The use of the definite article with a proper name gives an air of intimate familiarity, and at times a tinge of mild disrespect.

Page 89. — 18. **ſie ſchaffte,** *she worked.* Cf. ſie ſchuf, *she created.*

Page 90. — 18–19. **Nee ... ich bin nit müd!** = Nein, ich bin nicht müde!

19–21. **Herrje ...** Dialectal for wie hundertmal habe ich eben ſo lange aufgeſeſſen und für euch Jungens die Buchſen geflickt!

Page 91. — 10. **Badder** = Vater. — **hätt erlebt** = erlebt hätte.

Page 93. — 8. **Kyrie eleiſon!** *Lord, have mercy!* The prayer used at the beginning of the Mass in Catholic churches.

19–20. **Gloria ... sancto!** *Glory be to the Father and to the Son and to the Holy Ghost!*

Page 94. — 5–6. **Benedictus ... Domini!** *Blessed is he who comes in the name of the Lord.*

20. **Agnus ... nobis!** *Lamb of God that taketh away the sins of the world, have mercy upon us!*

Page 95. — 3. **Ite, missa est!** *Go! It is the dismissal.* The exact origin of this ancient formula used in dismissing the congregation is not known.

25. **buk,** now ordinarily backte.

Page 96. — 18–19. **die ſuchte ... weg.** The cow longed for her calf, just as the mother longs for her son who, though at home, is "lost" to her as a mother.

Page 97. — 21. **Die Himmel ... Ehre!** Based on Ps. XIX, 1, *The heavens declare the glory of God.*

Page 100. — 19–20. **O Täler ...** The opening verses of Eichendorff's poem entitled Abſchied (Departure), written in October, 1810, on the occasion of Eichendorff's leaving Lubowitz for Vienna. It is frequently sung in German circles to Mendelssohn's music.

Page 102. — 9. Oe = Oer. The use of the demonstrative instead of the personal lends to the remark a tinge of contempt.

26. Jm Stall . . . The picture presented in the last lines of the story, — the mother in the stable trying to console the cow for the loss of her calf at the moment that she has "lost" her own son, — is as gripping and as natural as any that modern German literature has to offer.

Fröhliche Leut'

Hermann Sudermann is the author of approximately ten volumes of novels and *Novellen*, twenty dramas, and a number of miscellaneous volumes, including his sprightly autobiography. His narrative works are widely read, some of them having gone through as many as two hundred editions; his dramas have been immensely successful on the stage both at home and abroad, for the translator has done well by him. And yet, Hermann Sudermann, born at Matziken in East Prussia, 1857, has not enjoyed undivided homage. There are those who claim that in his dramas he is theatrical rather than dramatic, and that in his epic works he is more intent on getting a hearing than in depicting the accepted truths of life. This is no place to argue the point beyond admitting that, like any voluminous writer, he is at times flat and banal just as he is at times clean, vigorous, and ennobling. Fröhliche Leut' is one of the eleven tales published under the general caption of Die indische Lilie (Cotta). For the facts regarding his life, see Hermann Sudermann; sein Werk und sein Wesen, by Kurt Busse, Cotta, 1927.

Page 104. — 18. stiefmütterlich. Used with unusual effect, since the mother, the heroine, can in no way be associated with ungenerous or parsimonious action.

Page 105. — 10. die Jungens. Common form of plural. But see page 108, line 12.

14. Universalmesser. Compare American "Barlow." British "Wostenholm" and "Sheffield" have reference rather to quality.

20. auf dem Herzen. Compare English "on her mind."

Page 106. — 13–14. Magazinverwalter . . . aufbewahrt. An arrangement similar to that in this country, where an article is bought in advance to be delivered on a certain day.

24–25. liebt . . . nun einmal nicht, *simply does not like.*

Page 107. — 6. Malheur = Unglück.

14. **Was, Brigit?** *Aren't we, Brigitta?*

21–22. **Die drei Wege zum Frieden.** An appropriate title for Herr Brüggemann, since he is the only one who is not in a joyous mood.

Page 109. — 16. **Chubbschloß.** Invented by the English locksmith Charles Chubb (d. 1845).

19. **Wie dem auch sein mochte,** *However that might be.* More frequently in the present, where it is a stereotyped expression.

23. **Schnapp=ting!** Imitation of the sound made by opening and closing the lock.

28. **Da ... schlecht,** *Whereat they were quite ashamed.*

Page 110. — 14. **Zweck.** The custom is not uncommon on the Continent of providing a flower-case which can be locked so that the flowers cannot be removed.

24. **zum Gitter und zur Kapelle.** The withholding, until the very last, of the fact that the mother is no longer living might have been done in such a way that it would leave the impression of being merely a clever device. Sudermann, however, through the application of the inspired artistry that is so frequently at his immediate command, has done it without force or affectation; he has done it in spirit, and the effect is incalculable.

Die dreifache Warnung

Arthur Schnitzler is the most popular writer modern Austria has produced. His fame has spread throughout the civilized world, due though this may be, in part, to the type of theme for which he has persistently revealed a pronounced inclination ever since he published Anatol in 1892. Born at Vienna in 1862, he became a practising physician there, and the reading mind can somehow associate him only with Vienna. He has conquered the international stage and won the international public that gives itself up to narrative prose. Die dreifache Warnung was written in 1911. In a letter to the editor, in which Schnitzler gave his permission to reproduce this story, he said: „Wählen Sie lieber eine andere meiner Novellen, die mehr Novelle ist als ‚Die dreifache Warnung.'" These are significant words, for Schnitzler has written other *Novellen* that are more interesting; but for patent reasons very few of them are adapted to school use.

The present story is taken from 𝔐𝔞𝔰𝔨𝔢𝔫 𝔲𝔫𝔡 𝔚𝔲𝔫𝔡𝔢𝔯 (S. Fischer Verlag, Berlin, 1923).

Page 111. — 11–12. 𝔢𝔰 𝔰𝔢𝔦 𝔡𝔢𝔫𝔫, *unless.*

13. 𝔟𝔩𝔦𝔢𝔟 ... 𝔰𝔱𝔢𝔥𝔢𝔫, *stopped;* not ' remained standing.'

23. 𝔰𝔢𝔫𝔡𝔢𝔱𝔢. Compare 𝔰𝔞𝔫𝔡𝔱𝔢 on page 112, line 18. Both forms are permissible; it is hardly possible that Schnitzler felt that 𝔥𝔦𝔫= 𝔰𝔢𝔫𝔡𝔢𝔫 should have a different preterite from 𝔰𝔢𝔫𝔡𝔢𝔫, and euphony plays no rôle in either case.

Page 112. — 19. 𝔏𝔞𝔠𝔥𝔢𝔫. The youth in this parable, for it is more parable than short story, is merely amused at the thought that any one of the three prophesied catastrophes could befall him.

24. 𝔓𝔯ü𝔣𝔲𝔫𝔤. Compare the test he is to stand with that of Werfel's hero, pages 161 and following.

Page 113. — 20. 𝔰𝔠𝔥𝔲𝔩𝔡𝔦𝔤. The attitude of the youth toward nature, animal and vegetable, is entirely like that of Werther in Goethe's 𝔇𝔦𝔢 𝔏𝔢𝔦𝔡𝔢𝔫 𝔡𝔢𝔰 𝔧𝔲𝔫𝔤𝔢𝔫 𝔚𝔢𝔯𝔱𝔥𝔢𝔯𝔰.

Page 114. — 20. 𝔙𝔢𝔯𝔡𝔢𝔯𝔟𝔢𝔫. The reasoning seems far-fetched; but causality of events is one of the features of human existence that has always attracted Schnitzler. Compare lines 26–27, 𝔞𝔲𝔣 ... 𝔣𝔬𝔩𝔤𝔱.

Page 116. — 6–7. 𝔅𝔢𝔰𝔱𝔦𝔪𝔪𝔲𝔫𝔤 ... 𝔊𝔬𝔱𝔱. Compare Goethe, who raises so often throughout his 𝔚𝔦𝔩𝔥𝔢𝔩𝔪 𝔐𝔢𝔦𝔰𝔱𝔢𝔯 the question as to the parts played in our lives by 𝔝𝔲𝔣𝔞𝔩𝔩 (chance), 𝔊𝔩ü𝔠𝔨 (fortune), 𝔑𝔬𝔱= 𝔴𝔢𝔫𝔡𝔦𝔤𝔨𝔢𝔦𝔱 (necessity), and 𝔎𝔯𝔞𝔣𝔱 (power).

10. 𝔊𝔢𝔰𝔠𝔥𝔢𝔥𝔢𝔫. Happy use of verbal noun. The construction is much stronger than 𝔡𝔲𝔯𝔠𝔥 𝔞𝔩𝔩𝔢 𝔊𝔢𝔰𝔠𝔥𝔢𝔥𝔫𝔦𝔰𝔰𝔢, or 𝔡𝔲𝔯𝔠𝔥 𝔞𝔩𝔩𝔢𝔰, 𝔴𝔞𝔰 𝔤𝔢𝔰𝔠𝔥𝔦𝔢𝔥𝔱.

11–29. 𝔖𝔬 ... 𝔚𝔢𝔩𝔱𝔢𝔫. Schnitzler is obviously no believer in the freedom of the will; nor is he a metaphysician, though a man of faith — faith in the life that is lived on this earth, and in the immortality of the spirit.

𝔙𝔢𝔯𝔰𝔞𝔪𝔪𝔩𝔲𝔫𝔤

Auguste Supper is deserving of a more intimate acquaintance on the part of the English-language reader than she has thus far enjoyed. Born at Pforzheim in Baden on January 22, 1867, she has published,

288 NOTES

in addition to her work as a novelist, one collection of short stories after another: Da hinten bei uns, Holunderduft, Der Mann im Zug, Ausgewählte Erzählungen. The story before us is taken from the volume entitled Der Weg nach Dingsda (Deutsche Verlagsanstalt, Berlin, 1921). It is representative of the bulk of Auguste Supper's work on three counts: The characters are somewhat queer, resembling at times those of Auerbach, Rosegger, and Keller, but they are intensely real; the style is anything but flabby; and the author is unprejudiced. In Versammlung, the theme of which — labor troubles — is merely incidental, Auguste Supper pleads for the spirit of coöperation and in so doing exposes the futility of public argument when the facts are wanting, and when the ability to analyze a given situation is beyond the talkers. She does both, too, with an unusual virility. Maupassant, Gogol, and Kipling, having been mentioned as being her literary godfathers, she replied (in a letter to the editor) that none of these had ever had the slightest influence on her. She wrote: „Da wir Menschen alle aus Vater und Mutter herkommen, denke ich, daß auch in uns Frauen immer etwas Männliches steckt, wie in jedem Manne etwas vom Weibe. Bei mir käme dieser Teil meines Wesens eben in meinen Geschichten ans Tageslicht."

Page 117. — 21–23. Er sang ... konnte, *He sang to himself and jogged along his way in a sort of awkward activity to which even his manifest haste could not quite give the air of reality.*

Page 118. — 14. Klingen. Fictitious town. Likewise Esdorf, on page 119, line 14.
26. die Pfaffen. The anti-clerical attitude of the continental Socialists is proverbial.

Page 119. — 29. Sie ... haben! *I hope they haven't turned the heat on in the Ox Hall!*

Page 120. — 16–18. Ich ... ausfranst. An excellent picture of the soap-box agitator.
19. Hast ... studiert? A mild but unappreciated thrust at legal volubility and enterprise.

Page 121. — 1–2. Wie ... Brüderle? *Say brother, how old are you anyway?* The inference is: you must be a child if you do not know what is meant by "capitalism." But just the same, he could not answer the question, — which will be explained in detail before the story is through.

15–16. **Man muß . . . wirken kann.** John IX, 4; "I must work . . . while it is day; the night cometh, when no man can work."

17. **Schicket . . . Zeit;** Ephesians V, 16; "Redeeming the time, because the days are evil."

Page 123. — 26. **schaffen,** *work;* the turning point of the story.

28. **Welsbronn.** Fictitious town. The reason for not making the story local, and therefore personal, is obvious.

Page 124. — 14. **hat das Wort,** *has the floor.* The fixed expression by which a presiding officer recognizes one who wishes to speak.

Page 125. — 7. **Streifbrecher,** *strike-breaker.* The word Streif has become established in German, rather than Ausstand. Streif is merely the German spelling of English '*strike.*'

14–15. **Es . . . ist,** *It is very likely the fellow who doesn't pay his bills at the Hirsch Inn.*

17. **Nix** = Nichts, *Not at all.*

Page 126. — 28. **Was** for Warum; the latter word comes from was um, i.e., um was, 'for what,' hence, *why.*

Page 127. — 13. **Verdienen tue ich,** for Ich verdiene. Though the emphatic form of the verb with tun, as in English, is not grammatical, there are cases, such as this one, in which it gives an added strength that justifies its use. The construction is common in the colloquial language of many regions.

Page 128. — 21. **In grauer Vorzeit.** By transferring his story to the dawn of history, the Stranger relieves it of any touch that might offend.

Page 129. — 21. **So läuft der Hase.** Compare English "So that's the way the cat jumps."

Page 130. — 3–4. **zwei alte Bäuerlein.** The situation is not at all unlike that in Gottfried Keller's Romeo und Julia auf dem Dorfe, though Keller has his story end tragically.

22. **Da . . . Schopf,** *They made for each other's hair.*

Page 131. — 18. **Bluſt.** Gottfried Keller once criticized the North Germans for not having this word, and for being willing to get along with **Blüte,** its North German equivalent.

22–23. **Die zahlt ... g'ſtellt.** The idea is, money comes from men, cherries from God.

Page 132. — 7. **Immen.** Used in the language of the plain people and by poets. Compare **Immenſee; Imker,** 'bee fancier,' also occurs.

16–17. **Das Dichten ... auf.** Genesis, VIII, 21; "For the imagination of man's heart is evil from his youth."

27. **Wär' noch ſchöner,** *That would be a fine state of affairs.*

Page 133. — 20–21. **Du lügſt uns nichts vor,** *You can't fool us.*

Page 134 — 3. **das Mädchen ... lachend.** The girl cried and the boy laughed, not because of a basic difference in the sexes, or in their characters, but because of the girl's relation to Ulrich, who was planning to give his cherries away, and of the boy's to Michel, who would be benefited by the generosity of his neighbor.

Page 136. — 5. **verteilen.** Auguste Supper is poles removed from Socialism; she is merely telling a story.

11. **Edendorf.** Naturally fictitious, with Biblical allusion.

Page 137. — 8. **leichtflüſſiger,** *more fluent.* Contrast "liquid" and "frozen" credits.

11. **Opfer bringen.** Compare Ginzkey, on page 173, line 14. Ginzkey argues that it is embarrassing to those of rank and authority to realize that they have nothing to offer genius; Auguste Supper shows how mutually helpful men as men may be to each other. For an interesting contrast to Auguste Supper, see Helene Christaller's **Apotheoſe im Kriegerverein,** in **Aus niederen Hütten: Geſchichten aus dem Schwarzwald,** Stuttgart, 1922.

Der Sohn

Heinrich Mann was born at Lübeck, March 27, 1871. His prolonged sojourns in Italy have left the Southern stamp on his Northern mind. He has published a number of novels, including **Die Jagd nach Liebe** (1903), **Profeſſor Unrat** (1905), **Die Armen** (1917), and **Der**

Untertan (1918). The last has been translated into English under
the title of *The Patrioteer*. Of his dramas, Madame Legros (1914)
stands out while Macht und Mensch is his best collection of critical
essays. His latest work is Mutter Marie (1927), a novel. An ad-
mitted disciple of Balzac, Flaubert, and d'Annunzio, he has at times
revealed an irritableness of temperament that has been ill-calculated
to win for him a clientele such as his brother, Thomas Mann, has
gained without recorded effort. The lack of self-discipline that
characterizes some of his personages is suggested by the very titles
of his tales: Flöten und Dolche (1904), and Stürmische Morgen (1906).
The story before us is taken from Die Entfaltung: Novellen an die
Zeit, edited by Max Krell (Ernst Rowohlt Verlag, Berlin, 1921).

Page 138. — 1. **Als Färber heiraten konnte.** A note of tense
realism is struck in these four words. Had Färber been able, financially and otherwise, to marry earlier, he would have been happier
and therefore wiser.

4–5. **durch ... muß,** *through which a man has got to make his way*.
The verb of motion is frequently omitted after a modal. Cf. Ich
muß in die Stadt, 'I have to go down town.'

7–10. **aber ... Mann.** Like many a man, Färber set a definite
date at which he would have reached the desired goal.

11. **der Kleinen,** i.e., the baby daughter.

13–14. **der ... sollte,** *the future he had helped to create, and which
he was no longer destined to see.*

15. **des kleinen Schlafenden,** i.e., des kleinen schlafenden (Kindes),
the little sleeping child.

17. **es,** i.e., the child.

18. **er** = der Blick.

Page 139. — 1–3. **Draußen ... ihren.** Färber's business ethics
could scarcely have been worse. He regarded each of his competitors
as a rascal against whom he felt it necessary to protect his own hide
(Haut) at the same time that he attempted to cut thongs (Riemen
schneiden) from theirs.

15. **blutjung.** Derived not from blut and jung, but from bloß,
Low German blot, 'only,' and jung. Therefore, 'only young,' i.e.,
not the least bit old.

26–27. **Der Kluge ... täuschen.** The family situation, delightful
in itself so far as the mother and daughter alone were concerned,

bade (ħież) Färber do nothing that would change his family's belief that he was *the clever and powerful one, who was all goodness*. The introduction of the story, extending to page 140, line 13, is done with psychological skill.

Page 140. — 15. **nur er.** Färber feels that everybody else has a job and a goal; he himself is merely *leading a stolen existence.* — **mit** is used adverbially, and need not be translated.

23–24. **Auf dem Spiel . . . ihr Leben,** *At stake now, in case he gave up his attempt to spare their feelings, was nothing less than their very lives.*

25. **seines eigenen,** i.e., his own life.

Page 141. — 4. **beschafft.** A word that Heinrich Mann overworks; but it is more forceful here than, say, mitgenommen, *taken along with.*

Page 142. — 9. **Nein . . . ist.** *Now listen! Enough of that! Be a man, come what may!* The nervousness of this monologue, though more noticeable than in other passages, is not unique. From beginning to end, every adult character in the story is uneasy, restless, and anxious; and Heinrich Mann's style reveals this fact. But the style is not on this account undisciplined; it is, rather, quite rigid.

Page 143. — 3. **gesichert,** *safe.* The use of gesichert and geborgen, also meaning *safe,* gives the key in a way to the story; no one in it is 'safe.'

6. **er** = ein Gott.

12–13. **kam dahinter, daß,** *got on to the fact that.*

26. **Kämpfenmüssens.** There are just as many verbal nouns in German as there are verbs; and, as in this case, the verbal noun is frequently more effective than any other construction.

Page 144. — 16. **nicht mehr würdig.** When jealous suspicion reaches the point it has reached in Färber's case, there is no hope.

Page 145. — 14. **mit . . . Gegners.** This is the crux of the story. Färber's plan is doomed to failure, for the very reason that he does *not* know all the traits of his fancied opponent. The story depicts the tragedy of misunderstanding.   Cf. Burns's "Man's inhumanity to man makes countless thousands mourn."

Page 146. — 26. **außergeschäftlicher,** having to do, not with the business of the two men, but with Rosa, Färber's daughter, and Lanz's prospects of marrying.

Page 147. — 22. **man.** Not only Färber, but also his daughters, who were but little inclined to go on this excursion.

23. **Streit.** It is impossible to " reserve " a seat in a German train, except in the de luxe compartments, the cost of which is excessive. Due to this and the compartment system, which brings the passengers so close together, traveling in Germany is peaceful only when but few people travel.   The quarrel about the window in this case is likewise due to the fact that the raising or lowering of a single compartment window concerns the comfort of about seven passengers.

Page 148. — 8. **Seitengang.** Refers to the aisle, or passageway, that runs, not through the middle of the coach, but along one side, as in some of our Pullman sleepers that have only "drawing rooms" and no "berths."

17. **sei.** By using the subjunctive, Lanz implies that it is not only his idea, but inquiry would show that it is also the idea of other passengers that the window should be lowered.   Windows in a German train work as do those in an automobile; to "lower" them is to "open" them.

Page 149. — 1. **seiner,** i.e., Liliane's.

1–2. **als gehe . . . dahin,** *as if the worst were coming to the worst,* i.e., as if he were to lose the respect even of his own child.

15. **unterhielte.** Subjunctive of condition contrary to fact; and yet Lanz was really talking to himself, however little he may have been uttering audible words.

25. **erst,** *not until.*   Cf. page 10, line 15.

Page 150. — 10. **Da fiel ein Schuß,** *A shot was heard,* not "fell."

29. **daß wir . . .** The moral of the story.

Page 151. — 12. **Mein Sohn.** The pathos of this can be appreciated by anyone who has caused grief through failure to understand.

For an illuminating study in contrasts, see Lessing's Emilia Galotti (1772), Act v, Scene 2, in which the father, Odoardo Galotti, stunned by the violent death of his prospective son-in-law, Graf Appiani, exclaims Mein Sohn, mein Sohn! Though written from opposite angles, the drama and the story have much in common.

Der Dschin

Franz Werfel is one of the most gifted writers of post-war Austria. Born at Prague on September 10, 1890, he was drafted in the World War and was right promptly court-martialed for rather vigorous expression of his disbelief in the reasonableness of the conflict. His first published volume, a collection of expressionistic poems entitled Der Weltfreund, came out in 1911. He had written fourteen volumes of poems, dramas, and narrative works before reaching his thirtieth year. The writer of these lines had the privilege of introducing him to the English-reading public through the columns of the *New York Evening Post* in 1919. With a robustness, and in a tempo that reminds of Klopstock, Schiller, Nietzsche, and Walt Whitman, he keeps pounding away at the theme of man's inhumanity, in the unexpressed but implied hope that if others were to do likewise the world might experience a moral rejuvenation. Of his extraordinary gifts not even his most ferocious judges have ever had a shadow of a doubt. As to Der Dschin, the most difficult story in this collection from the point of view of contents — Werfel calls it ein Märchen — he himself wrote: „Es ist eine Jugendarbeit von mir und noch nicht die klare Prosa, die ich jetzt anstrebe. Aber auch jetzt noch schreibe ich manchmal fast wider meinen Willen solche Dinge, die aus dunklen Erlebnissen und Traum=Abgründen kommen, und deshalb selbst dunkel und verträumt sind. Ist nicht alle Dichtung ein Aufstellen von Rätseln, die der Autor selbst nur zu drei Vierteln lösen darf?"

Page 152. — 2. ruhmreicher Seefahrer, i.e., Prinz Ghazanfar, hence nominative.

12. auch. Seems superfluous, but it intensifies. — Fatum = Schicksal, but more forceful than the latter, since it takes the reader back to the Greek idea of Fate, which is more inexorable than modern fate.

Page 153. — 8. wie Pferde. A telling observation; a horse on unfamiliar ground feels its way with its feet with unerring certainty.

19. **gößendienerisches.** Referring to the days when Odin and his followers were worshipped in Iceland and Scandinavia.

25. **widerwillige,** *stubborn,* because the door was used but little and the lock was rusty.

Page 154. — 14. **stumm,** *mute,* but obviously not a deaf-mute.

23. **Köter** = cur; **Hund** = dog; **Dogge** = big dog of noble breed, English bulldog generally **die** though also **der.**

27. **verschlossenen Ausdruck.** The impossibility of interpreting the mute expression of animals is a common theme in literature.

Page 155. — 18. **Allah.** Arabic name of the Supreme Being, used by Mohammedans generally.

Page 156. — 17. **Dem ... Tier.** As a good Mohammedan, the prince had a double aversion for the scurvy dog. This idea motivates the dénouement.

26. **Gelobt sei.** The supernatural part of the story begins here. As a preparation for what follows, the student might well read Coleridge's *The Rime of the Ancient Mariner.*

Page 157. — 6. **unverständlich.** The reader should not regard the story as likewise " unintelligible."

11. **In ... ich!** Guard against seeing in the story a mere case of transmigration of souls.

22. **mitgelitten.** Compare **Mitleid,** *sympathy,* ' suffering with.' It is significant that Ghazanfar " feels for " the mangy cur.

Page 158. — 1. **standhältst.** The crux of the tale: does Ghazanfar have the faith that moves mountains ?

3. **Wem.** Dative after **standhalten;** *before whom shall I stand the test?* As in **gehören,** *belong to,* the meaning implied in **standhalten** necessitates the dative. See also page 165, line 7.

8. **Dschin,** *evil demon, evil genius,* among the Arabs.

Page 159. — 28. **Baalsköpfe,** *idol heads.* Baal, the name of a Semitic divinity and object of idolatrous worship, is here used in the general sense of ' idol.' See **Götzen** in line 22 above.

Page 162. — 19. **Schaitan.** The Arabic form of *Satan.*

Page 163. — 2. **Nur weiß ... nicht.** The long debate, with its proffered and rejected challenges, between Ghazanfar and the Dschin is more than a " third degree " cross-questioning. Nor does the matter stop with the Dschin's attempt to inspire Ghazanfar with an inferiority complex. It is a question, quite common in all literature that deals with " life as a dream," as to who is who and what. Ghazanfar is already weakening.

21. **Bauernfänger.** An excellent idea of a Bauernfänger may be obtained from Johannes V. Jensen's short story entitled Der Bauernfänger, the scene of which is laid in New York City. See Erotische Novellen, S. Fischer, Berlin, 1909.

Page 165. — 1. **der andere Ghazanfar.** Compare Stevenson's Dr. Jekyll and Mr. Hyde.

16. **das Lied.** Werfel's first collection of poems, Der Weltfreund (1911), was faithful to its title: the poet showed himself a " friend of the world." In his next collections, Wir sind (1913) and Einander (1915), he treated the related themes of the present Lied: Ekel and Heimweh. That is, the idealist's disgust at what " we are," and the optimist's longing for what we might be to " each other." It would be difficult to find a single song that more completely represents Werfel during and immediately following the World War than the present Lied.

Der Hofpoet

Franz Karl Ginzkey was born at Pola, a seaport in Istria, Austria-Hungary, on September 8, 1871. In 1901, he brought out a collection of poems entitled Ergebnisse, and has since then been a quite prolific writer in all the established fields of fiction. Unlike his younger colleague Werfel, he became early in life an officer in the Austrian army, and was later appointed to a position of importance in the Military Geographic Institute at Vienna. Robert Hohlbaum, the author of the last story in this text, has written a critical study of him under the heading Franz Karl Ginzkeys Leben und Schaffen (L. Staackmann Verlag, Leipzig). Ginzkey is one of the most amiable and kindly writers in modern Austria. Der Hofpoet is representative of his attitude: mildly satirical, good-natured, humorous, stimulating, thoughtful. It is taken from his collection entitled Von wunderlichen Dingen: Sieben Erzählungen (Staackmann 1922).

Page 167. — 2. **Abdul Dschamil.** The entire story, as Ginzkey said (in a letter to the editor) was motivated by his experience with letters in contemporary Austria and Germany.

17. **Herr.** Many more people try their hand at writing poetry in Germany than is the case in England or America.

Page 168. — 4. **Beherrscher aller Gläubigen,** *Ruler of the Faithful.* Common Oriental salutation to a ruler.

15–21. **Sie behaupten ... begibt.** Reference to the two most popular, and most frequently challenged, movements or tendencies in modern Germany: Impressionism and Expressionism. If an adherent of the former, the poet gives his impression of the external world; if of the latter, the poet gives his expression of the inner world, i.e., gives expression to the thoughts, emotions, and feelings of his inner self. Albert Soergel (**Dichtung und Dichter der Zeit,** 1925) lists Zola as a good example of an impressionist, and Hugo von Hoffmansthal as that of an expressionist.

Page 169. — 2. **Höflingen.** Wilhelm Heinrich Riehl's **Der Leib-medikus** is a *Novelle* that gives an excellent picture of court favoritism and court protection.

11. **Stürmer und Dränger.** An allusion to the Storm and Stress movement in Germany, which began, approximately, with Goethe's **Götz von Berlichingen** (1770) and closed with Schiller's **Don Carlos** (1787). It was an age when the heart, power, sentimentality, and genius were exploited as the chief earmarks of great literature. The drama was the most used form.

15. **Überlieferung.** Tradition has been the bogey of the majority of the young German writers since 1918; the older set have been but little moved by the events that led up to and immediately followed the World War.

Page 170. — 1. **Jüngsten.** As the term implies, the school of "the youngest" writers. See **Die Jüngsten,** by Adolf Bartels, 1922.

Page 171. — 12. **Pfeil ... Deutung.** The number of new magazines founded just after the Armistice was very large; many soon ceased to appear. Ginzkey has chosen the titles of these two with obvious intent; **Pfeil,** the "arrow," and **Deutung,** "interpretation."

Page 172. — 4. **Preisgedicht.** The writing of a poem in honor of a ruler's birthday was long one of the duties of a poet laureate. It was the obligation to do official honor to his would-be patron that made even Spinoza decline a professorship at the University of Heidelberg in the seventeenth century.

5–6. **Die meiſten . . . ʒu können,** *The majority said they could make neither head nor tail of it.*

Page 173. — 13–15. **Es iſt . . . vermögen,** *It is intolerable to the sovereign powers-that-be to come to a full realization of the sacrifices that have been brought them, and which they can never repay.*

Page 174. — 17–19. **So dachte . . . aus,** *This is the way the Sultan felt when he perceived that the guild of the modernists was playing up Jussuf Feridun against Helim, who by this time was already passé.* The most vigorous expression of this idea in German literature, though from a different angle, is Uhland's ballad, **Des Sängers Fluch** (1814).

Page 175. — 12. **Kopf an Kopf.** Compare "shoulder to shoulder."

Page 176. — 13–14. **Er spielte . . . wir all.** The symbolism is as simple as it is beautiful: Any man will speak one way out of office, and another way in office. We all lead double lives: the personal or private, and the official or public. Poets sometimes avoid the embarrassment that ensues from this inevitable duplicity bv taking on pseudonyms, after the fashion of Helim.

Das Tier

Jakob Wassermann had six volumes of his narrative works published in English translation by 1925. In the opinion of leading critics, these represent not merely the best he has done but the best he gives promise of doing in the future, unless he throws off his pronounced one-sidedness. He has thus far shown sustained interest in only one theme: the rejuvenation and reformation of mankind. He was born at Fürth, near Nürnberg, in 1873. At the close of the World War he moved to Altaussee in Steiermark. In 1927 he made a journey through the United States. The details of his life are to be found in his autobiography, **Mein Weg als Deutscher und Jude** (S. Fischer Verlag, Berlin, 1921). The present story is taken from **Der Geist des Pilgers; Drei Erzählungen** (Rikola Verlag, Wien, 1923).

Page 177. — 1-2. 𝕴𝕟 ... 𝕽𝖊𝖘𝖎𝖉𝖊𝖓𝖟. For obvious reasons, Wassermann does not give the story a definite location. Leipzig had the
greatest number of labor troubles immediately after the World
War, but Leipzig has no such zoölogical garden as is here referred to.

5. 𝖋𝖊𝖎𝖊𝖗𝖓𝖉𝖊𝖓. The working men were not "celebrating" as the
word is understood in English; they were merely idle. 𝕱𝖊𝖎𝖊𝖗𝖆𝖇𝖊𝖓𝖉
means the time when one quits work.

10. 𝕻ö𝖇𝖊𝖑. From Latin *populus*, cognate with 'people,' and
connoting 'rabble' as distinguished from 𝕭𝖔𝖑𝖋, meaning the body of
citizens that make up a nation.

13. 𝕽𝖔𝖑𝖑ä𝖉𝖊𝖓. Continental show-windows are protected by
heavy sheet-metal blinds that are rolled down on closing the shop,
hence the rattling.

15. 𝕳𝖆𝖚𝖘𝖙𝖔𝖗𝖊. The great door leading into the main building
from the street, as distinguished from the inside door, or 𝕿ü𝖗, hence
the thundering.

Page 178. — 1. 𝖗𝖆𝖚𝖇 𝖚𝖓𝖉 𝖗𝖆𝖈𝖍𝖌𝖎𝖊𝖗𝖎𝖌. Translate, *predatory and
revengeful*, 𝖌𝖎𝖊𝖗𝖎𝖌 goes with both 𝖗𝖆𝖚𝖇 and 𝖗𝖆𝖈𝖍. — 𝖉𝖎𝖊 𝖂𝖊𝖎𝖇𝖊𝖗. Due
to the subordinate position occupied by the German woman prior
to the close of the World War, she was less active during the war
than the women of other nations. Wassermann has, however, reference to the lower class of women, as is shown by his use of the disparaging 𝖂𝖊𝖎𝖇 as opposed to the more respectful 𝕱𝖗𝖆𝖚.

6. 𝕯𝖆 𝖋𝖚𝖍𝖗. The action begins here. The preceding paragraph
creates the atmosphere. Wassermann's description — and descriptions play a mighty rôle in all of his works — of the post-war
misery is much like that in 𝕱𝖆𝖇𝖊𝖗, 𝖔𝖉𝖊𝖗 𝖉𝖎𝖊 𝖛𝖊𝖗𝖑𝖔𝖗𝖊𝖓𝖊𝖓 𝕵𝖆𝖍𝖗𝖊 (1924),
which is his one war novel.

7-8. 𝖎𝖓 ... ä𝖍𝖓𝖑𝖎𝖈𝖍, *similar in form to a moving van.*

11. 𝖉𝖊𝖘 𝖛𝖊𝖗𝖍𝖆ß𝖙𝖊𝖓 𝕰𝖒𝖇𝖑𝖊𝖒𝖘, *of the hated emblem*, i.e., the royal
coat-of-arms. Wassermann is not expressing his own feelings in the
matter, but those of "the extreme left," or anti-monarchical party.
But regardless of political affiliations, the removal of all signs that
included such words as 𝖐𝖆𝖎𝖘𝖊𝖗𝖑𝖎𝖈𝖍 (imperial) and 𝖐ö𝖓𝖎𝖌𝖑𝖎𝖈𝖍 (royal) was
one of Germany's really laborious post-war tasks, for they were to
be seen everywhere, from the windows of small haberdasheries to
the mail trucks of the national post office. The owner of the moving
van had merely forgotten to remove them from his covered wagon.

13. 𝕻𝖔𝖑𝖎𝖟𝖎𝖘𝖙𝖊𝖓; cf. 𝕻𝖔𝖑𝖎𝖟𝖊𝖎 on page 177, line 12, and 𝕾𝖈𝖍𝖚𝖙𝖟𝖜𝖆𝖈𝖍𝖊 on

page 177, line 20. The ordinary word for 'policeman' is 𝔖𝔠𝔥𝔲𝔱𝔷-
𝔪𝔞𝔫𝔫, pl. 𝔖𝔠𝔥𝔲𝔱𝔷𝔩𝔢𝔲𝔱𝔢, as on page 180, line 8.

Page 179. — 2. 𝔗𝔦𝔢𝔯𝔤𝔞𝔯𝔱𝔢𝔫. The zoölogical gardens of Germany,
the two largest of which are in Hamburg and Berlin, are generally
supported by government subsidy. Incidents similar to the selling
of the lion were quite common during the three years immediately
following the Armistice. For a charming story on the fate of zoölogical gardens in Germany, see Irene Forbes-Mosse's 𝔷𝔬𝔬𝔩𝔬𝔤𝔦𝔢: 𝔍𝔫
𝔈𝔯𝔦𝔫𝔫𝔢𝔯𝔲𝔫𝔤 𝔢𝔦𝔫𝔢𝔰 𝔨𝔩𝔢𝔦𝔫𝔢𝔫 𝔗𝔦𝔢𝔯𝔤𝔞𝔯𝔱𝔢𝔫𝔰, 𝔡𝔢𝔯 𝔳𝔢𝔯𝔰𝔠𝔥𝔴𝔲𝔫𝔡𝔢𝔫 𝔦𝔰𝔱, in her 𝔏𝔞𝔲𝔟-
𝔰𝔱𝔯𝔢𝔲 (Drifting Leaves), Leipzig, 1925.
16. 𝔬𝔟 𝔢𝔯 𝔦𝔥𝔫 𝔴𝔦𝔱𝔱𝔢𝔯𝔱𝔢. The independent clause, as is also the
case with the sentences beginning in lines 16 and 19, is omitted.
The sentence might be rewritten as follows, though the revision
would weaken the total effect: 𝔐𝔞𝔫 𝔡ü𝔯𝔣𝔱𝔢 𝔰𝔦𝔠𝔥 𝔴𝔬𝔥𝔩 𝔣𝔯𝔞𝔤𝔢𝔫, 𝔬𝔟 𝔡𝔢𝔯
𝔏ö𝔴𝔢 𝔡𝔢𝔫 𝔅𝔯𝔬𝔡𝔢𝔪 𝔡𝔢𝔰 𝔈𝔩𝔢𝔫𝔡𝔰 𝔲𝔫𝔡 𝔥𝔲𝔫𝔤𝔢𝔯𝔰 𝔴𝔦𝔱𝔱𝔢𝔯𝔱𝔢?
23. 𝔐𝔢𝔤ä𝔯𝔢𝔫. In Greek mythology Megæra was one of the
Eumenides or Furies, the female avengers of iniquity, notorious
because of their distorted and otherwise horrible faces. See 𝔉𝔞𝔲𝔰𝔱,
II, lines 5356–5372.

Page 180. — 4–5. 𝔈𝔦𝔫 𝔘𝔫𝔟𝔢𝔰𝔱𝔦𝔪𝔪𝔟𝔞𝔯𝔢𝔰 ... 𝔊𝔢𝔪ü𝔱𝔢𝔯𝔫, *An indeterminable something in the way of premonitory horror stirred within
their gloom-laden souls.*
9–10. 𝔦𝔪 𝔎𝔢𝔦𝔪 𝔢𝔯𝔰𝔱𝔦𝔠𝔨𝔱, *nipped in the bud.* Wassermann remains
objective. He declines the privilege of intimating whether he feels
that the uprising should, or should not, have been suppressed; he
merely reports that it was.

𝔇𝔞𝔰 𝔈𝔦𝔰𝔢𝔫𝔟𝔞𝔥𝔫𝔲𝔫𝔤𝔩ü𝔠𝔨

Thomas Mann, born at Lübeck in 1875, wrote, when he was
only twenty-three years old, his novel on the decline of a family
entitled 𝔇𝔦𝔢 𝔅𝔲𝔡𝔡𝔢𝔫𝔟𝔯𝔬𝔬𝔨𝔰. In 1925, this novel had gone through
159 editions in Germany at the same time that it enjoyed a wide
international popularity, thanks to translators. In 1926, Thomas
Mann went to Paris (the journey was not unlike the one depicted
before us) as an unofficial intellectual ambassador. He set forth
his impressions in a booklet entitled 𝔓𝔞𝔯𝔦𝔰𝔢𝔯 𝔕𝔢𝔠𝔥𝔢𝔫𝔰𝔠𝔥𝔞𝔣𝔱. Between
these two dates, he did enough to win the laurels of immortality.

It suffices to mention merely his collection of stories published (1903) under the caption of Triftan which he prefaced with Ibsen's motto, " To write creative literature (ju bidjten) is to pass final judgment on one's self." In private life Thomas Mann studied at art schools, traveled widely, worked in an insurance office, and edited Simpli= ciffimuß. One of the first works he wrote was Der kleine Herr Friede= mann, a *Novelle*. This was in 1898. The present story is taken from Der kleine Herr Friedemann, unb anbere Novellen (S. Fischer Verlag, Berlin, 1925).

Page 181. — 17. ber Bwinger. The famous picture gallery, begun in 1711 under Augustus II, ranks with the Louvre, Pitti, and Uffizi as one of the finest collections in the world. Contains Raphael's *Sistine Madonna*.

18. Weißen Hirſch. Noted sanitarium near Dresden.

Page 182. — 1-22. Ich reiſe gern . . . An admirable picture of the feelings of an inexperienced individual who is about to set out on a journey.

12. als = als ob or baß.

27. Perron = Bahnſteig. Wilhelm Raabe once remarked that the person who stops to think whether he should say Perron or Bahn= ſteig is sure to miss the train. The use of Perron in Germany is unreasoned, since the Germans had railroads before the French. — Biſchen . . . effective use of verbal noun. Cf. page 112, line 19, page 116, line 10, and page 143, line 26.

26. Gangfenſter. Window in the side passageway of the coach. Cf. page 148, line 8.

Page 183. — 6. koſtbare, *precious;* compare koſtſpielig, ' dear,' ' expensive '; köſtlich, ' delightful,' ' delicious.'

18. Dogge. Cf. note to page 154, line 23.

27. was. Antecedent, not Glas alone, but the entire sentence.

Page 184. — 15. Es pfiff. Continental trains start on the blowing of a small horn or whistle by the appropriate functionary.

Page 185. — 10. Affenſchwanz . . . Thomas Mann's humor is delightful. Kuno Francke ranks Thomas Mann as "one of the most aristocratic, refined (vornehm) writers of modern times." The rating is correct; hence the humor of this passage. There is a significant illustration of Mann's dignity in page 182, line 6; Abgebrühtheit, which might be rendered by "hard-boiled," though Mann is not given to the use of such expressions.

Page 187. — 2. Kommando. The humor is not dissimilar to that of Rostand's *Chantecler*, in which the cock fancies that the sun rises because he crows.

Page 188. — 1–2. er ließ ... dahinfahren, *he dropped his official matter-of-factness.*

24. Regensburg. Ratisbon in English, 82 miles from Nuremberg.

29. Maffei. — the Baldwin of Germany.

Page 189. — 27. entkommen. Conveys the idea of a hairbreadth escape, and is therefore a compromising word from the lips of an official.

Page 190. — 6. niemand nicht. Double negative, but effective.

Page 191. — 16. eine allgemeine Harmonika. The better train in Germany is popularly known as a *Harmonika-Zug*, due to the way in which the coaches are connected. If the emergency brake in this case had not been used, there would have been a general telescoping of the coaches, with the result that the train would have resembled a closed accordion, or Harmonika.

Page 192. — 10–11. unserer Weiterbeförderung. Genitive after harren.

Page 193. — 1. San's froh = Seien Sie froh.

11. Hof. About 100 miles from Dresden.

15–16. die Logiker Einwände machen. Thomas Mann feels relieved on the principle that the lightning never strikes twice in the same place. The logicians contend that such theories are idle.

Gretchen Vollbeck

Ludwig Thoma was born at Oberammergau, January 22, 1867, and died at Tegernsee near Munich, August 23, 1921. In 1922, his complete works appeared. They consist of four novels, eight

collections of stories, twelve dramatic titles, and a rather wide
range of miscellaneous works, including his poems written under
the pseudonym of "Peter Schlemihl." Though a lawyer by voca-
tion, Thoma became editor of Simpliciſſimus during the World War.
His works enjoyed extreme popularity from the beginning; he did not
have to wait for fame. Gretchen Vollbeck (Albert Langen, München,
1923) is one of his Lausbuben=geſchichten, of which 200,000 copies
had been sold in 1922. The student who is familiar with Thomas
Bailey Aldrich's *The Story of a Bad Boy* will enjoy Ludwig Thoma
who, though quite dissimilar to Aldrich, also realized that the perfect
boy exists only in the fancy of parents whose ambition is in excess
of their experience.

Page 194. — 12. ſtudiert. Since Gretchen is not a university
student, lernt would be more correct. But Thoma, like Rosegger, is
not always careful in his use of educational terminology. Rosegger's
Augustin Kernschimmler and Thoma's "bad boy" offer interesting
parallels as specimens of the proverbial though frequently under-
rated "trifling" student.

20. die ſich ... mache. Gretchen suffers from the traditional un-
popularity of the student who makes the high grades. Lessing and
Schiller occasionally used the form geſcheut. The word has, however,
nothing to do with ſcheuen (fear); it comes rather from ſcheiden
(separate). Cf. page 119, line 6.

Page 195. — 2. ein gewiſſer Jemand. The "bad boy" who tells
the story, that is, Thoma himself.

3. talentierte = begabte.

Page 196. — 6. Scheologie = Geologie. Frau Vollbeck's pronunciation is not so much at fault as her morals. She could obviously
have pronounced the word correctly, but she follows the inveterate
German habit of introducing a foreign element, correct or incorrect.
She represents that type of German who prefers Couſin to Vetter.

19. eines zu geben, " to take them down a peg or two," and in this
case "two," for it was not only their pronunciation that was bad;
they were also lacking in their appreciation of a modern curriculum.

Page 197. — 22–23. die gelernt werden muß, *that has to be studied.*
Cf., in university parlance, die ſtudiert werden will.

Page 198. — 14. gelt = nidjt waljr?

23. **Cornelius Nepos.** Gretchen's lofty reference to Cornelius Nepos, and to Epaminondas and Alcibiades further on, failed, of course, to mislead the youthful Thoma. Nepos, Roman historian, friend of Cicero, wrote *De viris illustribus*, (*Concerning Illustrious Men*), in 16 books. He lived in the first century, B.C. Epaminondas, Theban general and statesman, died in 362 B.C. Alcibiades, Athenian general and statesman, died 404 B.C.

Page 199. — 6. Wir haben ... gelesen. The double negative is as noticeable as it is effective. Cf. page 190, line 6.

8–9. fünfte Klasse. The German *Gymnasium* has a nine-year course, divided into six classes: *Sexta*, *Quinta*, *Quarta*, *Tertia*, *Sekunda*, and *Prima*. Each of the last three classes covers a period of two years and is divided into *Unter-Tertia* and *Ober-Tertia*, etc. By fünfte Klasse Thoma does not mean *Quinta*, which would make his "hero" about ten years old, but *Ober-Tertia*, in which class the student is about fifteen years old.

Page 200. — 5. das ... gehen, *that will not do;* though colloquial English permits also the use, in this connection, of "go."

7. geheiratet hat. The suddenness with which the solution is found should be equally satisfactory to the student of the *Novelle*, and the student of human nature, who is always on the alert for schemes that will enable him to pull through. In Die Verlobung Thoma gives an account of the engagement of Professor Bindinger and Ludwig's sister. Die Vermählung is based on their marriage, and in Das Baby we have a "study" of their first child. All three stories are contained in the same volume as Gretchen Vollbeck.

Die schöne Frau

Hermann Bahr was born at Linz in Upper Austria, July 19, 1863, and educated at the universities of Vienna, Graz, Czernowitz, and Berlin. He was a resident of Vienna where he was associated with Die Zeit, a weekly journal which he himself founded. He became known to the English-speaking world through his comedy Das Konzert (1909), which achieved a pronounced success on the non-German stage as well as at home. He wrote a few plays that seem reminiscent of Ibsen and Strindberg, but the majority of his dramatic productions, like Das Konzert, take their cue from the foibles of those who constitute the higher ranks of active but unproductive society.   Though his creative works are quite entertaining, it is possible that his sprightly and illuminating essays on all manner of subjects will outlive the rest.   European critics refer to him as a *feuilletonist.* The sobriquet is correct; but Bahr holds an enviable position in letters despite his critics, whom he has literally confounded by his versatility.   His latest work is his autobiography entitled Selbstbildnis (first edition, 1923, enlarged edition, 1926). Die schöne Frau is taken from the collection of his *Novellen* bearing this title (Philipp Reclam, Leipzig, with a preface by Stefan Zweig, 1924).

Page 201. — 2. Servus. Latin word, 'servant,' used in Austria and South Germany among friends and relatives in the sense of "how do you do?" and "good bye."

5. no. Bavarian dialect for nein, about the equivalent of "Well, well!" or "Anyhow!"

Page 202. — 1–3. Ich bitt' ... gar gern. *Now listen! Are you going to begin this too?* (Comment on the beauty of his wife.) *That's the limit! You know how I like it!*

7. Mei' = mein.

15. Nemesis, goddess of divine retribution.

26. Herr, dunkel ist der Rede Sinn. Imitated from Schiller's Der Gang nach dem Eisenhammer: Herr, dunkel war der Rede Sinn.

28. explizieren = auseinandersetzen. The husband of a few days affects legal seriousness in explaining his marital embarrassment. Bahr uses a goodly number of words of Latin origin; it is an Austro-Bavarian tendency in colloquial language.

Page 203. — 10. was = etwas, *something is wrong.*

23. Merkst was ... The colloquialism gives a tone of amusing because unwarranted solicitude.

29. Café Maximilian. Munich has long been noted for her restaurants.

Page 204. — 5. alle Zeitungen. German restaurants carry a rather full list of magazines and newspapers for their guests.

10. Ibsen. Henrik Johan Ibsen (1828–1906), Norway's greatest

dramatist, left Norway in 1864, out of disappointment over the manner in which his native country had forsaken Denmark in the Schleswig-Holstein affair, and spent twenty-seven years of voluntary exile abroad, mostly in Germany, and while in Germany mostly in Munich.

13. **Skat.** The German national card game for three players. — **Das Lokal,** though meaning 'place,' has come to mean very frequently a restaurant of the less pretentious sort. A similar usage is observable in English as when a restaurant is referred to as "Joe's Place," or "A Place to Eat."

14. **Saxonen.** Members of the *Saxonia Corps*, a University student fraternity. Corps students wear caps that carry out the colors of their order.

18. **Baedeker.** Karl Baedeker, under whose name the excellent red guidebooks are published. The firm was established in 1827.

Page 205. — 16. **Neue Frei Presse.** Leading daily of Vienna; **Kölnische Zeitung,** leading daily of Cologne. Due to their popularity, both are to be found on file in all the better restaurants.

23. **Staberl.** Bavarian for **Stab,** or **Stäbchen.** Agathe's concern for the card-playing students, who refuse the privilege of coquetting with her, becomes serious, she even fancies that a little chastisement would do them no harm; that the teacher might well wave his rod of office over them.

25. **Kapperln.** Bavarian diminutive for **Käppchen.** The German student caps are quite small.

Page 206. — 3. **Schliersee.** Thirty-eight miles from Munich, with an elevation of 2575 feet, one of the most beautifully situated lakes in Europe.

9. **Seehaus.** The best hotel at Schliersee. There is also a little hotel there called **Meßner,** apropos of the rôle the term plays later in the story.

22–23. **Dem Bilde ... Publikum,** i.e., there was no one there either to encourage Agathe by noticing her.

24. **Mäbi** = **Mädchen, Mädel,** "girlie."

Page 207. — 4. **Doktor,** for **Arzt.** Cf. page 210, line 2.

Page 208. — 6. **Franz Lenbach** (1836–1904), distinguished portrait-painter; Franz Stuck (1863–   ) one of the leaders of the Munich impressionistic school.

Page 209. — 7. **amal** = einmal.

12. **zu was denn hübsch?** *what should he be handsome for?*

16. **Malvolio,** Olivia's steward in Shakespeare's "Twelfth Night," a favorite rôle for an individual who could play the part demanded of the sexton. Oberländer, like Drescher, referred to on page 208, line 5, was long a favorite of the South German stage.

Page 210. — 8. **Miesbach.** Charming little village about 5 miles from Schliersee.

11. **heuer** = in diesem Jahr.

Die Fahrkarte

Heinz Tovote was born at Hanover, April 12, 1861. In 1890, he published a novel entitled **Im Liebesrausch.** Thereafter he brought out volume after volume of short stories all of which were widely read, though his popularity began to wane with the outbreak of the World War. His ability as a creative writer has never been doubted, but by 1920 another generation was claiming the field. Tovote translated some of Maupassant, by whom he seems to have been influenced. The present story is taken from the collection entitled **Brautfahrt** (Dr. Eysler & Co., Berlin, 1923).

Page 211. — 9–10. **die er . . . helfen,** *which he, as one of the first, had helped to establish.*

Page 212. — 10. **Weshalb . . .** It will be noted that Tovote does not use quotation marks. This may strike the observing as unusual, since the other stories in the text use quotation marks. It was felt that it would be better to make the punctuation of any one story uniform, but to allow individual authors such freedom as their usage and judgment dictated in matters of this sort.

13. **Ich wüßte nicht,** *Why it never occurred to me.* Klaus Hottinger uses the softened subjunctive and thereby concedes that his action might have seemed a trifle unusual to those who did not know the facts.

19. **zurückgelehnt . . . Weidenstuhl,** *leaning back in his willow chair.* Note that **Weidenstuhl** is not dative, but accusative: he had to lean back into the chair before he could sit, hence it is a case of "motion" rather than position. Cf. Heinrich Mann's **über eine Wiege gebeugt,** on page 138, line 12. But contrast page 59, line 6.

Page 213. — 1. 𝔉𝔞𝔯𝔟𝔢𝔫𝔲𝔫𝔱𝔢𝔯𝔰𝔠𝔥𝔦𝔢𝔡. It is an ingenious touch on Tovote's part to have the story revolve around a difference in color; his hero is a painter.

9. 𝔘𝔫𝔱𝔢𝔯𝔤𝔯𝔲𝔫𝔡𝔟𝔞𝔥𝔫. The Berlin Subway — clean, safe, cheap, swift — runs underground or overhead, depending on the street elevation or depression, and has second and third class coaches. Attempts to ride second class on a third class ticket are rare, due to the negligible saving and the close control of the service.

29. 𝔫𝔢𝔱𝔱. Unusual in books, quite common in conversation, cognate with English ' neat,' and meaning all that English can convey by ' fine,' ' good,' ' nice.'

Page 214. — 19. 𝔑𝔬𝔩𝔩𝔢𝔫𝔡𝔬𝔯𝔣𝔭𝔩𝔞𝔱. The train was running from the cheaper East-Berlin to the fashionable West-End, and hence Hottinger's mistake was all the more embarrassing. Close to Nollendorfplatz are a number of institutions of interest to the foreign colony, including the American Church.

25. 𝔡𝔯𝔦𝔱𝔱𝔢𝔯. Genitive, because 𝔎𝔩𝔞𝔰𝔰𝔢 is understood. The conductor means, " Your ticket is *of* the third class, but you are riding second class." There is no " first class " on the Berlin Subway. On the regular railroads there are four classes.

Page 215. — 18. 𝔇𝔞𝔰 𝔤𝔢𝔥𝔱 𝔫𝔦𝔠𝔥𝔱. Cf. page 200, line 5.

Page 216. — 2. 𝔇𝔞𝔰 ... 𝔣𝔦𝔫𝔡𝔢𝔫, *The rest of the business will take care of itself.* The official is typical: Utterly regardless as to what may be the facts in the case, he looks after it to the extent of his authority. After him comes another official, higher up, equally conscientious, and with an equally routine mind.

18. 𝔴𝔢𝔫𝔫. Because the action is repeated; 𝔞𝔩𝔰 would be used for a single case.

28. 𝔄𝔩𝔩𝔢𝔦𝔫. Cf. page 11, line 23.

Page 217. — 10. 𝔈𝔰 ... 𝔈𝔯𝔱𝔯𝔞𝔤𝔢𝔫, *It was not to be endured.* The construction is not quite the same as 𝔷𝔲𝔪 𝔝𝔢𝔯𝔰𝔭𝔯𝔦𝔫𝔤𝔢𝔫 in line 8. Tovote could have written here, 𝔈𝔰 𝔴𝔞𝔯 𝔫𝔦𝔠𝔥𝔱 𝔷𝔲 𝔢𝔯𝔱𝔯𝔞𝔤𝔢𝔫, where we would have the active (infinitive) instead of the English passive. The latter construction is common.

Page 218. — 5-12. 𝔍𝔪 𝔳𝔬𝔯𝔦𝔤𝔢𝔫 𝔍𝔞𝔥𝔯𝔢 ... Tovote's skill is admirably shown in this paragraph, which might have closed the story.

He adds, however, the theme of the portrait of Hottinger's friend from the subway — and thus satisfies even those who are interested in the sub-conscious.

Page 219. — 18. **um fein Lebensglück.** Cf. page 13, line 2.

Der Ärger des Herrn Tobias Stöckl

Alice Berend was born in Berlin, 1878. She wrote a series of humorous novels, of which Die Reise des Herrn Sebastian Wenzel, Rumpelstilzchen, Frau Hempels Tochter, Die Bräutigame der Babette Bomberling, Der Glückspilz, and Matthias Senfs Verlöbnis have met with the greatest success. The present story is taken from the collection entitled Kleine Umwege: Novellen (Reclam, Leipzig, 1924). The edition contains an introduction by Eduard Korrodi, the first sentence of which reads as follows: In Constanz am Bodensee lebt Alice Berend im „Schreiberhäusle"; denn sie und ihr Mann schreiben um die Wette. Korrodi emphasizes the brevity of Alice Berend's sentences, "the shortest in the world," her humor, her satire, her paradoxical wit, her fund of sound sense, and her spiritual relationship to Theodor Fontane.

Page 220. — 5–7. **Seine ... blies.** Literally, his "interest years fell in a time through which a great wind blew." Except for purely grammatical purposes, translations of this sort should be discouraged. Herr Stöckl merely met the fate of many: financially ready to retire, he had lost the ability to play in unfamiliar fields. Render freely: *What should have been his days of peace came just at a time when for him there was no peace.*

Page 221. — 27. **Im vierten Stock ... schuldete.** Should be inverted order.

Page 222. — 5. **Kündigen.** One finds also auf-kündigen and auf-künden. Soon after the outbreak of the World War, the house shortage became so acute on the Continent that the old regulations regarding "serving notices on" and "dispossessing" tenants had to be completely modified, to the discomfort of everybody, landlords as well as tenants.

16. **manchmal.** Means, not "many times," but "occasionally."

Cf. the letter of November 21, in Werthers Leiden, in which Werther says: „Was soll der gütige Blick, mit dem sie mich oft — oft? — nein, nicht oft, aber doch manchmal ansieht?"

Page 223. — 2–3. **Früh übt sich** ... See Wilhelm Tell, line 1481. Schiller has was in place of wer.

Page 224. — 8. **Nur ... mögen**, for nur darin hätte sie nicht wohnen mögen, *but to live in it, that she would not have cared to do.*

Page 225. — 26. **wildgewordene Bestie** = Bestie, die wild geworden ist. Cf. page 138, line 14, and page 173, line 14.

Page 226. — 16. **gekommen**; war is omitted.

Page 227. — 24–26. **die Familie selbst.** The picture of the hotel in which the family does the work is true to the life of provincial Germany.

Page 228. — 10. **begönnen**, or begännen. The latter form would seem the more usual; a number of verbs however, such as spinnen, gelten, bersten, sinnen, admit of two forms in the plural subjunctive: spännen or spönnen, etc.

Page 229. — 4. **Angenehm kühl.** Literally, ' agreeably cool.' Cf. English ' nice and cool,' or German schön warm for ' nice and warm.'

Page 230. — 13. **reichlich.** Grammar would demand reichlichem. Reichlich can be felt as an adverb modifying gab, *there was plenty of coffee with real cream.*
17. **daß ... Sommerchor;** waren or seien understood.

Page 231. — 29. **forschte.** Used facetiously, instead of fragte, which would imply nothing more than the asking of a question. But Tobias, as a property owner in a large city, is engaged in an investigation.

Page 232. — 11. **ordentlich**, for ordentliches. See reichlich above.

Page 233. — 5. **Die ... getan.** There is but little exaggeration in this story.

7. **aber ... gut,** *but it did him good.* Cf. Wohl bekomm' es Ihnen! *To your health!*

Wächter-Legende

Franz Adam Beyerlein was born at Meissen, March 28, 1871. There is reason to believe that he will go down in the memory of men as an author of two works. In 1903, he published his provocative novel entitled Jena oder Sedan? In it he asked his fellow-countrymen the question: Is the German Empire facing a defeat such as it suffered at Jena in 1806, or is it looking forward to such a victory as it won at Sedan in 1870? Later came his drama Zapfenstreich, with its picture of life in the German army, and known to the English public under the title of *Taps.* The present story is taken from his Sechs fröhliche Legenden (J. J. Weber Verlag, Leipzig, 1923). In the generous letter to the editor, in which Beyerlein gave his permission to use the story, he wrote: Möchte der behagliche und friedliche Humor, den ich darin auszudrücken versuchte, sich recht vielen Lesern als eine Erholung, von der Haft des " business " mitteilen!

Page 234. — 1. **Interregnums:** 1254–1273. With the death of Conrad IV, last of the Hohenstaufens, in 1254, the German people were left without an uncontested ruler until Rudolf von Habsburg ascended the throne, as the first of his dynasty, in 1273.

2. **Goslar:** In the picturesque Oker Valley; its Kaiserhaus is widely regarded as the oldest building (1039) of its kind in Germany.

6. **Complet ... Frühmette.** Closing and opening prayers in monastery.

11. **Bäck,** for Bäcker.

22. **Kaiser Friedrich dem Andern.** Frederick II, heir to the Norman Empire, more interested in Italy than in Germany, very gifted, ruled 1215–1250. He led a Crusade in 1228–1229.

Page 235. — 1. **Heilo** = Heil. The language frequently attempts to reproduce the mediæval, or crusade, atmosphere. See Kunrad for Conrad, Odem for Atem, and even weiland for damalig or früher.

2. **Jerusalem.** Friedrich II had, even before crowned king, certain claims to Jerusalem through his consort Iolantha.

5. **Frankenberg.** Sixteen miles from Marburg, with a Gothic chapel dating from 1386. — **denn** = als.

9. **Edeſſa.** Turkish town of checkered career, held by Crusaders 1097–1144. — **Affon.** Seaport in Palestine, held by Crusaders in 1104 and 1191.

16. **gleichſam,** *as it were;* one of the few words in the German language that has only one meaning. Not to be confused with **gleichfalls,** *likewise.*

28. **Steinfrufe.** **Krufe,** *jug,* is of the same etymology as **Krug.**

Page 236. — 8. **drei hochheiligen Feſte.** Christmas, Easter, and Pentecost.

16. **reiſigen,** *mounted.* It is an equestrian statue of the saint.

Page 237. — 2. **immer längeres.** Avoid the translation "always longer." That means nothing. The German is logical and precise, even more so than the correct English *longer and longer.*

3. **Gar ... Wetternächten.** Effective use of **gar.** Idea is, "And when it came to those cold and stormy nights, — why he hardly even looked around the corner."

18. **gebenedeiten.** From Latin *bene* + *dictum,* 'blessed.' Compare 'benediction.'

19. **gemach,** *gradually,* not *gently.* — **heiliger Zorn,** *righteous indignation.*

Page 238. — 1–2. **Er hatte ... abgeſehen,** *he had had his eye on the money-box of the rich Judge Dütemeyer.* The **Schöffe,** an official created by Charlemagne, was a juryman who assisted the judge in collecting evidence in addition to his task as a juryman.

19–20. **innere Stimme,** *his conscience.*

Page 239. — 3. **geſchehen geweſen;** **geweſen** is superfluous. The construction is a popular one with Beyerlein. Compare **genommen gehabt** on page 234, line 21.

9. **piefte.** From **die Piek,** extreme end of the pike. The Archangel, having assumed the rôle of the inebriated Kunrad, thrust the "second-story man" in the rear with his pike.

15. **Roß,** *charger, steed,* as opposed to a common 'horse.' **Roß** is precisely the same, etymologically, as 'horse,' originally 'hross.'

25. **Schlüſſeln.** The branding of confirmed criminals was once a common custom. The brand was the "key" by which the criminal could be identified.

Page 240. — 18–23. **Nun war es ... auszuflicken.** The transition here is quite abrupt; the "connection" has to be imagined rather than explained. Kunrad had gained the unenviable reputation of a great boaster; of a typical *miles gloriosus;* his pals in the tavern doubted whether he had killed as many Saracens as he reported. Now, however, his reputation was restored by this signal act of heroism — which the Archangel had performed while the watchman was intoxicated.

26. **Blüten treibe,** *put forth buds.* Cf. page 3, line 19.

Page 241. — 13. **Gelübde,** *vow.* From perfect participle of **geloben,** *vow, promise.*

Page 242. — 1. **waren ... dabei,** *were just on the point of.*

Page 243. — 4. **letzt,** *recently.* — **Stolberger Graf,** *the Count of Stolberg,* one of the Habsburg vassals.

5. **Aller,** genitive, but translate, *All eyes.*

Der zerbrochene Krug

Robert Hohlbaum is one of the multitude of German writers who have used other writers as characters in their fiction. Born at Jägerndorf in what is known as Austrian Silesia, August 28, 1886, he began his literary career by a volume of poems, followed it up with a volume of *Novellen* entitled **Der ewige Lenzkampf,** and then brought out a number of full-length novels, the most important of which are **Oesterreicher,** dealing with the year 1866, and **Die Amouren des Magister Döderlein.** But he has done some of his best work in the field of literary criticism, and in such creative works as his novel based on the life of Johann Christian Günther, and **Unsterbliche** (L. Staackmann, Leipzig, 1819), a collection of seven *Novellen* based on phases of the lives and works of Fischart, Pater Abraham, Klopstock, E. T. A. Hoffmann, Grillparzer, Liliencron, and Kleist. It is from this collection that **Der zerbrochene Krug** is taken. Parallel to this volume on literary men, Hohlbaum wrote another on immortal composers, Bach, Haydn, Schumann, Nicolai, Johann Strauss, Wagner, and Brahms.

Page 244. — 1–14. **Die verschlafenen ... Frauenplan.** Weimar, the capital of the former Grand-Duchy of Saxe-Weimar, was a town of 6000 people in Kleist's day. It enjoyed all the brilliancy that accrued from having a small but important Court, and from the permanent residence there of such men as Herder, Goethe, and Schiller, as well as from the unimpeded stream of distinguished visitors who came to interview this illustrious trio. The town, however, tolerated, under duress, a primitive state of affairs with regard to the practical conveniences of life that is nearly unbelievable in the Weimar of to-day which, with its 40,000 inhabitants, is an up-to-date city. — The **Peter und Paul** church, built in the fifteenth century, stands on the **Herder=Platz**; Herder was preacher there from 1776 to 1803, and is buried in the church. — The **Frauenplan** is the section of the town in which the **Goethe=Haus** was located and connected with which are associated the most brilliant memories of Goethe. The term is popular rather than civic.

16. **Goethes Haus.** The house was presented to Goethe by Karl August and bequeathed to the State in 1885, with its contents, by Walther von Goethe, the poet's last grandson. It is at present the Goethe National Museum and as such constitutes one of the chief attractions of the city.

20. **Gasthause.** The Erbprinz Hotel is still one of the best-known in Weimar.

Page 245. — 5. **Heinrich von Kleist** (1777–1811), widely regarded as Germany's greatest dramatist next to Schiller.

11. **Ilm.** The small river on which Weimar is located.

18. **gehört werden.** Kleist never tasted the inspiration that comes from recognition. He felt now, since Goethe was to have his comedy performed, that he would be "heard" by the greatest of them all.

21. **blutwarmes,** *red-blooded.* In this compound **blut** has its literal meaning. It is not the same as **blutjung,** on page 139, line 15. — **In ... Sonnenstunden.** Kleist was in Switzerland (1802) associating with Heinrich Zschokke, and Ludwig Wieland, son of C. M. Wieland. In Zschokke's room there was a French engraving *La Cruche cassée,* "The Broken Jug." The question arose as to how it could best be visualized, or interpreted, in literature. Zschokke decided to make the engraving the basis of a short story, which he did; Kleist chose the comedy; Wieland wrote a satire, which has been lost. Zschokke acted as judge and decided that Kleist had won with his comedy. As to the engraving (see Frontispiece), the most cautious authorities claim that it was *Le Juge ou la Cruche cassée*

by Jean Jacques Le Veau, after a painting by Philibert Deboucourt (1782). There are however four separate works by French artists that use the *cruche cassée* motif, one of the most famous being that by Greuze. For the entire subject, see Heinrich von Kleist in der Schweiz, by Theophil Zolling, Stuttgart, 1882.

23. **Den Dorfrichter Adam.** One of the characters. The scene is laid in a Netherland village near Utrecht. The comedy was first performed at Weimar under Goethe's supervision on March 2, 1808. It was preceded by Der Gefangene, opera in one act, music by Della Maria.

Page 246. — 4. **schlechteste.** In the sense of *plainest, humblest.* Compare schlicht, ' plain.'

5. **Nur er war einsam.** Kleist never married. Each of his love affairs was brought to an end by his own singular behavior.

18. **Juliane Kunze.** Kleist became engaged to Julia Emma Kunze, adopted daughter of Theodor Körner's parents. She could hardly have suffered much when Kleist broke the engagement, for she married soon thereafter Alexander von Einsiedel. She died in 1849.

Page 247. — 16. **Böttiger.** An archæologist who played quite a rôle in the literary circles of the time. It was in his home that Kleist met the noted actress Henriette Hendel-Schütz. He seems really to have regarded it as his duty (see page 248, line 2) to help young writers, to keep all writers in touch with each other. Though well-intentioned, he became at times tiring. Goethe, of course, he could not manage.

Page 248. — 9. **Schroffensteiner.** Die Familie Schroffenstein, Amphitryon, and Penthesilea are dramas by Kleist.

10. **Furor teutonicus.** The well-known *Teutonic fury* (compare Norse Berserker rage) that has characterized a good deal of Germany's creative work, literary and otherwise.

11. **Ecce poeta !** = Sieh den Dichter! *Behold the poet!*

14. **Nicolaischen Bibliothek.** This, Der Freymütige, and the Jenaische Literaturzeitung were three of the numerous literary organs of the time.

Page 249. — 11. **Na, na.** Virtually every language contains expressions of this sort that defy easy translation. It might be rendered by: *Say, man, what's the hurry?*

13. **morbus catarrhalicus.** Böttiger's ailment was not serious.

23. **Xenien.** Epigrams in the style of Martial, the most stupid thing Goethe, assisted by Schiller, ever did. The two had been attacked; they attacked their small foes in these Xenien.

29. **Schiller** died in 1805. — **de . . . bene,** *speak only well of the dead.*

Page 250. — 1. **Siegesfest.** This and **Spaziergang,** ballads by Schiller; **Braut von Korinth, Alexis und Dora, Iphigenie,** works by Goethe. Böttiger feels that they could not have been written had not such classical scholars as he delved into the past and brought the facts to light.

15. **Cottaschen Verlages.** The great "classical" publishing house of Germany. The entire picture is hardly exaggerated. Goethe drove a hard bargain with his publishers, with the result that he was virtually the first writer in the history of modern civilization to make big money out of his books. It has been estimated that he received the equivalent of $112,500 royalty.

Page 251. — 16. **Herr . . .** Goethe married Christiane Vulpius, whose interest in ease was quite in excess of her literary scholarship. There may be more than one reason here for her not being able to recall Kleist's name.

27. **Madame Jagemann.** The picture in general is accurate, though Hohlbaum naturally takes a number of essential liberties with the remaining incidents.

Page 253. — 5. **Ein Neffe.** Ewald von Kleist (1715–1759), one of the more important landscape poets, published **Der Frühling** in 1749.

6. **par cœur** = **auswendig,** *by heart.*

8. **Die Göchhausen.** The genial invalid of the Weimar circle to whom we owe the preservation of the original draft of **Faust.**

9. **Strohmeyer.** Had Kleist been able to humor such artists as Frau Jagemann and Herr Strohmeyer, his success might have been as great as his ability.

Page 254. — 10. **ein junger Mann.** The introduction into the story of Goethe's son is a stroke of genius. Goethe had at least one fatally weak spot in his character: he could ill stand success in others.

Page 255. — 9–10. **Ich tat's . . . Herzens.** An expression actually used by Kleist and justly famous, despite its mixed figure of speech.

25. **Theaterzeit.** The performance began at 4:30 and lasted until 9:30.

Page 256. — 8. **Attinghausen.** In Wilhelm Tell. — **Marc Anton.** In Shakespeare's *Julius Cæsar*, rather than in his *Antony and Cleopatra*. A convenient place in which to read of the performance and to see how the audience took to Der zerbrochene Krug is in the Introduction to Zolling's edition of the play, vol. 149, Deutsche National=Literatur.

11. **Franz Moor.** In Schiller's Die Räuber.

18. **Denn ... Natur.** Line 186 in the comedy, which is written entirely in iambic pentameters. (In the text Und stands in place of Hohlbaum's Denn.) Goethe, long director of the Court Theater in Weimar, and one of the great theatrical managers of history, was himself no prude in theatrical affairs.

23. **die Katze ...** Compare lines 242–259 in Kleist's comedy.

29. **Komödie in drei Akten.** Kleist wrote the comedy without dividing it into acts. His belief that Goethe ruined it by producing it as a three-act play cannot be upheld. The Weimar audience objected to it partly on the ground that it was so slow in coming to a conclusion. Zschokke's Erzählung consists of only 26 pages. Of Der zerbrochene Krug Calvin Thomas says (*German Literature*, pages 348–349): "It is the liveliest and most amusing verse-comedy in German literature."

Page 257. — 8. **venia** = Erlaubnis, *privilege*. Cf. *veniam dare* = einen Gefallen tun, 'do one a favor.'

13. **Schlecht und recht** = schlicht und natürlich, i.e., about as the rôle demanded, but after all uninspired and uninteresting.

14. **Namensschwester.** Refers to Marthe Schwerdtlein, the lecherous bawd in Faust.

22. **Vraiment** = wirklich or wahrlich. The time of Hohlbaum's story is the same as that of Goethe's Die gefährliche Wette, the first story in the book. For the Gallic predilection of the time, see page 3, line 17.

27. **gedacht.** Here, and in the cases of geschrieben, gewesen, gefühlt, and gesprochen in the four following lines, Hohlbaum has omitted the auxiliary, and thereby heightened the tenseness of the situation. The omissions are slightly different from that noted on page 226, line 16.

Page 258. — 19–21. **Wer ... feſt.** The incident is historical, though Goethe is alleged to have said on the following day to Riemer: "On the whole, the fellow was really right, and I would gladly have joined him, had not the dignity of my position made such action impossible.

23. **Herzogin Luiſe.** Consort of Karl August, Goethe's princely benefactor from 1775 on.

28. **Pfuirufe,** *cries of disgust.* The comedy deserved a better fate, as its stage history has since shown. It is not really offensive to good taste, nor does it conflict greatly with stage usage, though Goethe contended that it was written for the "invisible stage." It merely hangs on too slender a thread: A philandering judge, in making his escape from a young lady's room, knocks over a vase and breaks it. The supposed culprit is brought before him for trial. Complications arise, the judge loses his equanimity — and in the end it is shown that he himself is the guilty party.

Page 259. — 23. **Achten ... Goethe.** Kleist had just reason to feel offended at the rawness of young August Goethe. Hence his vigorous, *Keep your distance, young man!*

Page 260. — 3. **zerbrochen.** Note that Goethe had "broken" Kleist just as the judge in the play had broken the jug.

13. **Piſtole.** Kleist took his own life, along with that of a woman friend — the double deed had been mutually agreed upon — at Wannsee, near Berlin, November 21, 1811.

24. **Demoiſelle = Fräulein.**

Page 261. — 7. **Mißtrauen ... verdrängt,** *Kleist's lack of confidence* (in human beings) *had become so great that he could no longer be astonished at anything.*

29. **erſt.** Cf. page 33, line 19. — **Faſt ... Vorräten.** The suddenness and eagerness with which Kleist begins to eat reminds very much of the closing scenes in Sudermann's **Teja** between Teja, King of the Goths, and Balthilda, his Queen.

Page 262. — 2–3. **Ganz ... Weichheit.** Beautiful as the closing scenes between Kleist and Eva are, they reveal after all the fact that no one could satisfy Kleist but Kleist himself; for in Hohlbaum's story, Eva herself is Kleist's own creation. In reading the story, however, the student should never forget that it is not merely Kleist, but Goethe too, that Hohlbaum has depicted.   Bendetto Croce said that " Goethe was the last of the court poets."   This is a remark of uncommon significance;   no one can disprove it.   For this type of historical fiction, see *Poets as Heroes of Epic and Dramatic Works in German Literature, Modern Philology*, vol. XII, pages 65–99, and 105–119.

VOCABULARY

(1) Simple forms such as articles, pronouns, numerals, regularly formed comparatives and superlatives, common conjunctions and prepositions have been omitted when not employed in an unusual sense. (2) Nouns formed from infinitives, adjectives formed from participles, and adverbs formed from adjectives are separately noted only when their meaning is not immediately obvious. (3) Of nouns only the plural is given, unless they belong to the mixed declension or are formed irregularly. Feminine nouns for which no ending is given may be regarded as weak. (4) The principal parts of strong verbs are indicated by the stem vowel, with the exception of compound verbs whose verbal component is given in the Vocabulary. The prefix of separable verbs is followed by a hyphen. (5) The following abbreviations are used: *m.* = masculine; *f.* = feminine; *n.* = neuter; *adj.* = adjective; *pl.* = plural; ſ. = auxiliary ſein; h. = auxiliary haben; *tr.* = transitive; *intr.* = intransitive; *refl.* = reflexive.

A

Aas *n.* Äſer carrion
Abbildung *f.* picture; sketch
ab=bringen dissuade
Abend *m.* –e evening
Abendhelle *f.* clear of the evening sky
Abendlicht *n.* –er evening light
Abendnebel *m.* —, evening mist
Abendrot *n.* evening glow
Abendſonne *f.* evening sun
Abenteuer *n.* —, adventure
abergläubiſch superstitious
abermals again
abertauſend many thousand
ab=fahren (ſ.) leave
ab=führen lead away
ab=geben give up; deliver
Abgebrühtheit *f.* moral indifference
abgehaſtet hurt through haste; squandered
ab=gehen end, turn out; go to

abgemacht agreed upon
abgemeſſen deliberate
abgerechnet apart from
abgeſchieden isolated
abgeſehen apart
abgeſtorben old-fashioned; defunct
abgetan closed, finished
Abgrund *m.* –e abyss
ab=halten keep from
ab=hangen depend upon
ab=heben *refl.* contrast
ab=holen call for
ab=jagen extort
ab=kaufen buy from
ab=knappen save; deny oneself
Abkommen *n.* —, agreement
ab=kratzen " pass out," die
ab=kriegen get one's share
Abkunft *f.* –e origin, descent
ab=laufen run down; expire
ab=lecken lick off
ab=legen take off; give
ab=lehnen decline, refuse

Ablehnung *f.* rejection
ab=löſen take off
Abmahnung *f.* dissuasion
ab=mühen *refl.* try; wear out
ab=nehmen take from, take off; hear
Abneigung *f.* disinclination
Abrechnung *f.* settling of accounts
Abreiſe *f.* departure
ab=reißen cut off; tear off
Abſageſtil *m.* –e style of refusal
Abſatz *m.* ⸚e heel; sale
Abſcheu *m.* detestation
abſcheulich detestable
ab=ſchicken send off
Abſchied *m.* –e departure
ab=ſchießen shoot off
ab=ſchneiden cut off
Abſchrift *f.* copy
ab=ſehen: es auf jemand —, have a grudge against someone
abſeitig removed, off; odd, unique
Abſendung *f.* dispatch
Abſicht *f.* purpose
abſolut absolute
abſonderlich eccentric
abſorbieren (einſaugen) absorb
Abſpannung *f.* relaxation
ab=ſtauben dust off
ab=ſteigen put up at
ab=ſtellen turn off
ab=ſtreichen strop (razor)
ab=ſtreifen brush off
Abtei *f.* abbey
Abteil *m.* –e compartment, section
Abteilung *f.* section, part, division
Abtragen *n.* clearing of table
ab=treten step aside
Abtritt *m.* –e closet
ab=wehren ward off, turn to one side; reply
Abweiſung *f.* refusal
ab=wenden avert, ward off, turn aside

Abweſenheit *f.* absence
ab=wetzen rub off, wear out
ab=wiſchen wipe away
ab=zählen count off
ab=ziehen subtract
Accurateſſe *f.* accuracy; finesse
ach: — was nonsense
Achſel *f.* shoulder
acht: ſich in — nehmen be on one's guard, take heed; have respect for; — haben notice; — geben watch
achten pay attention to, heed
achtlos heedless
Achtung *f.* esteem
achtungsvoll respectful
ächzen groan
Ackerland *n.* ⸚er arable ground
Ader *f.* vein
Adjutor *m.* –s, –en legal partner; assistant
Adler *m.* —, eagle
Advokat *m.* –en lawyer
Affe *m.* –n monkey
Affenkomödie *f.* monkey comedy
Affenſchwanz *m.* ⸚e idiot, fop; tail of a monkey
Ahn *m.* –en ancestor; Ahne *f.* ancestress
Ähne *m.* –n grandpa
ahnen suspect; surmise
Ahnenkraft *f.* ⸚e power of ancestral blood
ähnlich similar
Ähnlichkeit *f.* similarity
Ahnung *f.* premonition, suspicion
ahnungsvoll full of foreboding
akkompagnieren (begleiten) accompany
Akt *m.* –e act
Aktuarius *m.* actuary
Akzent *m.* –e accent
alle every
allein alone; but
allemal always

allenfalls in any event, certainly
allenfallsiger eventual; likely
allerdings to be sure
allerhand all sorts of
allerheilig all-holy
allerlei all kinds of
allerorten everywhere
Allerweltsmann m. ⸗er cosmopolitan
allesamt all together
Alleswisser m. —, know-all
allezeit always
allmächtig all-powerful
allmählich gradual
allnächtlich every night
alltäglich daily; commonplace
allumfassend all-embracing
Allüre f. air, manner; gait
allzugewagt excessively daring
allzuvoll over-plump
Almanach m. -e almanac; annual
   publication
Alpenveilchen n. —, Alpine violet
Alpenwelt f. Alpine world
Älpler m. —, inhabitant of the
   Alps
als as, when; except; such as; —
   ob as if
alsdann then
also consequently, well
alsobald at once
alt old
Altar m. ⸗e altar
Alter n. age; old age
altern (f. and h.) grow old
Altersversorgung f. old age allowance
Altertum n. ⸗er antiquity
altklug precocious
Altmännerstimme f. thin voice of
   old men
altmodisch old-fashioned
Ameise f. ant
Amerika n. America

Ammenmärchen n. —, nurse's
   fairytale
Amour f. love affair
Amt n. ⸗er office
amtlich official
Amtmann m. ⸗er or Amtleute official
an=bauen build on to
Anbeginn m. beginning, outset
an=bieten offer
Anblick m. -e sight, blush
an=brechen begin; (f.) dawn
an=bringen arrange
Anbruch m. break, beginning
Andacht f. devotion
anders differently, otherwise
anderseits on the other hand
anderswie in another way
anderswo elsewhere
anderweitig in another place, at
   another time
Andeutung f. implication, allusion
Anekdote f. anecdote; short story
Anfang m. ⸗e beginning
an=fangen begin; do
an=fassen take hold of
an=feuchten moisten
an=feuern incite
an=fragen ask, inquire
an=freunden refl. make friends
   with
an=führen dupe; quote
angebaut adjoining
angedonnert struck by lightning
angefüllt filled
angeglüht aglow
an=gehören belong to
angelangt arrived
angelaufen weather-beaten
Angelegenheit f. affair, concern
angeln fish
angenehm agreeable
Anger m. —, meadow, green
angeregt stimulated

angeſchoſſen fatally attacked
angeſehen respected, prominent
Angeſicht *n.* face
angeſichts in the presence of, contrasted with
angeſpannt tense, excited
angeſtrichen painted
angetan mit dressed in
an=greifen attack
angrenzend adjoining
Angriff *m.* -e attack
angſt uneasy, alarmed
ängſtigen *refl.* worry
ängſtlich anxious
Angſtton *m.* ⸚e anxious cry
angſtvoll anxious
an=haben have on, wear
an=halten stop; keep up
anhaltend persistent
an=hauchen breathe upon; come over
an=heben begin
an=herrſchen shout at
Anhöhe *f.* slight elevation; eminence
an=hören listen to
Anker *m.* —, anchor
Anklage *f.* accusation
an=klagen accuse, charge with
an=klammern *refl.* get a foothold; cling to
an=kleiden *refl.* dress oneself
an=kommen come over, be seized with
ankündigen announce
Ankunft *f.* ⸚e arrival
Anlage *f.* talent, disposition; park
Anlaß *m.* ⸚e cause, occasion
an=legen put on
an=lehnen *refl.* join, abut
an=meſſen measure, fit to
Anmut *f.* grace, winsomeness
Annalen *pl.* annals
an=nehmen assume; take interest in

Annonce *f.* advertisement
Anonymus *m.* anonymous writer
an=ordnen arrange
an=pochen knock
an=rechnen take into account
Anrede *f.* introduction, remarks to presiding officer
an=reden address
anregend stimulating
an=richten cause, do
an=rufen call to
Anſatz *m.* ⸚e tendency toward; manipulation (*of musical instrument*)
an=ſchauen look at
an=ſchicken *refl.* get ready
an=ſchießen shoot at
an=ſchirren harness a team
an=ſchlagen beat against, ripple
an=ſchließen *refl.* join
an=ſehen look at
Anſehen *n.* appearance, esteem
an=ſetzen begin to bud
Anſicht *f.* view
anſichtig: — werden catch sight of
Anſichtsſache *f.* matter of opinion
Anſpielung *f.* allusion
Anſpruch *m.* ⸚e claim, pretense
an=ſtacheln urge on, incite
anſtändig decent, respectable
an=ſtarren stare at
anſteckend contagious
anſteigend steep
an=ſtellen arrange, set about
anſtellig tractable
an=ſtoßen hit, run into, nudge
an=ſtreben strive after
an=ſtrengen *refl.* exert oneself
Anteil *m.* -e share, part
Antlitz *n.* -e countenance
an=treten start on
an=tun do to, do for; bewitch, charm
Antwort *f.* answer

antworten answer, reply
Anwandlung *f.* fit
an=weisen tell what to do, instruct
an=wenden invest; apply
Anwendung *f.* use, application
Anwesen *n.* —, estate; place
anwesend present
Anzahl *f.* number
Anzeichen *n.* —, symptom
Anzeigetafel *f.* small city billboard
an=ziehen *refl.* get dressed
Anzug *m.* ⸗e suit
an=zünden light
Apotheker *m.* —, apothecary
Applaus (Beifall) *m.* applause
apportieren retrieve, fetch
Arbeit *f.* work
arbeiten work
arbeitend heaving
Arbeiter *m.* —, workman, laborer
Arbeitergruppe *f.* group of workingmen
arbeitshart callous
Arbeitsraum *m.* ⸗e working room
Arbeitstisch *m.* ⸗e working table
arg bad, dangerous, arrogant
Ärger *m.* vexation, worry
ärgerlich annoying
ärgern vex
Ärgernis *n.* ⸗isse vexation
arglos unsuspecting
Argument *n.* ⸗e argument
Argwohn *m.* suspicion
Arie *f.* aria
Aristokrat *m.* ⸗en aristocrat
arm poor
Arm *m.* ⸗e arm
Ärmel *m.* —, sleeve
Armenhaus *n.* ⸗er poorhouse
armselig wretched
Armutseite *f.* poverty side
Art *f.* way, manner; kind

artig nice, agreeable, well-behaved
Arzt *m.* ⸗e physician
Aschenbecher *m.* —, ash-tray
Ast *m.* ⸗e branch
Astwerk *n.* boughs, branches
Atelier *n.* ⸗s studio
Atem *m.* breath
atemlos breathless
Atemstoß *m.* ⸗e panting
Atemzug *m.* ⸗e breath
Äther *m.* ether
atmen breathe
auch too, also; wenn —, even if; was —, whatever
auf=atmen breathe heavy; flare up
auf=beben throb, pulsate
auf=bewahren keep, store, preserve
auf=brauchen use up
auf=brechen decamp; start out
auf=bringen raise, rake together; gegen sich —, incur enmity of
aufdringlich urgent; obtrusive
Auferstehen *n.* resurrection
auf=fahren (*f.*) start up; cry out
auf=fallen (*f.*) strike as unusual
auf=fällig conspicuous
auf=fangen catch
auf=flammen flare up
auf=fliegen (*f.*) fly up
auf=fordern challenge
auf=führen produce
Aufführung *f.* performance
Aufgabe *f.* check (*baggage*); task
auf=geben give up
Aufgebot *n.* ⸗e marriage bans
auf=gehen be heard; open, go up; swell
aufgehoben cared for, safe
aufgeregt excited
aufgeschreckt frightened
auf=greifen take hold of, engage
auf=halten detain; *refl.* sojourn
auf=hängen hang up

auf=hangen hang up
Aufheben n. exaltation
auf=hören cease, stop
auf=klapfen clap on, put on
Aufklärung f. explanation; declaration; enlightenment
auf=kommen arise, come forth; get up; become popular
auf=leben rejuvenate
auf=legen appear
auf=lehnen refl. rebel
auf=liegen lie upon; be incumbent on
aufmarschierend advancing
aufmerkfam attentive
Aufmerkfamkeit f. attention
auf=muntern cheer up
Aufmunterung f. encouragement, inspiration
Aufnahme f. reception
auf=nehmen take issue with; accept
auf=paffen pay attention, watch
auf=raffen refl. pull oneself together
auf=räumen clean, arrange
aufrecht upright
aufrecht=erhalten preserve; observe
auf=recken refl. get up
auf=regen refl. become excited
auf=reihen line up
auf=reißen tear open
auf=richten erect; refl. rise
aufrichtig genuine
Aufrichtigkeit f. sincerity
Aufruhr m. tumult
Aufrührer m. —, agitator
auf=rütteln stir up, agitate
auf=fagen recite
auf=schieben ascribe to; postpone
auf=schlagen open
auf=schneiden brag
Auffchrei m. -e outburst, shriek, cry

auf=schreiben write down, note
auf=schwingen, a, u leap on
Auffchwung m. exaltation
Auffehen n. notoriety, sensation
Auffeher m. —, supervisor
auf=feufzen take deep sigh
Aufficht f. supervision
Auffichtsrat m. ⸚e board of supervisors
auf=fparen save up
auf=fperren open
auf=fpüren scent out
Aufftand m. ⸚e uprising, revolt
auf=ftehen (f.) get up
auf=ftellen raise, hold up; posit
auf=ftöhnen groan out loud
auf=ftoßen come across, occur to
auf=ftrahlen shine forth
auf=fuchen look up, call on
auf=tauchen (f.) arise
Auftrag m. ⸚e commission, instruction
Auftragen n. serving of food
auf=treiben get, rake together
auf=treten, a, e move about, appear
Auftritt m. -e scene
auf=tun refl. open
auf=türmen pile up
auf=wachen (f.) wake up
auf=warten wait on, call on
Aufwartung f. call; — machen pay respects to
auf=ziehen wind up, start
Aufzug m. ⸚e procession
Auge n. -s, -n eye
Augenblick m. -e moment
augenblicks immediately
Augenbraue f. eyebrow
Augenlid n. -er eyelid
augenscheinlich obvious
Äuglein n. —, little eye
aus out; over
aus=balgen skin; stuff (animals)
Ausbeutertum n. exploitation

ausbezahlt paid

aus=brechen break out

Ausbruch *m.* ⸚e outbreak

aus=dehnen *refl.* expand

aus=denken think out, plan

Ausdruck *m.* ⸚e expression

auseinander=gehen break up, separate

auseinander=setzen explain

auserkoren elect

ausersehen marked, select

aus=fallen turn out

ausfindig machen find out

aus=flicken patch up

aus=fliegen (f.) fly away

Ausflug *m.* ⸚e excursion

aus=fransen wear out; wear one's lips to pieces (*from oratory*)

aus=führen execute, carry out, lead out

Ausführung *f.* execution

Ausgang *m.* ⸚e exit; Aus= und Eingang goings and comings

ausgebaut built onto; completed

aus=geben *refl.* contend to be, announce as

ausgebreitet extensive, widespread

aus=gehen proceed from

ausgemacht agreed upon

ausgerüstet equipped

ausgeschlossen impossible; excluded

ausgesetzt except

ausgestattet equipped

ausgestreckt stretched out

ausgesucht select

ausgetreten worn

ausgewählt selected

Ausgleich *m.* −e adjustment; equalization

aus=gleichen even out, make up for difference

aus=gleiten (f.) slip

aus=halten stand, endure

aus=jagen chase out

aus=kleben paper a wall, decorate

aus=kramen unpack

Auskunft *f.* ⸚e report, information

Auslage *f.* goods on display in windows

Ausland *n.* abroad, foreign country

aus=lassen give vent to

aus=leeren *refl.* exhaust

Ausnahme *f.* exception

aus=nützen make use of, exploit, take advantage of

aus=quartieren billet

aus=rufen, ie, u exclaim

aus=ruhen rest

Ausrüstung *f.* equipment

aussätzig leprous

aus=saufen, off, off swallow up

aus=schauen look

aus=schenken pour out beer

ausschließlich exclusive

aus=schnaufen *refl.* rest

aus=schreiben convene, issue notice of; advertise

aus=sehen look, appear

außen outside

äußer external

außerdem moreover

außergeschäftlich non-commercial

Äußerlichkeit *f.* externality

äußern remark, contend

außerordentlich extraordinary

Äußerung *f.* remark, utterance

aus=setzen expose

Aussicht *f.* prospect; view

aus=söhnen reconcile

aus=speien, ie, ie spit out

aus=spielen play out; finish a game; (*with* gegen) play up against

aus=sprechen *refl.* express oneself, speak out

Ausspruch *m.* ⸚e decision, utterance

aus=ſpucken spit
aus=ſteigen get off, leave train, alight
aus=ſtellen put on view, exhibit
aus=ſtopfen stuff
aus=ſtoßen emit
Ausübung f. exercise, practice
auswärtig foreign, alien
auswärts away from home; abroad
auswechſelbar exchangeable, movable
Ausweg m. -e expedient, way out
Ausweichen n. yielding, avoidance
Ausweisſchein m. -e identification card
auswendig wiſſen know by heart
aus=wirken refl. come to a head
aus=zeichnen refl. distinguish oneself
aus=ziehen take out, extract
Auto n. -s automobile
Autor m. -s, -en author
Autorität f. authority
Ave n. ave
Axt f. ⸚e axe

B

Baalskopf m. ⸚e Baal's head; idol
Bach m. ⸚e brook
Backe f. cheek
backen, buk, gebacken bake
Backenknochen m. —, cheek bone
Bäcker m. —, baker
Bäckerei f. bakery
Bäckerhaus n. ⸚er bake shop
Bäckerin f. -nen woman baker, wife of baker
Bad n. ⸚er bath; sea resort
Badeſtube f. bathroom
Badewanne f. bathtub
Badhof m. ⸚e bathing court
badiſch pertaining to Baden

Bahn f. railroad; course, way
bahnen refl. make a path for oneself
Bahngleis n. -e railroad track
Bahnhof m. ⸚e station
Bahnkörper m. —, railroad system; length of tracks
bald soon; — da, — dort now here, now there; — hierhin, — dorthin now here, now there
baldig immediate
balgen scuffle
Balken m. —, beam
Balkendach n. ⸚er beamed roof
Balkon m. -s balcony
Ball m. ⸚e concert, dance; ball
Ballett n. -e or -s ballet
Ballkönig m. -e king of the ball
Ballon m. -s balloon
Band m. ⸚e volume
Bande f. gang
Bandit m. -en bandit
Bandſchleife f. ribbon
Bangigkeit f. anxiousness
Bank f. ⸚e bench, seat
Bankerott m. -e bankruptcy
Bann m. ban
Banngebot n. -e prohibitive law
Bär m. -en bear
Barbier m. -e barber
barhaupt bare-headed
Barkaſſe f. launch; boat (on ship)
barmherzig merciful
Barmherzigkeit f. charity
barſch gruff
Barſchatz m. ⸚e cash
Bart m. ⸚e beard
bartlos beardless
Bartſcherer m. —, barber
Baſe f. aunt; female relative
Baß m. ⸚e bass
Baſſiſt m. -en bass singer
Bauch m. ⸚e stomach
bauchig bulgy, convex

bauen build

Bauer *m.* –s, –n peasant

Bäuerin *f.* –nen peasant's wife

Bäuerlein *n.* —, little old peasant

Bauerndirne *f.* peasant girl

Bauernfänger *m.* —, peasant catcher; street scavenger; card shark

Bauernkarren *m.* —, peasant's cart

Bauernleben *n.* —, peasant's life

Bauernpaar *n.* –e peasant couple

Bauersfrau *f.* peasant's wife

Bauherr *m.* –n, –en architect, builder

Bauholz *n.* building wood, lumber

Bauhütte *f.* lodge

Bauknecht *m.* –e builder

Bauleute carpenters, builders

Baum *m.* ⸚e tree

Baumast *m.* ⸚e branch of tree

baumeln dangle

bäumen *refl.* rear

Baumrinde *f.* bark of tree

Baumstumpf *m.* ⸚e stump of a tree

Baumwollstoff *m.* –e cotton

Bauplatz *m.* ⸚e site for building

bäurisch boorish

bayrisch Bavarian

beabsichtigen intend, have in view

beachten notice

Beachtung *f.* consideration

Beamte *m.* –n official

bearbeiten work; scrub

beauftragen order

beben, shake, roll; agitate

Becher *m.* —, beaker

Bedacht *m.* deliberation

bedächtig thoughtful

bedanken *refl.* decline

Bedarf *m.* demand

bedauern regret

bedecken cover

Bedenken *n.* —, doubt

bedenken consider; remember

bedenklich considerable; dubious

Bedenklichkeit *f.* seriousness

Bedenkzeit *f.* time for consideration

bedeuten mean, signify; point out, direct

bedeutend quite, much; significant

bedeutsam fraught with meaning, significant

Bedeutsamkeit *f.* significance

bedienen wait on; *refl.* make use of

Bediente *m.* –n servant

bedrohen threaten

bedrohlich threatening

bedrücken oppress

bedürfen, bedurfte, bedurft (*intr.*) need

Bedürfnis *n.* –se need

beehren honor

beendigen bring to an end

befahren cross over; navigate

Befangenheit *f.* embarrassment

befassen *refl.* concern oneself with

befehlen, a, o *intr.* command

befestigen make fast, fasten

befeuchten moisten

befinden, a, u *refl.* be, find

beflügeln give wings to, quicken

befragen question thoroughly

befreien liberate

Befreier *m.* —, liberator

befremdet estranged

befreundet on friendly basis

befürchten fear, dread

begabt gifted

Begabung *f.* talent

begeben *refl.* happen; go

Begebenheit *f.* event

begegnen *intr.* (*f.*) meet

begehen celebrate; commit; make the rounds of

Begehr m. -s, -en desire

begehren desire

Begeisterung f. enthusiasm

begierig anxious; greedy

Beginn m. beginning

beginnen, a, o begin

Begleit n. company

Begleiter m. —, companion

Begleiterin f. -nen woman companion

beglücken make happy

beglückwünschen congratulate

begnadet blessed

begraben bury

Begräbnis n. -se funeral

Begräbnisgast, m. -e mourner

begreifen, iff, iff understand

Begriff m. -e conception; im —e sein be on the point of

begründen establish

begrünt grown green

begrüßen greet

begütigend ingratiating

behaart hairy

behäbig stoutish

Behagen n. pleasure

behaglich good-natured; pleasant, comfortable

behalten, ie, a keep

Behältnis n. -se holder

behandeln treat

Behandlung f. treatment

behängen load, cover with

beharrlich persistent

Beharrlichkeit f. persistence

behaupten assert

Behausung f. quarters

behelfen refl. get along with

behend nimble, adroit

beherbergen accommodate; give shelter to

beherrschen control, dominate

Beherrscher m. —, ruler

beherzt stout hearted

Behörde f. committee

behördlich duly authorized

Behuf m. behoof; zu diesem —e for this purpose

behütet guarded

behutsam cautious

bei-bringen teach, impart to

Beichte f. confession

Beifall m. applause

Beifallheischen n. urge to applause

Beifallsklatschen n. applause

Beihilfe f. assistance

Beil n. -e hatchet, axe

beiläufig incidental, occasional; without display

bei-legen impute to

Bein n. -e leg; bone

beinahe almost

Beinkleider n. pl. trousers

beiseite aside

beiseite-schieben, o, o push to one side

Beisitzende m. -n one having seat in an assembly

Beispiel n. -e example

beißen, i, i bite

bei-stehen intr. assist

bei-wohnen intr. attend, be present at

bejahen confirm

bejammern complain about, lament

bekannt known

Bekanntschaft f. acquaintance

bekennen, bekannte, bekannt confess

beklagenswert pitiable

beklatschen applaud

bekommen, bekam, bekommen get, receive

Bekömmlichkeit f. comfort

bekreuzen refl. cross oneself

bekümmern refl. worry about

belagern fill, besiege

belangen prosecute
belaffen leave
belaften weigh down, encumber
beleben enliven
belegen occupy
belegt overlaid, spread with
beleibt corpulent
beleidigen offend, insult
beleuchten illuminate
beliebig any you like
bellen bark
belohnen reward
belügen deceive
beluftigen amuse
bemächtigen *refl.* get possession of
bemerken notice
bemerkenswert remarkable
Bemerkung *f.* observation
bemeffen measure off, dole out
bemühen *refl.* make an effort,
  endeavor
Bemühung *f.* effort
benachbart neighboring
benehmen *refl.* act
beneiden envy
benennen name, term
benutzen use; *also* benützen
beobachten observe, watch
bequem comfortable
bequemen *refl.* submit to; conde-
  scend, deign
beraten deliberate, take council
Berater *m.* —, councilor
Berechnung *f.* calculation
beredt eloquent
bereit ready
bereiten make, prepare
bereits already
Bereitfchaft *f.* readiness; preparation
bereuen regret
Berg *m.* -e mountain
Bergdorf *n.* ⁼er mountain village
bergen, a, o conceal
Bergfchmiede *f.* mountain smithy

Bergwand *f.* ⁼e mountain side
Bericht *m.* -e report
berichten report
Beruf *m.* -e profession, calling
berufen *refl.* refer to for authority
beruhigen console
berühmt famous
berühren move, interest, touch
befchaffen procure;   provide,
  create for
befchäftigen give occupation to,
  occupy
befchämend humiliating
Befcheid *m.* -e answer
befcheiden, ie, ie give direction to,
  call in
Befcheidenheit *f.* modesty, dis-
  cretion
befcheidentlich modestly
befchenken give gifts to
Befcherungsplatz *m.* ⁼e place for
  Christmas gifts
befchienen illuminated
Befchimpfung *f.* abuse
befchließen, o, o decide; bring to
  a close
Befchluß *m.* ⁼e conclusion, order,
  decision
befchnuppern smell around
befchönigen palliate
befchreiben describe
Befchuhung *f.* boots
befchütten deluge with
befchwemmen flood, wash
befchweren *refl.* enter complaint
befchwichtigen assuage
befchwindeln defraud
befchwingen, a, u give wings to;
  satisfy
befchwören, o, o confirm, conjure; retreat
Befchwörung *f.* conjuration, wish
befeelen inspire, move
befehen, a, e look at, examine
befeitigen remove, correct

Befen *m.* —, broom
befetzen occupy
befiegen conquer, subdue
befinnen, a, o *refl.* reconsider;
   fich eines Befferen —, come to a
   different (and better) conclusion; remember
befinnlich meditative, serious
Befinnung *f.* consciousness; re-
   flexion
Befitz *m.* -e possession
befitzen possess
Befitzer *m.* —, owner
befonder special, unusual
befonders especially
befonnt sunlit, sunny
Beforgnis *f.* -fe anxiety
beforgt anxious
Beforgung *f.* errand
befpannen put horses to
beffern repair
Befferwiffer *m.* —, know-better
beft: zum —en geben tell for benefit of
beftändig constant
beftärfen confirm
beftätigen confirm
beftehen consist of; endure, pass
beftehend existing; consisting of
befteigen mount
beftellen order, do
Beftie *f.* beast
beftimmt definite, certain
Beftimmung *f.* destiny; destin-
   ation
beftrafen punish
Beftrebung *f.* effort
beftrichen spread, covered
Beftürzungsruf *m.* -e cry of confusion
Befuch *m.* -e visit; visitor
befuchen visit
Befucherin *f.* -nen woman visitor
Befuchszimmer *n.* —, living
   room

betäuben stupefy, deaden
Betäubung *f.* stupefaction
beten pray
Betonung *f.* emphasis, accent
Betracht *m.* consideration
betrachten observe, study
Betrachtung *f.* observation
Betrag *m.* ⸗e sum
betragen, u, a amount to; *refl.*
   conduct, disport
betreffen, a, o concern; was das
   betrifft so far as that is concerned
Betreiben *n.* vigorous suggestion
betreiben urge; attend to
betreten enter; *adj.* embarrassed
betroffen struck, amazed
Betrug *m.* deception
betrügen, o, o deceive, cheat
Bett *n.* -es, -en bed
Bettelmann *m.* ⸗er beggar
betten *refl.* make one's bed
Bettler *m.* —, beggar
Bettlerhut *m.* ⸗e beggar's hat
beugen *refl.* bow to
Beutel *m.* —, purse
bevorzugen prefer
bewachfen grown over with
bewahren keep
bewegen, o, o move
beweglich flexible
Bewegung *f.* motion
beweinen mourn
beweifen prove
bewenden: es dabei — laffen let
   the matter rest there
bewerben, a, o *refl.* with um compete for, apply for
Bewerber *m.* —, wooer
bewerfen batter, deluge
bewohnen occupy
Bewohnerin *f.* -nen woman tenant
bewölft clouded
Bewunderer *m.* —, admirer

bewunbern admire
Bewunberung f. admiration
bewußt conscious of; aforesaid
bezahlen pay
Bezahlung f. payment
bezaubern charm
bezeugen *refl.* act; testify to
Beziehung f. regard, respect, relationship
Bezirksgericht n. -e district court
bezwingen, a, u conquer, overcome; mount
Bibelspruch m. ⸗e Biblical proverb
Bibliothek f. library
bieder valiant; clear-throated
biegen, o, o bend
biegsam flexible
Biene f. bee
Bienenschwarm m. ⸗e swarm of bees
Bienenstock m. ⸗e beehive
Bier n. -e beer
Bierkeller m. —, restaurant
bieten, o, o offer
Bild n. -er picture; story; idea
bilden *refl.* develop, cultivate
bildkräftig picturesque
Bildnis n. -se portrait
Bildung f. education, culture
Bildwerk n. -e statue, monument
Billet n. -e letter; ticket
Billettasche f. ticket pocket
billig cheap; reasonable
binden, a, u bind, bring together
binnen within
Birne f. pear
bis until, — auf except
bißchen little bit
bisher previously
Bissen m. —, bite
bisweilen occasionally
bitte I beg you, please, if-you-please
bitten, a, e beg, entreat, ask for

Bitternis f. -se bitterness
blank white; polished
blasen, ie, a blow
Blasinstrument n. -e wind instrument
Blasphemie f. blasphemy
blaß pale
Blatt n. ⸗er newspaper, magazine; leaf
Blättchen n. —, little leaf
blättern leaf through
blau blue
blauschleifig blue-laced
bleiben, ie, ie (f.) remain
bleich pale
Bleistift m. -e lead pencil
blenden glare, blind
Blick m. -e glance, view
blicken look
blindlings blindly
Blitz m. -e lightning; beim —, "by thunder"
blitzen flash
Block m. ⸗e block
blöd soft, weak-minded
blond blond
bloß merely
blühen bud, bloom
Blume f. flower
Blumenduft m. ⸗e fragrance of flowers
Blumenfeld n. -er field of flowers
blumengeschmückt adorned with flowers
Blumenglas n. ⸗er flower glass
Blumentopf m. ⸗e flower pot
Blumentopfmanschette f. flowerpot vase
Blust m. ⸗e (Blüte) blossoming
Blut n. blood
Blüte f. bud, flower, bloom
bluten bleed
blütengleich like flower buds
Blütenherrlichkeit f. paradise of blossoms

Blütenfegen *m.* —, blessing from (of) blossoms

Blütenstrauß *m.* ⸚e bouquet

blutig bloody

blutjung quite young

Blutrichter *m.* —, hangman

blutrot blood red

Blutverlust *m.* loss of blood

blutwarm red-blooded

Bock *m.* ⸚e coachman's box

Boden *m.* ⸚ ground, earth; face

Bogen *m.* —, circle, arch; sheet of paper

bohren bore

borgen borrow

Born *m.* -e fount

bösartig malicious

Böschung *f.* slope

Böse *m.* -n devil

böse evil, base

Bosheit *f.* wickedness

Botschaft *f.* message

Bramahmodell *n.* -e model of Brahma (*Hindu god*)

Brand *m.* ⸚e fire, conflagration

branden surge

brandmarken brand

Brandstätte *f.* place of fire

Brandung *f.* seething of breakers

Branntwein *m.* -e brandy; — = krufe *f.* brandy jug

Branntweinwölkchen *n.* —, little cloud of brandy fumes

braten, ie, a roast; den Braten riechen smell a mouse

Brauch *m.* ⸚e usage, custom

brauchbar usable

brauchen need, use

braun brown

braunbleich pale brown

bräunlich brownish

brausen roar

Braut *f.* ⸚e betrothed

Brautfahrt *f.* wedding journey

Bräutigam *m.* -e bridegroom

brav valiant, courageous

brechen, a, o break

breitbeinig with outstretched legs

Breite *f.* latitude; breadth

breiten spread out

breitgespannt wide-stretched

breit=quetschen mash flat

breitspurig bumptious, strutting

brennen, brannte, gebrannt burn

Brenner *m.* —, distiller

Brennholz *n.* firewood

Brett *n.* -er rumble seat; board

Brettertür *f.* board door

Brief *m.* -e letter

Brieflein *n.* —, note

Briefträger *m.* —, postman

Briefwechsel *m.* correspondence

Brille *f.* spectacles

bringen, brachte, gebracht bring; take; fertig —, do; außer sich —, upset

Brocken *m.* —, crumb

brodeln bubble

Brodem *m.* —, exhalation

Brot *n.* -e bread; food

Brücke *f.* bridge

Bruder *m.* ⸚ brother

Bruderkuß *m.* ⸚e kiss of fraternal love

Brüderle *n.* little brother

brüllen bellow

brummen growl

Brunnen *m.* —, fountain, well

Brust *f.* ⸚e breast

brüsten *refl.* boast of

brustleidend afflicted with chest trouble

Brusttasche *f.* breast pocket

Brüstung *f.* edge, parapet

brutal brutal

brüten brood, hatch

Bube *m.* -n boy, youngster

Buch *n.* ⸚er book

Buche *f.* beech tree

Buchse *f.* (Buxen) pants

Bucht *f.* cove

Buckel *m.* —, hump, vault, arch

bücken *refl.* bow

bucklig hunchbacked

Bühne *f.* stage

Bülbül *m.* nightingale (*Persian*)

bummeln walk about idly, loaf

Bündel *m. & n.* —, bundle

bunt bright-colored, of many colors

Bureaukrat *m.* -en bureaucrat

Bürger *m.* —, citizen

bürgerlich bourgeois, middle class

Bürgermagd *f.* ⸚e girl of middle class

Bürgermeister *m.* —, mayor

Bürgermeisteramt *n.* ⸚er office of mayor

Bürgermeisterei *f.* the mayor's entire office

Bursche *m.* -n fellow; boy

Burschenleben *n.* student life

Bürste *f.* brush

Bürstenbinder *m.* —, brush maker

Büschel *m.* —, tuft

Büttel *m.* —, sheriff

Butter *f.* butter

Butterbrot *n.* -e sandwich

Butzenkleidchen *n.* —, short pants

C

Caprizzio *n.* -s whimsical creation

Champagner *m.* —, champagne

Chance *f.* chance

Charakter *m.* -e character

chinesisch Chinese

Chor *m.* ⸚e chorus; *n.* choir loft

Chorknabe *m.* -n choir boy

Chubbschloß *n.* ⸚er Chubb (safety) key; lock

Complet *f.* closing prayer (*of cloister service*)

D

da there, here; since

Dach *n.* ⸚er roof

Dachsparren *m.* —, rafter

dadurch thereby

dafür therefor

dagegen on the contrary

daheim at home

daher therefore

dahin thence, thither, there; gone

dahin-leben live along, merely exist

dahin-schwinden decrease, vanish

dahin-sterben die slowly

dahinter back behind

dahinter-stecken have a hand in

damalig of that time

damals at that time

Dame *f.* lady

Damenflor *m.* galaxy of ladies

Damenschuh *m.* -e woman's shoe

damit so that, therewith

Dämmerlicht *n.* -er twilight

dämmern grow dark

Dämmerschein *m.* -e twilight

Dämmerung *f.* dusk

Dämone *m.* -n demon

Dampf *m.* ⸚e steam

Dampfbad, *n.* ⸚er steam bath

dampfen smoke

dämpfen lower, subdue

Dampfroß *n.* -e "iron horse," locomotive

Dampfwolke *f.* cloud of smoke

daneben near by

Dank *m.* gratitude

dankbar-andächtig devotedly grateful

danken thank

dann then; — und wann now and then

daran thereon

darauf thereupon, thereafter

darauf-lauern lie in wait

dar=bieten offer
dar=bringen render, offer
darein=schlagen strike
darin therein
darinnen therein
darob on that account, for that
reason
dar=stellen represent, depict
darüber about that, over which
darum therefore
Dasein *n.* existence
daselbst there
Dauer *f.* duration
dauern last
Daumennagel *m.* ⸚ thumb-nail
davon=hüpfen hop away
davon=wirbeln whirl together
dazu thereto, in addition
dazwischen in between, meanwhile
Dazwischenkunft *f.* ⸚e interference,
intervention
Decke *f.* covering, ceiling
decken cover
Dedicatio *f.* –nen dedication
defekt imperfect
Degen *m.* —, sword; thane
dehnen *refl.* stretch
Demagog *m.* –en demagogue
demgemäß accordingly
demnächst shortly, quite soon
Demoiselle *f.* young lady
Demut *f.* humility
demütigen *refl.* humble oneself
demutsvoll humble
demzufolge consequently
Denar *m.* –e denarius
Denkart *f.* manner of thinking
denken, dachte, gedacht think
Denkmal *n.* ⸚er souvenir; monument
denn for, because; then
dennoch nevertheless
derartig that sort of
derb brusque; firm
Derbheit *f.* crudeness

dergestalt in such a fashion
dergleichen that sort of
derlei that sort of
derweilen in the meanwhile
derzeit at that time
desgleichen the same
deshalb on that account
dessenungeachtet nevertheless, yet
desto all the more
deswegen on that account
deuten point out; interpret
deutlich clear, distinct
deutsch German
Deutschland *n.* Germany
Deutung *f.* meaning
dicht thick, close, tight
dichten write poetry, poetize
Dichter *m.* —, poet
Dichtung *f.* poetry; narrative fiction
dick heavy, fat, thick
dickadrig heavy-veined
Dickicht *n.* –e thicket
diebisch rascally
Diebsgeselle *m.* –n confederate
Diebsgesindel *n.* band of thieves
dienen *intr.* serve
Dienerin *f.* –nen maidservant
Dienst *m.* –e service
Dienstbote *m.* –n servant
dienstlich on service, in the course
of duty, official
Dienstmann *m.* ⸚er servant; porter
Dienstraum *m.* ⸚e service room,
office
Dienstzeit *f.* period of service
diesmal this time
diktieren dictate
Dilettantismus *m.* dilettantism
Ding *n.* –e thing; vor allen —en
first of all
Dingsda *m.* what-you-may-
call-him; it
direkt absolutely
Direktion *f.* management

Dirigent *m.* –en director
Diskuſſion *f.* discussion
Diskuſſionsrednerin *f.* –nen orator of discussion
dispenſieren relieve, exempt
disputieren debate, discuss
doch nevertheless, however, at least
Dogge *f.* bulldog
Doktor –s, –en doctor
Dolch *m.* –e dagger
Dolchſtoß *m.* ⸗e dagger thrust
Dom *m.* –e cathedral
Dombauhütte *f.* cathedral chapel; lodge; temporary shelter (*built against the cathedral*)
Domherr *m.* –n, –en canon
Domniſche *f.* niche (*in outside wall of cathedral*)
Domportal *n.* –e cathedral portal
Donner *m.* —, thunder
Donnergewalt *f.* terrific violence
Donnerwetter *n.* —, thunder storm; mild oath
Doppelbild *n.* –er double picture
Doppelfirma *f.* —firmen double firm
Doppelgeheul *n.* –e double howling
Doppellouisdor *m.* –s double louis d'or
Doppelspiel *n.* –e double play
doppelt double
Dorf *n.* ⸗er village
Dorfgeſchichte *f.* village story
Dorfjunge *m.* –n village boy
Dorfkirche *f.* village church
Dorfrichter *m.* —, village judge
Dorfrichterſtube *f.* room of a village judge
Dorfſtraße *f.* village street
dortſelbſt there
Drache *m.* –n dragon
Drachentöter *m.* —, dragon-slayer

Drang *m.* urge, impulse
drängen force; *refl.* crowd
Drap cloth
draußen outside; abroad
drehen turn
dreifach threefold, triple
dreimal three times
drein in which
drein⸗ſchlagen strike
dreiſtſchlau boldly-sly
dreiſtündig three hour
dringen *tr. & intr.* a, u force, urge; find a way
drohen *intr.* threaten
dröhnen resound
drollig droll, amusing
Droſchke *f.* cab
Droſſel *f.* thrush
Droſſelſchlinge *f.* thrush-snare
drüben over there
drücken press
drunten down below
Dſchin *m.* evil demon (*Arabic*)
Dſchungel *n.* —, jungle
Dſchunke *f.* junk (*vessel*)
ducken *refl.* crouch
Duett *n.* –e duet
Duft *m.* ⸗e redolence
duften exhale fragrance
Dukat *m.* –en ducat
dulden endure, tolerate
dumm stupid
dumpf hollow, dull, muffled; melancholy
Dumpfheit *f.* stupor
Düne *f.* ridge of sand hills along seacoast, dunes
Dünenhügel *m.* —, hills along the shore
Dünenlandſchaft *f.* landscape along the coast
dunkel dark
Dunkel *n.* darkness
dunkelfeucht darkly moist, dark and damp

Dunkelheit *f.* darkness
dünken *refl.* think, seem
dünn thin
dunsten reek, smoke
durch=bläuen beat blue
durchbohrend penetrating
durchbohrt run through
durchdacht reasoned
durchdrungen convinced
durchfahren go through
durch=fallen fail
durch=machen endure, live through
durch=nehmen go over, study for contents
durch=peitschen thrash, beat
durchqueren cross through
durchschauern give a thrill to
durch=sehen look over
durchstöbern ransack, go through
durchtränkt saturated
durchwandern walk through
durchziehen go through
dürfen, durfte, gedurft be permitted, be probable
dürftig scanty
dürr dry
Durst *m.* thirst
dursten be thirsty
duschen take shower bath
duselig tipsy
düster gloomy

E

ebben ebb
eben just, just now; exactly
Ebene *f.* plain, valley
ebenfalls likewise
ebenso just as; likewise
Eck *m. & n.* -e corner
Ecke *f.* corner
eckig angular
edel noble
Edelleute noblemen
Edelsinn *m.* magnanimity

Edelstein *m.* -e precious stone
Effekt *m.* -e effect
Ehe *f.* marriage
ehegestern before yesterday
ehemalig former
Ehemann *m.* ⸗er married man
Ehepaar *n.* -e married couple
ehrbar honorable
Ehre *f.* honor
Ehrengrab *n.* ⸗er grave of honor
Ehrentag *m.* -e day of special honor
Ehrentitel *m.* —, honorary title
ehrenwert honorable, respectable
ehrerbietig deferential, courteous
Ehrfurcht *f.* reverence
ehrfurchtgebietend awe-inspiring
ehrlich honest
Ehrlichkeit *f.* honesty
Ei *n.* -er egg
Eichkätzchen *n.* —, squirrel
Eid *m.* -e oath
Eierschale *f.* eggshell
Eifelberg *m.* -e Eifel Mountains
Eifer *m.* zeal
eifern speak with zeal
Eifersucht *f.* jealousy
eifersüchtig jealous
Eifler *m.* —, inhabitant of the Eifel
eifrig zealous
eigenartig peculiar
Eigenheit *f.* peculiarity
eigennützig selfish
eigens specially
Eigenschaft *f.* characteristic
eigensinnig eccentric, stubborn
eigentlich real
Eigentum *n.* ⸗er property
eigentümlich peculiar, striking
Eile *f.* haste
eilen f. *and* h. hasten
eilfertig hasty
eilig hasty, speedy
Eimer *m.* —, pail, vessel

ein=berufen call, summon

ein=bilden *refl.* take excessive pride in

Einblick *m.* -e insight

ein=brechen break in

ein=brennen burn in

eindringlich urgent, emphatic

Eindringling *m.* -e intruder

Eindruck *m.* ⸚e impression

einfach simple

ein=fallen (f.) occur to; interrupt; chime in with

Einfalt *f.* simplicity

einfältig simple

ein=fetten oil, grease

ein=finden *refl.* be present, appear

ein=flößen flow in, instill into

Einfluß *m.* ⸚e influence

einflußreich influential

ein=führen introduce

Einführung *f.* introduction

Eingeborene *m.* -n native

ein=gehen (f.) enter; enter one's head

eingehend thorough

eingelegt inlaid

eingerahmt encased, framed

eingeschafft imported, loaned

ein=gestehen confess

Eingeweide *n.* —, bowels

ein=graben carve in

ein=hämmern hammer into

ein=hängen *refl.* take one's arm

einheimisch native

ein=heizen have heat on, heat

ein=holen take in; overtake

ein=huschen (f.) creep in

einige some

einigemal sometimes

einigermaßen to a reasonable degree, rather

ein=jagen chase in

ein=kassieren collect

Einkauf *m.* ⸚e purchase

ein=kneifen, iff, iff squint; pinch

Einkunft *f.* ⸚e income

ein=laden invite

Einladung *f.* invitation

ein=lassen *refl.* have to do with

ein=legen deposit, reap; enclose

ein=leiten introduce

ein=liefern hand over, deliver

einmal once; auf —, all at once; nicht —, not even

einmalig single

Einmischung *f.* interference

ein=nisten *refl.* find a place in the mind of; feather a nest

Einöde *f.* desolate place

ein=quirln whisk, beat up

ein=räumen give in to; vacate; stow away

ein=reden persuade, talk into

ein=reihen take into

ein=richten organize, arrange, set up

Einrichtung *f.* equipment

Einrichtungsstück *n.* -e articles of equipment

einsam lonely, lonesome

Einsamkeit *f.* solitude, loneliness

Einsatz *m.* ⸚e intonation

Einschenken *n.* pouring out of drinks

ein=schlafen (f.) go to sleep

ein=schlagen take, enter upon; beat down

ein=schleichen, i, i (f.) sneak in

ein=schränken limit

ein=schreiten (f.) step in

Einsegnungskleid *n.* -er confirmation dress

ein=sehen see the reasonableness of

ein=seifen lather

ein=senden send in, contribute

ein=setzen begin, set in

Einsicht *f.* insight

einsilbig monosyllabic

ein=spannen put into a frame

Einsprache f. objection

einst once, formerly; some time in the future

ein=steigen get on board of train

einstig former

einstmals once

ein=studieren rehearse, study

ein=stürmen rush in upon

eintönig monotonous

Eintönigkeit f. monotony

ein=tragen enter, register

ein=tränken rub in

ein=treffen, a, o (f.) arrive; happen

ein=treten (f.) enter, ensue; set in

einverstanden in agreement with

Einverständnis n. -fe agreement

Einwand m. ⁝e objection

ein=weihen dedicate

ein=wenden object

Einwendung f. objection

ein=wirken influence

Einzelheit f. detail

ein=ziehen (f.) enter; tr. collect, gather

einzig single, sole

Eisen n. —, iron

Eisenbahnunglück n. -e railroad accident

eisenrostig iron rusty

eisern iron

eisgrau steel gray

eisig icy

Eitelkeit f. vanity

eitern fester

eitrig ulcerated

Ekel m. disgust

ekelhaft repulsive

elegant elegant

elektrisch electric

elementar basic, fundamental

Elend n. misery

elendig miserable

Ellbogen m. —, elbow

Elster f. magpie

Eltern parents

Emblem n. -e emblem

Empfang m. ⁝e reception; in — nehmen receive

empfangen, i, a receive

Empfänger m. —, receiver

Empfangsbestätigung f. receipt

empfinden feel

Empfindlichkeit f. sensitiveness

Empfindung f. feeling, sentiment

empor=klimmen, o, o (f.) climb up

empor=recken refl. reach out

empor=schaukeln roll up, rock up

empor=schrecken, schrak, geschrocken start up with fright

empor=steigen climb

empor=tragen carry up, bear forth

Empörung f. sedition

emsig busy

Ende n. -s, -n end

enden end, close

endlich final

Endsilbe f. final syllable

eng narrow

Enge f. narrow passage, straits

Engel m. —, angel

Engländer m. —, Englishman

engländisch English

englisch English

Enkel m. —, grandson

Enkelin f. -nen granddaughter

entbehren get along without, dispense

Entbehrung f. renunciation

entbieten offer, give

entdecken discover

Entdeckung f. discovery

Enteignung f. expropriation

Enterbeil n. -e pole-axe

enterben disinherit

entfahren (f.) escape

Entfaltung f. development, unfolding

entfernen remove

entfernt remote
entflammen (f.) flame up
entfliehen (f.) flee, escape
entgegen=bringen show
entgegen=führen lead toward, bring to
entgegengesetzt opposite
entgegen=reisen (f.) travel to meet
entgegen=schlagen strike one's ear
entgegen=sehen look forward to
entgegnen reply
entgehen (f.) escape
Entgelt m. compensation
entgleisen (f.) leave the track, derail
Entgleisung f. derailment
entheben lift up, raise; excuse from
Enthüllung f. disclosure
entkommen (f.) escape
entladen refl. get rid of; unload
entlang along; — nach vorn along toward the front
entlassen set free; discharge
Entlassung f. dismissal
entlegen out of the way, remote
entlocken entice
entqualmen exhale
entreißen snatch from
entrinnen, a, o (f.) escape
entscheiden decide
Entscheidung f. decision
entschieden decided
entschlagen refl. rid oneself of
entschlossen resolute
Entschluß m. -e decision
Entschuldigung f. pardon, excuse
entseelen desoul
Entsetzen n. terror, amazement
entsetzen refl. become horrified
entsetzlich terrible
entsinnen refl. recall
entspannt released
entsprechen correspond to, agree with

entspringen (f.) come from
entstehen (f.) ensue, originate
Entstehung f. origin
entstellen disfigure, distort
entströmen (f.) issue from
enttäuschen disappoint
Enttäuschung f. disappointment
entwaffnen disarm
entweder ... oder either ... or
entwickeln develop
Entwickelung f. development
entwinden wrest from
entwischen (f.) escape
entziehen refl. abstain from
entziffern decipher
entzücken delight, ravish
entzückt delighted
entzünden light
entzwei in two
Episode f. episode; brief tale
Equipage f. carriage
erbarmen refl. have mercy on
erbärmlich miserable, lamentable
erbauen refl. edify
erbaut built
Erbe m. -n heir; n. inheritance
erben inherit
erbieten refl. present to
erbitten refl. request
Erbitterung f. embitterment
erblassen turn pale
Erblasser m. —, testator
erblicken catch sight of
erblitzen flash forth
Erbprinz m. -en hereditary prince
Erbsteuer f. inheritance tax
Erbstück n. -e heritage
Erbteil m. -e inheritance
Erde f. earth, ground
erden earthy
erdröhnen boom, resound, ring
ereignen refl. take place, happen
Ereignis n. -se event, episode
erfahren, u, a experience, learn
erfassen take hold of, seize

erfinden, a, u devise, think out; invent

Erfolg *m.* –e, success

erfolgen follow, ensue

erfolgreich successful

erforderlich necessary, proper

erfrischt refreshed

Erfrischung *f.* refreshment

erfüllen fulfill

ergänzen supply, complete, supplement

ergattern capture

ergeben lead to; *adj.* resigned, sincere

Ergebung *f.* resignation

ergehen *refl.* indulge in

erglänzen shine

ergötzen delight; *refl.* delight oneself, take pleasure in

ergreifen seize

erhaben exalted

erhalten keep, preserve, receive

Erhaltung *f.* preservation, sustenance

erheben *refl.* rise to

Erhebung *f.* exaltation

erheitert cheered, amused

erhellen brighten up

erhitzt heated

erhoffen hope for

erhöht exalted

Erholung *f.* recreation

erhorchen get by sharp listening

erinnern *refl.* remember

Erinnerung *f.* memoir; memory, remembrance

erkälten *refl.* catch cold

erkennen, erkannte, erkannt recognize

Erkenntnis *f.* –se recognition, realization

erklären explain, declare

erklecklich sound; refreshing; considerable

erklimmen, o, o climb

erkranken (f.) take sick

erkundigen *refl.* find out for oneself, make inquiry

Erkundigung *f.* information, data

erküren, o, o choose

erlauben permit

Erlaubnis *f.* –se permission

erlaucht illustrious

Erläuterung *f.* explanation, commentary

erleben experience

Erlebnis *n.* –se incident, event

erledigen dispose of, attend to

erledigt made vacant

erlegen capture

erleichtert relieved

Erleichterung *f.* relief

erleiden suffer

erlernen learn; get by studying

erlöschen, o, o become extinct

erlösen redeem

Erlöser *m.* —, redeemer

Erlösung *f.* redemption

erlustigen *refl.* enjoy

ermahnen *refl.* exhort

Ermahnung *f.* exhortation

ermattet exhausted

ermöglichen make possible

ermorden murder

ermüdet tired

ermuntern *refl.* wake up, rejuvenate oneself

ernähren support

Ernährung *f.* feeding

Ernennung *f.* appointment

erniedrigt depressed, humiliated

Ernst *m.* seriousness

ernsthaft serious

Ernte *f.* harvest

ernten reap

Erntezeit *f.* harvest time

erobern conquer

Eröffnung *f.* disclosure

Erörterung *f.* explanation

erquicken *refl.* refresh

erraffen grasp, seize
erraten guess
erregen arouse
Erregung f. excitement
erreichen reach, obtain
errichten erect
erröten blush
Erſatz m. ⸗e substitute
erſcheinen, ie, ie (ſ.) appear
Erſcheinung f. phenomenon, apparition, sight
erſchleichen, i, i get by strategy
erſchnappen snap up
Erſchöpfung f. exhaustion
erſchrecken, erſchraf, erſchrocken become terrified
erſchreckt terrified
erſchüttern convulse
Erſchütterung f. convulsion
erſchweren make troublesome
erſehnen long for
erſpähen spy out, find
erſparen save, keep from
erſt only; — recht all the more; — am Abend not until evening
erſtanden resurrected
Erſtarren n. torpidity; silence
erſtechen stab
erſtehen (ſ.) arise, come forth
erſterben (ſ.) die out
erſticken stifle, nip; strangle
erſtrecken reſl. extend, reach
erſuchen ask, petition, request
ertappen catch in the act
erteilen bestow upon, impart
ertragen endure, tolerate
erwachſen (ſ.) proceed from; grow
erwägen o, o consider
Erwägung f. consideration
erwähnen mention; oben erwähnt above mentioned
erwarten expect, await
Erwartung f. expectation
erwecken awaken
erwehren ward off

erweiſen do, extend; reſl. turn out to be
erweitern expand, widen
erwerben, a, o acquire (by effort)
erwidern reply
Erwiderung f. response; objection
erwiſchen take, catch
erwünſcht desired
Erz n. ⸗e bronze
erzählen relate
Erzählung f. narrative, tale
Erzengel m. —, archangel
erziehen educate, train, bring up
erzittern tremble
erzogen educated
erzürnen get angry
Eſel m. —, donkey; fool
Eſelsohr n. ⸗s, –en dog's ear (in book)
Eſſen n. food
eſſen, aß, gegeſſen eat
Eßware f. things to eat
Eßzimmer n. —, dining room
etlich some
etwa perchance; approximately
Eule f. owl
Evangelium n. ⸗s, –ien gospel
eventuell eventually; or
ewig everlasting, eternal
Ewigkeit f. eternity
Examination f. examination
Excellenz f. Excellency
exemplariſch exemplary
Exiſtenz f. existence
explizieren explain
Expreſſer m. —, courier
extra extra
Extrapoſt f. special post
Extraſtube f. guest room, parlor, bar

F

Fabel f. fable; plot
Fabrik f. factory
Fabrikant m. –en manufacturer

Fabrikschornstein *m.* -e factory chimney

Fach *n.* ⸚er cell, shelf; specialty

Fachmann *m.* ⸚er professional

Fackel *f.* torch

Fackelträger *m.* —, torchbearer

fadenscheinig worn, threadbare

Fagott *n.* -e bassoon

fähig capable of

fahl dun, livid

Fähnchen *n.* —, little banner

fahren, u, a (f.) go, move

Fahrgast *m.* ⸚e passenger

Fahrgeld *n.* -er fare

Fahrgeldhinterziehung *f.* fraud in payment of fare

fahrig restless

Fahrkarte *f.* ticket

Fahrschein *m.* -e ticket

Fahrscheinheft *n.* -e ticket booklet; ticket

Fahrt *f.* journey, walk

Fährte *f.* trail

Falbe *m.* -n cream-colored horse

Fall *m.* ⸚e case, incident

Falle *f.* trap, snare

fallen, ie, a (f.) fall; ins Gesicht —, strike

fällig due

Falltür(e) *f.* trapdoor

falsch false

Falschheit *f.* falseness

Falte *f.* fold

Familie *f.* family; house

Familienleben *n.* —, family life

Familienmitglied *n.* -er member of family

Fang *m.* ⸚e fang

fangen, i, a catch, hold captive

Farbe *f.* color

Farbenfülle *f.* fullness of color

Farbenunterschied *m.* -e difference in color

farbig colored

Farblosigkeit *f.* colorlessness

Faß *n.* ⸚er barrel

fassen take hold of; *refl.* control oneself

fassungslos discomfited

fast almost

Fasten *f.* Lent

Fatum *n.* fate

faul lazy

faulig rotten

Faust *f.* ⸚e fist

Faustschlag *m.* ⸚e blow with the fist

fechten, o, o fight

Fechter *m.* —, fencer, boxer

Fechtkunst *f.* ⸚e art of fencing

Fechtsaal *m.* ⸚e fencing school, fencing hall

Feder *f.* pen

Fegefeuer *n.* —, fires of Hell

fegen sweep

fehlen lack, be missing

Fehler *m.* —, mistake, error

fehl=greifen make a mistake

Feier *f.* solemn celebration

Feierabend *m.* -e stopping time; leisure hour

feierlich solemn

Feierlichkeit *f.* solemnity

feiern celebrate

Feiertag *m.* -e holiday

feig cowardly

Feilbieter *m.* —, salesman

fein fine, well

Feind *m.* -e enemy

Feindin *f.* -nen woman enemy

Feinheit *f.* finesse

feist fat, pudgy

Feld *n.* -er field

Feldrain *m.* -e row of grass on border of field

Fell *n.* -e pelt

Fels *m.* -en rock

Felsenaufstieg *m.* -e climbing of rock

Felsenecke *f.* rocky corner

Felsenkeller *m.* —, rock cellar

felsig rocky

Felswand *f.* ⸚e rocky wall

Fenster *n.* —, window

Fensterritze *f.* crack in window

Fensterscharte *f.* window opening

Ferien *f. pl.* holidays

fern distant

Fernbleiben *n.* absence, remaining at distance

Ferne *f.* distance

fernerhin in the future

fertig through, done

fest firm, stationary, solid

Fest *n.* —e feast, festival, party

Festartikel *m.* —, jubilee article

Festdichtung *f.* poetry for festivals

Festesfreude *f.* festive spirit

Festgedränge *n.* crowd at celebration

festgesetzt stipulated

fest=halten hold fast; save

festlich elaborate, festive

fest=nehmen arrest

Feston *n.* —s festoon

Festredner *m.* —, orator of the day

fest=stellen confirm, identify

Festtag *m.* —e festival day

fett fat

Fett *n.* —e fat, grease

Fetzchen *n.* —, shred, tatter

Fetzen *m.* —, shred

feucht moist

Feuchtigkeit *f.* moisture

Feuereimer *m.* —, fire bucket

Feuergewehr *n.* —e firearms, gun

Feuerjo! Fire!

Feuerprobe *f.* trial by fire

feuerrot red as fire

Feuersbrunst *f.* ⸚e fire, conflagration

feuer=schlagen strike fire, light a match

Feuersgefahr *f.* danger of fire

Feuerwehrmann *m.* ⸚er fireman

Feuilletonist *m.* —en special-feature journalist

feurig fiery

Fiber *f.* fibre

fidel jovial, in high feather

Fieber *n.* fever

fiebergeschüttelt fever-tossed, feverish

fieberhaft feverish

fiebern be feverish

Fiedelbogen *m.* —, fiddlestick

finden, a, u find; sich in etwas —, adapt oneself to

Finger *m.* —, finger

fingern finger

Fingerspitze *f.* finger tip

Finsternis *f.* —se darkness

Firlefanz *m.* trifles, drollery

First *m.* —e top of roof

Fisch *m.* —e fish

Fischerdorf *n.* ⸚er fishing village

Fischerhaus *n.* ⸚er fisherman's house

Fischnetz *n.* —e fish net

flach hollow; shallow

flachsblond flaxen-blond

Flackerlicht *n.* —er flaring light

flackern flutter

flaggen put out the flag

flämisch Flemish; surly

Flamme *f.* flame

Flammenauge *n.* —s, —n fiery eye

Flasche *f.* bottle

Flattergeist *m.* —er butterfly

flattern flutter

flattrig unsteady

flechten, o, o braid

Fleck *m.* —e spot; vom — weg right away

flehen beseech

Fleisch *n.* meat

Fleischbank *f.* ⸚e meat block

Fleischer *m.* —, butcher

Fleiſchergeſchäft *n.* –e meat market

Fleiſcherhaus *n.* ⸗er meat shop

Fleiſcherhund *m.* –e mastiff

Fleiſchermeiſter *m.* —, butcher

Fleiß *m.* industry

fleißig diligent

fletſchen gnash one's teeth

flicken patch

Fliege *f.* fly

fliegen, o, o (ſ.) fly

Fliegenplage *f.* plague of flies

Fliegenſummen *n.* buzzing of flies

fliehen, o, o (ſ.) flee

fließend fluent

flink dapper, agile, smart

Flöte *f.* flute

fluchen curse

Flucht *f.* flight

flüchten save (*by flight*); *intr.* (ſ.) flee

flüchtig fugitive, fleeting

Flug *m.* ⸗e flight, act of soaring

Flügel *m.* —, wing

flügelbebend with fluttering wing

flugs quickly

Flur *m.* –e hall

flüſſig fluent; liquid

Flüſſigkeit *f.* fluid, liquid

flüſtern whisper

Flut *f.* sea, high tide

Folge *f.* sequence; zur — haben result in

folgen *intr.* (ſ.) follow

Förderer *m.* —, champion, promulgator

fordern demand

Form *f.* form, shape

Format *n.* –e size

formen make, form

förmlich regular, positive

forſchen ask, investigate

Forſchung *f.* investigation

Förſter *m.* —, forester

fort⸗bewegen keep on the move, keep going

forteilend rushing

fort⸗fahren continue; (ſ.) go away

fort⸗kommen (ſ.) get along

fort⸗räumen clear away

Fortſchritt *m.* –e progress

fort⸗ſetzen continue

fort⸗ſprechen speak away, continue to speak

Fortuna *f.* good fortune

Frack *m.* ⸗e dress coat

Frage *f.* question

fragen ask

Frager *m.* —, questioner

Fragment *n.* –e fragment

Frankreich *n.* France

Franzoſe *m.* –n Frenchman

franzöſiſch French

fratzenhaft lugubrious, whimsical

Frau *f.* wife, woman

Frauenherz *n.* –ens, –en heart of woman

Frauenrock *m.* ⸗e woman's dress

Frauenzimmer *n.* —, woman; wench

Fräulein *n.* —, Miss, young girl

frech impudent

Frechheit *f.* impudence

frei open, free

Freier *m.* —, wooer

Freiheit *f.* liberty

freilich to be sure, certainly

Freiſtatt *f.* ⸗e haven

Freitag *m.* Friday

freiwillig voluntary

fremd strange, foreign

Fremde *f.* foreign country, foreign parts

fremdländiſch foreign

Fremdling *m.* –e stranger

freſſen, a, e eat, devour

Freude *f.* joy

Freudengeſchmetter *n.* —, cry of joy

freudig pleasant; joyful
freuen delight; es freut mich I am glad; *refl.* be happy
Freund *m.* -e friend
freundlich friendly
Freundlichkeit *f.* friendliness
Freundschaft *f.* friendship
Friede *m.* -ns, -n peace
Friedensrichter *m.* —, justice of the peace
friedlich peaceful
frieren, o, o (f.) freeze
frisch fresh
frisieren *refl.* comb one's hair
Frist *f.* time, space of time; grace
fristen drag out, eke out
Frisur *f.* coiffure, hair-dress
frivol frivolous
froh cheerful, happy
fröhlich happy
fromm pious
frommen *intr.* benefit
Front *f.* front
Frosch *m.* -e frog
Frost *m.* frost
fröstteln shiver
Frucht *f.* -e fruit
Fruchtbarkeit *f.* fruitfulness
Früh *f.* early morning
früh early in life, early
früher former
Frühjahr *n.* -e spring
frühlinghaft of spring, spring-like
Frühlingsglanz *m.* brightness of spring
Frühlingswind *m.* -e spring breeze
Frühmette *f.* matins
Frühstück *n.* -e breakfast
frühstücken take breakfast
Frühtrunk *m.* morning drink
frühzeitig early
Fuchsbau *m.* -ten fox hole

füglich convenient; appropriate
fühlen feel
führen lead
Führer *m.* —, leader
Fuhrmann *m.* -er driver
Fülle *f.* fullness, abundance
Füllen *n.* —, colt
füllen fill
Füllung *f.* panel (*door*)
fünfzigjährig of fifty years
Funke *m.* -ns, -n spark
funkeln sparkle
funktionieren work, function
Fürbitte *f.* intercession
fürbittend interceding
furchen furrow, wrinkle
Furcht *f.* fear
furchtbar fearful
fürchten fear, dread
fürchterlich fearful
furchtlos fearless
furchtsam timid
Furor *m.* furor, fuss, ado
für: — und —, forever and ever, constantly
Fuß *m.* -e foot
Fußbekleidung *f.* footgear
Fußpfad *m.* -e footpath
Futteral *n.* -e case, box
füttern feed

G

gabeln fork
Gadder *n.* —, lattice
Gage *f.* (Gehalt) salary
gähnen yawn
Galan *m.* -e (Buhle) paramour
galant gallant
Galgen *m.* —, gallows
Gallione *f.* galleon (*ship adorned with special figurehead*)
Gallionfigur *f.* figure on prow of vessel
Galopp *m.* gallop; dance

Gamaſche f. spats, gaiter

Gang m. ⸚e passageway; gait; journey

Gangfenſter n. —, side window

Gans f. ⸚e goose; fool

Gänschen n. —, gosling; little fool

ganz quite

gänzlich completely

gar quite, very, at all, even

Garde f. guard

Garten m. ⸚ garden

Gartenkonzert n. –e garden concert

Gas n. –e gas

Gasleuchtapparat m. –e gaslight apparatus

Gaſſe f. street, alley

Gäßlein n. little alley; side street

Gaſt m. ⸚e guest

Gaſthaus n. ⸚er inn

Gaſtſtube f. guest room

Gatte m. –n husband

geballt clenched

gebannt enchanted, held fast

Gebärde f. gesture, bearing

gebären, a, o be born

Gebäude n. —, building

Gebell n. barking

geben, a, e give; zum beſten —, tell for benefit of

gebenedeit blessed

Gebet n. –e prayer

Gebiet n. –e territory

gebieten command, enjoin

gebildet cultured

geborgen safe

Gebrauch m. ⸚e use; custom

gebrauchen use

gebrechlich decrepit

gebückt bent, stooped

Gebühr f. due, merit

Geburt f. birth

Geburtstag m. –e birthday

gedämpft subdued

Gedanke m. –ens, –en thought

gedankenreich rich in thought, intellectually-minded

Gedankenreihe f. series of thoughts

gedenken plan; (intr.) remember

Gedenkſtein m. –e monument

Gedicht n. –e poem

Gedichtbogen m. —, book of poems

gedrängt crowded

gedrückt oppressed

gedrungen short set, stout; compact

Geduld f. patience

geehrt honored, dear

geeignet appropriate

Gefahr f. danger

gefährlich dangerous

Gefährt n. –e vehicle

Gefährte m. –n comrade

Gefährtin f. –nen woman companion

gefallen, ie, a intr. please

Gefallen m. —, favor

gefällig agreeable, pleasing

Gefälligkeit f. pleasure, satisfaction, favor

gefangen: — nehmen capture, take captive

Gefängnis n. –ſe jail, prison

Gefäß n. –e jar, vessel

gefaßt: — darauf his mind made up

Gefieder n. plumage

gefleckt spotted

Gefolge n. —, wake; retinue

gefügt joined together

Gefühl n. –e feeling

gegen against; approximately

Gegend f. place, region, district

Gegenſatz m. ⸚e contrast

gegenſeitig mutual

Gegenſtand m. ⸚e thing; subject, object

Gegenwart f. present; presence

gegenwärtig momentarily, at present

Gegner *m.* —, rival, competitor

geheim secret

geheimnisvoll mysterious

Geheimrat *m.* ⸗e privy councilor

gehen, ging, gegangen (f.) go

Gehirn *n.* -e brain

gehoben exalted

Gehöft *n.* -e farmyard, court, premises

Gehör *n.* sense of hearing

gehorchen *intr.* obey, heed

gehören belong to

gehörig necessary, appropriate; thorough

gehorsam obedient

Gehweise *f.* gait, walk

Geige *f.* violin, fiddle

geigen play fiddle

Geigenton *m.* ⸗e sounds of a violin

Geist *m.* -er ghost, spirit, intellect

Geistererscheinung *f.* ghost, apparition

Geistergestalt *f.* form of ghost

geistig intellectual, spiritual

geistlich spiritual; — studieren study to be a preacher

Geistliche *m.* -n preacher

geistlos brainless

geistreich clever, intellectual

Geiz *m.* avarice

gekräftigt validated

gekränkt offended

Gekreisch *n.* screaming

gekrönt crowned

Gelächter *n.* burst of laughter

gelähmt paralyzed

Gelände *n.* country

gelangen (f.) come, reach

Gelassenheit *f.* restraint

Gelaufe *n.* running to and fro

geläufig fluent, known

Geläute *n.* ringing

gelb yellow

Geld *n.* -er money

Geldbekommen *n.* getting money

Geldbeutel *m.* —, purse

Geldnot *f.* financial difficulty

Geldteufel *m.* —, money devil; capitalism

gelegen situated; at the right time

Gelegenheit *f.* opportunity

Gelegenheitsdichtung *f.* poetry for special occasions

gelegentlich apropos of

gelehrig docile

Gelehrsamkeit *f.* wisdom

Gelehrte *m.* -n scholar

Geleise *n.* —, track

Geleite *n.* escort

Gelenk *n.* -e joint

Gelingen *n.* success

gelingen, a, u *intr.* (f.) succeed

gellen resound, shriek

geloben vow

Gelöbnis *n.* -fe vow

gelobt promised

gelt is it not so? *South German for* nicht wahr?

gelten, a, o avail, be looked upon

Geltung *f.* influence, importance

Gelübde *n.* —, vow

gelüsten feel a strong desire for, covet

gemach gently

Gemach *n.* ⸗er room

Gemahlin *f.* -nen wife, spouse

gemahnen remind

Gemälde *n.* —, painting; narrative

Gemäuer *n.* —, complex of walls

gemauert of mason work, tiled

gemein ordinary, plain; vulgar

Gemeinde *f.* diocese

Gemeindeamt *n.* ⸗er church board

Gemeindediener *m.* —, church servant

gemeinsam common, mutual

Gemeinſamkeit f. unanimity

gemeſſen measured, limited; with leisure

Gemüſe n. vegetables

Gemüt n. -er feeling, disposition; ſich zu —e zu ziehen take to heart

gemütlich nice, cozy, agreeable

gen towards

genau exact

Genauigkeit f. accuracy, order, exactness

genehmigen approve of, assent to, care for

geneigt inclined

General m. -e general

generös generous

genial ingenious

Genialität f. cleverness

Genick n. -e neck

genieren refl. be ashamed, embarrassed

genießen, o, o enjoy

genug enough; suffice it to say

genügen suffice, satisfy, be adequate

genugſam sufficiently

Genugtuung f. satisfaction

Genuß m. -e enjoyment

Genußſucht f. sensuality

Geologie f. geology

Gepäck n. -ſtücke baggage

Gepäckwagen m. —, baggage car

Gepolter n. noise

gepreßt stamped; impressed (seamen)

gerade directly, straight, just

geradezu straight; quite

geraten, ie, a (ſ.) come, get

Geratewohl n. random

Gerätſchaft f. implement

Geräuchertes n. smoked meat

geraum long, ample

Geräuſch n. -e noise

gerben tan

gerecht just

Gerechtigkeit f. sense of justice, justice

Gerede n. gossip

Gereiztheit f. bitterness

Gericht n. -e dish; court; Jüngſtes —, n. Day of Judgment

gerichtlich legally

Gerichtsakt m. -e act of court

Gerichtsrat m. -e judge; legal councilor

Geriebenheit f. cunning

gering slight, insignificant

geringſchätzig deprecatory

Gerippchen n. —, little skeleton

gerne gladly

gerötet reddened

Gerſte f. barley

Geruch m. -e odor, fragrance

Gerücht n. -e rumor

Gerüſt n. -e support, scaffolding

Geſang m. -e song

Geſangverein m. -e chorus, music club

Geſchäft n. -e business, trade; shop

Geſchäftigkeit f. bustle, activity

geſchäftlich business

Geſchäftsjubiläum n. -s, -en jubilee, business anniversary

Geſchäftsrückſicht f. business consideration

Geſchäftsträger m. —, agent, mandatary

Geſchäftszweig m. -e branch of business

geſchehen, a, e (ſ.) happen; um ... —, be over with

geſcheit clever

Geſchenk n. -e present

Geſchichte f. story; history

Geſchicklichkeit f. skill

geſchickt clever

Geſchirr n. household vessels, pots, pans and dishes

Geſchlecht *n.* –er sex; generation
Geſchmack *m.* ⸚e taste
geſchmeidig smooth
geſchmiedet forged
Geſchöpf *n.* –e creature
Geſchrei *n.* screaming
geſchult intelligent, disciplined
geſchürzt pinched, pouty
geſchwärzt blackened
Geſchwätz *n.* gossip, idle talk
geſchwind quick
Geſchwindigkeit *f.* rapidity
Geſchwiſter *pl.* brother(s) and sister(s)
Geſelle *m.* –n confederate; comrade, companion
geſellig social, convivial
Geſellſchaft *f.* company, society; firm
geſellſchaftlich social
geſenkt bowed
Geſetz *n.* –e law
geſichert secure, safe, provided for
Geſicht *n.* –er face
Geſichtchen *n.* —, little face
Geſichtsfarbe *f.* complexion
Geſinde *n.* servants
Geſindel *n.* rabble
geſinnt minded
Geſpann *n.* –e team of horses
geſpenſtig ghost-like
geſpitzt pointed
Geſpräch *n.* –e conversation
geſprächig talkative
geſprächsweiſe by way of conversation, conversationally
geſpreizt spread out; stilted
Geſtalt *f.* form, figure
geſtalten *refl.* turn out
Geſtank *m.* stench
geſtatten *intr.* permit, take the liberty
Geſte *f.* gesture
geſtehen, a, a confess
Geſtein *n.* –e rock

Geſtell *n.* –e frame
geſtern yesterday
geſtikulieren gesticulate
Geſtirn *n.* –e constellation
Geſtühl *n.* –e pew
Geſumm *n.* humming
geſund healthy
Getappe *n.* footsteps
Getier animals of all kinds
Getöſe *n.* din
getragen sustained
Getränk *n.* –e drink
getrauen *refl.* venture
Getrieb *n.* –e bustle, haste
getroſt calmly, consolingly
Gewaffen *n.* weapons
gewahren see
gewähren: — laſſen let go one's way; afford, offer
Gewährung *f.* offering, grant
Gewalt *f.* power, violence
gewaltig powerful, mighty
gewaltſam violent
Gewalttat *f.* deed of violence
Gewaltverüber *m.* —, perpetrator of violence
Gewand *n.* ⸚er gown
gewandt dexterous
gewärtig expecting, looking forward to
Gewäſſer *n.* body of water
Gewebe *n.* tissue, weaving
geweiht consecrated
geweiſſagt prophesied
gewerblich industrial
gewichtig influential; impressive
Gewiegtheit *f.* shrewdness; experience
gewillt minded to; determined
Gewinde *n.* —, festoon
Gewinn *m.* –e gain
gewinnen, a, o win
Gewinnſucht *f.* greed
gewirkt made
gewiß certain, be sure of

Gewiſſen *n.* conscience; ſich kein — aus etwas machen not to hesitate

Gewiſſenloſigkeit *f.* unscrupulousness

Gewißheit *f.* certainty

Gewitter *n.* —, storm

gewitzigt shrewd

gewöhnen *refl.* accustom to

Gewohnheit *f.* custom, habit

gewohnheitsmäßig according to fixed custom

gewöhnlich usual; common

gewohnt accustomed

Gewölbe *n.* —, vault

gewürzt spiced

gezaubert charmed, enchanted

Gezier *n.* bric-a-brac, fancy work

geziert affected

Giebel *m.* —, gable

giebelhoch high as the gable

Giebelſtube *f.* attic room

Giebelwand *f.* ⁔e gable wall

Gier *f.* greediness

gierig greedy

gießen, o, o pour; water

Gilde *f.* guild

Gipfel *m.* —, summit, peak; tree-top, branch

Gitter *n.* —, fence, enclosure, railing

Gitterſtab *m.* ⁔e lattice

Glanz *m.* splendor

glänzend brilliant

Glanzrolle *f.* leading rôle

Glas *n.* ⁔er glass

Glasgewölbe *n.* —, glass vault (*of train shed*)

glaſiert glacé

Glasſcheibe *f.* glass disc

Glaswagen *m.* —, coach enclosed with glass

glatt smooth, simple

glätten *refl.* smooth out

Glatze *f.* bald spot

Glaube *m.* -ens, -en faith, belief

glauben believe

gläubig faithful

Gläubiger *m.* —, creditor

gleich all the same; immediately; equal

gleichfalls likewise

Gleichgewicht *n.* -e equilibrium

gleichgültig indifferent

gleich-kommen equal

Gleichmaß *n.* symmetry

gleichſam so to speak, as it were

gleichviel all the same

gleichwohl nevertheless

gleiten, itt, itt (ſ.) glide

Glied *n.* -er member, limb

Gliederſchmerz *m.* -es, -en pain in the limbs

glimmen, o, o smoulder

glitzern glitter, twinkle

Glocke *f.* bell

Glockenklang *m.* ⁔e sound of the bell

Glockenzunge *f.* clapper of the bell

Glöckner *m.* —, sexton

Gloriahaube *f.* glory cap

glorreich glorious

Glück *n.* fortune; zum —, fortunately

glücken (ſ.) succeed

glücklich fortunate

glücklicherweiſe fortunately

gluckſen gurgle; mutter

Glückspilz *m.* -e lucky chap

Glückwunſch *m.* ⁔e congratulation

Glühbirne *f.* electric bulb

glühen glow

Glut *f.* glow, fire

Gnade *f.* mercy, grace

gnädig gracious; —er Herr lordship

Goetheaner *m.* —, follower of Goethe

golden golden
goldhaarig golden-haired
goldleuchtend glistening like gold
Goldluft f. ⁼e air of gold
Goldpapier n. -e gold paper
Goldschmied m. -e goldsmith
Goldschnitt m. -e gilt-edge
Goldstück n. -e gold coin
goldüberladen gold-laden
gönnen grant to
Gönner m. —, client, patron
Gott m. ⁼er God; gods; — sei
Dank thank Heaven
Götterbild n. -er image of the
gods
Gottesdienst m. -e church service
Gottesgabe f. gift of God
Gottesgericht n. -e judgment of
God
gottesjämmerlich pitiable
göttlich divine
Gottlob thank Heaven
Götze m. -n idol
Götzenbild n. -er heathen picture
götzendienerisch idolatrous
Grab n. ⁼er grave
graben, u, a dig
Grabhügel m. —, mound, grave
Grabmal n. ⁼er monument
Graf m. -en count
Gräfin f. -nen countess
grandios grandiose, magnificent
grasen graze
gräßlich terrible
Grat m. -e edge, ridge
grau gray
Grauen n. horror
grauen turn gray; dawn; es
graut mir I shudder
graus (grauenhaft) horrible
grausam gruesome, cruel
Gravität f. dignity
Grazie f. grace
graziös graceful
greifen, iff, iff seize

Greis m. -e old man
Grenze f. limit, boundary
grenzen come close to, border
Greuel m. —, abomination
greulich atrocious
Grieche m. -n Greek, Greek Catholic
Griechenfreund m. -e friend of the
Greeks, humanist
griechisch Greek
griesgrämig dour, cranky
Griff m. -e place to hold to;
handle
Grille f. cricket; whim
Grimasse f. grimace
Grimm m. wrath
grimmig furious
grinsen grin
grob gruff
grobzackig gruff-toothed, jagged
Grog m. grog, alcoholic drink
Groll m. resentment
grollen be angry with, grudge;
speak with disdain
Groschen m. —, groschen; ten
pfennigs
groß great; tall
großartig fine
Größe f. size, enormity; great-
ness
großmütig generous
Großmutter f. ⁼ grandmother
Großstadt f. ⁼e city
Großstädter m. —, city man, ur-
banite
Großstadtstraße f. city street
Großstadttempo n. metropolitan
pace
Großstadtverkehr m. city traffic
Großwesir m. -e grand vizier
Großzügigkeit f. big scale action
grübeln brood
grün green
Grund m. ⁼e reason, ground
Grundakkord m. basic note

gründen establish, rest on
Grundkraft *f.* ⸗e basic power
Grundstück *n.* -e plot of ground, lot
Gruß *m.* ⸗e greeting
grüßen greet; — laffen ask to be remembered to
guđen gaze, peep
Guirlande *f.* garland, festoon
Gulden *m.* —, guilder; small coin
günftig favorable
Gurgel *f.* throat
Gürtel *m.* —, girdle, belt
gut good; well
Gütđen *n.* —, little estate
Güte *f.* goodness, grace
Güterzug *m.* ⸗e freight train
gutgeartet well-trained
gütig kind
gutmütig good-natured
Guttat *f.* good deed
Gymnaſium *n.* -ien preparatory school

H

Haar *n.* -e hair; um ein —, within a hair's breadth
haarſcharf keen-edged; quite nice, hypercritical
Haarſträhne *f.* lock of hair
haarſträubend hair-raising
Haarwurzel *f.* root of hair
Habe *f.* possessions
haben, hatte, gehabt have
habhaft werden get possession of
Habſucht *f.* greed
hađen hack, chop; dig
Hafer *m.* oats
haften belong to; crouch, stick
Hagel *m.* hail
Hagelwetter *n.* —, hail storm
hager lean, haggard
Hahn *m.* ⸗e cock

Hahnenkrähen *n.* crowing of the cock
Hainbuche *f.* grove of beech trees
Hainbuchenhecke *f.* beech hedge
häkeln crochet, knit
halb half
halbdunkel half dark
halber for the sake of
halblaut half loud, subdued
halbwüchſig half-grown
Halbwüchsling *m.* -e a half-grown
Hälfte *f.* half
Halle *f.* hall, auditorium; train shed
hallen resound
Halm *m.* -e blade of grass
Hals *m.* ⸗e neck; throat
Halsband *n.* ⸗er necklace
Halsbinde *f.* neckerchief, cravat, "choker"
halsleidend afflicted with throat trouble
halt to be sure, just, I think
Halt *m.* stop; halt; act of holding
halten, ie, a stop; hold; darauf —, be careful; — für regard; *refl.* give account of
Halteſtelle *f.* stopping place; station
Haltung *f.* bearing
hämmern hammer
Hamſterſchaʒ *m.* ⸗e catch, haul
Hand *f.* ⸗e hand; zur — nehmen take up, seize
Handarbeit *f.* handwork
Händel *m.* —, quarrel
handeln deal, act; ſich — um be a question of
handfeſt sturdy
handgewebt hand-woven, homespun
handgreiflich tangible
handgroß size of the hand

Handkarren *m.* —, push cart
Handkuß *m.* ⸚e kiss of one's hand
Handlung *f.* action
Handlungshaus *n.* ⸚er business house
Handreichung *f.* extending of a helping hand
Handschuh *m.* –e glove
Handtasche *f.* hand bag
Handvoll *f.* handful
Handwerk *n.* –e business, trade
Handwerksgeselle *m.* –n journeyman, workman
Hang *m.* ⸚e slope
hängen *tr.* hang
Hansaschiff *n.* –e Hanseatic ship
Hanswurstel *m.* —, Merry Andrew
hantieren handle
Hantierung *f.* management
Harfe *f.* harp
harmlos harmless
Harmonika *f.* –ken *or* –kas accordion
harmonisch harmonious
Harnisch *m.* –e armor
harren tarry, wait
hart hard
Härte *f.* harshness, hardness
hartnäckig resolute
Harz *n.* rosin, gum
haschen snatch
Haß *m.* hate, hatred
hassen hate
häßlich ugly
Hast *f.* haste
hasten hasten
Haube *f.* hood
Hauch *m.* –e breath
hauchen breathe
Haue *f.* hoe
hauen, hieb, gehauen slash
haufenweise in groups
häufig frequent
Haupt *n.* ⸚er head

Hauptbahnhof *m.* ⸚e central station
Hauptmann *m.* ⸚er captain of infantry
Hauptredner *m.* —, chief speaker
Hauptsache *f.* main thing
hauptsächlich chiefly, largely
Haus *n.* ⸚er house; family; von — aus naturally, by birth, by trade
Hausbackenheit *f.* philistinism; humdrum life
Hausbeamte *m.* –n house official
Hausbesitzer *m.* —, house owner
Hausbesitzerstand *m.* ⸚e status as owner of a house
Häuschen *n.* —, little house
Hauseingang *m.* ⸚e entrance to the house
hausen live
Hausfrau *f.* woman of the house, housekeeper
Hausfreund *m.* –e friend of the family
Hausgarten *m.* ⸚ garden
Haushalt *m.* household, maintenance of family
Hauslehrer *m.* —, private teacher, tutor
Hausrat *m.* Hausgerät *n.* household things
Hausrecht *n.* –e domestic authority
Haustheater *n.* —, private theater
Haustier *n.* –e domestic animal
Haustor *n.* –e street door
Haut *f.* ⸚e skin; mit heiler —, safe and sound
heben, o *or* u, o lift
Hecke *f.* hedge
Heckenausschnitt *m.* –e opening in the hedge
Heer *n.* –e army
Heerschar *f.* host

heftig violent
hegen foster
Heide f. heath
Heide m. –n heathen
Heidemeer n. –e heath
heil whole, safe
heilig holy
Heimat f. home, native town
Heimatkunst f. ⁓e home art; national art
heimatlos homeless
heim=bringen bring home
heim=gehen (f.) go home; die
Heimkehr f. return home
heim=kehren (f.) return home
heimlich secret
Heimstatt f. ⁓e field of activity; homestead
heimwärts homeward
Heimweh n. homesickness
heiraten marry
Heiraterei f. marriage nuisance
Heiratsbewilligung f. marriage certificate
heiser hoarse
heiß hot
heißen, ie, ei be called; call, order
heiter cheerful, hilarious
Heiterkeit f. cheerfulness, mirth
Held m. –en hero
Heldensinn m. heroism
helfen, a, o intr. help
hell clear, bright, jubilant
hellblau bright blue
Helle f. clarity; certainty
Hellebarde f. halberd
hellhörig of acute hearing
Hemd n. –en shirt
Hemdsärmel m. —, shirtsleeve
hemmen check
henken hang
Henkermahlzeit f. last meal before being hanged
herab=reißen pull down
herab=tropfen drip

heran=pürschen refl. stalk ahead
heran=wälzen advance
heraus=fordern challenge
Herausforderung f. challenge
heraus=haften (f.) hasten out
heraus=lachen burst out laughing
heraus=locken entice, coax out
heraus=nehmen take out
heraus=physiognomieren determine by gazing at
heraus=putzen dress up
heraus=schreiten (f.) go out of
heraus=würgen squeeze out
heraus=ziehen pull out; get off
herb harsh
herbei=locken coax, entice, lure
herbei=sehnen refl. secure by longing for
her=bekommen get
Herberge f. shelter
Herbst m. –e autumn
Herbstnacht f. ⁓e autumn night
Herbstpaletot m. –s top coat
Herd m. –e fireplace (for cooking); hearth
Herdfeuer n. —, hearth fire
herein=holen fetch in
herein=rasseln rumble in
herein=schmiegen refl. creep in
hereinwärts in toward; inward
her=führen bring, find
Hergang m. ⁓e proceedings
hergelaufen vagabond
hernach later
Herr m. –n, –en gentleman; Mr.; proprietor
Herrenausdruck m. ⁓e expression of a gentleman
Herrenrecht n. –e seigneurial right
Herrgott m. Lord
Herrgottblitz! Lord sakes!
herrlich fine
Herrlichkeit f. treasure, glory
Herrschaft f. master and mistress, lady and gentleman; dominion

herrſchen obtain, be regnant
Herrſcher m. —, ruler
her-rühren emanate
her-ſetzen place there
her-ſtammen descend, come from
her-ſtehlen steal hither
her-ſtellen make
herüber hither; — und hinüber back and forth
herum-ſchnüffeln smell around
herum-wirbeln whirl around
herunter-bröckeln crumble down into dust
hervor-ſtehen protrude
hervor-ſtoßen ejaculate
hervor-ziehen take out
Herz n. -ens, -en heart
Herzeleid n. sorrow
herzensgut blessed, dear
Herzenslaſt f. burden of the heart
herzhaft cordial
herzlich cordial
herzliebſt dearly beloved
Herzog m. ⸚e duke
Herzogin f. -nen duchess
herzſtärkend cordial, reassuring
Herzſtärkung f. tonic
herzu-laufen run up
herzu-machen refl. come on, creep up
Hetze f. baiting
hetzen bait, hunt; auf den Hals —, bring on
Hetzpeitſche f. whip
Heu n. hay
heucheln be hypocritical
heuer this year
Heuernte f. haymaking
heulen howl, cry
heute to-day
heutig of to-day
heutzutag nowadays
Heuwagen m. —, hay wagon
hie here; — und da now and then
Hieb m. -e thrust, blow

hier here
hierin in this
hierortig local
hierſelbſt in this place
hierzuland here in this country
Hilfe f. help
hilflos helpless
Hilfloſigkeit f. helplessness
hilfreich helpful
Hilfszug m. ⸚e emergency train; wrecking train
Himmel m. —, heaven; sky
Himmelblau n. sky-blue, azure of the sky
himmellos skyless
Himmelſackermenter m. —, deuced lads
Himmelsbläue f. blue of heaven
himmliſch divine, heavenly
hinauf-ſchwingen refl. leap up
hinauf-ſehen look up
hinauf-ziehen pull up
hinaus-begeben refl. depart thither; take refuge
hinaus-ſchleppen drag out
hinaus-ſtrömen (ſ.) rush out
hinaus-werfen throw out
hindern hinder
hinein-binden interweave, put in
hinein-ſchaffen bring in
hinein-ſpiegeln reflect into
hinein-ſpielen play into
hinein-verzeichnen draw up on the inside of
hinein-zwängen wedge in
hin-fahren (ſ.) depart
hin-geben refl. resign
hingebettet couched
Hingebung f. resignation, devotion
hin-gehen (ſ.) go to, lead to
hingezogen attracted
hin-jagen chase hence, drive along
hinken be lame, limp

hin=legen lay down, put there
hin=siechen (ſ.) pine away
hin=sinken (ſ.) fall down
hin=stehlen steal
hin=taumeln (ſ.) reel toward
hinten behind, at the end
hinter=bringen tell, inform secretly
hintereinander one after the other
Hinterfleisch n. posterior
Hintergrund m. background
Hinterhof m. ⸗e rear court
hinterlassen bequeath, leave
Hinterlassenschaft f. estate
hinter=treten, a, e step behind
Hintertüre f. back door
hinüber=schielen look over at, squint at
hin und her back and forth
hinunter=sausen (ſ.) rush down
hin=weisen refer to
hinzu=fügen add
hinzu=setzen add
Hirsch m. -e stag
Hirschwirt m. -e landlord at the sign of the stag
hitzig strong, heady; hot-headed
Hobelbank f. ⸗e joiner's bench
Hobelspan m. ⸗e shavings
hoch high
hochbordig high-built
Hochfläche f. elevated plateau
Hochgebirge n. —, high mountains; Alps
hochlöblich worshipful
hochmütig haughty
Hochofen m. ⸗ blast furnace
höchstens at most
Hochton m. ⸗e high tone
Hochtour f. mountain tour
hochwürdig venerable, esteemed
Hochzeit f. wedding
hochzeitlich wedding
Hochzeitsreigen m. —, wedding dance, wedding march

hocken mope around, sit concealed; crouch
Hof m. ⸗e court; farm
Hoffart f. pride
hoffen hope
Hoffnung f. hope
hoffnungsfreudig hopeful, optimistic
Hofgesellschaft f. court society
höfisch=steif stiff, formal
Hofkapelle f. court orchestra
höflich polite
Höfling m. -e courtier
Hofpoet m. -en court poet
Hoftheater n. —, court theater
Höhe f. height; in die —, up
Hohn m. scorn, contempt
höhnen scorn, speak with disdain
holen fetch, get
Holländerin f. -nen Dutch woman
holländisch Dutch
Hölle f. Hell
höllisch infernal
Holunderduft m. ⸗e fragrance of elderberry
Holzbündel n. —, bundle of wood
Hölzchen n. —, little piece of wood; match
Holzgabel f. wooden prongs
Holzkäfig m. -e wooden cage
Honig m. honey
honnette respectable
hörbar audible
horchen hearken, listen
hören hear
Hörer m. —, hearer
Horn n. ⸗er horn
Hose f. trousers
Hotel n. -s hotel
hüben: — und drüben here and there
hübsch pretty
Hüfte f. hip
Hügel m. —, hill
Hugenotte m. -n Huguenot

Huhn *n.* ⸗er hen, fowl
Hühnerkäfig *m.* -e chicken coop
huldvoll gracious, benevolent
Hülle *f.* covering
hüllen clad, cover
Humor *m.* humor
Humoreffe *f.* humoresque; short
story
humpeln hobble
Hund *m.* -e dog
Hündchen *n.* —, pup
hundertfach hundredfold
Hundsfell *n.* -e dog skin
Hundsleib *m.* -er body of a dog
hundsmäßig infernal
Hunger *m.* hunger
hungern go hungry
hüpfen hop
Husar *m.* -en hussar
huschen whisk, scurry
Hut *f.* heed, guard
Hut *m.* ⸗e hat
Hymne *f.* hymn

J

Jch=Form *f.* told in first person
Idee *f.* idea
illustrieren illustrate
Imme *f.* bee
immer always; — wieder again
and again
immerfort constantly
immerhin at any rate, no matter;
after all
Imponderabilien *pl.* imponder-
ables
importieren import
imstande able, in a position
Inbrunst *f.* fervor; intense desire
inbrünstig strong
indem in which; while
indes however
indisch Indian
ingeniös clever, brilliant

Inhalt *m.* contents
inmitten in the midst of
inne=halten stop
inner center
innerlich inward; intrinsic
innewerden become conscious of
Insasse *m.* -n inmate, occupant
Inschrift *f.* inscription
Insekt *n.* -s, -en insect
Insel *f.* island
insofern so far as
insoweit in so far as
Inspektor *m.* -en inspector
Instrument *n.* -e instrument
intakt (unangetastet) intact
intelligent intelligent
interessant interesting
Interesse *n.* -s, -n interest
interessieren *refl.* take an interest
intim intimate
Intrigant *m.* -en plotter
inwendig on the inside
inzwischen in the meanwhile
irdisch earthly
irgendein some kind of
irgendwo somewhere
irr wandering, distracted
Irre *f.* mistaken way
irre=machen confuse, mislead
irren *refl.* get lost; be mistaken
Irrtum *m.* ⸗er mistake
Italien *n.* Italy
italienisch Italian

J

Jacke *f.* doublet
Jagd *f.* chase, hunt
jagen chase, drive; hunt
Jäger *m.* —, hunter
jäh sudden; intense
jählings suddenly
Jahr *n.* -e year
jahraus: — jahrein year after
year

jahrelang for years
Jahresrente f. annual rental
Jahrhundert n. –e century
Jahrtausend n. –e millenium
Jahrzehnt n. –e decade
Jammer m. misery, distress
jämmerlich miserable
jauchzen shout, celebrate
Jawort n. consent
je ever
jedenfalls at any rate
jederzeit at all times
jedesmal everytime
jedoch however
jeglich= every, some
jeher: von —, from time im-
  memorial
jetzt now
jetzig present
jeweils each time
johlen shout
Jota n. –s iota
Journal n. –e journal, magazine
Jubel m. mirth, joy
Jubelpaar n. –e celebrating
  couple
Jubilar m. –e old man celebrating an anniversary
Jubiläum –s, –en jubilee
Jude m. –n Jew
Jugend f. youth; young people;
  youthful people
Jugendarbeit f. work of youth
jung young
jungen give birth to
Jüngferchen n. —, flapper, sub-deb
Jungfrau f. young girl
jungfräulich virgin
Jüngling m. –e youth, swain
jüngst: Jüngstes Gericht n. Day of
  Judgment
jüngstgegründet most recently
  established
Junobüste f. bust of Juno
just exactly, just

K

Kachelofen m. ⸚ tile stove
Kaffee m. coffee
Kaffeegesellschaft f. coffee club
Kaffeehaus n. ⸚er coffee house
kahl barren, bald
Kaiser m. —, emperor
kaiserlich imperial
Kalb n. ⸚er calf
kalbledern calf leather
Kalebasse f. calebash, jug, vessel
Kalesche f. calash (light carriage)
kalken cover with lime
kaltfeucht cold and damp
Kamel n. –e camel
Kamerad m. –en comrade
Kamin m. –e chimney
Kaminkehrer m. —, chimney
  sweep
Kamisol n. –e doublet, jacket
kämmen comb
Kammer f. chamber
Kammerdichter m. —, court poet
Kammerdiener m. —, chamber-
  lain; valet
Kämpe m. –n champion
Kampf m. ⸚e struggle, combat,
  contest
Kämpfenmüssen n. obligation to
  fight
Kampfer m. camphor
Kampfwert m. –e value as a
  fighter
Kanapee n. –s couch
Kandidat m. –en candidate; grad-
  uate student
Kaninchen n. —, rabbit
Kaninchenstall m. ⸚e rabbit hutch
Kante f. edge; corner
Kanzlei f. chancelry
Kanzler m. —, chancellor
Kapelle f. chapel
Kapitalismus m. capitalism
Kapitän m. –e sea captain

Kapitel *n.* —, chapter
kappen cut
Kapperl *n. pl.* little cap
kaput gone, done for; broken
Karabiner *m.* —, carabine
karg mean, miserly, hard, scanty
Karren *m.* —, cart
Karte *f.* ticket; card
Kartenspiel *n.* -e game of cards
Kartoffel *f.* potato
Kartoffelbrei *m.* -e potato soup
Kartoffelkeller *m.* —, potato cellar
Kartoffelsack *m.* ⸚e potato bag
Käsekuchen *m.* —, cheese cake
Kasel *f.* canonical robe
Kasse *f.* money box
Kassier(er)in *f.* -nen cash girl
Kasten *m.* —, box
Katholik *m.* -en Catholic
Katze *f.* cat
Katzensprung *m.* ⸚e cat's leap
kauen chew
kauern cower
kaufen buy
Käufer *m.* —, buyer, trades-
    people
Kaufladen *m.* ⸚ shop, store
Kaufmann *m.* merchant; *pl.* ⸚er
    and Kaufleute
kaum hardly
Kavalier *m.* -e cavalier
keck bold
Keckheit *f.* boldness
Kegel *m.* —, ninepin
Kegelbahn *f.* bowling alley
Kegelbrücke *f.* wooden bridge
Kegelschieben *n.* bowling
Kehle *f.* throat
kehren turn; sweep
Kehrseite *f.* rear
Keim *m.* -e bud, germ, embryo
keinerlei no conceivable kind of
keinesfalls by no means
keineswegs by no means
Kelch *m.* -e cup

Keller *m.* —, cellar, wine-cellar
Kellersohle *f.* cellar floor
Kellner *m.* —, waiter
Kellnerin *f.* -nen waitress
kennen, kannte, gekannt be ac-
    quainted with, know; —
    lernen become acquainted with
Kenner *m.* —, connoisseur
Kenntnis *f.* -se knowledge, in-
    formation; cognizance
kennzeichnen *refl.* be characterized
kentern capsize, upset
Kerl *m.* -e fellow
Kerze *f.* candle
Kessel *m.* —, kettle, pot
keuchen pant
Keuschheit *f.* chastity
Khalif *m.* -en Calif
Kiel *m.* -e keel
Kieselstein *m.* -e pebble
Kind *n.* -er child
Kindheit *f.* childhood
kindisch childish
kindlich childlike
Kindlichkeit *f.* childlikeness
    naïveté
Kinn *n.* -e chin
Kinnlade *f.* jaw
Kirche *f.* church
Kircheinweihung *f.* church dedi-
    cation
Kirchenmaus *f.* ⸚e church mouse
Kirchenräuber *m.* —, church
    robber
Kirchgang *m.* ⸚e going to church:
    walk leading to church
Kirchhof *m.* ⸚e cemetery
Kirchtür *f.* church door
Kirchweih *f.* church dedication;
    fair
Kirschbaum *m.* ⸚e cherry tree
Kirsche *f.* cherry
Kirschenernte *f.* cherry harvest;
    cherry picking
Kirschenfest *n.* -e cherry festival

Kirschkern *m.* –e cherry stone
Kissen *n.* —, cushion
Kiste *f.* box
klaffen gape, yawn
Klage *f.* complaint
klagen lament
kläglich pitiable
Klang *m.* ꞈe sound
Klappe *f.* trap-board; lid
klappern rattle
Klapptisch *m.* –e folding table
Klaps *m.* –se slap, blow
klapsen strike
klar clear
klarblau clear blue
Klarinette *f.* clarinet
Klasse *f.* class
klatschen clap hands in applause;
    gossip; flap (*wings*)
Klause *f.* cell
Klavier *n.* –e piano
Kleid *n.* –er dress, clothes
kleiden dress
Kleiderhaken *m.* —, clothes hook
Kleidungsstück *n.* –e piece of
    clothing
klein little
Kleinigkeit *f.* trifle
kleinlich petty
Kleinod *n.* –e *or* –ien jewel
klettern (f.) climb
Klettervogel *m.* ꞈ porch climber;
    bandit; climbing bird
Klima *n.* climate
klimpern jingle
klingen, a, u ring, sound
Klippe *f.* cliff
klopfen beat; knock
Klopfer *m.* —, knocker
Kloster *n.* ꞈ convent
klug clever
Klümpchen *n.* —, small piece
Klumpigkeit *f.* massiveness
Knabe *m.* –n boy
Knackwurst *f.* ꞈe Bologna sausage

Knappe *m.* –n squire
knarren grate, creak
Knäuel *n.* —, ball, knot
Knecht *m.* –e servant
knechten enslave
kneifen, iff, iff pinch
kneipen hold (*bibulous*) student
    meeting
Kneipschulden *pl.* drinking debts
Knick *m.* –e crease
Knicks *m.* –se bow, courtesy
knicksen make a bow
Knie *n.* –e knee
knien kneel
Knochen *m.* —, bone; mit ganzen
    —, safe and sound
Knopf *m.* ꞈe button
knorrig knotty
Knospe *f.* bud
knuffen pommel
knüpfen button
knurren snarl
knutschen coddle
Knüttel *m.* —, stick
kochen cook; boil
Koffer *m.* —, trunk
Kokette *f.* coquette, flirt
Kollege *m.* –n colleague
kombiniert combination
Komfort *m.* comfort
Komik *m.* comic
Komiker *m.* —, comedian
komisch comic, amusing
Kommando *n.* –s command
Kommode *f.* dresser
Kommunismus *m.* communism
Komödiant *m.* –en player of
    comedy
Komödie *f.* comedy
Kompliment *n.* –e compliment
kompliziert complicated
kompromittieren (mit verwickeln)
    compromise
Kondukteur *m.* –e conductor,
    guard

Konfeffion *f.* confession

König *m.* -e king

Königin *f.* -nen queen

königlich royal

Königsfohn *m.* ⁻e king's son

Konkurrent *m.* -en competitor

Konkurrenz *f.* competition

können, konnte, gekonnt can

Konrektor *m.* -s, -en co-rector, assistant principal

konftatieren assert, prove

Kontinent *m.* -e continent

Kontrabaß *m.* ⁻e bass viol

kontrahieren contract

kontrollieren check; punch

konvenieren (gefallen) suit, please

Konvolut *n.* -e bundle

konzentrieren concentrate

Konzert *n.* -e concert

Konzertfaal *m.* -fäle concert hall

Kopf *m.* ⁻e head

Kopfbedeckung *f.* headgear

kopffchüttelnd with a shake of the head

Kopftuch *n.* ⁻er headpiece; kerchief

Kopfwunde *f.* wound in the head

Korb *m.* ⁻e basket

Korn *n.* ⁻er grain

Korngaffe *f.* Grain Street

Kornhandel *m.* grain business

Körper *m.* —, body

körperlich bodily, physical

Korridor *m.* -s *or* -e corridor

koftbar precious

koften cost

Koften *pl.* charges; upkeep

köftlich delightful

Köftlichkeit *f.* preciousness

koftfpielig costly

Kot *m.* dirt

kotbefpritzt mud-bespattered

Köter *m.* —, cur, dog

krachen crack, creak

Kraft *f.* ⁻e power; nach Kräften

with all one's might; kraft by virtue of

kräftig vigorous, energetic

kraftvoll vigorous

krähen crow

Krähhahn *m.* ⁻e crowing cock

krallen clutch

Kram *m.* trumpery, rubbish

kramen cram; take

Krämer *m.* —, small shopkeeper

krampfhaft convulsive

krank sick, diseased

kränkeln be in bad health

kränken offend

krankhaft=überhitzt sickly feverish

Krankheit *f.* illness

Kränkung *f.* sickness; offense

Kranz *m.* ⁻e wreath; leading pin in ninepins

Krapfen *m.* —, doughnut

kratzen scratch

kraus crooked; sullen

Kraut *n.* ⁻er herb, kraut; sustenance

Kreis *m.* -e circle of acquaintances; circle, government district

kreifen circle, encircle

kreifchen scream

Kreuz *n.* -e cross

Kreuzer *m.* —, creutzer (*small copper coin*)

Kreuzftock *m.* ⁻e cross piece (*of window frame*)

Kreuzftraße *f.* cross street

Kreuzzug *m.* ⁻e crusade

kriechen, o, o (f.) creep

Krieg *m.* -e war

kriegen get; fatt —, get enough of; fertig —, do; vom Fleck —, budge

Kriegsdienft *m.* -e military service

Kriegselefant *m.* -en war elephant

Kriegsfchule *f.* military academy

Kriegsverwirrnis *n.* -se confusion
of war
Kritik *f.* unfavorable criticism
kritisch critical
Krone *f.* crown
Kronentaler *m.* —, crown piece
Krug *m.* -̈e pitcher, jug
Krume *f.* crumb
krumm crooked
Krummsäbel *m.* —, scimitar
Küche *f.* kitchen
Kuchenbacken *n.* baking of cakes
Küchenschürze *f.* kitchen apron
Kugel *f.* ball
Kugelregen *m.* —, rain of bullets
Kuh *f.* -̈e cow
Kuhherde *f.* herd of cattle
kühl cool
kühn bold, daring
Kühnheit *f.* boldness, daring
Kummer *m.* sorrow
kümmern concern; *refl.* bother,
pay attention to
kummervoll sorrowful
Kunde *f.* knowledge
Kundenliste *f.* list of clients
kund=geben make known
kündigen discharge, dispossess;
serve notice on
kund=tun make known, proclaim
künftig in the future
Kunst *f.* -̈e art; trick
Kunstfahrt *f.* journey in interest
of art
Kunstgespinst *n.* -e web of art
Kunstherd *m.* -e cooking stove
Kunsthonig *m.* artificial honey
kunstvoll artistic
Kupfergeschirr *n.* copper utensils
Kürbis *m.* -se pumpkin
Kurve *f.* curve
kurz short; in —em in a short
while; vor —em recently
kürzen shorten, abridge
kurzerhand precipitously

Kuß *m.* -̈e kiss
küssen kiss
Küste *f.* coast
Küster *m.* —, sexton
Kutscher *m.* —, coachman
Kutschtür *f.* coach door
Kuvert *n.* -s envelope

L

Labetrunk *m.* refreshing drink
lächeln smile
lachen laugh
Lachenszeit *f.* time to laugh
lächerlich ridiculous
lachsfarben salmon-colored
laden, u, a load
Lage *f.* situation; condition
Lager *n.* —, camp; party; couch
lahm lame
Laib *m.* -e loaf
Lakai *m.* -en lackey
Lämpchenschein *m.* -e lamplight
Lampe *f.* lamp
Lampionträger *m.* —, lantern-
bearer
Land *n.* -̈er country; land
Landecker (of) Landeck
Landesfeuerkasse *f.* treasury of the
state fire department
Landeshauptmannschaft *f.* office
of governor general
Landeskind *n.* -er citizen
landfremd strange, foreign, un-
known
Landgut *n.* -̈er country place,
estate
Landhaus *n.* -̈er country house
landläufig current
Landluft *f.* country air
Landsleute *pl.* fellow-countrymen
Landstraße *f.* highway
Landstreicher *m.* —, vagabond
Landvogt *m.* -̈e governor
Landwirt *m.* -e landlord

Landwirtſchaft f. agriculture
Landwirtstochter f. ⸗ farmer's
daughter
lang long; tall; slow
langbeinig long-legged
Länge f. length; der — nach
lengthwise
lange for a long while
langen reach
langfaltig with long folds
langgehegt long nourished
langſam slow
langweilig tiresome
Lanze f. lance
Lappen m. —, rag
Lärchenholz n. ⸗er larch wood
Lärm m, noise
lärmen make a noise; carouse
laſſen, ie, a let; cause; have
läſſig lazy
Laſt f. load, burden
laſten lie heavy
laſterhaft criminal, vicious
Laſterleben n. —, life of crime
läſtern calumniate
läſtig annoying, pestiferous
Latein n. Latin
lateiniſch Latin
Lateinſchüler m. —, pupil of
grammar school, gymnasium
student
Laterne f. lantern
Laternenträger m. —, lantern-
bearer
Lattenzaun m. ⸗e lattice, fence
lau lukewarm; gentle
Laub n. foliage
Laube f. arbor
laubfroſchgrün tree-frog green
Laubmaſſe f. masses of foliage
lauern grope, lower
Lauf m. ⸗e course
Laufbahn f. career
laufen, ie, au (ſ.) run
Laune f. humor

Launenzug m. ⸗e trace of whim-
sicality
Lausbube m. -n rascal; bad boy
lauſchen listen to with marked
attention
laut loud; — werden report, be
rumored
Laut m. -e sound
lauter nothing but
leben live
Leben n. —, life
lebendig living
Lebendigkeit f. vivacity
Lebensalter n. age
Lebensanſchauung f. view of life
Lebensart f. mode of living
Lebensaufgabe f. life work, life
task
Lebensbahn f. path of life, career
Lebensführung f. conduct
Lebensgeiſt m. -er spirit, feeling
Lebensgeſchichte f. life history
Lebensglück n. happiness in life
Lebenshaltung f. way of living;
expenses
Lebensleid n. life's sorrows
Lebensunterhalt m. sustenance;
enough to live on
Lebenswandel m. behavior
leberleidend afflicted with liver
trouble
Lebeweſen n. —, animalcule
lebhaft vigorous, active, lively
Lebzeit f. lifetime
lecken lick
lecker attractive, fetching
Leckerbiſſen m. —, tid-bit
Lederbandelier n. -e leather
bandoleer, shoulder strap
ledern leather
Ledertapete f. leather tapestry
ledig: — ſprechen absolve; —
ſein be rid of
lediglich exclusively
leer empty

leeren empty

legen lay; ſich auf etwas —, mean business

Legende f. legend; short story

legitimieren identify

Lehne f. arm, back

lehnen lean

Lehnſtuhl m. ⸗e easy chair

Lehre f. teaching, moral doctrine; apprenticeship

lehren teach

Lehrer m. —, teacher

Lehrjahr n. -e apprenticeship

Lehrſaal m. -ſäle classroom

Leib m. -er body

Leibchen n. —, bodice

Leibgarden=Engel m. —, bodyguard of angels

leiblich bodily, physical

Leichnam m. -e corpse

leicht light

leichtflüſſig easily fusible; nimble; "liquid"

leichtfüßig nimble-footed

leichthin lightly

Leichtſinn m. frivolity

Leichtſinnsphänomen n. specimen of frivolity

Leid n. suffering

leid: — tun be sorry

leiden, itt, itt stand, suffer

Leidenſchaft f. passion

leider alas, unfortunately

leidlich tolerable

leihen, ie, ie lend

Leimſieder m. —, glue boiler

Leine f. string, rope, leash

Leipziger (of) Leipzig

leiſe low, gentle

leiſten do, accomplish; Eid —, take an oath

Leiſtung f. achievement; study

leiten lead

Leiter f. ladder

lenken direct, guide

Lenz m. -e spring

lernen learn; study

leſen, a, e read; gather

Leſer m. —, reader

Leſeſtunde f. hour for reading

Letter f. letter

letzen moisten

letztgeboren last-born, youngest

leuchten shine

Leuchter m. —, chandelier

Leuchtfeuer n. —, signal fire

leugnen deny

Leute people

Leuteſchinder m. —, flayer of the people, oppressor

licht light

Licht n. -er light; ein — geht (mir) auf it becomes clear

Lichtflecken m. —, spot of light

lichtſcheu nefarious

Lid n. -er lid

lieb dear; —gewinnen take a fancy to

Liebe f. love

lieben love

liebenswert amiable, lovely

Liebenswürdigkeit f. amiability, pleasing remark

lieber rather; ich möchte —, I should rather

Liebesgabe f. gift of love

Liebesrauſch m. ⸗e love intoxication

Liebesverſtändnis n. -ſe love affair

liebevoll loving

liebhaben love

Liebhaber m. —, lover

lieb=koſen caress

lieblich lovely, kindly

Lieblichkeit f. loveliness

Liebling m. -e favorite

Lieblingsroſe f. favorite rose

Lieblingsſtück n. -e favorite piece

Lieblingswalzer m. —, favorite waltz

Lied *n.* –er song
liegen, a, e lie
Likörgläschen *n.* —, cordial glass
Lilie *f.* lily
lind gentle
Linde *f.* linden
Linie *f.* line
link left
linkisch awkward
Linnen *n.* linen
Lippe *f.* lip
List *f.* cunning, artifice
listig cunning
literarisch literary; —=bedeutsam of literary significance
Literat *m.* –en literary person, man of letters
Literatur *f.* literature
Livre *m.* –s pound
Livree *f.* livery
loben praise
Lobeshymne *f.* hymn of praise
Lobspruch *m.* ⸚e words of praise
Loch *n.* –er hole
Locke *f.* lock of hair
locken entice
locker loose
lockern *refl.* get loose
lodern glow
Löffel *m.* —, spoon
löffeln use spoon, dip
Loge *f.* box
logieren lodge
Logiker *m.* —, logician
Lohn *m.* ⸚e reward
lohnen reward
Lohnsklave *m.* –n wage slave, underpaid hireling
Lohnsklaverei *f.* starvation wage
Lokal *n.* –e place; restaurant
Lokomotive *f.* locomotive
Lorbeerkranz *m.* ⸚e laurel wreath
Lorgnette *f.* eyeglass
Los *n.* –e lot
los loose; — werden get rid of

los=branden rage away
löschen, o, o put out, extinguish
lose loose
lösen solve; *refl.* loosen, dissolve
Löser *m.* savior, ransomer
los=gehen (f.) start
los=kaufen buy off, liberate
los=legen begin, fire away
los=nesteln unfasten
los=tappen feel one's way out
Losung *f.* shibboleth, slogan
Lotterleben *n.* —, dissolute life
Louisdor *m.* –s louis d'or
Löwe *m.* –n lion
Lücke *f.* gap, hole, lacuna
Luft *f.* ⸚e air
Lüftchen *n.* —, breeze
lüften air, ventilate
Luftfenster *n.* —, air window; screen
Luftzug *m.* ⸚e draught
Lüge *f.* falsehood
Lump *m.* –en wretch
Lumpen *m.* —, rag
Lungenflügel *m.* —, lobe of lung
Lungensucht *f.* tuberculosis
Lust *f.* ⸚e pleasure
Lustbarkeit *f.* merriment
lustig merry
Lustigkeit *f.* jollity
Lustspiel *n.* –e comedy
Lustspielhaus *n.* ⸚er theater for comedies
lustwandeln walk about for pleasure, saunter
luxuriös luxurious
Luxus *m.* luxury

M

machen make, do
Macht *f.* ⸚e power, might
mächtig powerful
Mädchen *n.* —, girl
Mädel *n.* — *or* –s girl

Magazinverwalter *m.* —, shop-keeper

Magd *f.* ⸚e maid

magenleidend afflicted with stomach trouble

mager scanty, meager; skinny

magisch magical

Magister *m.* —, master

mähen mow

Mäher *m.* —, mower

mählich gradually

Mahlzeit *f.* meal

Mahnbrief *m.* -e official notification

mahnen exhort, remind; notify

Mai *m.* May

Maiblume *f.* mayflower

Maie *f.* green bough

Maikäfer *m.* —, June bug

Majestät *f.* majesty

Mal *n.* -e time; mit einem —, all of a sudden

malachit of malachite

malen design, paint

malerisch picturesque

Malerkolonie *f.* painters' colony

Malernest *n.* -er painters' nest

Malheur *n.* -s misfortune

manchmal at times

Mandelkrähe *f.* roller (*a kind of crow*)

Manege (Reitbahn) *f.* circus track

Mangel *m.* ⸚ defect

Manier *f.* manner, way, fashion

manierlich courteous, proper

Mann *m.* ⸚er man; husband

mannbar come to age of man-hood

Mannen *pl.* firemen; warriors

männlich masculine

Mantel *m.* —, mantle, coat

Mantelknopf *m.* ⸚e button of top coat

Mantille *f.* shawl

Manuskript *n.* -e manuscript

Märchen *n.* —, fairy tale

Märchenhaftigkeit *f.* air of fairy-land

Märe *f.* story

Mark *f.* —, mark

Markt *m.* ⸚e market

Marktplatz *m.* ⸚e market place

marmor marble

martial martial, belligerent

Marzipan *m. or n.* -e mixture of almonds and sugar

Märznebel *m.* —, March fog

Maschine *f.* machine

maschinenmäßig mechanical

Maß *n.* -e degree, extent

Masse *f.* mass, multitude

mäßigen check, control

Mäßigung *f.* control, restraint

Maßregel *f.* rule, regulation

Maßstab *m.* ⸚e standard

maßvoll restrained

Mast *m.* -e *or* -en mast

mästen fatten

Materie *f.* material, matter

Mathematik *f.* mathematics

matt dead, faint, dull

Maturitätsprüfung *f.* final exami-nation

Mauer *f.* wall

Maul *n.* ⸚er mouth; — halten! shut up!

mausen pilfer, crib

Mechanikus *m.* mechanic

mechanisch mechanical

Mechanismus *m.* mechanism

medizinisch medicinal

Meer *n.* -e sea

Meernacht *f.* ⸚e bottom of the sea

Meervogel *m.* ⸚ sea bird

Meerweib *n.* -er mermaid

Megäre *f.* Megaera, termagant

Mehl *n.* meal

mehr more

mehrmals several times

mehrstimmig polyphonic

meilenweit for miles

meinen think, mean

meinesgleichen my equal

Meinung *f.* opinion

meist (meistens) mostly

Meister *m.* —, master

melancholisch melancholy

melden announce

melken, o, o milk

Melkgefäß *n.* -e milk pail

Melodie *f.* melody

Menge *f.* mass, number of

mengen *refl.* mingle

Mensch *m.* -en man; human being

Menschenflut *f.* sea of humanity

Menschengedenken *n.* memory of man

Menschengröße *f.* human size

Menschenjagd *f.* human chase; search for a man

Menschenkind *n.* -er child of man

Menschenleben *n.* —, human life

Menschenliebe *f.* love for man

Menschenmasse *f.* crowd of people

Menschentum *n.* spirit of humanity; life

Menschenverächter *m.* —, cynic

Menschheit *f.* humanity, mankind

menschlich human

merken notice

merklich perceptible

Merkmal *n.* -e sign, token

merkwürdig remarkable

merkwürdigerweise remarkably, strange enough

Messe *f.* mass

Messer *n.* —, knife

Messingspund *m.* -e brass nozzle

Meßner *m.* —, sacristan

Metallhut *m.* -e metal hat; bell

Methode *f.* method

Metier *n.* -s trade, business

Metzer (of) Metz

Miene *f.* mien, look

Miete *f.* rent

mieten rent

Mieter *m.* —, renter, tenant

Mietshaus *n.* -er house to rent, apartment

Milch *f.* milk

Milchbrot *n.* -e milk pap

mild mild; generous

mildern subdue, soften

Million *f.* million

minder less

mindest least; im —en the least

Minister *m.* —, minister

Minute *f.* minute

mischen *refl.* be mixed with

missen miss, be without

Missetäter *m.* —, evil doer

Mißgeschick *n.* -e bad fortune

Mißklang *m.* -e discord

Mißmut *m.* discontent

mißmutig ill-humored

mißtrauisch distrustful

mistbespritzt covered with manure

Misthaufen *m.* —, dung heap

Mistrauen *n.* distrust

Mitbewerber *m.* —, competitor

miteinander with one another, together

mitfühlend compassionate, sympathetic

mit=führen take along

Mitgefühl *n.* -e compassion

Mitgift *f.* dowry

Mitglied *n.* -er member

Mitleid *n.* pity, compassion

mit=leiden sympathize

mit=machen go through, experience

mit=nehmen take along with

mit=reisen (f.) travel with

mit=reißen carry along with

Mitreißer *m.* —, persuader

mitsamt together with

mit=schaffen work with

Mittag *m.* -e noon

Mittageffen *n.* —, midday meal
Mittagsmahl *n.* -e midday meal
Mittagsportal *n.* -e noon portal
Mittagszeitung *f.* noon paper
Mitte *f.* middle
mit=teilen impart
Mitteilung *f.* information, notice
Mittel *n.* —, means, remedy
mitteldeutsch Middle German
Mitteltür *f.* middle door
Mitternacht *f.* -e midnight; gegen —, towards the North
mitternächtig midnight
mittler in middle age
mittlerweile in the meanwhile
mitwirkend to be contributory; coöperative
Möbel *n.* —, furniture
Möbelstück *n.* -e piece of furniture
Möbelwagen *m.* —, moving van
Mode *f.* fashion
Modergeruch *m.* -e smell of decay
moderig moldy
modern modern
modisch fashionable
mögen, mochte, gemocht may, like, wish
möglich possible
Möglichkeit *f.* possibility
Moiréroc *m.* -e moreen dress
molestieren (stören) molest, disturb
Moloch *m.* Moloch
Monat *m.* -e month
Mond *m.* -e moon
Mondkalb *n.* -er moon-calf
Mondlicht *n.* -er moonlight
Montag *m.* -e Monday
Moor *n.* -e moor
Moos *n.* -e moss
Mord *m.* -e murder
Mordinstrument *n.* -e instrument of murder
Morgen *m.* —, morning
Morgenland *n.* Orient

Morgenpost *f.* morning post, early mail coach
Morgenrot *n.* dawn
Morgenstunde *f.* morning hour
Moschee *f.* mosque
Mosjöh Monsieur
Moslem *m.* Moslem
Motte *f.* moth
müde tired
Müdigkeit *f.* fatigue
Mühe *f.* trouble
Mühle *f.* mill
Muhme *f.* cousin; aunt; relative
Mühsal *n.* toil, trouble
mühsam with difficulty
mummeln mumble
Münchener (of) Munich
Mund *m.* -e *or* -er mouth
Mundart *f.* dialect
münden empty, open into
mündlich oral
mundtot with nothing to say, speechless, abashed
Mundwinkel *m.* —, corner of the mouth
munkeln whisper
Münster *n.* —, cathedral
munter cheerful
murmeln murmur
murren grumble
Musik *f.* music
Musikant *m.* -en musician
Musikbande *f.* band of music
Musiker *m.* —, composer
Musikfreund *m.* -e music lover
Muskulatur *f.* muscles (*system*)
muskulös muscular
Muße *f.* leisure
müssen, mußte, gemußt be obliged to, must
Mußestunde *f.* leisure hour
müßig idle
Muster *n.* —, pattern, model
Musterfamilie *f.* model family
musterhaft exemplary

muſtern review, examine

Mut *m.* courage; — faſſen take courage

mutig courageous

Mutter *f.* ⸗ mother

Mütterchen *n.* —, old mother

mütterlich motherly, from the mother

Mütterlichkeit *f.* motherliness

Mutwille *m.* -ens, -en arrogance

mutwillig mischievous, wanton

Mütze *f.* cap

N

Nachbardorf *n.* ⸗er neighboring village

Nachbarloge *f.* next box

Nachbarpfarrei *f.* neighboring diocese

Nachbarſchaft *f.* neighborhood, vicinity

Nachbarskind *n.* -er neighbor's child

nach⸗bilden imitate

nach⸗denken reflect, think about

nachdenklich thoughtful

nach⸗eilen (ſ.) hasten after

nacheinander one after another, successively

nach⸗geben give in, yield

nachgerade little by little

nach⸗gucken peer after, gaze at

nach⸗hängen brood over, follow up

nachher later

Nachkirchweihe *f.* church memorial

Nachkomme *m.* -n descendent

nach⸗laſſen give up, slow down

Nachläſſigkeit *f.* negligence; remissness

nach⸗laufen (ſ.) run after

Nachmittag *m.* -e afternoon

nach⸗prüfen test, try out

nach⸗rechnen count up

Nachricht *f.* news

Nachſchlüſſel *m.* —, skeleton key, double key

nach⸗ſchwatzen tell tales, report

nach⸗ſehen keep an eye on; forgive

Nachſicht *f.* indulgence

nach⸗ſpringen (ſ.) run after

Nacht *f.* ⸗e night

nachtfertig vigilant

Nachtherberge *f.* night shelter

Nachtigall *f.* nightingale

Nachtkäſtchen *n.* —, night box

Nachtlager *n.* —, lodging for the night

Nachtläufer *m.* —, night hawk

nächtlich nightly

Nachtriegel *m.* —, night latch

Nachtruhe *f.* night's rest

nachts in the night

Nachtzug *m.* ⸗e night train

nach⸗zahlen pay extra

Nachzahlung *f.* extra payment

Nacken *m.* —, neck

nackt naked, nude

Nadelgeld *n.* -er pin money

Nagel *m.* ⸗, nail, hook

nagen gnaw

nahe near

Nähe *f.* vicinity, nearness

nahen (ſ.) approach, draw near

nähern *refl.* approach, come close to

nahezu nearly

nähren feed, nourish

Name *m.* -ns, -n name

namens by the name of

Namensſchweſter *f.* name's sake

nämlich namely; that is

Narr *m.* -en fool; clown

Narretei *f.* foolishness

närriſch foolish

Narziſſe *f.* narcissus

Näſcherei *f.* tid-bit, sweets

Naſe *f.* nose

Nasenspitze f. tip of the nose
Naß n. wet, fluid
national national
Natur f. nature
Naturalienkabinett n. -e collection of ethnological specimens
Naturgesetz n. -e law of nature
natürlich naturally, of course
Nebel m. —, haze, fog; blauer —, sheer nonsense, drivel
Nebelland n. ⁼er land of fog
neben beside; in addition to
nebeneinander beside one another
Nebenempfindung f. subconscious feeling
neben=stehen stand by
neblig foggy
Neffe m. -n nephew
nehmen, nahm, genommen take
Neid m. envy
Neidhammel m. —, envious wretch, dog in the manger
neigen refl. lean toward; bow
Neigung f. affection
nennen, nannte, genannt call
Nerv m. -en nerve
nervenerschütternd nerve-racking
nervös nervous
Nervosität f. nervousness
Nest n. -er nest, bunk
nett nice, agreeable
Netz n. -e net in train for holding light baggage
neu new; von —em anew; Neue Freie Presse Viennese daily
neuauf=tauchen (f.) spring into publicity
neuerwachsen new, modern
neugekommen newly arrived
Neugier f. curiosity
Neugierde f. curiosity
neugierig curious
Neuigkeit f. novelty
Neuorientierung new orientation
Neutöner m. —, new-styled poet

Neuzeit f. modern times
neuzeitlich modern
nicht not; — wahr? is it not?
Nichtigkeit f. nonentity, trifle
nichts nothing; mir — dir —, coolly; — desgleichen nothing of the kind
nicken nod, bow
nie never
nieder=fallen (f.) fall down; collapse
niedergeschlagen despondent
nieder=hocken refl. crouch down
Niederkunft f. ⁼e childbirth
nieder=lassen refl. sit down, rest, settle down
nieder=schmettern crush, overwhelm
niedrig low
niemals never
nimmermehr nevermore
Nippes pl. knickknacks
nirgends nowhere
Nische f. niche
nisten rest on, nestle
noch still, yet, even; — nicht not yet; — immer still; — einmal once more; — dazu what is more; weder . . . —, neither . . . nor
Norden m. north
Not f. ⁼e need, distress
Notar m. -e notary
Notbremse f. emergency brake
Note f. grade; note; music
Notenblatt n. ⁼er sheet of music
Notenpult n. -e music desk
notieren take note of; appraise
nötig necessary
nötigen coax, constrain, urge
Notiz f. notice; review
Notizbuch n. ⁼er notebook
Notizenmaterial n. -ien material in form of notes
Notlage f. distress, panic

not=tun be necessary
notwendig necessary
notwendigerweife necessarily
Novelle *f.* short story; tale; novelette
Nu *n.* jiffy
nubifch Nubian
nun now; well; — einmal simply
nunmehr by this time
nur only; just
Nutzen *m.* advantage; utility
nützen *intr.* help
nutzlos useless, idle

O

ob whether; als —, as if
oben at the top, above, upstairs; von — bis unten from head to foot
obendrein in addition
Oberflächlichfeit *f.* superficiality
Oberlippe *f.* upper lip
Oberpfarrer *m.* —, senior pastor
obgleich although
obrigfeitlich official, authorized
Obft *n.* fruit
Obftbaum *m.* ⸗e fruit tree
Obftgarten *m.* ⸗ fruit garden
ob=walten obtain, prevail, be regnant
obzwar although
Ochfe *m.* -n ox
Ochfenwirt *m.* landlord of the inn at the sign of the ox
öde idle, abandoned
Obem *m.* breath
Öfterreicher *m.* —, Austrian
öfterreichifch Austrian
Ofen *m.* ⸗ stove, oven
offen open
offenbar obvious
offenbaren reveal, disclose
Offenheit *f.* candor
offenherzig candid

öffentlich public
öffnen open
Öffnung *f.* opening
oft often
Oheim *m.* -e uncle
ohnedies anyhow, moreover
Ohnmacht *f.* ⸗e impotence; swoon
ohnmächtig impotent, faint
Ohr *n.* -es, -en ear
ohrenbetäubend deafening
Ohrfeige *f.* box on the ear
Öl *n.* -e oil
Öllampe *f.* oil lamp
olympifch Olympian
Omnibus *m.* -ffe omnibus
Onfel *m.* —, uncle
Opfer *n.* —, victim; sacrifice
opfern sacrifice
Orang=Utang *m.* -s orang-utang
Orchefter *n.* —, orchestra
ordentlich systematic, pedantic
Ordnung *f.* order
ordnungsgemäß according to order
Ordnungsliebe *f.* love of order
Ordnungswidrigfeit *f.* opposition to order
Organift *m.* -en organist
Orgel *f.* organ
orientieren *refl.* get one's bearings, orient oneself
Orfan *m.* -e hurricane
Ort *m.* -e *or* ⸗er place, locality; — und Stelle spot
Ortfchaft *f.* village
Often *m.* -s east; von — her from the east
Oftern *pl.* Easter
oftindifch East Indian
oftwärts to the east

P

Paar *n.* -e pair; ein paar a few
paarweife in couples
pacfen seize hold of; pack up

Padpapier *n.* wrapping paper

Paket *n.* -e package

Palaft *m.* ⁼e palace

Palme *f.* palm

panifd panicky

Papier *n.* -e paper; notes and bonds

Papierblume *f.* paper flower

Papierbogen *m.* —, paper wrapper

Papierftreifen *m.* —, strip of paper

Pappe *f.* pasteboard

Pappftüdden *n.* —, little piece of pasteboard

Parade *f.* parade

Paradiesvogel *m.* ⁼ bird of paradise

Parifer Parisian

Park *m.* -e or -s park

Partei *f.* party

Partie *f.* game; match

Paß *m.* ⁼e passport

Paffagier *m.* -e passenger

paffen *intr.* suit, please; *refl.* be appropriate

paffieren (gefchehen) (f.) happen

Paftor *m.* -s, -en pastor

Pate *m.* -n godfather

Patron *m.* -e patron, client

Paufe *f.* pause

Ped *n.* pitch; — haben have misfortune

peinlid painful

peinvoll painful

peitfchen whip, lash

Peitfchenhieb *m.* -e lash from a whip

pelagoniengefchmüdt adorned with pelagonias

Pelerine *f.* cape

Pelz *m.* -e pelt, fur

Penfion *f.* pension, allowance

penfionieren pension

perlen drip in beads

permittieren (geftatten) permit, pardon

Perron *m.* -s platform (*railroad*)

Perüde *f.* wig

Perfon *f.* person; personality

perfönlid personal

Perfönlichkeit *f.* personality, identity

Perfpektiv *n.* -e perspective; glass

Peft *f.* pest

Petfchaftring *m.* -e signet ring

Pfad *m.* -e path

Pfaffe *m.* -n clergy

Pfaffenwirtfchaft *f.* hierarchical system

Pfahlbürger *m.* —, Philistine; provincial citizen

Pfarramt *n.* ⁼er consistory; rectory

Pfarrer *m.* —, pastor

Pfefferkuchen *m.* —, gingersnap

Pfeife *f.* pipe

pfeifen, iff, iff whistle

Pfeil *m.* -e arrow

pfeilfchnell quick as a flash

Pferd *n.* -e horse

Pferdedede *f.* horse blanket

Pfiff *m.* -e whistle

pfiffig crafty, sly

pfiffig=vergnügt slyly satisfied, self-complacent

Pfingftzeit *f.* Whitsuntide

Pflafter *n.* —, street pavement

pflaftern pave

Pflafterftein *m.* -e paving stone

Pflege *f.* care

pflegen be accustomed; fich —, take care of

Pflicht *f.* -en duty

Pflichtvergeffenheit *f.* dilatoriness

pflüden pluck

Pflug *m.* ⁼e plough

Pfofte *f.* post

Pfoften *m.* —, side post of door

Pfropfen *m.* —, stopper

Pfui! phew!

Pfuiruf *m.* -e cry of disgust

Pfützenwasser *n.* ditch water

Phänomen *n.* -e wonder, phenomenon

Phantasie *f.* fancy, imagination

phantasieren indulge one's fancies

Photographie *f.* photograph

pieken stick

Pietät *f.* piety

Pikett *n.* piquet (*card game*)

Pilger *m.* —, pilgrim

Pinasse *f.* pinnace (*small boat*)

Pistole *f.* pistol

plagen torment

Plan *m.* -e plan

planlos planless

platt=drücken press flat

Platz *m.* -e square, place; — nehmen sit down

Plätzchen *n.* —, spot, little place

plaudern chat

plötzlich sudden

plump heavy, clumsy

Plünderung *f.* pillaging

Plüschkissen *n.* —, plush cushion

Pöbel *m.* —, rabble

pochen knock, beat

Poet *m.* -en poet

Politik *f.* politics

politisch political

Polizei *f.* police force

polizeilich (of) police

polizeiwidrig against the law

Polizist *m.* -en policeman

Polster *n.* —, pillow

Polsterfessel *m.* —, upholstered chair

Pompadour *n.* -e pompadour; bag

populär popular, well-known

Portemonnaie *n.* -s purse

Porträt *n.* -s portrait

Porzellantopf *m.* -e porcelain vase

Posaunenton *m.* -e blare of the trumpet

Positur *f.* posture; sich in — stellen take a dignified position

Posse *f.* prank, joke

Possierlichkeit *f.* drollness

Post *f.* post office

Postbediente *m.* -n mail clerk

Postbote *m.* -n mail carrier

Posten *m.* —, position; sentinel

Posthaus *n.* -er posthouse

Postillion *m.* coachman

Postmeister *m.* —, postmaster

Postsekretär *m.* -e clerk in post office

Poststation *f.* mail station

Powidlkuchen *m.* —, Powidl cake

Pracht *f.* splendor

prächtig magnificent

prachtvoll magnificent

Präcision *f.* precision

Prahlerei *f.* boasting

prangen make lavish show

Pranger *m.* —, pillory; an den — stellen expose publicly

präsentieren (aufführen) play

Präsentierteller *m.* —, tray

prasseln crackle

predigen preach

Predigt *f.* sermon

Predigtrock *m.* -e preacher's coat

Preis *m.* -e price

preisen, ie, ie (*with* selig) call blessed

preis=geben reveal, betray, expose

Preisgedicht *n.* -e prize poem

preiswürdig praiseworthy

Prellstein *m.* -e curbstone

pressen press into military service; press

Priester *m.* —, priest

Priestergewand *n.* -er vestment of the clergy

Priesterkleid *n.* -er clerical garb

Priesterseminar *n.* -e training college for young clergymen

Primiz *f.* first mass (*of newly ordained priest*)

Primiziant *m.* –en celebrant (*priest celebrating first mass*)

Prinz *m.* –en prince

Pritsche *f.* wooden seat

Pritschentisch *m.* –e wooden table

Privatier *m.* –s gentleman (*of independent means*)

Probe *f.* trial, rehearsal

probieren rehearse; try

Produktion *f.* production

produzieren *refl.* appear

Professor *m.* –s, –en professor

Projekt *n.* –e project

Promenade *f.* promenade

prophezeien prophesy

Prophezeiung *f.* prophecy

Prosa *f.* prose

protegieren (helfen) protect

Protestant *m.* –en Protestant

protestantisch Protestant

protestieren protest

Protokoll *n.* –e minutes; notes

Provinz *f.* province

Prozent *n.* –e per cent

Prozeß *m.* –e lawsuit, procedure; kurzen — machen make short work of

prüfen examine

Prüfung *f.* test

prügeln *refl.* fight

Prunkbogen *m.* —, *de luxe* sheets

Prunksaal *m.*—säle hall of splendor

Prunkzimmer *n.* —, splendid room

Publikationsrecht *n.* –e publication rights

Publikum *n.* public

Puder *m.* powder

pudern powder

Puff *m.* –e thump

Puls *m.* –e pulse

Pult *n.* –e desk; platform

Pünktlein *n.* —, little point

pünktlich punctual, prompt

Punktum *n.* full stop; period; that is all

Puppe *f.* doll

pur pure

purgieren cleanse

Purzeltag *m.* –e gala day

Putzsache *f.* article of adornment

Q

Qual *f.* torture

quälen torture

Qualm *m.* smoke

Quartier *n.* –e quarters

Quartierfrau *f.* owner of lodging house; housekeeper

Quelle *f.* spring, source of fresh water

quietschen creak

quittieren receipt

R

Rache *f.* revenge

rächen avenge

Rachen *m.* —, jaw

rachgierig eager for vengeance, revengeful

Rad *n.* –er bicycle; wheel

Rädelsführer *m.* —, ringleader

Räderwerk *n.* –e wheels

raffen grab, seize

ragen tower up

Rahm *m.* cream

Rahmen *m.* —, frame

Rain *m.* –e grass border (*between fields*)

Rand *m.* –er edge, outskirt

Rang *m.* –e class, grade, rank

Rangerhöhung *f.* elevation in rank

Rangveränderung *f.* change in rank

Rank *m.* –e dodge, trick; bend

Ränzlein *n.* —, knapsack

rasch quick

rascheln rustle

rafen rage
Raferei *f.* madness
rafieren shave
Rafierzeug *n.* -e shaving outfit
raffeln clatter
Raft *f.* rest
raften rest
Rat *m.* ⸚e councilor
raten, ie, a *intr.* advise
Rathaus *n.* ⸚er town hall
rationell rational
Ratlofigkeit *f.* helplessness
Rätfel *n.* —, riddle
rattern rumble
Räuber *m.* —, robber
raubgierig eager for rapacity
Rauch *m.* smoke
rauchen smoke
Raucher *m.* —, smoker
Räucherwerk *n.* -e incense
Rauchfang *m.* ⸚e chimney
rauchig smoky
Räude *f.* mange
räudig scabby
raufen fight; pluck
Raufer *m.* —, tippler
rauh loud, harsh
Raum, *m.* ⸚e room
Räumungsarbeit *f.* work incident to evacuation; clearing up
raunen whisper
Raupe *f.* caterpillar
Raufch *m.* ⸚e intoxication
raufchen rustle
Räufchlein *n.* —, intoxication
räufpern clear throat, cough
Rechenfchaft *f.* balance, account
rechnen take account of; calculate
Rechnung *f.* bill, account
recht right; — haben be right
Recht *n.* -e right, privilege
Rechte *f.* right hand
rechtmäßig rightful

rechtfchaffen honest
rechtsum: — kehrt! right-about-face!
rechtzeitig opportunely, in time
recken *refl.* stretch one's limbs
Redaktion *f.* editorial staff, editorial policy
Rede *f.* speech; der — wert worth mention
reden talk; ins Blaue —, speak at random
Redeweife *f.* idiom, method of speaking
Redewendung *f.* phrase, expression
redlich honest
Redner *m.* —, orator
Rednerpult *n.* -e orator's desk, speaker's platform
redfelig loquacious
Reflektor *m.* -en reflector
rege alert
Regel *f.* rule; in der —, as a rule
regelmäßig regular
Regelmäßigkeit *f.* regularity, order
regen *refl.* stir, move
Regen *m.* rain
Regenfall *m.* rainfall
Regenguß *m.* ⸚e downpour of rain, cloud-burst
Regentag *m.* -e rainy day
Regenwetter *n.* rain
Regie *f.* management; stage direction
regieren rule
Regierung *f.* government
Regierungsjahr *n.* -e year of reign
Regierungszeit *f.* reign
Regiment *n.* -er regiment
Regimentsmufik *f.* regimental band
Regiffeur *m.* -e stage manager
Regifter *n.* —, register

Regiſtraturaushilfskanzliſt *m.* –en assistant in the bureau of registration

reglos motionless

regneriſch rainy

Regulierung *f.* regulation

regungslos motionless, still

Reh *n.* –e roe

reiben, ie, ie rub

Reibzündhölzchen *n.* —, friction match

reich rich

Reich *n.* –e kingdom; realm

reichen hand, reach

reichlich richly, fully

reichsunmittelbar subject only to imperial government

Reichtum *m.* ⸚er wealth

reif mature

reifen (ſ.) ripen

reiflich maturely

Reihe *f.* rank, file, line

rein clean; quite; reinen Mund halten preserve complete silence; — gar nichts not a thing

reinigen clean

Reinlichkeit *f.* cleanliness

rein=machen make clean, clean house

Reiſe *f.* journey

Reiſebuch *n.* ⸚er guidebook

Reiſekamerad *m.* –n traveling companion

reiſen (ſ.) travel

Reiſeſack *m.* ⸚e traveling bag

reiſig mounted

Reißen *n.* acute pain

reißen, i, i play; tear, pull; ſich darum —, fight for

reiten (ſ.), itt, itt ride

Reiter *m.* —, rider; cavalry

Reiz *m.* –e charm

reizend charming

religiös religious, emotional

rennen, rannte, gerannt (ſ.) run

Rente *f.* income, rent

Reportage *f.* journalism

repräſentieren represent

Reſidenz *f.* city *or* place where ruler lives

reſpektive or, respectively

reſpektlos disgraceful

Reſt *m.* –e remainder, rest

reſümieren (kurz wiederholen) resume, continue

retten rescue

Retter *m.* —, rescuer

Rettung *f.* rescue; vindication

Reue *f.* contrition

reuen rue, feel sorry for

revidieren inspect

Revolution *f.* revolution

Rezept *n.* –e prescription; recipe

rezitieren recite

rheiniſch Rhenish

rhetoriſch rhetorical

richten judge, pass sentence on; direct

Richter *m.* —, judge

richterlich judicial

richtig right, correct

Richtplatz *m.* ⸚e place of execution

Richtung *f.* direction, bearing

Ridiküle *n.* hand bag

riechen, o, o smell

Riemen *m.* —, sling, belt; thong; — ſchneiden flay

rieſeln (h.) *or* (ſ.) ripple, drip

Rieſengabel *f.* big fork

Rieſenkraft *f.* ⸚e gigantic strength

rieſig gigantic; very much, exceedingly

Rigoroſum *n.* final examination

Rind *n.* –er bullock

Rinderſtall *m.* ⸚e cattle stable

Rindvieh *n.* cattle

Ring *m.* –e ring

ringeln *refl.* curl

ringen, a, u wring; fight

rings round about; — herum all around

rinnen, a, o (f.) run

Rippe f. rib

Rippenstoß m. ⸗e thrust in the ribs

rissig cracked

Ritter m. —, knight

Rock m. ⸗e coat

Rockelor n. —s roquelaure (long mantle)

Rockelorsack m. ⸗e roquelaure pocket

roh rude, crude, rough

Röhre f. pipe; oven; heater

röhren roar

Rolladen m. —ä blinds

Rolle f. rôle

rollen (f.) roll; (h.) rumble

Roman m. —e novel

Römer m. —, Roman; goblet, great glass

römisch Roman

Rose f. rose

Rosenbusch m. ⸗e rosebush

Rosengarten m. ⸗ rose garden

Rosenknospe f. rosebud

rosig roseate

Roß n. —e steed

Rossestritt m. —e tread of horses

Roßhaarsträhne f. skein of horse-hair

Roßkamm m. ⸗e horse dealer

rot red

rotangestrahlt flushed with red

Röte f. redness

rötlich reddish

Rouleau n. —s shade, curtain

Rübe f. turnip

Ruck m. —e jerk

Rücken m. —, back

rücken move, stir; an den Leib —, attack

rückhaltlos unrestrained, blunt; without support

Rückkehr f. return

Rückseite f. rear

Rücksicht f. consideration

rückwärts backwards

Rückweg m. —e return journey, way back

rufen, ie, u cry, call

Ruhe f. ease, calm, rest

ruhelos restless

ruhen rest

Ruhepause f. pause

ruhig quiet

rühmen praise, boast

rühmlich praiseworthy

ruhmreich renowned

rühren refl. stir; budge

Rühr'⸗mich⸗nicht⸗an n. touch-me-not

Rührung f. emotion

Ruin m. ruin, bankruptcy

Rumor m. rumpus

Rumpf m. ⸗e hull

rund in round numbers, round; plump

Runde f. company

Rundgang m. ⸗e round

Rundgemach n. ⸗er circular room

rundum round about

Runzel f. wrinkle

runzeln wrinkle

Rüssel m. —, proboscis, trunk

rüsten make preparations

rüstig active, vigorous

Saal m. ⸗e room, hall

Saaltiefe f. back of the hall

Säbel m. —, sabre

Sache f. business, cause, affair, event

Sachlichkeit f. objectivity

sächsisch Saxon

sacht gently

Sachverständige m. —n professional, expert

Sad *m.* ⸚e sack, pouch
saden droop, hang loose
Sadermenter *m.* —, deuced fellow
Safetyschloß *n.* ⸚er safety lock
Sage *f.* saga, legend
Säge *f.* saw
sagen say
sägen saw
sähen sow
Saite *f.* string
Saitenklang *m.* ⸚e string music
Sakristei *f.* sacristy
salben anoint
Salonrock *m.* ⸚e afternoon coat
sammeln collect
Samstag *m.* -e Saturday
Samstagabend *m.* -e Saturday evening
Samstagsgesellschaft *f.* Saturday Club
Samtauge *n.* -es, -en velvety eye
Sand *m.* sand
sandig sandy
sanft soft, gentle
sänftlich gently
Sänger *m.* —, poet, singer, minstrel
Sarazene *m.* -n Saracen
Sarg *m.* ⸚e casket
satt satiated, full
sattellos saddleless
Satz *m.* ⸚e leap, spring; sentence
saudumm stupid as an ox, idiotic
sauer sour
saugen o, o suck
säugen suckle
Säugling *m.* -e baby, infant
Saum *m.* ⸚e edge
säumen delay
sausen roar
Saxone *m.* member of the Saxonia Corps (*university fraternity*)
Schabe *f.* cockroach

schaben scrape
Schachbrett *n.* -er chessboard
Schachtel *f.* box
Schächtelchen *n.* —, little box
schade: es ist —, it is a pity
Schädel *m.* —, skull
Schaden *m.* harm, damage
schaden harm
schaffen do, take; —, u, a create
Schaffner *m.* —, trainman, conductor
Schafhirt *m.* -en shepherd
Schaitan Satan
Schal *m.* -s shawl
Schale *f.* bowl
Schall *m.* -e sound
schallen sound
Scham *f.* shame
schämen *refl.* be ashamed
Schamlosigkeit *f.* shamelessness
schamrot blushing with shame
Schande *f.* disgrace
schändlich disgraceful
Schar *f.* group
scharenweis in groups, in troops
scharf sharp
Schärfe *f.* sharpness, irony; sash
Scharfrichter *m.* —, hangman
Scharfsinn *m.* perspicacity
scharmant charming
Scharnier *n.* -e hinge
Schärpe *f.* scarf, sash
scharrend scratching
Schatten *m.* —, shade, shadow
Schattenbaum *m.* ⸚e shade tree
schattig shady
schatzbeladen treasure-laden
schätzen esteem; think
Schatzkästlein *n.* —, small treasure box
schauen look, behold
Schauer *m.* shudder, thrill
schauerlich gruesome
schauern (make) shudder
Schaufel *f.* shovel

ſchaukeln rock, wag
ſchäumen foam
ſchaurig gruesome
Schauſpieler m. —, actor
Schauſpielerin f. –nen actress
Schauſtellung f. show, exhibition
Scheibe f. windowpane
ſcheiden, ie, ie separate, leave
Scheideweg m. –e parting way
Scheik m. –s Sheik
Schein m. –e reflection
ſcheinbar apparent; specious
ſcheinen, ie, ie seem, appear; shine
Scheit n. –e log
ſcheitern (ſ.) founder
ſchellen sound, ring out
Schelm m. –e rogue, villain
ſchelten, a, o scold
Schemel m. —, stool
Schenke f. bar, tavern
ſchenken give
Schenktiſch m. –e tavern table
Schermeſſer n. —, razor
Scherz m. –e joke
ſcherzen jest
ſcherzweiſe jestingly
ſchettern rattle
Scheu f. reserve
ſcheu timid
ſcheuern refl. rub
Scheune f. barn
Scheunendiele f. barn floor
ſchicken send
Schickſal n. –e fate
ſchieben, o, o push, shove; refl. jut
ſchief oblique, sloping; unfortunate
Schieferdach n. –er slate roof
ſchielen squint
Schienenpaar n. –e pair of rails
Schienenſtrang m. –e railroad tracks

ſchier quite, sheer; — noch even
ſchießen, o, o shoot
Schiff n. –e nave; ship
Schiffbruch m. –e shipwreck
ſchiffbrüchig shipwrecked
Schiffskleidung f. sailor costume
Schiffsleib m. –er body of ship
Schikane f. chicanery
ſchikanieren engage in chicanery
Schild m. –e shield
ſchildern describe
Schilderung f. vivid delineation
ſchillern opalesce, shine
Schimmer m. glimmer, lustre
ſchimmern glisten, shine
Schimpf m. disgrace
ſchimpfen scold
ſchimpflich disgraceful
Schinken m. —, ham
Schirm m. –e umbrella
Schlacht f. battle
ſchlachten butcher
Schlaf m. sleep
Schlafanzug m. –e pajamas
ſchlafarm poor in sleep, suffering from insomnia
ſchlafbedürftig sleepy, in need of sleep
Schläfchen n. —, nap, short sleep
Schläfe f. temple
ſchlafen, ie, a sleep; ſich — legen retire
Schläfer m. —, sleeper
ſchlaff flabby, slack
Schlafkabinett n. –e berth
Schlafkamerad m. –en sleeping companion
ſchläfrig sleepy
Schlafrock m. –e sleeping gown
Schlafwagen m. —, sleeping car
Schlag m. –e blow; carriage door; apoplexy
ſchlagen, u, a strike, cast; throb
Schlamperei f. sloppiness
ſchlank slender

ſchlappen splash

ſchlecht bad; plain

ſchlechtgeſtimmt badly tuned

ſchleichen, i, i (ſ.) sneak

Schleier m. —, veil

ſchleifen whet

ſchlenkern swing, swagger

ſchleppen take, drag

Schleppnetz n. -e dragnet

ſchleudern hurl

ſchleunig hastily

Schleuſe f. sluice

Schlich m. -e trick, artifice

ſchlicht plain

ſchlichten straighten out

Schlierſee Lake Schlier

ſchließen, o, o conclude; close

Schließer m. —, closer of stalls in theater

ſchließlich finally

ſchlimm bad

Schlingel m. —, rogue

ſchlingern (h.) roll, reel

Schlitten m. —, sled

Schloß n. ⸚er castle; lock

Schlot m. ⸚e chimney

ſchluchzen sob

Schluck m. -e sip, nip

ſchlucken swallow

Schlummer m. —, slumber

ſchlummern slumber

ſchlüpfen (ſ.) slip

ſchlürfen sip; drag

Schluß m. ⸚e close, end

Schlüſſel m. —, key

Schlußwort n. -e concluding remarks

ſchmachten languish

ſchmächtig slender, languishing

ſchmachvoll disgraceful

ſchmackhaft tasteful, dainty

Schmähſucht f. slanderous disposition

Schmähung f. defamation

ſchmal narrow, little

ſchmecken taste

Schmeichelei f. flattery

Schmerz m. -es, -en grief, pain

ſchmerzhaft painful

ſchmerzlich painful

Schmetterling m. -e butterfly

ſchmettern dash

Schmied m. -e smith

Schmiede f. blacksmith shop

ſchmiegen refl. nestle

ſchmierig sordid

ſchmollen pout, speak with air of dissatisfaction

ſchmücken adorn, trim

ſchmunzeln smirk

ſchmutzig filthy

Schnabel m. ⸚ bill

Schnalle f. buckle

ſchnarchen snore

ſchnarren creak

ſchnauben pant, snort

ſchnaufen wheeze, breathe

Schnäuzchen n. —, face

Schnauze f. snout, nose

ſchnauzen snort, "jaw"

Schnee m. snow

Schneeball m. ⸚e snowball

ſchneeig snowy

Schneewetter n. snowstorm

ſchneiden, itt, itt cut; Geſichter —, make faces

Schneider m. —, tailor

ſchnell quick

ſchnellen (h.) or (ſ.) fly, jerk

Schnellzug m. ⸚e express train

Schnellzugsmaſchine f. express locomotive

Schnitt m. -e cut

ſchnüffeln sniff

Schnupftuch n. ⸚er handkerchief

Schnur f. ⸚e cord

Schöffe m. -n lay assessor; juryman

Schokolade f. chocolate

ſchon already; all right

schön beautiful
schonen spare, save
schöngeschwungen beautifully curved
Schönheit f. beauty
Schönheitstraum m. ⸚e dream of beauty
Schonung f. sparing (of feeling)
Schopf m. ⸚e hair, head of hair
schöpfen draw from
Schöpfung f. creation
Schoppen m. —, bottle of beer or wine
Schoß m. ⸚e bosom, lap
schräg diagonal
Schrank m. ⸚e chest, cabinet, cupboard
Schraube f. screw
Schreck m. -e fright
Schrecken m. —, horror
schrecklich terrible
Schrei m. -e scream
Schreiber m. —, clerk, writer
Schreiberhäusle n. authors' cottage
Schreibtisch m. -e writing desk
schreien, ie, ie scream
Schreiner m. —, joiner
schreiten, itt, itt (f.) walk, go
Schrift f. writing; —en works
Schrifttum n. literary world
schrill shrill
schrillen ring, pierce
Schritt m. -e step
schroff blunt
Schroffe f. rough spot
Schrunde f. crevice
schüchtern timid
Schuh m. -e shoe
Schuhmacher m. —, shoemaker
Schulaufgabe f. homework; school task
Schulbank f. ⸚e school bench
Schulbuch n. ⸚er school book, text
schuld responsible for, guilty

Schuld f. guilt; expense; pl. debts
schulden owe
Schuldenstand m. ⸚e standing in the matter of debts
Schuldigkeit f. duty
Schuldnerin f. -nen woman in debt
Schule f. school
Schüler m. —, pupil
Schulgebäude n. —, school building
Schulhaus n. ⸚er schoolhouse
Schulheft n. -e copybook, notebook
Schullehrer m. —, school teacher
Schulter f. shoulder
Schulzeugnis n. -se report, certificate
Schurke m. -n rogue
Schürze f. apron
schürzen pout, curl
Schürzenlatz m. ⸚e pinafore
Schürzenzipfel m. —, corner of apron
Schuß m. ⸚e shot
Schüssel f. dish
Schuster m. —, cobbler
schütteln shake; make shake
schütten pour
schütter faint
Schutz m. protection
schützen protect
Schutzhecke f. protecting hedge
Schutzherr m. -n, -en protecting master
Schutzleute pl. policemen
Schutzpatron m. -e protector
Schutzsuchende m. -n one who seeks protection
Schutzwache f. police force
Schwäche f. weakness
Schwager m. ⸚ brother-in-law; coachman
Schwalbe f. swallow
Schwall m. flood

Schwamm *m.* ⸚e fungus; sponge

Schwank *m.* ⸚e farce, extravaganza

schwankend wavering

Schwanz *m.* ⸚e tail

Schwarm *m.* ⸚e swarm, flock

schwärmen be visionary, have excess of enthusiasm

schwärmerisch visionary, dreamy

schwarz black; gloomy

schwarzgestrichen painted black

schwarzhändig grimy-handed

Schwarzwald *m.* Black Forest

schwatzen gossip

Schwätzer *m.* —, idle talker

Schwatz-Gespenst *n.* -er gossipy ghost

schweben hover

Schweif *m.* -e tail

schweigen, ie, ie be silent

Schwein *n.* -e hog

Schweinetrog *m.* ⸚e hog trough

Schweinslederband *m.* ⸚e volume bound in pigskin

Schweißperle *f.* bead of sweat

Schweißtropfen *m.* —, drop of sweat

Schweiz *f.* Switzerland

Schweizer *m.* —, Swiss

Schwelle *f.* threshold, sill

schwellen, o, o (s.) swell

schwenken wave

schwer heavy, stodgy; serious

schwerfällig clumsy, slow

Schwert *n.* -er sword

Schwester *f.* sister

schwielig callous

schwierig difficult

Schwierigkeit *f.* difficulty

schwimmen, a, o (s.) swim

Schwindelanfall *m.* ⸚e fainting spell

schwindeln become dizzy

schwirren buzz, hum

schwitzen sweat

schwören, o, o swear

schwungvoll vibrant

See *m.* -s, -n lake; *f.* -en sea

Seefahrer *m.* —, mariner

Seehafen *m.* ⸚ harbor

Seele *f.* soul

Seeräuber *m.* —, pirate

Segeltuchwand *f.* ⸚e sail-cloth

Segen *m.* —, blessing

segnen bless

sehen, a, e see

Sehenswürdigkeit *f.* sight

Seher *m.* —, prophet, seer

Sehne *f.* sinew

sehnen *refl.* long for (nach)

sehnlich ardent, fervent

Sehnsucht *f.* longing

sehr very; sore; so —, however much

Seide *f.* silk

Seidel *n.* —, pint, glass (*of beer*)

seiden silken

Seidenchlinder *m.* —, high silk hat

seidig silken

Seife *f.* soap

sein, war, gewesen (s.) be

Sein *n.* being

seinerseits on his part

seinesgleichen his kind

seit since

Seite *f.* side

Seitenblick *m.* -e side glance

Seitenflügel *m.* —, side wing

Seitengang *m.* ⸚e side passage, corridor

Seitenwand *f.* ⸚e side wall, side

seitlich side

Sekretär *m.* -e secretary

Sekt *m.* champagne

Sekte *f.* sect

Sekunde *f.* second

selber self, himself, *etc.*

selbigsmal at the same time

ſelbſt self; even

Selbſtbeſtimmung f. self-determination

Selbſtbildnis n. −ſe self-portrait

ſelbſtgewählt self-appointed, self-chosen

Selbſthilfe f. self-help

ſelbſtlos unselfish

ſelbſtſicher self-assured

Selbſtſicherheit f. self-assurance

ſelbſtſüchtig selfish

Selbſtüberwindung f. self-conquest

ſelbſtvergeſſen forgetful of self

ſelbſtverſtändlich as a matter of fact, self-evident

Selbſtzweck m. −e one's proper object

Seldſchuke m. −n Seljuk, Turk

ſelig blessed; deceased

ſelten rare; seldom

ſeltſam rare, peculiar

Sendung f. mission

ſenken sink, lower

Senſe f. scythe

ſentimental sentimental

ſervieren wait on table

Seſſel m. —, chair

ſetzen set; put up, bet; refl. seat oneself

Seuche f. pest

ſeufzen sigh

Seufzer m. —, sigh

Sezeſſion f. Secession Art Gallery

ſicher secure, safe, reliable

Sicherheit f. safety

ſicherheitshalber for the sake of safety

Sicherheitsſchloß n. −er safety lock

ſicherlich certainly, surely

ſichern secure

Sichregen n. stir, commotion

Sicht f. sight

ſichtbar visible

ſiebzigjährig seventy years old

Sieg m. −e victory

ſiegen conquer

Siegerin f. −nen woman victor

Signal n. −e signal

ſignaliſieren signal

Signallampe f. signal light

Silbe f. syllable

ſilberig silvery

Silbermünze f. silver coin

ſilbern silver

Silberſtück n. −e silver coin

ſingen, a, u sing

Sinn m. −e sense, mind, thought; von Sinnen out of one's mind

ſinnlos thoughtless, meaningless

Sitte f. morals; custom, usage

Sittlichkeit f. morality, moral behavior

Sitz m. −e seat

ſitzen, ſaß, geſeſſen sit; sit for a portrait

Skandal m. −e scandal

ſkandieren scan

Skat m. skat

Skizzenbüchlein n. —, little sketch book

Sklave m. −n slave

ſobald so soon as

ſoeben just

Sofa n. −s sofa

ſofern in so far as

ſogar even

ſogenannt so-called

ſogleich at once

Sohle f. sole

Sohn m. −e son

Söhnerin f. −nen daughter-in-law

Söhnlein n. little son; dear son

ſolange so long as

ſolch= such, the same, he, she, it

ſolcherart in such a manner

Soldat m. −en soldier

ſollen shall, ought; be said to

Sommer *m.* —, summer

Sommerchor *m.* ⸚e summer chorus

Sommerfrische *f.* summer resort

Sommernachmittag *m.* -e summer afternoon

Sommerreise *f.* summer journey

Sommervergnügen *n.* —, summer amusement

Sommerwiese *f.* summer meadow

sonder without

sonderbar peculiar

Sonderbarkeit *f.* peculiarity

sonderlich peculiar

Sonne *f.* sun

Sonnenaufgang *m.* ⸚e sunrise

Sonnenball *m.* ⸚e sun, orb of sun

Sonnenbank *f.* ⸚e bench facing the sun

Sonnengold *n.* sun gold

Sonnenluft *f.* ⸚e sunlit air

Sonnenstrahl *m.* -s, -en ray of sun

Sonnenstunde *f.* bright hour

Sonnenuntergang *m.* ⸚e sunset

sonnig sunny

Sonntag *m.* -e Sunday

sonntäglich in Sunday best

Sonntagsgemeinschaft *f.* Sunday community

sonntagsgeputzt dressed in Sunday clothes

Sonntagsrock *m.* ⸚e Sunday clothes

sonnverbrannt sunburned

sonst otherwise

sonstig other

Sorge *f.* care, anxiety

sorgen: Ich sorge dafür I see to it

sorgenfrei carefree

Sorgfalt *f.* care, anxiety

sorgfältig careful

sorglos carefree

sorgsam careful

sortieren sort

Sottise *f.* (Dummheit) bit of nonsense

sowie as well as

sozusagen as it were

Spagat *m. & n.* cord

Spagatknäuel *m. & n.* ball of cord

Spalier: — machen form human lane; line up

Spalt *m.* -e fissure

spalten split

Span *m.* ⸚e shaving, chip

Spanne *f.* span, short space of time

spannen cock; stretch

Spannung *f.* excitement; suspense

sparen save; neglect

Spargroschen *m.* —, penny

Spaß *m.* ⸚e joke

spaßen jest, joke

spät late

Spatzengeschlecht *n.* -er sparrow family

spazieren gehen (f.) go for a walk

Spaziergang *m.* ⸚e walk

Spaziergänger *m.* —, walker

Spazierweg *m.* -e walk

Specht *m.* -e woodchuck

Speck *m.* bacon

Speckseite *f.* side of bacon

Speise *f.* food

speisen dine

Speisewagen *m.* —, dining car

Sperling *m.* -e sparrow

sperren lock, close

Spezies *f.* species

Spiegel *m.* —, mirror

Spiel *n.* -e play, sport, game; trick

spielen play

Spielerei *f.* foolishness

Spielmann *m.* ⸚er *or* —leute minstrel

Spieluhr *f.* musical clock

Spielzeug *n.* -e plaything

Spinnwebe *f.* cobweb

Spital *n.* ⸚er hospital
spitz sharp, pointed
Spitzbube *m.* –n rascal, rogue
Spitze *f.* point, peak
spitzen point, prick
Spitzentuch *n.* ⸚er lace cloth
Splitter *m.* —, splinter
Sporen *pl.* spurs
sporenrasselnd with rattling of
spurs
spöttisch derisive, mocking
Sprache *f.* tongue, language
Sprachlehre *f.* science of language
sprachlich linguistic
sprechen, a, o speak, speak with;
vor sich hin —, speak to oneself
spreizen spread out
sprengen leap
Sprengwagen *m.* —, sprinkling
cart
Sprichwort *n.* ⸚er proverb
springen, a, u (s.) run; leap
Springinsfeld *m.* skipper; gad-
about
Spritze *f.* hose-cart
spritzen squirt, spurt
Spritzenhäuschen *n.* —, hose
station
Sproß *m.* –e offspring; sprout
sprossen sprout
Sprühregen *m.* —, drizzle
Sprung *m.* ⸚e leap, bound
Spuk *m.* –e apparition; nonsense
spuken create a disturbance
Spur *f.* trace
spüren trace, detect
sputen *refl.* hurry
Staat –es, –en state; im —, in
full dress
Staatsanwalt *m.* ⸚e state's at-
torney
Staatsfrack *m.* ⸚e dress coat
Staberl *n.* rod of chastisement
Stadt *f.* ⸚e city
Stadtbahn *f.* city railroad

Stadtbahnhof *m.* ⸚e city railway
station
Städtchen *n.* —, little city
Städter *m.* —, city fellow
Stadtgericht *n.* –e city court
Städtlein *n.* —, little city
Stadtmusikant *m.* –en city musi-
cian
Stadtmusikus *m.* city musician
Stadtsoldat *m.* –en policeman
Stahl *m.* steel
stählern steel
Stall *m.* ⸚e stable
Stallschwelle *f.* threshold of the
stable door
Stallseite *f.* stable side
Stalltür *f.* stable door
Stallwand *f.* ⸚e wall of stable
stammeln stammer
stammen descend, come from
stampfen stamp; roar
Stand *m.* ⸚e rank, class
Ständer *m.* —, pillar, post
stand=halten hold out; prove
worthy
stapfen stamp
stark strong, heavy, stark; ziem=
lich —, pretty much, quite
stärken strengthen
starr rigid
starren stare
Station *f.* station
Stationschef *m.* –s station master
Stätte *f.* place
statt=finden take place
stattlich stately
Statue *f.* statue
statutenmäßig by statutory en-
actment
Staub *m.* dust
staubig dusty
Staubkleid *n.* –er dress of dust
Staude *f.* shrub
staunen be astonished

stechen, a, o engrave; pierce
Stechmücke f. gnat
stecken put, stick; — lassen leave in lurch
Stecknadel f. pin
stehen, stand, gestanden stand; be becoming to
stehen bleiben (s.) stop
Stehleiter f. stepladder
stehlen, a, o steal
Stehuhr f. hall clock
steif stiff
Steifheit f. stiffness
steigen, ie, ie ascend, climb; land
steigern increase
Stein m. –e stone
steinern of stone
Steinkruke f. stone jar
Steinmiene f. expression on stone
Steintopf m. –e stone crock
Steinwesen n. —, stone creatures; rock formations
Steinwürfel m. —, stone cube
Stelle f. passage; place
stellen place; auf etwas —, make dependent upon
Stellung f. position
Stellvertreter m. —, representative
stemmen put firmly, prop
sterben, a, o (s.) die
sterblich mortal
Stern m. –e star
Sternenchor m. –e chorus of stars
Sternenhimmel m. —, starry firmament
stetig continual, fixed
stets always
Stich m. –e thrust, pain; im — lassen leave in the lurch
Stichwort n. –er field-cry; cue
Stiefel m. —, boot
Stiefelputzzeug n. –e shoe polish
stiefmütterlich stepmotherly; scantily

still quiet, still
Stille f. stillness
stillen quiet
still=stehen stand still, stop
Stimme f. voice; vote
stimmen tune up; coincide
Stimmung f. mood
Stipendium n. –ien stipend
Stirn f. –e forehead
stirnrunzelnd frowning
Stock n. pl. Stockwerke story, floor
Stock m. –e cane
stocken pause, hesitate
stockend halting
stockfinster pitch dark
stocksteingesund as sound as sound could be
Stoff m. –e theme; material
stöhnen groan
Stole f. stole
stolpern (s.) stumble
Stolz m. pride
Stoppel f. stubble; beard
Stoppelfeld n. –er stubblefield; beard
stören disturb
Störung f. disturbance
Stoß m. –e kick, jerk; thrill
stoßen, ie, o kick; blow
Stoßseufzer m. —, pious ejaculation
Strafe f. fine; punishment
straff sturdy, tight
Strählchen n. —, beamlet, glimmer
strahlen shine, radiate
stramm tight
Strand m. –e strand
stranden (s.) be stranded, founder
Strandnest n. –er bunk by the seacoast, cove
Straße f. street, highway
Straßenbahnbillett n. –e streetcar ticket

sträuben *refl.* resist

Sträußchen *n.* —, little bouquet

Strebsamkeit *f.* diligent ambition, intelligent assiduity

Strecke *f.* stretch; zur — bringen defeat

strecken stretch

streicheln stroke

streichen, i, i draw the bow across; stroke; scrape

streifen touch; fly before

Streifbrecher *m.* —, strike breaker

streifen go on a strike

Streiferei *f.* business of striking

Streifunruh *f.* troubles from strike

Streit *m.* quarrel, contest

streiten, itt, itt argue, fight

streng stern, sharp

Strich *m.* -e stroke

Strick *m.* -e rope, cord

stricken knit

Strohdach *n.* ⸚er thatched roof

strömen stream

Strumpf *m.* ⸚e stocking

Strupfe *f.* string

struppig disheveled

Stübchen *n.* —, little room

Stube *f.* room

Stüblein *n.* —, little room

Stück *n.* -e drama

Stückchen *n.* —, little piece; short distance

Stücklein *n.* —, little piece

Student *m.* -en student

Studie *f.* study

studieren study

Studium *n.* -ien study

Stufe *f.* step; degree, grade

Stuhl *m.* ⸚e chair

stumm mute

stumpf dull

Stunde *f.* hour; lesson; mile

stundenlang for hours

stundenweise by the hour

Sturm *m.* ⸚e storm; — läuten give alarm

Stürmer: — und Dränger *m.* —, members of the Storm and Stress

Sturmflut *f.* raging flood

Sturmgeläute *n.* fire alarm

stürmisch cordial; stormy

stürzen (s.) rush; plunge

Stütze *f.* support, prop

stutzen hesitate, balk

stützen support

stutzig balky

suchen try; seek

südlich southern

Suite *f.* prank, trick

Suitier (Bummler) *m.* -s joker, "regular fellow"

Sultan *m.* -e sultan

Summe *f.* sum

summen hum

Sünde *f.* sin

Sünderin *f.* -nen woman sinner

sündig sinful

Suppe *f.* soup

Suppenkessel *m.* —, soup kettle

surren hum, buzz

süß sweet

Süße *f.* sweetness

Süßigkeit *f.* sweets, sweetness

sympathisch congenial

Szene *f.* scene

T

Tabak *m.* -e tobacco

tadellos faultless

tadeln reproach

Tafel *f.* table; tablet

Tafelmusik *f.* dinner music

Tag *m.* -e day

Tagebuch *n.* ⸚er diary

Tagesanbruch *m.* ⸚e break of day

tageshell bright as day

Tageslicht *n.* –er light of day, daylight

Tagesordnung *f.* order of the day

täglich daily

Tagwerk *n.* day's work

Takt *m.* –e rhythm, measure

taktvoll tactful

Tal *n.* –er valley

talentiert (begabt) talented

Taler *m.* —, dollar

Talschlucht *f.* ravine in valley

Tanne *f.* fir tree

Tannengrün *n.* evergreen

Tannenwald *m.* –er pine forest

Tanz *m.* –e dance

Tanzboden *m.* – dancing floor; ballroom of lower order

tanzen dance

Tänzer *m.* —, dancer

Tanzschritt *m.* –e dance step

Tanzstunde *f.* dancing lesson

Tapet *n.* –s carpet; aufs — bringen introduce, take up

Tapete *f.* wall paper

Tapezierer *m.* —, house decorator

tappen grope, feel around

täppisch awkward

Tasche *f.* pocket

Tasse *f.* cup

tasten grope; take

Tat *f.* deed; in der —, indeed

Täter *m.* —, doer

Tätigkeit *f.* activity

Tatsache *f.* fact, reality

Tau *m.* dew

taub deaf, insensate

Taube *f.* dove, pigeon

tauchen (f.) rise; dive

Taufbecken *n.* —, baptismal font

tauglich fit for service

Taumel *m.* giddy intoxication

tauschen exchange

täuschen deceive; *refl.* disappoint

tausendfach thousandfold

tausendköpfig vast

Teekessel *m.* —, tea kettle

teeren grease, tar

Teil *m.* –e part

teilen share; divide

Teilnahme *f.* sympathy, participation

teils partly

Teint (Gesichtsfarbe) *m.* complexion

telegraphieren telegraph

Teller *m.* —, plate

Tempo *n.* –s measure

Testament *n.* –e will

testamentarisch testamentary

teuer dear, high priced

Teufel *m.* —, devil

Teufelsbursch *m.* –en devil of a fellow

teuflisch infernal

Text *m.* –e text

Theater *n.* —, theater

Theaterzeit *f.* theater hour

theatralisch theatrical

Thema *n.* –s *or* –en *or* –ata theme

Thron *m.* –e throne

tief deep, low

tiefbetroffen deeply moved

tiefblau deep blue

tiefhängend low

Tiegel *m.* —, saucepan

Tierbande *f.* animal company

Tiergarten *m.* – zoölogical garden

tierisch bestial

Tiertreiber *m.* —, animal driver

Tiger *m.* —, tiger

Tinte *f.* ink

Tisch *m.* –e table; meal; nach —, after dinner

Tischchen *n.* —, little table

Titel *m.* —, title

toben fume; frolic

Tochter *f.* – daughter

Töchterlein *n.* —, little daughter

Tochtermann *m.* –er son-in-law

Tod *m.* death

Todesgefahr f. mortal danger
Tödlein n. —, little image of
Death
tödlich fatal, deadly
Todwunde f. mortal wound
Toilette f. toilet, dress
toll mad, insane
Ton m. ⸗e tone, sound
tönen resound
Topf m. ⸗e pot
Tor n. -e gate; m. -en fool
Torf m. peat
Torfstecher m. —, peat-digger
Torheit f. folly
töricht idiotic
Torschreiber m. —, gatekeeper
tosen rage
tot dead; sich — stellen play dead
töten kill
Totenklage f. dirge
Totenstille f. deathlike stillness
totgeboren stillborn
tot=lachen laugh to death
Tour f. dance figure
Trab m. -e trot
trachten strive, try
Tradition f. tradition
träge lazy, inert
tragen, u, a bear, carry; speak
Träger m. —, carrier, porter
Trägheit f. laziness, inertia
Tragkraft f. carrying power
trampeln tramp, stamp with feet
tränen shed tears
Tränenweide f. cry-baby
Trank m. ⸗e drink
tränken saturate
Tränlein n. —, little tear
trappeln stamp, clap
trauen trust, confide
Trauer f. mourning
Trauerfest n. -e funeral
Trauerfleck m. -e spot of sadness
trauern mourn, weep
Traum m. ⸗e dream

träumen dream
traurig sad
treffen, traf, getroffen meet; hit
trefflich excellent
treiben, ie, ie drive, move; bud;
do, carry on
trennen separate
Trennung f. separation
Treppe f. stairs, steps, stairway
Treppenstufe f. stair step
treten, a, e (f.) step; enter
treu faithful
Treue f. fidelity
triefen, off, off drip, drop
trinken, a, u drink
trinklustig bibulous
Trittbrett n. -er step, pedal of
treading wheel
Triumph m. -e triumph
trocken dry
Trockenboden m. ⸗ drying floor
Trödler m. —, old clothes man
Trommel f. drum
trommeln beat
Trompete f. trumpet
Tropfen m. —, drop
trösten console
tröstlich consoling
Trostlosigkeit f. disconsolateness
Trostwort n. -e word of conso-
lation
trotten (f.) trot
Trotz m. defiance; zum —, despite
trotzig defiant
trübe dark, gloomy, discourag-
ing; muddy
trübselig disconsolate
Trümmer pl. ruins
Trümmerwüste f. desert of débris
Trunk m. ⸗e draught, drink
Trunkenbold m. -e tippler,
drunkard
Truppe f. troop
Trutz m. defiance

Tuch *n.* ⸗er cloth; towel
Tüchel *n.* —, handkerchief
tüchtig good, valiant, excellent
Tüchtigkeit *f.* efficiency
tückisch malicious
Tugend *f.* virtue
Tummelei *f.* cavorting
tummeln *refl.* romp around, display undisciplined activity
Tumult *m.* -e tumult, uprising
tun, tat, getan do
Tür *f.* door
Türlein *n.* —, little door
Turm *m.* ⸗e tower
Türmer *m.* —, watchman
Türpfosten *m.* —, door jamb
Türspalt *m.* -e crack in door
tuscheln whisper

u

übel evil, harmful; badly
übel=nehmen take amiss
Übeltäter *m.* —, evil-doer
übeltönend ill-sounding
üben *refl.* exercise, practise
über superior to; over; on
überall everywhere; — und nirgends everywhere and no-where
überaus quite
überdeckt covered
überdem moreover
überdies moreover
übereinandergelegt crossed
überein=kommen accord
überein=stimmen agree
übergeben give to; surrender
übergeschnappt addled
übergießen gush forth, overflow
Überhang *m.* ⸗e cloak
überhäufen overwhelm
überhaupt in general, at all, on the whole
überholen catch up to, overtake

überirdisch supernatural, divine
überklar more than clear
über=laufen (ſ.) run over, spill
überlaut quite loud
überlegen consider
Überlegenheit *f.* superciliousness; superiority
Überlegung *f.* reflection
Überlieferung *f.* tradition
übermannt overcome
übermäßig excessive
übermorgen day after to-morrow
Übermut *m.* arrogance; restlessness
übernacht over night
über=nehmen accept, take over
Überprinz *m.* -en super-prince
überraschen surprise
überreizt provoked
Überrest *m.* -e left-over, remainder
überschatten shade
Überschätzung *f.* exaggerated appreciation
überschreiben superscribe, address
überschreien out-scream, drown out
Überschrift *f.* superscription
überschwenglich exuberant, enthusiastic
übersehen overlook
übersenden send
über=setzen leap
übertragen perpetuate
überwachen uphold
überwuchern overgrow
überzeugend convincing
Überzeugung *f.* conviction
überzogen covered with, upholstered
üblich customary
übrig over; im -en otherwise, as to the rest, moreover; die Übrigen the others
übrigens moreover; by the way
übrig=lassen leave

Übung *f.* rehearsal
Ufer *n.* —, shore
Uhr *f.* clock, watch
Uhrwerk *n.* -e clockwork
um=ändern change about; reverse
umarmen embrace
um=bringen kill
umdrängen crowd around
um=fallen (f.) fall over; swoon
um=faffen embrace
Umgang *m.* -e association
umgarnen ensnare
umgeben surround
Umgegend *f.* surrounding country
umgekehrt inverted; on the other
  hand, the reverse
umgleiten glide around
umglühen surround, encircle with
  warmth
umher=fahren (f.) move around
umher=irren (f.) wander around
umher=rennen (f.) run around
umher=treiben *refl.* loaf, dally
um=kehren (f.) turn around, turn
  upside down
umklammern encircle, grasp
um=kommen (f.) die, perish
umkränzen festoon, garland
Umkreis *m.* -e radius
umkreisen encircle
um=nehmen wrap about
umpanzern encase with steel
umringen surround
Umriß *m.* -e outline
Umsatz *m.* -e sales, business
um=schauen look around
umschließen surround
umschlingend hugging
umschwärmen hover around
umschwebt surrounded
um=setzen trot around
umsichtig circumspect
um=sinken (f.) fall over
umsonst for nothing; in vain
umsponnen entwined

Umstand *m.* -e circumstance;
  trouble
umständlich circumstantial, vex-
  atious
Umständlichkeit *f.* circumstantial-
  ity
umstrahlt irradiated
Umsturz *m.* downfall
Umtrunk *m.* drinking by turns
um=tun *refl.* look around in
  search of
um=wandeln transform into
Umweg *m.* -e detour
um=wenden *refl.* turn around
um=werfen knock over
um=winden, a, u surround
umzingeln surround
unabhängig independent
unabwendbar inescapable
unangebracht unusual, improper
unangefochten unchallenged
unangenehm disagreeable
unangreifbar beyond attack, im-
  mune
Unart *f.* rudeness
unauffällig without undue display
unaufhaltsam irresistible
unaufhörlich incessant
unbändig unbounded
unbeachtet unnoticed
unbedeckt uncovered
unbedenklich without reasoned
  hesitation
unbedingt unconditional
unbedroht unthreatened
unbefugt unauthorized
unbegreiflich incomprehensible
unbehaglich uncomfortable
unbeherrscht undisciplined
unbeirrbar undaunted
unbeirrt undismayed
unbekannt unknown
unbemerkt unnoticed
unbepflogen unattended, unvis-
  ited

unberaten embarrassed; unadvised

unbeſchrien uncalled for; absit omen; let the devil rest!

unbeſtimmbar indeterminable

unbeteiligt disinterested, unconcerned

unchriſtlich unchristian

undeutlich indistinct

· undurchdringlich impenetrable

uneigennützig unselfish

uneingeſchränkt unlimited

unendlich infinite

unentbehrlich indispensable

unerbittlich inexorable

unerfüllt unfulfilled

unergiebig unproductive

unergründlich unfathomable

unerhört matchless, unparalleled

unermeßlich immeasurable

unermüdlich untiring, incessant

unerquicklich unedifying

unerträglich intolerable

unerwartet unexpected

Unfähigkeit f. inability

unfehlbar without fail

unfrei bound

unfroh unhappy

unfruchtbar fruitless

ungeachtet despite

ungebärdig fractious

ungebräuchlich unusual

ungebunden undisciplined

Ungeduld f. impatience

ungeduldig impatient

ungefähr approximately

ungeheuer enormous, monstrous

ungeheuerlich enormous

ungelenk clumsy, inflexible

ungemein unusual

ungeordnet inordinate

Ungerechtigkeit f. injustice

ungeſtüm impetuous

ungeſund unhealthy

ungewiß uncertain

Ungewißheit f. uncertainty

Ungewitter n. —, storm

Ungeziefer n. vermin

Ungezogenheit f. wantonness, ill-breeding

Unglaube m. disbelief

ungläubig heathen

unglaublich unbelievable

ungleich unequal, incongruous; far

unglimpflich harsh

Unglücksfall m. -̈e accident

ungünſtig unfavorable

Unheil n. -e disaster, misfortune

unheilvoll mischievous, pernicious; uncanny

unheimlich uncanny

Unhold m. -e fiend, monster

Uniform f. uniform

unkenntlich unrecognizable

Unkenntnis f. -ſe lack of information

unklug stupid

Unklugheit f. stupidity

unkündbar non-redeemable

unlieb disagreeable

unmittelbar direct, immediate

unmöglich impossible

Unmut m. indignation; despondency

unmutig angry

unnachſichtlich sternly

unnütz useless, ineffectual

Unordnung f. disorder

Unparteilichkeit f. non-partisanship

Unraſt f. unrest

Unrat m. rubbish, dirt; lather

Unregelmäßigkeit f. irregularity

unrein unclean

unrichtig incorrect

Unruhe f. restlessness, unrest

unruhig restless

unſanft harsh

unfauber untidy
unfdidlid) undignified
unfdlüffig indefinite, vague
unfdön ugly
unfdulbig innocent
unfelig unhappy; damned
unfereiner one of us
unfider uncertain
Unfiderheit f. uncertainty
unfidtbar invisible
Unfinn m. nonsense
unfterblid immortal
unftet unsteady
untabelig irreproachable
unten at the bottom; down-
stairs
unterbreden interrupt
unterdes, unterdeffen in the meanwhile
unterbrüden suppress
Untergang m. -e destruction,
downfall; decadence
untergebradt fixed up, cared for
unter=gehen (f.) set
Untergrundbahn f. subway
unterhalten entertain
Unterhaltung f. amusement, en-
tertainment
Unterhandeln n. negotiation,
business
unterlaffen neglect, omit
unternehmen undertake
Unternehmung f. undertaking,
enterprise
Unterridt m. instruction
unterridten instruct, inform
unterfagen forbid
unterfdeiden, ie, ie differentiate
Unterfdied m. -e difference
Unterfdlüpfden n. —, hiding
place
unterfdreiben sign
unterfekt short, corpulent
unterfuden examine
Untertan m. -en subject

unterwegs on the way
unterwerfen subject
unüberwindlid irresistible, re-
doubtable
unumfdränft unlimited
unverhältnismäkig inordinately,
disproportionately
unverheiratet unmarried
unverhofft unexpected
unvermeidlid inevitable
unvernünftig unreasonable
unverfehens unawares; without
being noticed
unverfehrt unhurt
unverftändlid unintelligible
unverträglid intolerable; uncon-
ciliatory
unverwelflid imperishable
unverwifdbar indelible
unverwüftlid indestructible
unverzüglid without delay
unvorbereitet unprepared
unvornehm unrefined
unvorfidtig incautious
unweigerlid instantly; without
doubt, without opposition
unweit not far from
Unwefen n. nuisance
Unwetter n. —, bad weather
unwiderruflid irrevocable
Unwiederbringlidfeit f. irrevo-
cability
unwillig indignant; unwilling
unwirfd morose, testy, harsh
Unwiffenheit f. ignorance; inno-
cence
unwohl unwell
unzählig countless
Unzufriedenheit f. dissatisfaction
uralt primeval
Urfunde f. document
Urlaub m. furlough, vacation
urplötlid all of a sudden
Urfade f. cause, origin
Urfprung m. -e origin

ursprünglich original
Urteil n. -e judgment, opinion
Urzeit f. primeval times
u. dergl. and so on
u. ſ. w. and so forth

B

Vagabond m. -en vagabond
Valet n. farewell
Vasall m. -en vassal
Vater m. ⸗ father
Vaterland n. ⸗er fatherland
väterlich paternal
Vaterstadt f. ⸗e native city
Venndorf n. ⸗er village in the Venn
Venngebiet n. -e district of the Venn
verabſäumen neglect
Verachtung f. contempt
verachtungsvoll contemptuous
verändern change
Veränderung f. change
veranlaſſen cause
Veranlaſſung f. occasion
veranstalten arrange
verantworten be responsible for
Verantwortung f. responsibility
verarbeitet worked; manufactured; pulled to pieces
verbauern sink to level of peasant
verbeißen stifle, suppress
verbeſſern improve, correct
verbeugen refl. bow
Verbeugung f. bow
verbieten, o, o forbid
verbinden unite; blindfold
verbindlich obliging, binding
Verbindung f. union
verbiſſen sullen
verbitten discountenance
verbleiben (ſ.) remain
verblüfft amazed
Verbot n. -e forbiddance

verbrauchen use up
verbrausen (ſ.) subside
Verbrecher m. —, criminal
verbrecheriſch criminal
verbreiten spread
verbrennen burn up
verbringen spend, consume
Verbrüderung f. affiliation
verbuchen book; record
verbuckelt bent, buckled
verbunden bandaged
Verdacht m. suspicion
verdächtig suspicious
verdammt damned
verdecken conceal
verdenken take amiss, blame
Verderben n. ruin
verderblich ruinous
Verdienen n. earning capacity
verdienen earn; deserve
Verdienst n. -e merit
verdorrt dried up, dead
verdrängen displace
verdrehen roll around, twist
verdrießlich annoying
Verdrießlichkeit f. annoyance
verehren honor
verehrt honored, worthy
Verein m. -e club
vereinbar consistent
vereinigen unite
Vereinsdichtung f. poetry for clubs
vererben bequeath
Verfahren n. —, conduct; method
verfallen (ſ.) succumb to; fall into; think of
verfehlen miss
verfeinden refl. fall out with
verfinstern make totally dark
verfloſſen past
verfluchen curse
verflüchtigen refl. take flight
verfolgen follow, pursue
Verfolger m. —, persecutor

verfolgungswahnsinnig insane from the mania of persecution

verfügen dispose of, attend to

verführen carry on; seduce

Vergangenheit f. past

vergeben forgive

vergeblich ineffectual; in vain

Vergeblichkeit f. uselessness

vergegenwärtigen visualize

Vergehen n. —, misdemeanor

vergehen (f.) vanish, pass by; perish

vergessen, a, e forget

vergeuden waste, spend

vergießen shed

vergleichen, i, i compare

Vergnügen n. —, pleasure, satisfaction

vergnügt happy

Vergnügung f. pleasure

Vergnügungslokal n. -e place of (ordinary) amusement

Vergnügungssucht f. love of pleasure

vergrämt careworn

vergrößern enlarge

verhallen (f.) die away

verhalten hold back; refl. be thus and so, react

Verhältnis n. -se relation

verhangen covered with

verharren remain, persist

verhassen hate

verhauen beat up

verheeren devastate

verhehlen conceal

verheiraten refl. get married

Verheiratung f. marriage

verheißen promise

verhelfen help

verhöhnen scorn, deride

Verhöhnung f. derision

Verhör n. -e cross-examination

verhunzen spoil, bungle

verhüten prevent

verhutzelt shriveled

Verjüngung f. rejuvenation

Verkältung f. cold

Verkappung f. disguise

verkaufen sell

Verkäufer m. —, seller, salesman

Verkehr m. association

verkehren associate

Verkehrsding n. -e matter of transportation

verkehrsreich crowded with traffic

verklagen prefer charge against; sue

verklären transfigure, clarify

verkleidet masked, disguised

verklingen, a, u resound; die out

verknotet knotty, tangled

verkommen (f.) go to ruin

Verkommenheit f. decadent weakness

verkrümmt crooked

verkümmern (f.) pine away; embitter

verkündigen proclaim

Verkündigung f. proclamation, annunciation

verladen place on board

Verlag m. publication

Verlagshaus n. -er publishing house

verlangen demand, desire

verlangsamen slow down

Verlaß m. reliance

verlassen, ie, a leave, abandon; refl. depend

Verlassenheit f. desertion, isolation

Verlaub m. permission

Verlauf m. close

verlaufen go; refl. lose one's way

verlegen embarrassed, confused

Verlegenheit f. embarrassment

Verleger m. —, publisher

verleiden disgust, spoil

verleidet made distasteful

verleben offend
verliebeln spend time flirting, philander
verlieben *refl.* fall in love
verlieren, o, o lose; sich in schlechte Folgen —, come to bad end
Verließ *n.* -e keep, dungeon
Verlöbnis *n.* -se engagement
Verlockung *f.* temptation
Verlogenheit *f.* mendacity, lying disposition
Verlust *m.* -e loss
vermachen give to
vermaledeit cursed; confounded
vermehren *refl.* increase
vermeiden, ie, ie avoid
vermeint meant for
Vermerk *m.* -e remark
vermessen bold
vermessen *refl.* make bold
vermieten rent
vermissen miss
vermittelst by means of
vermögen be able
Vermögen *n.* —, property, holdings; ability
vermöglich well-to-do
vermuten suppose
Vermutung *f.* supposition
vernehmbar audible
vernehmen, vernahm, vernommen hear
vernehmlich audible
verneigen bow
vernichten destroy
Vernichtung *f.* destruction
Vernichtungswut *f.* mania of destruction
vernickelt nickel-plated
Vernunftgrund *m.* -e reasonable argument
vernünftig reasonable, intelligent
veröffentlichen publish
verordnen order, rule
Verrat *m.* treachery

verraten, ie, a betray, reveal; lose
verregnet spoiled by rain
verrichten say; do, execute
verrissen torn, tattered
Vers *m.* -e verse
versagen go back on, fail to function, fail
versammeln assemble
Versammlung *f.* meeting, session
versäumen hesitate, delay, forget; neglect
Versäumnis *f.* -se neglect
verschaffen procure
verschämt bashful
verschändet disgraced
verscheiden (f.) die, decease
verschenken give away
verschieden varied, various, different
verschimmeln mould
verschlafen sleepy-headed, drowsy
verschlagen cast
verschlendern waste, spend
verschließen close, lock
verschlingen, a, u swallow
verschlossen closed; mute
verschmachten languish
verschmecken taste
verschmiert dirty
verschnaufen *refl.* recover
verschreckt terrified
verschreiben prescribe
verschüchtern intimidate
verschütten fill with débris, choke
verschwinden, a, u (f.) disappear, vanish
Verschwörung *f.* conspiracy
versehen provide; attend to; *refl.* be aware of
Versemachen *n.* making of verses
versengen singe
versetzen put, place; transpose; reply
Versfuß *m.* -e metrical foot
versichern assure; *refl.* get control

Verſicherung *f.* assurance, certainty; fire and life insurance

verſiegeln seal

verſöhnen reconcile

verſorgen look after

Verſorgung *f.* care, maintenance, provision

verſpätet delayed

Verſpätung *f.* delay

verſperrt blocked, gone

verſpielen gamble away

verſprechen, a, o promise

Verſprechen *n.* —, promise

verſpüren detect, feel

Verſtand *m.* good sense, reason

verſtändig sensible

Verſtändnis *n.* understanding, appreciation

verſtändnislos senseless, unintelligent, unappreciative

verſtauen stow away

verſtecken conceal

verſtehen, verſtand, verſtanden understand

verſtellen *refl.* dissemble

verſterben, a, o (ſ.) die out

verſtockt stubborn

verſtohlen stealthy

verſtört distracted, deranged

verſtoßen repudiate

Verſtoßung *f.* expulsion; disinheritance

verſtreichen (ſ.) elapse; be eclipsed; slip by

verſtummen (ſ.) become mute; die out

verſtummt silent, dazed

Verſuch *m.* -e attempt

verſuchen try

verſuchsweiſe by way of experiment

verſunken absorbed

Verſunkenheit *f.* interest in one's task, absorption; degradation

verteidigen defend

Verteidigung *f.* defense

verteilen share, distribute

vertiefen *refl.* absorb

Vertiefung *f.* absorption

vertonen set to music

Vertrag *m.* ⸗e contract; treaty

vertragen tolerate

Vertrauen *n.* confidence

vertrauenerweckend confidence-inspiring

vertrauensvoll full of confidence

vertraulich trusting

verträumt dreamy, visionary, absent-minded

vertraut confidential, chummy, known, familiar

vertreiben spend, circulate

vertreten, a, e represent

vertrinken consume by drink, drink up

vertrocknet dried up

verurſachen cause

verurteilen condemn

verwandelt transformed

Verwandte *m.* -n relative

Verwandtſchaft *f.* relationship, affinity

verwarten spend in waiting

verwechſeln confuse, mix

verwegen bold

verwehen (ſ.) blow over, disappear

verweichen make soft

verweigern refuse

verwelken (ſ.) wither

verwenden use; apply; turn

verwerfen reject

verwerflich despicable

verwirrt confused, abashed

Verwirrung *f.* confusion

verwöhnen spoil

verworren confused, obscure

verwunderlicherweiſe in remarkable fashion

verwundern amaze

Verwunderung *f.* amazement

verwundet wounded
verwunſchen enchanted, cursed
verwurſteln mess up
verwüſten devastate
verzaubert enchanted
verzehren consume, eat; absorb
verzeihen, ie, ie *intr.* pardon
verzerren distort
verzichten renounce, decline
verziehen distort, move; *refl.* disappear
verzieren adorn
verzögern delay
verzweifelnd in despair, despairing
Verzweiflung *f.* despair
Verzweiflungskampf *m.* ⸚e desperate struggle
verzweigen *refl.* branch out
verzwickt quaint; intricate
verzwingen force
Vetter *m.* –s, –n cousin
Vieh *n.* beast
viel much
vielgeſtaltig ramified, multiform
vielleicht perhaps
vielmehr rather, on the contrary
Viertel *n.* —, fourth, quarter
Vierteljahr *n.* –e quarter of a year
Vierteljahrsſchrift *f.* quarterly magazine
Viertelſtunde *f.* quarter of an hour
vierzigjährig of forty years
Villa *f.* –en villa
Violincello *n.* –s cello
Virtuoſenfahrt *f.* journey of a virtuoso
viſiern visa, inspect
Viſion *f.* vision
viſitieren examine, search one's clothing
Vogel *m.* ⸚ bird
Volk *n.* ⸚er people
Volksmann *m.* ⸚er champion of the people

Volksnot *f.* need of the people
voll full, complete
Vollbeckſch⸗ of the Vollbeck family
vollbringen complete
vollends completely
Vollendung *f.* perfection
voller full of
völlig complete
vollkommen perfect
Vollmondnacht *f.* ⸚e night of full moon
voll⸗pfropfen pump full
voll⸗ziehen *refl.* take place; execute
von: — alters her of long ago; — vornherein from the very beginning
Vorabend *m.* –e evening before
voran in the lead, at the head of
vorauf⸗ſpringen (ſ.) run ahead
voraus⸗eilen (ſ.) hasten ahead
vorbei⸗gehen (ſ.) pass by
vorbei⸗huſchen (ſ.) whisk by
vorbei⸗kommen (ſ.) pass by
vor⸗bereiten prepare
Vorbereitung *f.* preparation
vor⸗beugen *intr.* prevent; anticipate
vordem previously
vorder front, anterior
Vordermann *m.* ⸚er man in front row
Vorderpfote *f.* front paw
vorerſt first of all; at first
vor⸗erzählen relate to
Vorfall *m.* ⸚e incident
vor⸗fallen (ſ.) occur
vor⸗finden find, be
Vorgang *m.* ⸚e incident
vor⸗geben give as a reason, pretend
Vorgebirg *n.* –e nearest range of mountains, foothills
vor⸗gehen (ſ.) proceed; happen
vor⸗geigen play on violin (*as leading instrument*)

vorgerückt advanced
vorgesehen predetermined
Vorhaben n. —, plan, scheme
Vorhalle f. waiting room, antechamber
vor=halten reproach
vorhanden extant, at hand
Vorhang m. ⸗e curtain
vorher formerly
vorher=bestimmen predestine
vorhin formerly; a little while
ago
vorig previous
vor=kommen (f.) happen
vorläufig for the time being
vor=leben live as an example
vor=lesen read aloud
vor=lügen tell lie; lie to
vormittags in the forenoon
vorne in front; nach —, forward
vornehm dignified, aristocratic
vor=nehmen undertake; take in
one's hand, look at; refl. decide
Vorrat m. ⸗e supply
Vorratskammer f. pantry, store-
room
Vorraum m. ⸗e antechamber
Vorrichtung f. contrivance; arrangement; apparatus
Vorsatz m. ⸗e resolution, plan,
principle
Vorschein m. view, appearance
vor=schieben project
vor=schreiten (f.) advance
Vorschrift f. ordinance
Vorschuß m. ⸗e loan
Vorsicht f. caution
vorsichtig cautious
Vorsitz m. chairmanship
Vorsitzende m. -n chairman
vor=spielen play prelude
Vorsprung m. ⸗e jetty
vor=stellen introduce; represent;
refl. imagine, fancy

Vorstellung f. idea, notion, picture; theater performance
Vorteil m. ⸗e advantage, profit
vor=tragen tell, relate; render
vortrefflich admirable
vor=treten (f.) a, e step up, come
to the fore
vorüber=folgen (f.) pass by
vorüber=gehen (f.) pass by
vorübergehend ephemeral, passing
vorwärts forward
vorwärts=kommen (f.) make progress
vorwegs beforehand
vor=werfen reproach
Vorwerfer m. —, out-post guard;
gate-keeper
vorwitzig indiscreetly pert
Vorwurf m. ⸗e reproach
Vorzeit f. early times, prehistoric
ages
vor=ziehen prefer
Vorzimmer n. —, antechamber
Vorzug m. ⸗e good point; preference
vorzüglich excellent
vulgär vulgar

W

wach alert; awake
wachen watch, be awake
wachgerüttelt aroused from sleep
wach=liegen lie awake
Wachs m. wax
wachsam vigilant
Wachsamkeit f. watchfulness
wachsen, u, a (f.) grow
Wachskruste f. piece of wax
Wachsoldat m. -en guard
Wächter m. —, guard, watchman
Wachtfeuer n. —, signal fire
Wachtmeisterschnauzbart m. ⸗e
ferocious-looking mustache of
a sergeant-major

wackeln shake, wag, waddle
wacker valiant, excellent
Wade f. calf of leg
Waffe f. weapon
Waffel f. waffle
Waffenglanz m. splendor of arms
wagen dare, risk
Wagen m. —, wagon; railway coach
Wagenführer m. —, driver
wagerecht horizontal
Wagner m. —, wheelwright
wählen choose
Wahn m. delusive notion
wähnen fancy, think; suppose
wahnsinnig insane
wahr true
wahren protect; keep from
währen last
während during, while; whereas
wahrhaft true
Wahrheit f. truth
wahr=nehmen observe
wahrscheinlich probable
Wahrscheinlichkeit f. probability
Wahrung f. preservation; vindication
Währung f. standard coinage
Wald m. ⸚er forest
Waldarbeiter m. —, woodchopper, worker in forest
Waldbank f. ⸚e bench in the woods
Waldesduft m. ⸚e fragrance of forest
Waldesruhe f. quiet of the forest
Waldsaum m. ⸚e edge of the woods
Waldschulmeister m. —, forest school teacher
walken thrash
wallen flow
Walzer m. —, waltz
Wams n. ⸚er doublet
Wand f. ⸚e wall

Wandel m. change
wandeln (h.) transform; (f.) stroll, walk
Wanderer m. —, wanderer
Wanderjahr n. ⸚e wander year
wandern (f.) or (h.) wander
Wanderstab m. ⸚e staff, crook
Wanderstecken m. —, staff
Wanderung f. wanderings, travels, journey
Wandlung f. transformation
Wandschränkchen n. —, wall cabinet
Wange f. cheek
wanken (h.) and (f.) shake; totter; waddle
Wanst m. ⸚e belly
Wappen n. —, coat-of-arms
Ware f. ware, goods
warm warm
Wärme f. warmth
wärmen warm
warnen warn
Warnung f. warning
warten wait
Warteräumchen n. —, little waiting room
warum why; — denn? pray why?
was: — für ein what sort of
Waschbecken n. —, wash basin
Wäsche f. linen, clothes
Wäschelaken n. —, sheet
waschen, u, a wash
Wasser n. water
Wasserleitung f. water supply
Wassermaus f. ⸚e water mouse; rat
Wasserschöpfer m. —, water scoop
Wasserschwall m. flood
Wasserstiefel m. —, hip boots
Wasserstrahl m. -s, -en stream of water
waten wade
weben weave
Websaal m. —säle weaving room

Webstuhl *m.* ⸗e loom

Wechsel *m.* —, exchange

Wechselgespräch *n.* —, conversation

wechseln change, exchange

wechselvoll varied

wecken wake

wedeln wag

weder neither; — . . . noch neither . . . nor

Weg *m.* -e way, road; life

Wegelagerer *m.* —, bandit, highwayman

weg⸗räumen clear away, throw over

Wegsaum *m.* ⸗e roadside

weg⸗streichen, i, i stroke away

weg⸗werfen throw away

wegwerfend disparaging

Weh *n.* woe; in den Wehen liegen be in childbirth

weh: — tun hurt

wehen blow

Wehlaut *m.* -e moan

Wehmut *f.* melancholy

Wehr *f.* defense; zur — setzen defend oneself

wehren *refl.* object, oppose

Wehrpfennig *m.* -e toll for military defense

Weib *n.* -er woman

Weibermund *m.* -e woman's mouth

Weiberstimme *f.* woman's voice

Weiblein *n.* —, woman, poor woman

weiblich female

Weiblichkeit *f.* women folks

weich soft, gentle

Weiche *f.* switch

weichen, i, i (s.) yield, withdraw

Weichheit *f.* tenderness

Weide *f.* pasture, meadow

Weidenstuhl *m.* ⸗e willow chair

Weidmesser *n.* —, hunting knife

Weihe *f.* solemnity

Weihnachtsbaum *m.* ⸗e Christmas tree

Weihnachtsfest *n.* -e Christmas celebration

Weihnachtsgedicht *n.* -e Christmas poem

Weihnachtsteller *m.* —, Christmas plate

Weihrauch *m.* incense

weiland whilom, former

Weile *f.* short while

Weimarer (of) Weimar

Wein *m.* -e wine

Weinberg *m.* -e vineyard

weinen weep

weinerlich whimpering

Weise *f.* fashion, way

weise wise

weisen, ie, ie point

Weisheit *f.* wisdom

weiß white

weißen whitewash

weißgepudert covered white with dust (*of road*)

weißlich whitish

weißrosig white and red, pinkish

Weißwurst *f.* ⸗e cheap sausage

weit far, wide

weitaus by far

weiten *refl.* expand

Weiterbeförderung *f.* further transportation

weiter⸗gehen (s.) proceed

weiterhin furthermore

weither far away

weithin all around

Weizen *m.* wheat

Welle *f.* wave

Welt *f.* world; alle —, everybody

Weltbild *n.* -er picture of the world

Weltfreund *m.* -e friend of the world

Weltgeschehen *n.* affairs of the world

wenden, wandte, gewandt turn
weniger fewer, less
wenigſtens at least
werben, a, o woo
werden, ward *or* wurde, geworden
  (ſ.) become, be
werfen, a, o throw; give birth to
Werk *n.* -e work
Werkführer *m.* —, foreman
Werkleute *pl.* workingmen
Werktag *m.* -e work day
werktäglich everyday
Werkzeug *n.* -e tool
Wert *m.* -e value
wert worthy
Weſen *n.* —, being; truth
weſenhaft substantial
weſentlich essential
weshalb why
Weſpe *f.* wasp
Wette *f.* wager; um die —, with
  all one's might
wetteifern compete, rival
Wetter *n.* weather
wetterbeſtändig weather-proof
Wetternacht *f.* ⸗e stormy night
Wetternaſe *f.* nose for weather
Wetterwolke *f.* storm cloud
Wichs *m.* student full dress
Wichſe *f.* shoe polish
wichſen polish, shine
wichtig important
Wichtigtuerei *f.* boasting
widerborſtig stubborn
widerfahren, u, a (ſ.) happen to
wider⸗hallen echo
widerlich repulsive
widerrechtlich contrary to law
Widerſchein *m.* -e reflection
widerſetzen *refl.* resist
widerſprechen *intr.* contradict
Widerſpruch *m.* ⸗e contradiction
widerſtandslos without resistance
widerſtehen *intr.* resist
Widerwille *m.* reluctance

widerwillig obstinate; repulsive
Widmung *f.* dedication, conse-
  cration
widrig repulsive
wieder again
Wiederaufbau *m.* reconstruction
wieder⸗erlangen get back, restore
wiederholen repeat
wieder⸗kehren (ſ.) return
wieder⸗ſehen see again
Wiege *f.* cradle
wiegen rock
wiegen, o, o weigh
Wieſe *f.* meadow
Wieſenplan *m.* ⸗e meadow
Wieſenſchaumkraut *n.* lady's
  smock; cuckoo-flower
Wieſenweg *m.* -e path through
  meadow
wieviel how much
wild wild
Wille *m.* -ns, -n will
willenlos without will power
willenſtark strong-willed
willkommen welcome
wimmern whine, whimper
Wimper *f.* eyelash
Wind *m.* -e wind
winden, a, u wind, wrap
Windhauch *m.* -e breath of air
Windlicht *n.* -er protected candle
Windſtille *f.* calm
Wink *m.* -e hint, suggestion
Winkel *m.* —, corner
winken beckon
winſeln whimper, whine
Winter *m.* —, winter
winzig tiny, trifling
wippen see-saw; sway
wirken work; be of influence
wirklich real
Wirklichkeit *f.* reality
Wirkung *f.* effect
Wirkungskreis *m.* -e circle of
  activity

wirr distracted

wirten take in guests

Wirtsbauch *m.* ⸗e landlord's stomach, beer-belly

Wirtschaft *f.* household; — führen keep house; run a farm

Wirtschafterin *f.* –nen housekeeper

Wirtshaus *n.* ⸗er inn

Wirtsstube *f.* inn, tavern room

wischen wipe

Wischtuch *n.* ⸗er handkerchief, napkin

wissen, wußte, gewußt know

Wissenschaft *f.* science

wissenschaftlich scientific

wittern scent, detect

Witwe *f.* widow

Witz *m.* –e wit, esprit; joke

witzig witty

wo where

wobei at which, whereat

Woche *f.* week

Wochenblatt *n.* ⸗er weekly publication

Woge *f.* billow

wogen wave, sway, roll

wohin whence

wohl well, indeed; I presume, probably

wohlausreichend adequate

wohlbehütet well-guarded

wohlbekannt well-known

wohleingerichtet well-ordered

Wohlergehen *n.* well-being, prosperity

wohlerzeugt well-bred

wohlfeil cheap

wohlgebildet well formed

Wohlgefallen *n.* pleasure, satisfaction

wohlgefällig pleasant, self-complacent

wohlgemut cheerful

wohlgerüstet well-equipped

wohlgesetzt well-used

wohlgezogen well-bred

wohlhabend well-to-do

Wohlhabenheit *f.* wealth, prosperity

wohlig agreeable

wohlmeinend well-meaning

Wohltat *f.* benevolent deed

Wohltäter *m.* —, benefactor

wohltätig benevolent

wohlverdient well-earned

wohlwollend well-wishing, benevolent, well-intentioned

wohnen live, reside

wohnlich livable, comfortable, habitable

Wohnstätte *f.* dwelling place

Wohnstube *f.* living room

Wohnung *f.* dwelling, apartment

wölben *refl.* arch

Wölbung *f.* vault, nave

Wolkenbild *n.* ⸗er cloud picture; cloud formation

Wolkengebilde *n.* —, cloud formation

Wolkengesicht *n.* –e cloud vision

wolkenlos cloudless

Wolle *f.* wool

wollen wish; claim; be on point of; require

Wollpfropfen *m.* woolen stopper

Wollzeug *n.* wool

womöglich if possible

wonnig lovely, ecstatic

Wort *n.* ⸗er *or* –e word; statement; — nehmen begin to speak

Wortgebild *n.* –e word formation

wörtlich literal

wortlos speechless, silent

Wortreigen *m.* dance of words

Wortschwall *m.* fustian

Wrack *n.* –e wreck

wuchern practise usury

Wucht *f.* weight, force, momentum

wuchtig weighty, with heavy tread, ponderous
wühlen rage; burrow
wulstig tumid
wund sore
Wunde f. wound
Wunder n. —, miracle, wonder
wunderbar wonderful
wunderherrlich glorious
wunderlich queer
Wundermädchen n. —, marvel of a girl
wundern refl. be surprised; es wundert mich I am surprised
wunder=nehmen surprise
wunderschön fine
Wunsch m. ⸗e wish
wünschen wish
Würde f. dignity, honor
Würdenträger m. —, dignitary
Würfelspiel n. -e game of dice
Wurfgeschoß n. -e dirt ball; missile
Wurm m. ⸗er worm
wurmen make angry, provoke
Wurst f. ⸗e sausage
Wurzel f. root
Würzgärtlein n. —, garden of fragrant herbs
Wut f. wrath, rage
wüten rage
wütend raging

3

zackig jagged
zäh tough
Zähigkeit f. tenacity
Zahl f. number
zahlen pay
zahllos countless
zahlreich numerous, large
Zahn m. ⸗e tooth
zahnlos toothless
Zahnreihe f. row of teeth

Zapfenstreich m. -e taps
zappeln dangle, wiggle
zart delicate
Zartheit f. delicacy
zärtlich delicate, tender
Zärtlichkeit f. affection
Zauber m. spell
Zauberei f. witchcraft
Zauberer m. —, magician
zauberisch magic
Zaun m. ⸗e hedge
z. B. = zum Beispiel for instance
Zeche f. bill, reckoning, score
Zehe f. toe
Zehenspitze f. tip of the toe
zehnklingig with ten blades
zehnmal ten times
Zehnte m. -n tithe
zehren eat, consume; gnaw
Zeichen n. —, sign; seines —s by trade
zeichnen draw, sketch
zeigen show, reveal; refl. appear
Zeile f. line
Zeit f. time
Zeitenernst m. seriousness of the age
Zeitlang f. some time
zeitlebens all one's life
Zeitpunkt m. -e right time; epoch
Zeitrechnung f. era
Zeitschrift f. publication
Zeitung f. newspaper; Kölnische —, Cologne daily
Zeitungsbericht m. -e newspaper report
Zeitungsverkäufer m. —, news (and refreshment) seller
zerbersten (f.) burst
Zerbrechlichkeit f. fragility
zerbrochen crushed, broken
zerdrücken suppress, crush
zersetzen tear to shreds
zerflattern die out
zerklüftet disruptured, full of fissures